D1029627

WAS IST AUFKLÄRUNG?

WAS IST AUFKLÄRUNG?

Beiträge aus der Berlinischen Monatsschrift

In Zusammenarbeit mit Michael Albrecht
ausgewählt, eingeleitet und mit Anmerkungen versehen von
NORBERT HINSKE

1973
WISSENSCHAFTLICHE BUCHGESELLSCHAFT
DARMSTADT

Unveränderter reprographischer Nachdruck der im ›Inhalt‹ näher bezeichneten Beiträge aus der Berlinischen Monatsschrift. Erster bis
siebenter Band, Berlin 1783 bis 1786. Bei Haude und Spener (vormals
Johann Friedrich Unger).

wb Bestellnummer: 4564

© 1973 by Wissenschaftliche Buchgesellschaft, Darmstadt
Satz: Maschinensetzerei Janß, Pfungstadt
Druck und Einband: Wissenschaftliche Buchgesellschaft, Darmstadt
Printed in Germany

ISBN 3-534-04564-5

INHALT

Einleitung

Ausgewählte Beiträge aus der „Berlinischen Monatsschrift"

Inhalt VII

Anmerkungen zu den einzelnen Beiträgen

Inhalt

Ich würde zufrieden seyn, wenn die Züge, die ich zum Bilde der Aufklärung lieferte, der Wahrheit so nahe kämen, daß mancher ehrliche Gegner derselben ihr wahrer Freund, und mancher ihrer falschen Freunde — sey es! — ihr Feind würde.

Karl Leonhard Reinhold
Gedanken über Aufklärung

Norbert Hinske

EINLEITUNG

I. Die Absicht des Bandes

Der vorliegende Sammelband, vom Verlag mit großer Liebe ausgestattet, mag in dem heutigen Leser den Eindruck des Antiquarischen hervorrufen. Kupferstiche, Allegorien, Reminiszenzen an die königliche Residenzstadt Berlin — das alles scheint eine versunkene Welt beschwören zu wollen. Demgegenüber sei gleich auf der ersten Seite festgestellt: Die Absicht des Bandes ist zuerst und zunächst keine historische. Noch weniger verfolgt er den Zweck, die Bedürfnisse eines bibliophilen Luxus zu befriedigen. Sein erstes und vornehmstes Interesse gilt vielmehr der Sache. Es gilt der Sache Aufklärung.

Der Begriff der Aufklärung droht in der gegenwärtigen Diskussion mehr denn je Sinn und Kontur zu verlieren. Er ist wie kaum ein anderer Begriff in Gefahr, zur Leerformel zu verblassen oder, von Freund und Feind gleichermaßen verkürzt, zum Schlagwort herunterzukommen. Ja, er ist in Gefahr, sich in sein Gegenteil zu verkehren und zum handlichen Erpressungsmittel zu werden, gerade gut genug, den eigenen Vorurteilen Eingang zu verschaffen.[1] Demgegenüber

[1] Eine der Quellen dieser Fehlentwicklung ist allem Vermuten nach in der *Dialektik der Aufklärung* von Max

soll die Rückbesinnung auf die historische Diskussion an jene Inhalte und Überzeugungen erinnern, ohne die der Begriff seinen Sinn verlieren muß. So gesehen ist die Wiederholung der Frage: Was ist Aufklärung?, um die sich der vorliegende Sammelband bemüht, eine philosophische Notwendigkeit par excellence der Gegenwart.

Horkheimer und Theodor W. Adorno, Frankfurt am Main ²1969 (¹1947) zu suchen. Die Blindheit der Autoren gegenüber allen Problemen der Begriffsgeschichte, die Verwendung des Begriffs Aufklärung, die ja ursprünglich an eine bestimmte Epoche gebunden ist, als geschichtsphilosophische Grundkategorie, die unkontrollierte Rückverlagerung des Begriffs auf frühere und frühste Epochen (vgl. S. 51 f.) sowie die selber nicht mehr reflektierte Tendenz, Begriffe wie Aufklärung und Wahrheit „nicht bloß als geistesgeschichtliche sondern real zu verstehen" (S. 4) — das partielle Recht einer solchen, gesellschaftsbezogenen Betrachtungsweise soll damit nicht in Abrede gestellt werden — haben im vorliegenden Fall dazu geführt, den Begriff der Aufklärung jeder überprüfbaren historischen Konkretisierung zu entziehen. So ist das Buch voll von beliebig verwendbaren Leerformeln — Aufklärung als „fortschreitendes Denken" (S. 9, 51), „Entmythologisierung" (S. 22), „Entfesselung der Kräfte, allgemeine Freiheit, Selbstbestimmung" (S. 100) usw. usw. — und groben Entstellungen. Dahin gehört nicht zuletzt die These von der Ziel- und Inhaltslosigkeit aufklärerischen Denkens (auf der die ‚dialektische' Gleichsetzung von Aufklärung und Herrschaftswissen basiert): „Jedes inhaltliche Ziel, auf das die Menschen sich berufen mögen, als sei es eine Einsicht der Vernunft, ist nach dem strengen Sinn der Aufklärung Wahn, Lüge" (S. 89). Historisch gesehen gilt fast genau das Gegenteil: die deutsche Aufklärung lebt aus einem unablässig reflektierten Vorverständnis von Sinn und Ziel des

Freilich vereinigt auch die Aufklärung, als historische Bewegung des 18. Jahrhunderts verstanden, ganz verschiedene und gegenläufige Tendenzen in sich. Das gilt nicht nur für die großen Unterschiede zwischen der französischen, der englischen und der deutschen Aufklärung. Auch innerhalb der deutschen Aufklärung selber werden die härtesten Gegensätze ausgetragen. Vieles davon spiegelt sich in der Berlinischen Monatsschrift. In ihr schreiben Männer wie Eberhard und Kant, die sich bald aufs erbittertste befehden werden, oder wie Garve und Biester, deren Briefwechsel bei aller Verbindlichkeit des Tons von schroffen Differenzen gekennzeichnet ist[2]; ja, selbst die beiden Minister v. Zedlitz und Wöllner, deren Kulturpolitik durch den Gegensatz von Aufklärung und Reaktion bestimmt ist, gehören zu ihren Autoren. Rede und Gegenrede, die ausführliche, sich über zahlreiche Beiträge hinziehende Diskussion einer und derselben Frage gehören zu den

Menschen — wenn Mendelssohn in seinem Aufsatz „Ueber die Frage: was heißt aufklären?" die „Bestimmung des Menschen" als „Maaß und Ziel" aller Aufklärung definiert (IV 197; *448*), artikuliert er damit in Wahrheit zugleich das Selbstverständnis der Epoche. So hat denn auch Hans M. Wolff, *Die Weltanschauung der deutschen Aufklärung in geschichtlicher Entwicklung*, Bern u. München [2]1963 ([1]1949) die Frage nach der Bestimmung des Menschen mit Recht zum Leitfaden der gesamten Untersuchung gemacht. — Die Berlinische Monatsschrift wird im folgenden nur mit Band und Seite zitiert; römische Ziffern ohne weiteren Zusatz bezeichnen die Bandnummern, arabische die Seitenzahlen der Zeitschrift; bei Texten, die im vorliegenden Sammelband enthalten sind, wird anschließend die entsprechende Seitenzahl in kursiven Ziffern angefügt.
[2] Vgl. unten S. LVIII ff.

charakteristischen Zügen der Zeitschrift (vgl. V 318).[3]
Sie ist ihrem eigenen Selbstverständnis und ihren
besten Absichten nach kein Partei- sondern ein Diskus-
sionsorgan. „Die Berlinische Monatsschrift", so lautet
eine der ersten Erklärungen der Herausgeber, „erreicht
ihren Endzwek, wenn sie durch die Gedanken, die sie
vorträgt, Gelegenheit zu deren weiterer Erörterung
giebt, sollte auch das dadurch herausgebrachte Resultat
(wenn es anders nur der Wahrheit näher kömmt!)
gerade das Gegentheil ihrer Behauptungen sein. Der
Kieselstein kann nie besser angewandt werden, als daß
durch häufiges Schlagen daran Funken hervorsprühen,
die dem Menschengeschlecht Licht und Wärme geben,
sollte er selbst darüber auch in Staubtheile zertrümmert
werden" (III 571 f.; vgl. V 317).[4]

Hinter allen Härten und Gegensätzen aber steht ein
Fundus gemeinsamer Überzeugungen, von denen zumindest die deutsche Aufklärung des 18. Jahrhunderts
als ganze getragen ist. Sie bilden den gemeinsamen
Horizont, vor dem selbst noch die erbittertsten Ausein-
andersetzungen geführt werden. Eine erste Gruppe
solcher Überzeugungen betrifft die mehr formalen Bedingungen, ohne die Aufklärung nicht zu verwirk-
lichen ist. In diese Gruppe gehört vor allem die durch
Kant nachgerade klassisch gewordene Formel des
Selbstdenkens, die vermutlich auf Wolff zurückgeht[5]

---

[3] Der vorliegende Sammelband versucht diesen Tat-
bestand an einigen markanten Beispielen zu exemplifizieren;
vgl. vor allem unten S. 95—138 und S. 145—369.

[4] Vgl. die Anmerkung Gedikes II 338: „Die Akten liegen
also zum Spruch da, und das Publikum, oder vielmehr
jeder einzelne Gelehrte für sich, mag nun nach deutlicher
Darlegung unsrer beiderseitigen Gründe entscheiden".

[5] Der Ursprung dieser Aufklärungsformel ist allem Ver-

und zumindest sinngemäß bei zahlreichen Autoren der
Berlinischen Monatsschrift zu finden ist.[6] Sie wird freilich durchaus nicht immer im gleichen Sinn und in der
gleichen Frontstellung gebraucht: während sie etwa bei
Wolff ganz allgemein gegen die unreflektierte Über-
nahme von vorgegebenen Lehrmeinungen gerichtet ist,[7]

muten nach in Wolffs Unterscheidung zwischen *philosophischer und historischer Erkenntnis* zu suchen; vgl. *Discursus
praeliminaris de philosophia in genere* § 9: „Si quis
demonstrare non noverit, rationem facti ab altero allegatam
esse ejus rationem, is cognitione philosophica ejusdem facti
destituitur. Novit is tantum, hanc facti rationem *ab altero
allegari: ipse autem ignorat,* quod ea ejusdem facti ratio sit,
atque ideo rationem ignorare dicendus est. Quis ergo
dubitet, quod cognitione philosophica in hoc casu destitua-
tur?"; in: Christian Wolff, *Philosophia rationalis sive
logica, methodo scientifica pertractata et ad usum scien-
tiarum atque vitae aptata,* Frankfurt u. Leipzig ³1740
(¹1728), S. 4 (Hervorhebungen vom Verf.). Diese Unterscheidung bleibt bis hin zu Kant — man vgl. *Kritik der
reinen Vernunft* B 863 f. — ein zentraler Gedanke der
deutschen Aufklärung und führt ausdrücklich zum Begriff
und Wort ‚Selbstdenken'; vgl. *Kant's gesammelte Schriften,*
hrsg. von der Deutschen Akademie der Wissenschaften zu
Berlin, Bd. 24/1, Berlin 1966, S. 321: „Andere Wissenschaff-
ten lassen sich lernen durch Belehrung anderer, indem wir
alles bloß nachahmen. In der Historie kann ich mir nichts
selbst ersinnen; ich muß andern folgen ... Allein wenn
einer auch alle philosophische Bücher liest; so ist er doch
nur ein Repositorium dieser Bücher, woferne er nur nach
ihnen und nicht selbst denkt".

[6] Vgl. I 189: „vernünftige Freiheit und vernünftiges
Selbstdenken"; VII 174: „selbst zu denken und zu räsonniren".

[7] Vgl. *Discursus praeliminaris* § 9 sowie §§ 15, 16;
a. a. O. S. 4 und 7 f.

wendet sie sich bei Männern wie Gedike expressis verbis gegen die Festlegung des religiösen Bewußtseins durch „Systeme" und „symbolische Bücher" (VII 174).[8] In diese erste Gruppe mehr formaler Bedingungen der Aufklärung gehören des weiteren die entschiedene Ablehnung von „Sektengeist" (VII 170 ff.) und „Parteigeist" — einer „sehr schlimmen Eigenschaft" (I 314) — und die ihr entsprechende positive Forderung nach „Unparteilichkeit" (III 569).[9] Dabei handelt es sich nicht um willkürliche, beliebig austauschbare Spielregeln, um Gebote der Konvention oder der Höflichkeit, sondern um notwendige Bedingungen, die aus der Reflexion auf die Vernunft selber gewonnen werden. Denn der Gedanke der „Aufklärung" setzt, historisch wie sachlich gesehen, die Idee einer „allgemeinen Menschenvernunft" voraus, die auf die verschiedenen Subjekte verteilt ist. Jeder einzelne hat an dieser *allgemeinen* Menschenvernunft teil, in *jedem* aber ist sie zunächst durch die verschiedensten Vorurteile und Interessen eingeschränkt. Daher gilt es,

---

[8] Vgl. auch die Ausführungen Garves VI 54 ff.; *217 ff.* Ferner III 352: „Oft aber ist eben Gemächlichkeit im Nachforschen, und vorzüglich im Selbstdenken, die wahre Mutter der treuen Anhänglichkeit an das alte Sistem".

[9] Vgl. V 318: „Daß die Herausgeber dieser Monatsschrift unparteiisch sind, haben sie, denk' ich, durch Thatsachen schon bewiesen"; V 319: „So bestätige sich denn auch hierin die — fast fürchte ich doch, *zu* strenge und gewissenhafte — Unparteilichkeit der Berl. Monatsschrift"; III 63 f.: „Merkwürdig wäre ein unparteiischer Blik auf den damaligen Zeitgeist"; V 337: „Das ist ja doch auch schon Unparteilichkeit, daß die Berl. Monatss. solche Aufsätze, die gegen sie selbst angewandt werden können, liefert." Ferner II 519; III 56.

prinzipiell in jeder Position das Moment der Wahrheit
zu erkennen — ein wichtiges Hilfsmittel dazu ist die
offene und unparteiische Diskussion — und eben dadurch Schritt für Schritt der Allgemeinheit der Vernunft näherzukommen. Der Prozeß der Aufklärung
ist der Prozeß der Freisetzung der Vernunft, die end-
liche Vereinigung der partikulären Wahrheiten zur
einen und ungeteilten Wahrheit.

Neben oder hinter diesem Kanon mehr formaler
Gemeinsamkeiten aber findet sich eine Gruppe von
inhaltlichen Überzeugungen, die jenen erst ihren Ernst
und ihre innere Verbindlichkeit verleihen.[10] In ihrem
Zentrum steht ohne Zweifel so etwas wie eine gemein-
same ‚Anthropologie‘. Es ist die Frage nach der „Bestimmung des Menschen“ (II 270, *100*; IV 194 ff.,
445 ff.; 488, *459*; 566), die Überzeugung von den
„Rechten der Menschheit“ und der „Würde unserer
Natur“ (III 411, *68*; 314, *391*; IV 490, *461*), die die
so unterschiedlichen Bemühungen der deutschen Aufklärung des 18. Jahrhunderts über alle Gegensätze

---

[10] Einen aufschlußreichen Beleg für den Zusammenhang
von formalen und inhaltlichen Überzeugungen bieten
Gedikes „Zwei Maurerreden gehalten in der Mutterloge
zu den drei Weltkugeln in Berlin beim Jahresschluß von
1784 und 1785“ (VII 167—183): „Doch die gütige Vorsehung wird es nicht zulassen, daß es je dahin kömmt, daß
die Menschen sich vereinigen, um auf das erste und *edelste
Vorrecht ihrer Natur, das Recht selbst zu denken und selbst
zu prüfen,* in der wichtigsten Angelegenheit ihres Lebens
Verzicht zu thun. Doch ich rede zu Männern, von denen
ich voraussetzen kann, daß sie dieses *Vorrecht der Menschheit* mit lebhafter Ueberzeugung anerkennen“ (VII 172;
Hervorhebungen vom Verf.).

hinweg zu einer einheitlichen Bewegung zusammen-
faßt.

II. Die Berlinische Monatsschrift

1. Die Herausgeber

Die Diskussion der Frage: Was ist Aufklärung?, die
das Leitthema des vorliegenden Sammelbandes bildet,
wird nicht an der Peripherie geführt. Ihr Ort ist vielmehr das „bedeutsamste Forum, das die deutsche Aufklärung in ihrer letzten und höchsten Phase besaß,
... die ... *Berlinische Monatsschrift*" [11].

Die Zeitschrift war mit Beginn des Jahres 1783 von
Johann Erich Biester (1749—1816) und Friedrich
Gedike (1754—1803) gegründet worden. Beide Herausgeber waren Schlüsselfiguren der deutschen Aufklärung, Biester im Felde des Politischen und Literari-
schen, Gedike im Felde des Pädagogischen.

Johann Erich Biester, der 1749 in Lübeck als Sohn
eines zumindest sehr wohlhabenden Kaufmanns geboren wurde und in Göttingen Jurisprudenz studiert
hatte, war 1777 nach Berlin gekommen, um durch
Vermittlung Nicolais bei dem damaligen preußischen
Kultusminister Freiherrn v. Zedlitz, einem der ein-
flußreichsten Förderer der Berliner Aufklärung, als

---

[11] Werner Krauss, „Über die Konstellation der deutschen Aufklärung". In: ders., *Studien zur deutschen und
französischen Aufklärung* [Neue Beiträge zur Literatur-
wissenschaft, Bd. 16], Berlin 1963, S. 350. Wiederabgedruckt
in: ders., *Perspektiven und Probleme, Zur französischen
und deutschen Aufklärung und andere Aufsätze*, Neuwied
u. Berlin-West 1965, S. 197.

Privatsekretär zu arbeiten; 1784 wurde er Bibliothekar der königlichen Bibliothek in Berlin. Seine vielfältigen privaten wie beruflichen Verbindungen — zu seinen Freunden zählten unter anderen der Dichter Gottfried August Bürger und der Historiker Matthias Christian Sprengel — kamen der Monatsschrift zugute, sie war von Anfang an mehr als eine bloße Lokalzeitschrift. Biester selbst schreibt darüber in seiner Autobiographie: „Übrigens, da Biester in weit mehr Bekanntschaften sowohl hier als auswärts stand, wie Gedike, erhielt er die wichtigsten Beiträge von den vortreflichsten Mitarbeitern, deren allgemein verehrte Namen meist unterzeichnet wurden, und Jedem zeigen, daß in der That selten eine Zeitschrift mit so reichem Beitritt von Männern solches Gehaltes erschienen ist. Auch arbeitete er selbst fleißig daran, da [= während] Gedike zu den mehrsten Stücken bloß seinen Namen gab, und nur darin thätig war, seinen Freund zur Thätigkeit anzuspornen".[12]

Der zweite Herausgeber, Friedrich Gedike, vier Jahre jünger als Biester, war einer der führenden Organisatoren und Reformatoren des preußischen

---

[12] *Bildnisse jetztlebender Berliner Gelehrten mit ihren Selbstbiographieen,* hrsg. von Siegfried Michael Lowe, Berlin u. Leipzig 1806 f., Slg. 3, S. 22 f. — Eine plastische Schilderung von Biesters Äußerem findet sich in den *Jugenderinnerungen von Gustav Parthey,* hrsg. von Ernst Friedel (Privatdruck), Berlin 1907 ([1]1871), Teil 1, S. 44: „Der Bibliothekar *Biester,* Nicolais genauster Freund, war ein kleiner verwachsener Mann von vieler Lebhaftigkeit und kräftig tönender Stimme. Sein Kopf reichte bei Tische kaum über den Teller, dabei gestikulirte er viel mit den Händen, und gebrauchte Messer und Gabel auf eine eigenthümlich eckige Weise".

Schulwesens.[13] Im Unterschied zu Biester kam er aus
einfachsten Verhältnissen: sein Vater hatte in Boberow
in der Prignitz das Amt eines lutherischen Land-
predigers inne; nach dem Tod des Vaters ist er vom
zwölften Lebensjahr an in Züllichau im Waisenhaus
aufgewachsen.[14] Sein weiterer Lebensweg gibt ein ein-

---

[13] Der Umstand, daß einer der beiden Herausgeber
,Schulmann' ist, wirft zugleich ein Licht auf die gesellschaftlichen Kräfte, von denen die deutsche Aufklärung des
18. Jahrhunderts getragen wird. Im Unterschied zu Frankreich sind dies nicht so sehr Teile des Adels als vielmehr
der unteren Schichten. Für sie wird die Schule zu einem
Vehikel des gesellschaftlichen Aufstiegs, das Zeugnis zu
dessen Bestätigung. Auf diese Zusammenhänge hat vor
allem Harald Scholtz in seiner Gedikemonographie aufmerksam gemacht: „Friedrich Gedike (1754—1803), Ein
Wegbereiter der preußischen Reform des Bildungswesens"
(in: *Jahrbuch für die Geschichte Mittel- und Ostdeutschlands*, hrsg. von Wilhelm Berges u. Hans Herzfeld,
Bd. 13/14, Berlin 1965, S. 128—181). Scholtz charakterisiert
sehr überzeugend den Übergang von der Gelehrten- zur
Bürgerschule und die Rolle, die die öffentliche Schule „in
der Auseinandersetzung zwischen Bürgertum und Adel
unter dem Zeichen der Aufklärung" gespielt hat: „Die
höhere Schulbildung konnte, wenn sie nicht bloß eine Angelegenheit des Gelehrtenstandes blieb, zur Regulierung des
gesellschaftlichen Aufstieges beitragen. In der Verselbständi-
gung der Gelehrtenschulen gegenüber den lokalen Patrona-
ten und dem Gelehrtenstand ging die Aufgabe der Auf-
stiegsregulierung mehr und mehr auf die Schulmänner über.
Sie konnten darüber bestimmen, welche Normen erfüllt sein
mußten, wenn man sich den gebildeten Ständen zurechnen
wollte" (S. 132).

[14] Vgl. Franz Horn, *Friedrich Gedike, eine Biographie,
Nebst einer Auswahl aus Gedike's hinterlassenen, größtentheils noch ungedruckten Papieren*, Berlin 1808, S. 7 ff.

drucksvolles Bild von jenem gesellschaftlichen Aufstieg
durch Bildung und Selbstbildung, wie er für zahlreiche
Vertreter der deutschen Aufklärung, man denke an
Männer wie Garve, Kant, Lambert, Meiners oder
Mendelssohn, charakteristisch ist. In Frankfurt an der
Oder studierte er bei Johann Gottlieb Töllner Theologie. 1775 kam er nach Berlin, um als Hauslehrer
die Söhne Johann Joachim Spaldings, damals Probst
an der Nikolaikirche und Oberkonsistorialrat, zu
unterrichten; 1776 wurde er Subdirektor, 1779, mit
25 Jahren, Direktor des Friedrichwerderschen Gymnasiums, das er mit der Zeit zu hoher Blüte führte. Im
gleichen Jahr erschienen seine „pädagogischen Fragmente"[15]. 1784 avancierte er zum Oberkonsistorialrat,
1787 zum Mitglied des gerade gegründeten Oberschulkollegiums; 1793 schließlich wurde er Direktor des
ebenso wohldotierten wie berühmten Gymnasiums
Zum Grauen Kloster. Sein wirtschaftlicher Erfolg erregte bei den Zeitgenossen Aufsehen und nicht immer
Sympathie; sein Jahreseinkommen allein aus seinen
Amtsgeschäften belief sich 1793 auf über 2000 Taler
(das Durchschnittseinkommen eines Lehrers an gelehrten Schulen in der Kurmark lag bei 250 Talern)[16].
Seine pädagogischen Verdienste aber waren unbestrit-
ten, bei einem der Biographen heißt es: „Selten hatte
ein Mann so viel Einfluß auf Methode und Lehrver-
fassung der höheren Schulen seines Vaterlandes"[17].

[15] *Aristoteles und Basedow oder Fragmente über Erziehung und Schulwesen bei den Alten und Neuern,* Berlin
u. Leipzig 1779.
[16] Vgl. Scholtz, a. a. O. S. 141 f.
[17] Vgl. Scholtz, a. a. O. S. 159.

2. Die Mittwochsgesellschaft

Um diese beiden Herausgeber gruppierte sich eine Reihe von Männern der verschiedensten Berufe, Politiker, Juristen, Theologen, Philosophen, Pädagogen, Ärzte, die in engstem gesellschaftlichen Konnex miteinander standen. Ihr Sammelpunkt war die 1783 gegründete sogenannte „Mittwochsgesellschaft" — ihre „gleichsam esoterische Benennung" lautete nach den Angaben Gronaus *„Gesellschaft von Freunden der Aufklärung"* [18] —, ein exklusiver Kreis von zunächst 12, dann 24 Mitgliedern [19], der sich mit dem Themenkreis der Aufklärung in seinem weitesten Umfang beschäftigte. Zweck der Gesellschaft, so jedenfalls

[18] Wilhelm Gronau, *Christian Wilhelm von Dohm nach seinem Wollen und Handeln*, Lemgo 1824, S. 122. Vgl. Heinrich Meisner, „Die Freunde der Aufklärung. Geschichte der Berliner Mittwochsgesellschaft"; in: *Festschrift zur 50jährigen Doktorjubelfeier Karl Weinholds am 14. Januar 1896* von Oskar Brenner, Finnur Jónsson usw., Straßburg 1896, S. 43—54, sowie: R. J. George, „Nachrichten über die geheime Mittwochs-Gesellschaft"; in: *Der Bär. Illustrirte Berliner Wochenschrift, eine Chronik für's Haus,* Jg. 13, Berlin 1887, S. 335—339. Hingewiesen sei auch auf die noch nicht abgeschlossene Dissertation von Heinrich G. Hümpel über die *Entstehung des Vereinswesens in Berlin von 1740—1848.*

[19] Im Nachlaß Mendelssohns (der der Gesellschaft als Ehrenmitglied angehörte) findet sich eine Liste mit den folgenden Namen: „Klein, Suarez, Zöllner, Schmid, Mendelssohn, Dietrich, Spalding, Engel, Nicolai, Teller, Möhsen, Gedike, Struensee, Dohm, Gebhard, Vlömer, Siebmann, v. Irwing, v. Beneke, Selle, Biester" (*Moses Mendelssohn's gesammelte Schriften,* hrsg. von Georg Benjamin Mendelssohn, Bd. 1, Leipzig 1843, S. 30).

berichtet Nicolai, war allein die „freye Untersuchung
der Wahrheit von allerley Art" [20]: „die Mitglieder
hatten bloß eine vernünftige Unterhaltung über interessante und besonders wissenschaftliche Gegenstände
zum Zwecke, um durch freundschaftlichen Gedanken-
wechsel sich wechselseitig den Geist aufzuklären und
dadurch Begriffe mancher Art sich selbst deutlicher zu
machen und einer unparteyischen Prüfung zu unterwerfen." [21] Man traf sich, soweit sich den schwanken-
den Angaben der Quellen Sicheres entnehmen läßt, im
Winter an jedem zweiten, im Sommer an jedem vierten
Mittwoch reihum bei einem der Mitglieder in dessen
Privatwohnung, um gemeinsam philosophische, pädagogische, juristische, politische oder auch literarische
Themen zu diskutieren. [22] „Der, bey welchem die Ver-

---

[20] Friedrich Nicolai, *Gedächtnißschrift auf Dr. Wilhelm
Abraham Teller,* Berlin u. Stettin 1807, S. 27: „Teller war
auch ein Mitglied einer Privatgesellschaft von außerlese-
nen Männern in Berlin, welche sich bloß zur freyen Untersuchung der Wahrheit von allerley Art zusammengethan
hatte, und die mit seltener Eintracht und Freymüthigkeit
vom Jahre 1783 bis 1798 dauerte".

[21] Friedrich Nicolai, *Ueber meine gelehrte Bildung, über
meine Kenntniß der kritischen Philosophie und meine
Schriften dieselbe betreffend, und über die Herren Kant,
J. B. Erhard, und Fichte,* Berlin u. Stettin 1799, S. 65.

[22] Vgl. Friedrich Nicolai, *Gedächtnißschrift auf Johann
Jakob Engel,* Berlin u. Stettin 1806, S. 30. Ernst Ferdinand
Kleins Autobiographie; in: *Bildnisse jetztlebender Berliner
Gelehrten,* a. a. O., Slg. 2, S. 53 ff. Christian Goßler, „Bei-
träge zur Lebensgeschichte des Geheimen-Ober-Justiz- und
Tribunal-Rathes Carl Gottlieb Suarez"; in: ders., *Juridische
Miszellen,* Heft 1, Berlin 1810, S. 88 ff. Leopold Friedrich
Günther v. Göckingk, *Friedrich Nicolai's Leben und litera-*

sammlung gehalten wurde, las eine Abhandlung vor."
„War die Vorlesung geendiget, so sagte jedes der Mitglieder, nach der Reihe wie sie sich zufällig gesetzt
hatten, seine Meinung darüber."[23] Anschließend zirku-
lierten die gehaltenen Vorträge unter den Mitgliedern
der Gesellschaft, um noch Gelegenheit zu schriftlicher
Stellungnahme zu geben.[24] Dabei achtete man auf
strikte Geheimhaltung: die Vorträge und Voten wurden in einer verschlossenen Kapsel, für die jedes Mitglied seinen eigenen Schlüssel besaß, weitergegeben, die
Voten wurden — jedenfalls zunächst[25] — „aller
Sicherheit wegen" mit „Nummern statt Namen" unter-
schrieben und es galt als strenges Gesetz, daß „keinem
Externo ein Aufsatz (oder dessen Inhalt, am wenigsten
mit Nennung des Namens des Verfassers) mitgetheilt"
werden durfte[26].

Die Gesellschaft vereinigte Männer von unterschied-
lichster Provenienz. Auch in diesem übersehbaren Teil-

---

rischer Nachlaß, Berlin 1820, S. 89 ff. Ferner Meisner,
a. a. O. S. 49.

[23] Göckingk, a. a. O. S. 90.

[24] Einen guten Einblick in die Form der schriftlichen Dis-
kussion gibt der Beitrag von Adolf Stölzel, „Die Berliner
Mittwochsgesellschaft über Aufhebung oder Reform der
Universitäten (1795)"; in: Forschungen zur Brandenburgi-
schen und Preußischen Geschichte, Bd. 2, Leipzig 1889,
S. 201—222.

[25] Die von Stölzel veröffentlichten Stellungnahmen sind
namentlich unterzeichnet; der Aufsatz enthält Voten von
Teller, Nicolai, Wloemer, Gebhard, Maier, Biester,
Göckingk, Selle, Svarez, Gedike, Zöllner, Schmidt und
Diterich.

[26] Moses Mendelssohn's gesammelte Schriften, a. a. O.,
Bd. 1, S. 30.

bereich bestätigt sich die generelle These der vorliegenden Einleitung[27]: vor dem verbindenden Horizont gemeinsamer Grundüberzeugungen werden innerhalb der deutschen Aufklärung des 18. Jahrhunderts tiefgreifende Gegensätze ausgetragen.[28] Eine ebenso eindrucksvolle wie aufschlußreiche Illustration dieses Tatbestandes gibt die Schrift des Juristen Ernst Ferdinand Klein über *Freyheit und Eigenthum, abgehandelt in acht Gesprächen über die Beschlüsse der Französischen Nationalversammlung.*[29] Bei den acht Gesprächen, von denen im Titel die Rede ist, handelt es sich um fingierte Diskussionen zwischen Mitgliedern der Mittwochsgesellschaft.[30] Einige der Gesprächspart

---

[27] Vgl. oben S. XV ff.

[28] Vgl. Gronau, a. a. O. S. 122: „Toleranz aller Meinungen, selbst solcher, die ungereimt scheinen möchten, war das Grundgesetz; jeder Theilnehmer gelobte feyerlich, sich keine Art von Anfeindung wegen geäußerter Meinungen, weder in der Gesellschaft, noch außerhalb, zu Schulden kommen zu lassen." Ferner Meisner, a. a. O. S. 49.

[29] Berlin u. Stettin 1790.

[30] Vgl. Kleins Autobiographie, a. a. O. S. 54 f.: „Eben diese Gesellschaft lieferte mir die Personen zu dem *Gespräch über Freyheit und Eigenthum bey Gelegenheit der französischen Revolution.* Oefters waren die sogenannten Menschenrechte, welche man in Frankreich festgestellt zu haben glaubte, der Gegenstand unserer Erörterungen, und da ich die eigenthümliche Denk- und Gemüthsart der vorzüglichsten Mitglieder dieser Gesellschaft kannte, so gelang es mir, ihre Meinung so genau zu treffen, daß sie glaubten, ich hätte, was sie in mündlichen Gesprächen wirklich geäußert, mit den kleinsten Umständen meinem Gedächtnisse anvertraut, ob ich gleich meist nur sagte, was sie gesagt haben würden." Vergleicht man die angeführten Sätze, 1806 geschrieben, mit der Schrift selber (1790), so bemerkt man

ner hat Stölzel mit ziemlicher Sicherheit identifizieren können, und zwar Klein selber (Kleon), Suarez (Kriton), Selle (Exetastes) und Biester (Axiomachus).[31] Alle sind zugleich Autoren der Berlinischen Monatsschrift. Die Skala der Meinungen reicht von schroffer Ablehnung der Französischen Revolution (Suarez: „Gefühl des Uebergewichts der physischen Kraft sehe ich überall; aber ich suche noch immer vergebens das Gefühl von der Würde des Menschen"[32] bis zu enthusiastischer Bewunderung (Klein: „einen ehrenvollern Abschied hätte" das Jahrhundert „nicht nehmen können, als mit der großen Staatsveränderung in Frankreich"[33]), von der Furcht vor Anarchie (Suarez) bis zu ihrer kaum noch kaschierten Befürwortung (Selle: „Verstehen Sie unter Anarchie eine Regierungsform, wo keiner dem andern, aber alle den Gesetzen unterworfen sind; so ist mir die Anarchie willkommen"[34]). Selbst noch bei diesem politisch so brisanten Gespräch erhebt Klein, so stark er auch persönlich engagiert ist, die Forderung nach Unparteilichkeit, ja diese erscheint geradezu als Rechtfertigung der Dialogform, der die

zugleich die inzwischen eingetretene Ernüchterung über den Gang der Ereignisse in Frankreich („die *sogenannten* Menschenrechte, welche man in Frankreich festgestellt zu haben *glaubte*").

[31] A. a. O. S. 202. — Nicht uninteressant ist dabei die Charakterisierung der Person Biesters — schon der Name Axiomachus (der Kämpferische) ist aufschlußreich — durch Äußerungen wie: „Handle mit Wahrheiten, wer da kann! Unser einer wird sich leider Zeitlebens mit Zweifeln plagen müssen" (Klein, *Freyheit und Eigenthum*, a. a. O. S. 76).

[32] Ebd. S. 7 f.

[33] Ebd. S. 5.

[34] Ebd. S. 35.

Aufgabe zufällt, „zu einer Unparteylichkeit im Vortrage der gegenseitigen Meinung zu verhelfen, deren man weniger fähig ist, wenn man immer seinen eignen Gesichtspunkt behält"[35]. Ohne Zweifel ist damit zugleich eines der Motive bezeichnet, die die Mitglieder der Mittwochsgesellschaft zusammengeführt haben. Die Ausführungen Nicolais bestätigen das aufs nachdrücklichste; „die Absicht war bloß", so berichtet er, „solche Materien, welche denkenden Köpfen wichtig sind, durch die Gegeneinanderstellung verschiedener Meinungen, deutlicher zu denken und von allen Seiten zu betrachten." „Alle Mitglieder waren ächte Wahrheitsfreunde; daher ging die Bemühung eines jeden dahin, dasjenige was er für Wahrheit hielt, nicht durch *Machtsprüche* oder *Berufung auf die Stimme im Innern* sondern durch *Gründe* geltend zu machen."[36] So gesehen war die Mittwochsgesellschaft ein Stück praktizierte Aufklärung.

Als Sekretär der Gesellschaft, die ihre eigenen Statuten besaß[37], fungierte Biester[38]. Für ihn bedeutete die Vereinigung, deren Mitglieder großenteils einflußreiche Stellungen in Staat und Gesellschaft innehatten, allem Vermuten nach zugleich eine Art Nachrichtenapparat und Autorenreservoir. Jedenfalls waren fast alle Mitglieder zugleich Mitarbeiter der Berlinischen Monatsschrift,[39] ja bei einer Reihe von Abhandlungen

---

[35] Ebd. S. IV. Vgl. S. 45, 48 f., 90 f.

[36] *Ueber meine gelehrte Bildung,* a. a. O. S. 65 f.

[37] Vgl. Gronau, a. a. O. S. 122.

[38] Vgl. Göckingk, a. a. O. S. 90.

[39] Es sind dies neben Biester und Gedike: Christian Conrad Wilhelm v. *Dohm,* Johann Jakob *Engel,* Leopold Friedrich Günther v. *Göckingk,* Ernst Ferdinand *Klein,* Franz Michael *Leuchsenring* (vgl. Meisner, a. a. O. S. 48),

ist seit langem nachgewiesen, daß sie aus Diskussions-
beiträgen für die Mittwochsgesellschaft hervorgegan-
gen sind, so bei den beiden Aufsätzen von Moses
Mendelssohn „Ueber die Frage: was heißt aufklären?"
(IV 193—200; *444—451*) und „Giebt es natürliche
Anlagen zum Laster?" (VII 193—204) und dem Auf-
satz von Suarez „In wie fern können und müssen
Gesetze kurz sein?" (XII 99—112).[40] Auch für Selles
„Versuch eines Beweises, daß es keine reine von der
Erfahrung unabhängige Vernunftbegriffe gebe" (IV
565—575), läßt sich ein solcher Nachweis führen.[41]

Moses *Mendelssohn*, Johann Karl Wilhelm *Möhsen*, Chri-
stoph Friedrich *Nicolai*, Christian Gottlieb *Selle*, Karl
August *Struensee*, Carl Gottlieb *Suarez*, Wilhelm Abraham
Teller und Johann Friedrich *Zöllner*.

[40] Vgl. *Moses Mendelssohn's gesammelte Schriften*,
a. a. O., Bd. 1, S. 31. Adolf Stölzel, *Carl Gottlieb Svarez.
Ein Zeitbild aus der zweiten Hälfte des achtzehnten Jahrhunderts*, Berlin 1885, S. 182 ff. — Meisner, a. a. O. S. 50 f.
bemerkt im vorliegenden Zusammenhang: „Den Niederschlag ihrer Meinungen und Vorschläge finden wir zunächst
in der Berlinischen Monatsschrift wieder, welche von einer
ganzen Reihe von Mitgliedern der Mittwochsgesellschaft
Aufsätze enthält, die, wenn es auch im Einzelnen nicht möglich ist, ihre Provenienz zu bestimmen, Anregung und Gedanken aus dem Kreise der Freunde der Aufklärung erhalten haben. Von Mendelssohns Erörterung „Was heisst
aufklären?" wissen wir aus den aufgefundenen Acten diese
Thatsache gewiss; bei andern Aufsätzen desselben Verfassers, sowie Zöllners, Selles, ja auch bei einzelnen anonymen
Beiträgen lässt sich der Zusammenhang mit der Mittwochsgesellschaft vermuten. Die theoretischen Erörterungen über
die Frage, was Aufklärung sei, nehmen zunächst einen breiten Raum in den Verhandlungen der Gesellschaft ein".
[41] Im vierten Band von *Moses Mendelssohn's gesammel-*

Dagegen muß offenbleiben, wer der eigentliche Initiator der Gesellschaft gewesen ist,[42] welche Interessen die einzelnen Mitglieder in die Gesellschaft geführt[43] und welche Gründe im Jahr 1783, lange vor den Edikten Wöllners, den Wunsch nach strenger Geheimhaltung hervorgerufen haben.

ten Schriften (Abt. 1, Leipzig 1844, S. 132—153) finden sich sechs kleinere Stücke — darunter eine Stellungnahme zu Kants „Beantwortung der Frage: Was ist Aufklärung?" —, zu denen der Herausgeber bemerkt: „Dieser und die folgenden fünf Aufsätze scheinen für eine litterarische Gesellschaft (die philomathische) bestimmt gewesen zu seyn" (a. a. O. S. 132). Diese Vermutung ist in jedem Fall unzutreffend: wie Lazarus Bendavid in seiner Autobiographie mitteilt (*Bildnisse jetztlebender Berliner Gelehrten*, a. a. O., Slg. 2, S. 71), wurde die philomathische Gesellschaft erst am 16. Oktober 1800 gegründet. Es handelt sich bei den genannten sechs Stücken vielmehr nach Stil und Inhalt offenkundig um Voten für die Mittwochsgesellschaft; so gehören die Personen, auf die Mendelssohn sich bezieht (Dieterich, Klein, Selle, Zöllner), auch ausnahmslos zu deren Mitgliedern. Bei dem zweiten Stück nun handelt es sich um eine Stellungnahme zu dem Aufsatz Selles.

[42] Stölzel, *Carl Gottlieb Svarez*, a. a. O. S. 179, vermutet, daß Suarez „den Anlaß zur Stiftung der Mittwochsgesellschaft gab". George, a. a. O. S. 336, hält Nicolai zumindest für den „geistigen Mittelpunkt der Gesellschaft". Meisner, a. a. O. S. 47, nimmt an, daß Möhsen „vielleicht der Urheber des ganzen Planes gewesen ist". Zwei Argumente könnten dafür sprechen, daß Biester und Gedike eine nicht unwesentliche Rolle bei der Gründung gespielt haben: einmal ist Biester Sekretär der Gesellschaft, zum andern wird diese im gleichen Jahr gegründet wie die Berlinische Monatsschrift.

[43] Für die Politiker unter ihren Mitgliedern mag die Mittwochsgesellschaft zugleich die Gelegenheit geboten

3. Der Zensurkonflikt

Auch das weitere Schicksal der Berlinischen Monats-
schrift, für das der Name Wöllner als Stichwort stehen
kann, ist für die vorliegende Thematik von Interesse.
Schon allein der äußere Gang der Dinge zeigt, daß die
Frage: Was ist Aufklärung? eine Frage der Reflexion,
der nachträglichen Besinnung ist. Sie steht nicht am
Anfang der geschichtlichen Bewegung der Aufklärung,
sondern auf ihrem Höhepunkt, ja fast schon an ihrem
Ende. Sie ist ebensosehr eine Epimetheus- wie eine
Prometheusfrage. Am 17. August 1786, dreieinhalb
Jahre nach Gründung der Monatsschrift, stirbt
Friedrich der Große. Mit seinem Tod ändert sich in
Preußen unaufhaltsam die politische Konstellation.
Sein Nachfolger wird Friedrich Wilhelm II., der seit
1781 dem Orden der Rosenkreuzer angehört.[44] Im

haben, sich über bestimmte Fragen unterderhand zu verständigen; vgl. Goßler, a. a. O. S. 90: „Es war in der That
höchst merkwürdig, daß so vielen Schwierigkeiten, die sonst
großen Zeitverlust und beschwerliche Schreiberei veranlaßt
haben würden, dadurch vorgebeugt ward, indem so wichtige
Männer im Finanz- und Justizdepartement, wie Struensee,
Wloemer und Suarez waren, sich darüber im Voraus be-
sprachen, ihre Ideen berichtigten und auch ihre Bekannten
im Departement darnach *stimmten.* Mir sind mehrere große
Angelegenheiten bekannt, welche auf diesem Wege in sehr
kurzer Zeit zu Stande gebracht wurden". Vgl. auch
Göckingk, a. a. O. S. 91.

[44] Zum folgenden vgl. Emil Fromm, *Immanuel Kant
und die preussische Censur. Nebst kleineren Beiträgen zur
Lebensgeschichte Kants. Nach den Akten im Königl. Geheimen Staatsarchiv zu Berlin,* Hamburg u. Leipzig 1894,
S. 18 ff. Ludwig Geiger, *Berlin 1688—1840. Geschichte des*

Juli 1788 wird der Kultusminister Friedrichs des Großen, Freiherr v. Zedlitz, entlassen; an seine Stelle tritt der zwei Jahre vorher geadelte[45] Johann Christoph v. Wöllner. Wenige Tage später, am 9. Juli 1788, erscheint das sogenannte „Wöllnersche Religionsedikt". Es dekretiert: „Man entblödet sich nicht, die elenden, längst widerlegten Irrthümer der Socinianer, Deisten, Naturalisten und anderer Secten mehr wiederum aufzuwärmen und solche mit vieler Dreistigkeit und Unverschämtheit durch den äusserst gemissbrauchten Namen *Aufklärung* unter das Volk auszubreiten". „Als Landesherr und als alleiniger Gesetzgeber in Unsern Staaten befehlen und ordnen Wir also, dass hinfüro kein Geistlicher, Prediger oder Schullehrer der protestantischen Religion bei unausbleiblicher Cassation und nach Befinden noch härterer Strafe und Ahndung sich der ... angezeigten oder noch mehrerer Irrthümer insofern schuldig machen soll, dass er solche Irrthümer bei der Führung seines Amts oder auf andere Weise öffentlich oder heimlich auszubreiten sich unterfange."[46] Am 19. Dezember 1788 folgt das „Erneuerte Censur-Edict für die Preussischen Staaten".

---

geistigen Lebens der preußischen Hauptstadt, Bd. 2, Berlin 1895, S. 6 ff. Max von Boehn, *Deutschland im 18. Jahrhundert, Die Aufklärung*, Berlin 1922, S. 95 ff.

[45] Friedrich der Große hatte die Nobilitierung noch mit der Randbemerkung abgelehnt: „Der Wöllner ist ein betriegerischer und Intriganter Pfafe weiter Nichts"; vgl. Fromm, a. a. O. S. 19 Anm. 2; Martin Philippson, *Geschichte des Preußischen Staatswesens vom Tode Friedrichs des Großen bis zu den Freiheitskriegen*, Bd. 1, Leipzig 1880, S. 71.

[46] Zitiert nach: Max Lehmann, *Preussen und die katholische Kirche seit 1640. Nach den Acten des Geheimen Staatsarchives*, Teil 6. Von 1786 bis 1792 [*Publicationen*

Am 14. Mai 1791 schließlich wird die Immediat-Examinations-Kommission als Zensurbehörde eingesetzt, zu deren Mitgliedern unter anderen der frühere Breslauer Prediger und Konsistorialrat Hermann Daniel Hermes und der Geheimrat Gottlob Friedrich Hillmer gehören. Auf Antrag des letzteren werden durch Kabinettsorder vom 19. Oktober 1791 auch die „Monats- Zeit- und Gelegenheitsschriften" in die Zensur miteinbezogen.[46a]

Die skizzierten Veränderungen blieben nicht ohne Rückwirkung auf die Berlinische Monatsschrift. Anfang 1791 scheidet Gedike aus der Redaktion aus. Mit Beginn des Jahres 1792 wird die Monatsschrift nicht mehr in Berlin, sondern „bei Mauke in Jena" (ab 1793 bei Heybruch in Dessau) gedruckt. Die verklausulierte Art und Weise, wie der Jurist Biester in einem Brief an Kant vom 6. März 1792 den Wechsel des Druckorts begründet, ist charakteristisch für die veränderte Art des Sprechens: „Was nun mich insbesondere betrift, so ist meine strenge Regel: mich genau in den Schranken des Gesetzes zu halten. Auswärts drucken zu lassen, ist nie hier verboten gewesen. Dennoch aber würde ich es für unrecht halten, ein Blatt, welches die hiesige Kgl. Censur gestrichen hätte, gleichsam zum Trotz derselben, auswärts drucken zu lassen (obgleich auch dies

---

aus den K. Preussischen Staatsarchiven, Bd. 53], Leipzig 1893, S. 253 f.

[46a] Vgl. Friedrich Kapp, „Aktenstücke zur Geschichte der preußischen Censur- und Preß-Verhältnisse unter dem Minister Wöllner". In: *Archiv für Geschichte des Deutschen Buchhandels,* hrsg. von der Historischen Commission des Börsenvereins der Deutschen Buchhändler, Bd. 4, Leipzig 1879, S. 149 f.

nicht verboten ist). Dies aber würde ich für eine unanständige u. meiner unwürdige Neckerei halten, — oder es müßte ein ganz sonderbarer Umstand mich dazu nöthigen. Dies ist aber gar nicht mein Fall; ich habe nie mit der hiesigen Censur Händel gehabt; sondern bloß: ich habe bis 1791 die Berl. Monatsschr. in Berlin bei Spener drucken lassen, u. lasse sie seit 1792 bei Mauke in Jena drucken. Oder vielmehr, mein Verleger thut dies. Aus welchen Gründen wir das thun? ist eine andere Frage; welche wahrscheinlich Niemand, bei einer unverbotenen Handlung, aufzuwerfen das Recht hat." [47] Fünfzehn Jahre später dagegen in seiner Autobiographie schildert Biester die damaligen Schwierigkeiten sehr viel freimütiger: „Herr von Wöllner ... war der Monatschrift abhold, welche im gleichen Tone fortgesetzt, und wegen der strengen Zensur, oder eigentlich wegen der Unbilligkeit des Zensors Hillmer, seit dem Jänner 1792 auswärts gedruckt ward (seit dem Jänner 1791 war Gedike von der Redakzion abgetreten). Der Minister sagte dem Herausgeber selbst: daß seine Zeitschrift anstößig, und dieserwegen für ihn keine Hofnung sei Mitglied der Akademie zu werden, wozu ihn der Graf von Herzberg vorgeschlagen hatte." [48]

Die freie, unbefangene Diskussion der Frage: Was ist Aufklärung? fand damit ihr Ende. An die Stelle der Selbstverständigung trat in wachsendem Maße die Selbstverteidigung, an die Stelle des offenen Wortes

[47] *Kant's gesammelte Schriften*, hrsg. von der Königlich Preußischen Akademie der Wissenschaften, Bd. 11, Berlin u. Leipzig ²1922, S. 329.

[48] *Bildnisse jetztlebender Berliner Gelehrten*, a. a. O., Slg. 3, S. 26 f.

die verklausulierte Sprache.[49] Sie hat das Gesicht der
Berlinischen Monatsschrift deutlich verändert. (In der
Folge haben dann auch die politischen Umwälzungen
in Frankreich dazu beigetragen, der Monatsschrift ein
anderes Aussehen zu geben.) Nicht zuletzt aus diesem
Grunde beschränkt sich der vorliegende Sammelband
auf die Jahre 1783 — 1786, die noch in die Regierungs-
zeit Friedrichs des Großen fallen.[50] Wer immer er
war — die Frage: Was ist Aufklärung? dankt ihm die
Freiheit ihrer Erörterung.

[49] Vgl. z. B. die fingierte Predigt (über 2. Tim. 4, 17):
„Ueber die Pflicht der Ergebung, in Zeiten wann die Wahrheit verfolgt wird. Eine Predigt, gehalten in England unter
König Jakob II. Aus dem Englischen" (XIX 438—455)
und dazu Fromm, a. a. O. S. 24 ff.

[50] Zugleich gibt eine solche Begrenzung die Möglichkeit,
innerhalb des abgesteckten Rahmens ein möglichst repräsen-
tatives und vielseitiges Bild der Berlinischen Monatsschrift
als ganzer zu zeichnen und damit einen Eindruck von der
Breitenwirkung der deutschen Aufklärung zu vermitteln.
So läßt der Sammelband nicht nur Autoren oder Aufsätze
von Rang zu Worte kommen, sondern stellt ganz bewußt
eher durchschnittliche Beiträge daneben. Ebenso gilt es, ein
verklärendes Bild der Aufklärung zu vermeiden und auch
ihre bizarren Züge — man denke an den Beitrag von
Meiners, der die Einführung des Henkers als einen „Vor-
bothen milderer Zeiten" (III 416; 73) feiert und die großen
„Vorzüge des Beils vor dem Schwerdte" (III 419; 76)
rühmt — darzustellen.

III. Die Frage Zöllners

Die Frage: Was ist Aufklärung? wird nicht von außen an die Aufklärung herangetragen. Sie bricht inmitten einer Auseinandersetzung auf, die innerhalb der Aufklärung selber ausgefochten wird. Der, der die Frage als erster aufwirft, ist einer der führenden Köpfe der Berliner Aufklärung, ein Mitglied der Mittwochsgesellschaft, der Schauplatz des Streites die Berlinische Monatsschrift.

Gegenstand der Auseinandersetzung ist anfangs kein theoretisches Problem, sondern eine der vielen konkreten Sachfragen, die die Aufklärung beschäftigen. Im September 1783 war in der Monatsschrift — unter dem Pseudonym „E.v.K.", dessen sich Biester jedenfalls an anderer Stelle selber bedient hat[51] — ein Beitrag erschienen, der den etwas maliziösen Titel trug: „Vorschlag, die Geistlichen nicht mehr bei Vollziehung der Ehen zu bemühen" (II 265—276; 95—106). Die erste Absicht des Beitrags, der nicht frei von Widersprüchen ist[52], ist ein Plädoyer für die Zivilehe. Dieses Plädoyer geschieht betont im Namen der Aufklärung: „für aufgeklärte bedarf es doch wohl all der Ceremonien nicht!" (II 268; 98). Die Frontstellung des Beitrags ist dabei nicht zu verkennen: er wendet sich

[51] Vgl. *Kant's gesammelte Schriften*, hrsg. von der Königlich Preußischen Akademie der Wissenschaften, Bd. 13, Berlin u. Leipzig 1922, S. 360.

[52] Vgl. E. Meyen, „Die Berliner Monatsschrift von Gedike und Biester. Ein Beitrag zur Geschichte des deutschen Journalismus". In: *Literarhistorisches Taschenbuch*, hrsg. von Robert Eduard Prutz, Jg. 5, Hannover 1847, S. 175.

unverhohlen gegen die „Einmischung" (II 267; *97*) der „allenthalben sich zudrängenden regiersüchtigen Geistlichkeit" (II 266; *96*), und zwar der protestantischen nicht weniger als der katholischen.

Mit dem Plädoyer für die Zivilehe verbindet sich ein leidenschaftliches Plädoyer für Staatskirche und „Volksreligion" (II 273; *103*), das die genannte Frontstellung noch verschärft: „Wie treflich, wenn Glaube und Bürgerpflicht mehr verbunden wären" (II 269; *99*). „O wann kömmt die Zeit, da die Besorgung der Religion eines Staates nicht mehr das privative Monopolium einiger Wenigen ist, die den Staat oft in Verwirrung setzten; sondern selbst wieder Staatsangelegenheit wird! Dann ist Eintracht zu hoffen; dann schweigt die unselige Spaltung zwischen Kirche und Staat" (II 270 f.; *100 f.*). „Ihr Väter der Völker! Verbindet die Edlen unter den Religionslehrern mit Euch, die Wenigen, welche in der That das Glük des Volks suchen, wie Ihr es Eurer Schuldigkeit gemäß auch sucht. Es giebt ja nicht zweierlei Art Glük für Menschen, es kann nur Eines sein; Ihr arbeitet beide darauf, verbindet Euch! Laßt Politik und Religion, Gesetze und Katechismus Eins sein!" (II 272; *102*). In scharfem Kontrast zu dem Bild, das der Verfasser von einer solchen Zukunft entwirft — der „Zeit, die diese Rosen tragen wird" (II 273; *103*) —, steht seine Klage über das eigene Zeitalter, für das Worte wie *Staat, Bürger, Patrioten* nur noch „entartete Namen" seien: „Geht und höret itzt den platten Spott darüber im Munde des Pöbels, hört den Triumph über die Pfiffigkeit im unentdekten Betruge" (II 271; *101*).

Der „Vorschlag" blieb nicht ohne schärfsten Widerspruch; er löste eine umfangreiche Diskussion aus — die wichtigsten Beiträge derselben sind im vorliegenden

Sammelband enthalten[53] —, die für die Art und Weise, in der solche Kontroversen in der Berlinischen Monatsschrift ausgetragen wurden, charakteristisch ist.[54]

Der erste, der sich in der Monatsschrift zu Wort meldete, war Johann Friedrich Zöllner (1753—1804). Auch er gehört nach Lebensweg und Gesinnung zum engsten Kreis der Berliner Aufklärung.[55] Wie sein Freund Gedike[56] hatte er in Frankfurt an der Oder bei Töllner Theologie und Philosophie studiert. Wie Gedike kam er anschließend bald nach Berlin, wurde erst Prediger an der Charité, dann Diakon an der Marienkirche sowie schließlich 1788 Probst an der Nikolaikirche und Oberkonsistorialrat. Mit seiner Arbeit als Prediger und Theologe verband sich eine intensive pädagogische und publizistische Tätigkeit, die nicht zuletzt auf Ausbreitung von Aufklärung gerichtet war. Seit 1781 gab er ein *Lesebuch für alle Stände*[57] heraus. 1800 wurde er Mitglied des Oberschulkollegiums. Sein letztes großes Werk sind die von Schleiermacher hart kritisierten *Ideen über National-*

---

[53] Unten S. 95—138.

[54] Vgl. oben S. XV ff.

[55] Vgl. *Allgemeine Deutsche Biographie*, Bd. 55, Leipzig 1910, S. 423 ff.

[56] Vgl. Friedrich Gedike, „Epistel an meinen Freund Zöllner. Berlin, den 29. Oktbr. 1782. an seinem Hochzeittage" (I 305—307). Ferner Horn, *Friedrich Gedike*, a. a. O. S. 14; Scholtz, a. a. O. S. 136 f.

[57] *Lesebuch für alle Stände. Zur Beförderung edler Grundsätze, ächten Geschmacks und nützlicher Kenntnisse*, hrsg. von Johann Friedrich Zöllner, Teil 1—10, Berlin 1781—1804 (²1782 ff.; ³1790 ff.).

erziehung.[58] Anders als Gedike hat er in den Aus-
einandersetzungen mit Wöllner große Festigkeit
bewiesen: während Gedike dem neuen Minister 1789
den ersten Band seiner *Gesammleten Schulschriften* mit
„tiefster dankbarer Ehrerbietung" widmete („ich habe
das Glük, ein Werkzeug zur Ausführung der für die
künftigen Generationen so wohlthätigen Plane zu sein,
mit welchen *Ew. Excellenz* sich so gern und so eifrig
beschäftigen")[59] und 1791 sogar die Redaktion der
Berlinischen Monatsschrift verließ,[60] hat Zöllner „die
Rechte der Vernunft" gegen Wöllner immer wieder
standhaft verteidigt.[61]

Zöllners Entgegnung erschien im Dezember 1783
unter dem Titel: „Ist es rathsam, das Ehebündniß nicht
ferner durch die Religion zu sanciren?" (II 508—517;

---

[58] *Ideen über National-Erziehung besonders in Rücksicht
auf die Königl. Preußischen Staaten*, Teil 1, Berlin 1804.
Vgl. Friedrich Schleiermacher, *Pädagogische Schriften*, hrsg.
von Erich Weniger, Bd. 2, Düsseldorf u. München 1957,
S. 65—80.

[59] Friedrich Gedike, *Gesammlete Schulschriften* [Bd. 1],
Berlin 1789, S. VI ff. [Bd. 2 Berlin 1795]. Vgl. auch Gedikes
Bittgesuch an Wöllner, abgedruckt bei Horn, a. a. O.
S. 160 ff.

[60] Vgl. oben S. XXXIV sowie Scholtz, a. a. O. S. 139 ff.

[61] Vgl. Stölzel, *Carl Gottlieb Svarez*, a. a. O. S. 267 f.;
Kapp, a. a. O. S. 145 f. Vgl. auch Kiesewetters Brief an Kant
vom 3. März 1790: „Im Consistorio hat es mächtigen Streit
gegeben; als Wöllner die Sache [gemeint ist die Einführung
eines neuen lutherischen Katechismus durch Kabinettsorder
vom 19. Januar 1790] vorgetragen und die Cabinetsordre
des Königs, die ich in Abschrift gesehen habe und die ziemlich hart war, vorgelegt hatte, so mußte Zöllner als jüngster
Rath zuerst votiren. Er sprach mit vieler Wärme dagegen"
(*Kant's gesammelte Schriften*, Bd. 11, a. a. O. S. 137).

107—116). Er verweist vor allem auf die Wichtigkeit
der Ehe, die schon allein deshalb besondere Sanktionen
verlange, und auf ihren intimen Charakter, der staat-
licher Kontrolle weitgehend entzogen sei: „die Ehe ist,
wegen ihrer besondern Natur, und wegen ihrer vorzüglichen Wichtigkeit allerdings mehr zu sanciren, als
irgend ein anderer bürgerlicher Vertrag" (II 513; *112*).
Es komme hinzu, daß die Einrichtung der Ehe durch
die „herrschende Denkungsart" des Zeitalters (II 509;
108) ohnehin gefährdet genug sei — ähnlich wie sein
Kontrahent den Verfall des Patriotismus beklagt
hatte, beklagt Zöllner den Verfall der Sitten: „In
unsern Zeiten, wo die Ausschweifungen so mächtig
um sich greifen, wo man von abscheulichen Lastern
mit Lächeln spricht, ... wo man die Libertinage auf
Grundsätze gebracht zu haben glaubt, ... wo fast
keine vaterländische Sitte mehr übrig ist, die von
französischen Alfanzereien noch verdrängt werden
könnte — in unsern Tagen sollte es überflüssig sein,
für äußerliche Heiligkeit der Ehe zu sorgen; und sollte
man hoffen, daß die innere durch Gewohnheit, Tradition, u. s. w. *bleiben* werde?" (II 509 f.; *108* f.). Dieser
Niedergang der Sitten aber werde noch beschleunigt,
„wenn man ferner so kräftige Maßregeln anwendet,
die ersten Grundsätze der Moralität wankend zu
machen, den Werth der Religion herabzusetzen, und
unter dem Namen der *Aufklärung* die Köpfe und Herzen der Menschen zu verwirren" (II 516; *115*).

An dieser Stelle und in diesem Zusammenhang nun
stellt Zöllner jene folgenreiche Frage, an der sich das
Bemühen der deutschen Aufklärung um Selbstverständigung entzünden sollte. In einer Anmerkung erklärt
er: „*Was ist Aufklärung?* Diese Frage, die beinahe so
wichtig ist, als: *was ist Wahrheit*, sollte doch wol

beantwortet werden, ehe man aufzuklären anfinge! Und noch[62] habe ich sie nirgends beantwortet gefunden!" (II 516; *115*).

Mit dieser Anmerkung schlägt die Erörterung der konkreten tagespolitischen Streitfrage in eine philosophische Grundsatzdiskussion um, die bald weite Teile der deutschen Öffentlichkeit beschäftigen wird. Reflektiert man auf die Beweggründe, die den Aufklärer Zöllner zu seiner Frage veranlaßt haben (und ohne die auch deren Echo nicht zu verstehen ist[63]), so sind wohl vor allem zwei Motive in Rechnung zu stellen:

1. Schon für das Zeitalter der Aufklärung selber, das siècle éclairé, das sich unter der Fahne dieses Begriffs sammelte[64], bezeichnete der Name Aufklärung einen „zweideutigen" Begriff[65], einen Begriff, in dem

---

[62] Und doch?

[63] Eine Art Persiflage auf die schier uferlose Literatur zu diesem Thema, die seit 1784 den Markt überschwemmt, enthält der von Wieland im *Teutschen Merkur* (April 1789, S. 94—105) unter dem Pseudonym „Timalethes" veröffentlichte Aufsatz „Ein paar Goldkörner aus — Maculatur oder Sechs Antworten auf sechs Fragen". Jetzt in: *Wielands Gesammelte Schriften*, hrsg. von der Deutschen Akademie der Wissenschaften zu Berlin durch Hans Werner Seiffert, Abt. 1, Bd. 23: *Kleine Schriften III, 1783—1791*, bearbeitet von William Clark, Berlin 1969, S. 270—275.

[64] Vgl. Werner Krauss, „Der Jahrhundertbegriff im 18. Jahrhundert, Geschichte und Geschichtlichkeit in der französischen Aufklärung". In: ders., *Studien zur deutschen und französischen Aufklärung*, a. a. O. S. 9—40.

[65] Vgl. Klein, *Freiheit und Eigenthum*, a. a. O. S. 18: „Kriton [Suarez]. Wollten Sie mir wohl erlauben, daß ich dem Worte *aufgeklärt* lieber ein anderes weniger zweydeutiges substituirte?"

sich ganz verschiedene Impulse, Tendenzen und Interessen niederschlugen. Den besten Köpfen des Zeitalters
ist das sehr wohl bewußt gewesen. Die Frage Zöllners
war daher alles andere als eine private Frage, sie
artikulierte eine allgemeine Unsicherheit — die breite
und anhaltende Diskussion, die sie, und zwar zuerst
und zunächst im Lager der Aufklärung selber, auslöste,
ist anders kaum zu erklären.[66] Wenn Mendelssohn bei
seiner Antwort davon ausgeht, daß die „Worte *Aufklärung, Kultur, Bildung* ... in unsrer Sprache noch
neue Ankömmlinge" sind, so daß „der Sprachgebrauch,
der zwischen diesen gleichbedeutenden Wörtern einen
Unterschied angeben zu wollen scheint, noch nicht Zeit
gehabt" habe, „die Grenzen derselben festzusetzen"
(IV 193; *444*), so deckt sich das weitgehend mit dem
allgemeinen Zeitempfinden.

[66] Vgl. den Beitrag „Ueber Aufklärung" in Zöllners
Lesebuch für alle Stände, a. a. O., Teil 8, Berlin 1788,
S. 92 ff.: „Seit einigen Jahren ist in Deutschland viel von
Aufklärung geredet und geschrieben worden; aber noch
scheint man sich über den wahren Begriff derselben nicht
gehörig verständigt, wenigstens nicht vereinigt zu haben."
„Es ist bei dem Allen ein Schade, daß auf diese Weise ein
Wort, das seinen Begriff sehr gut bezeichnete, in Gefahr ist,
für unsere Sprache verloren zu gehen, oder doch zu schwan-
kend zu werden, als daß man sich desselben, ohne Miß-
deutung zu besorgen, bedienen könnte. Ich möchte sagen, es
sei dies schon jetzt der Fall". Ähnlich [Karl Friedrich
Bahrdt], *Ueber Aufklärung und die Beförderungsmittel
derselben von einer Geselschaft*, Leipzig 1789, S. 3: „Das
Wort *Aufklärung* ist jezt in dem Munde so vieler Menschen
und wir haben gleichwol noch nirgends einen Begrif gefunden, der ganz bestimmt und gehörig begränzt gewesen
wäre. Und eben daher scheinen so viel Streitigkeiten über
den *Werth* so wol als über die *Beförderungsmittel* der Auf-

2. Zugleich aber deutet sich in der Frage Zöllners noch ein anderes, tieferliegendes Motiv an: die Sorge, daß „unter dem Namen der *Aufklärung*" (II 516; *115*)[67] ganz anderes als Aufklärung bewirkt werden, ja daß sich deren Ziele verkehren — daß sie nicht zur *Aufklärung*, sondern zur *Verwirrung* der „Köpfe und Herzen der Menschen" (II 516; *115*) beitragen könne. Auch dieses Motiv wird in den Antworten immer wieder aufgenommen.[68] Georg Ludwig Spaldings

klärung entstanden zu seyn." Ferner Gottlob Nathanael Fischer, „Was ist Aufklärung?"; in: *Berlinisches Journal für Aufklärung*, hrsg. von G. N. Fischer u. Andreas Riem, Bd. 1, Berlin 1788, S. 13 f.: „*Aufklärung* also wird oft *misverstanden, und aus Misverstand angefeindet und bestritten.* Woher das? — Das Unglück liegt ohne Zweifel zum Theil am Wort." Schließlich [Karl Leonhard Reinhold], „Gedanken über Aufklärung"; in: *Der Teutsche Merkur*, Juli [August, September] 1784, S. 9 f.: „Man sieht gleich beym ersten Anblicke, daß diese *Aufklärung* keine Sache sey, die sich so leicht in ein wissenschaftliches System zwingen ließe, als Ontologie und Naturrecht, und daß es folglich kein Wunder seyn könne, wenn wir über das, was wir von der Natur, den Ursachen, den Wirkungen, den Mitteln, den Hindernissen, dem Gange u.s.w. der *Aufklärung* zu denken [im Original: danken] haben, viel später einig werden".

[67] Fast die gleiche Formulierung erscheint fünf Jahre später im Wöllnerschen Religionsedikt: „durch den äusserst gemissbrauchten Namen *Aufklärung*" (vgl. oben S. XXXIII). Vgl. auch unten Anm. 69.

[68] Vgl. „Ueber Aufklärung", a. a. O. S. 99: „so wurde in der That durch diese sogenannte Aufklärung des Schadens nicht wenig gestiftet", sowie: „Ueber die wahre und falsche Aufklärung, wie auch über die Rechte der Kirche und des Staats in Ansehung derselben"; in: *Philosophisches Magazin*, hrsg. von Johann August Eberhard, Bd. 1, Halle 1789,

Satire auf die „Heutige deutsche Philosophie" (IV 50—55; *382—387*) und die Fabel „Der Affe" (IV 480; *370*) gehören in diesen Kontext. Bei Friedrich Samuel Gottfried Sack (der 1788 als erster gegen Wöllners Religionsedikt protestierte) findet sich im gleichen Zusammenhang das harte Wort von dem „geschändeten Namen: *Aufklärung*".[69] Wieder ist es Mendelssohn, der mit besonderer Eindringlichkeit auf das Problem aufmerksam macht. Wie der Prozeß des Lebens schließlich mit innerer Notwendigkeit in Tod und Verwesung umschlägt, so ist auch der Prozeß der Aufklärung ständig von innen heraus bedroht, in sein Gegenteil umzuschlagen: „*Je edler ein Ding in seiner Vollkommenheit*, sagt ein hebräischer Schriftsteller, *desto gräßlicher in seiner Verwesung.*" „So auch mit Kultur und Aufklärung. Je edler in ihrer Blüte: desto abscheulicher in ihrer Verwesung und Verderbtheit." „Mißbrauch der

S. 31: „Das Schicksal, daß durch den Mißbrauch ihr Werth nach und nach zweifelhaft geworden ist, hat die Aufklärung mit andern Eigenschaften des menschlichen Geistes gemein".

[69] *Bildnisse jetztlebender Berliner Gelehrten*, a. a. O., Slg. 2, S. 35 f.: „Mehrere Jahre vorher hatte ich meine vertrauteren Freunde oft unterhalten von der Besorgniß, daß die gemißbrauchte Lehrfreiheit sich in einen drückenden Lehrzwang umwandeln würde." „Ob ich gleich mit den Maximen des Trohnfolgers in diesem Stücke, und mit den Grundsätzen derer, die er zu Rathe ziehen möchte, nicht bekannt war: so schien es mir doch höchst wahrscheinlich, daß man zur Steuerung des weit um sich gerissenen Unfugs, der unter dem geschändeten Namen: *Aufklärung* getrieben ward, eine Partei werde ergreifen müssen und wollen; und wie leicht der Eifer im Reformiren die schmale Linie der Mäßigung und Klugheit überschreitet, hatte mich die Geschichte aller Zeiten hinlänglich gelehrt".

Aufklärung schwächt das moralische Gefühl, führt zu
Hartsinn, Egoismus, Irreligion, und *Anarchie*" (IV
199; *450*). Die Gefahr der „Selbstzerstörung der Aufklärung" [70] ist keine Gefahr, die erst dem 20. Jahrhundert zu Bewußtsein gekommen wäre, das Wissen
um ihre *innere* Gefährdung bestimmt vielmehr weite
Teile der deutschen Aufklärung des 18. Jahrhunderts. [70a] Die Dialektik der Aufklärung, manche
wissen das nur nicht, ist ein altes Problem.

IV. Die Antwort Kants

Aus der Vielzahl der Diskussionsbeiträge, zu denen
die Frage Zöllners Anlaß gab, hat — vielleicht zu
Unrecht — nur einer über den Tag hinaus das Interesse einer breiteren Öffentlichkeit gefunden. Es ist dies
der Beitrag Kants, der im Dezember 1784 unter dem
Titel „Beantwortung der Frage: Was ist Aufklärung?"
(IV 481—494; *452—465*) in der Berlinischen Monatsschrift erschienen ist. Er hat die Tagesdiskussion, aus
der er hervorgegangen ist, weit hinter sich gelassen und
ist gewissermaßen klassisch geworden. Auch und
gerade für die Gegenwart sind Mündigkeit und Selbstdenken, so weit sie selber auch davon entfernt sein
mag, nahezu identisch mit Aufklärung.

Eine solche Herauslösung aus dem ursprünglichen
Kontext ist jedoch alles andere als unproblematisch.

---

[70] Horkheimer/Adorno, *Dialektik der Aufklärung,*
a. a. O. S. 1 ff.

[70a] Vgl. Gerhard Funke, „Das sokratische Jahrhundert".
In: *Die Aufklärung,* In ausgewählten Texten dargestellt
und eingeleitet von Gerhard Funke, Stuttgart 1963, S. 40 ff.

Schon Paul Feldkeller hat in seiner Studie über „Das philosophische Journal in Deutschland" den „literarisch eigentümlichen Brauch der heutigen Editionstechnik" beklagt, „welche die Journale in ihre Atome auflöst und nach Autoren wieder zusammensetzt".[71] Bei keinem anderen Aufsatz Kants hat diese Technik ähnlich mißliche Folgen nach sich gezogen. Während er in Wahrheit an allen Ecken und Enden zu Problemen Stellung nimmt, die gerade in der Berlinischen Monatsschrift diskutiert werden,[72] hat sie die Meinung aufkommen lassen, daß „von der Politik des Tages in die Schriften Kants, auch wenn sie populär gehalten waren", wenig oder nichts „eingedrungen ist"[73]. Zugleich hat sie die Fäden abgeschnitten, die Kant mit Männern wie Eberhard und Mendelssohn verbinden, und seinen eigenen Begriff von Aufklärung in einen voreiligen Gegensatz zum sogenannten „Durchschnittstypus"[74] der „vulgären Aufklärer vom Schlage Mendelssohn, Creuz und Eberhard"[75] gebracht. Alles in allem konnte dadurch der Eindruck einer falschen Zeitlosigkeit entstehen, die die Probleme des Tages, statt durch sie hindurchzugehen, gar nicht erst an sich herankommen läßt. Kants „Beantwortung" einer

[71] In: *Reichls philosophischer Almanach auf das Jahr 1924*, hrsg. von Paul Feldkeller, Darmstadt 1924, S. 311. Vgl Meyen, „Die Berliner Monatsschrift von Gedike und Biester", a. a. O. S. 155.

[72] Vgl. auch die Anmerkungen unten S. 514 ff.

[73] Paul Menzer, *Kants Lehre von der Entwicklung in Natur und Geschichte*, Berlin 1911, S. 267.

[74] Gisbert Beyerhaus, „Kants ‚Programm' der Aufklärung aus dem Jahre 1784". In: *Kant-Studien,* Bd. 26, Berlin 1921, S. 12.

[75] Ebd. S. 5.

höchst aktuellen Frage bekam damit fast schon den Charakter einer gegenwartsentrückten Erbauungsschrift. Kennzeichnend für den Aufsatz, schreibt etwa Beyerhaus, sei „die Sprache des Rhapsoden, die hohe Warte des dem eigentlichen Parteikampf entrückten Philosophen, der sittliche Wahrheitsmut eines von geistiger Freiheit kündenden Propheten" [76]. „Anhebend mit den volltönenden Akkorden einer sprachgewaltigen Definition weiß Kant den Leser gleich mit den ersten Sätzen auf die Höhe zu führen." [75]

Die beklagte Editionstechnik hat jedoch noch eine zweite, nicht weniger nachteilige Folge mit sich gebracht: Sie hat die Positionen in Vergessenheit geraten lassen, an die Kant (der die Berlinische Monatsschrift von Biester regelmäßig zugeschickt bekam) bei seiner Antwort teils zustimmend, teils korrigierend anknüpft, und so zu einer völligen Verkennung der *Quellenlage* geführt. Ein anschaulicher Beleg dafür ist der angeführte Aufsatz von Beyerhaus über „Kants ‚Programm' der Aufklärung aus dem Jahre 1784" [77]. Ein zentrales Thema dieses Aufsatzes nämlich ist die „Entstehungsgeschichte" [78] der Kantischen Antwort, genauer: die Frage nach den „Quellen" [79], die Kant zu jener Unterscheidung von *„öffentlichem"* und *„Privatgebrauch"* der Vernunft (IV 484 f.; *455 f.*) geführt haben, mit der er „die Spannung zwischen den unverletzbaren Ordnungen des Staates und den Forderungen der Vernunft überwindet" [80]. Beyerhaus gelangt

[76] Ebd. S. 1.
[77] Vgl. oben Anm. 74.
[78] Ebd. S. 2.
[79] Ebd. S. 9.
[80] Ebd. S. 7.

dabei zu einer überraschenden These: die Quelle dieser
Unterscheidung sei nicht etwa in irgendeiner philosophischen oder politischen Theorie zu suchen, sondern
in der politischen Praxis, nämlich in einigen Reskripten
des damaligen preußischen Kultusministers v. Zedlitz,
mit denen dieser 1776 und 1783 im Ostpreußischen in
zwei Kirchenprozesse eingegriffen hat. In diesen Mini-
sterialerlassen (die Beyerhaus als Beilagen zu seinem
Aufsatz mit abdruckt) unterscheidet schon v. Zedlitz
zwischen der Rolle des „Schriftstellers" und Theologen
einerseits, der sich an „das Publikum" wende, und der
des „Seelsorgers" andererseits, der die Aufgabe habe,
„als Lehrer der Religion, seine Gemeinde zu gutgesinn-
ten Menschen zu bilden" [81]. An eben dieser Unterscheidung seines Ministers habe Kant sich bei seiner
Antwort orientiert: „die Entscheidung des Freiherrn
von Zedlitz" — „ein getreues Spiegelbild des frideri-
zianischen aufgeklärten Absolutismus" — „hat auch
Kants Abhandlung vorangeleuchtet, die damit ihren
offiziösen Charakter erweist" [82]. Beyerhaus gelangt
aufgrund dieser Quellenanalyse zu sehr weitreichenden
Folgerungen: Kants „Beantwortung" eigne ein
„offiziöses Gepräge" [82], sie sei „in ihrer Tendenz *gegen*
die Aufklärung gerichtet" [83], ja, Kant erscheine in ihr
„als Wegbereiter eines Wöllner" [84].

Gegen die skizzierte Quellenanalyse lassen sich
jedoch eine Reihe von Einwänden geltend machen. Die
Schwierigkeit, daß die angeführten Reskripte erst 1792,
also etwa acht Jahre nach Kants Aufklärungsaufsatz,
im Druck erschienen sind, hat Beyerhaus selbst genannt

[81] Ebd. S. 16.
[82] Ebd. S. 11.
[83] Ebd. S. 12.
[84] Ebd. S. 9.

und zu entkräften versucht.[85] Schwerer wiegt die Frage, inwieweit die Entscheidung des Kultusministers in einem größeren Zusammenhang gesehen werden muß, inwieweit sie also selbst nur Ausdruck einer allgemeinen Haltung oder Theorie ist, so daß die eigentliche Quelle der Kantischen Unterscheidung möglicherweise an ganz anderer Stelle zu suchen wäre. Mendelssohns Bemerkung, Kants Unterscheidung habe „bloß etwas fremdes im Ausdrucke" [86], könnte in diese Richtung weisen. Vor allem aber ist gegen Beyerhaus einzuwenden, daß er es — gleichsam als Konsequenz der oben erörterten Editionstechnik — unterlassen hat, den Kontext der Berlinischen Monatsschrift in seine Untersuchung mit einzubeziehen. Hier, also mitten im Zentrum der ‚vulgären' Aufklärung, hätte er — um es ganz vorsichtig zu formulieren — wenn schon nicht auf die eigentliche ‚Quelle', so doch auf Überlegungen stoßen können, die Kants Lösungsversuch wohl zumindest nicht weniger stark beeinflußt haben als die Ministerialerlasse des Freiherrn v. Zedlitz. Manche der Folgerungen, zu denen Beyerhaus gelangt, hätten sich dabei sehr schnell als abwegig erwiesen.

Im April 1784 nämlich war in der Monatsschrift ein anonymer Beitrag „Ueber Denk- und Drukfreiheit. An Fürsten, Minister, und Schriftsteller" (III 312—330; *389—407*) erschienen. Er machte den politisch nicht

---

[85] Ebd. S. 11 Anm. 1.

[86] „Über Dieterich's Bemerkungen in Beziehung auf Kant's ‚öffentlichen und Privatgebrauch der Vernunft' ". In: *Moses Mendelssohn's gesammelte Schriften*, Bd. 4, Abt. 1, a. a. O. S. 146. Vgl. auch Kuno Fischer, *Immanuel Kant und seine Lehre*, Teil 2: *Das Vernunftsystem auf der Grundlage der Vernunftkritik* [*Geschichte der neuern Philosophie*, Bd. 5], Heidelberg [4]1899 ([1]1860), S. 248.

ungeschickten Versuch, die Druckfreiheit mit den authentischen Aussagen Friedrichs des Großen zu verteidigen: „Zu meinem Zwekke aber kann, wie ich glaube, nichts dienlicher sein, als wenn ich das, was *Friedrich* über diesen Gegenstand gedacht, und gesagt hat, sammle, und den Lesern vorlege" (III 313; *390*). Daß damit weniger eine objektive Darstellung als vielmehr eine politische Inanspruchnahme der ‚offiziösen' Meinung beabsichtigt war, liegt auf der Hand.

Gegen Ende seines Beitrags kommt der anonyme Verfasser auf die politische Lage in Preußen zu sprechen. Auch er bedient sich dabei, ähnlich wie acht Monate nach ihm Kant, einer Unterscheidung, nämlich der zwischen der „Subordination" eines Bürgers als Offizier oder Staatsbeamter und der davon nicht tangierten „Freiheit laut zu denken": „Die Freiheit laut zu denken, ist die sicherste Schutzwehr des preußischen Staats." „Auf *Subordination* beruht die unwiderstehliche Gewalt des preußischen Kriegsheeres. Von der Subordination hängt die Ordnung ab, welche im preußischen Civilstande herrscht. Subordination ist die Seele des ganzen preußischen Staats. — Diese auf der einen Seite so unentbehrliche, auf der andern so lästige Subordination, wird durch die Freiheit laut zu denken gemäßigt, aber nicht gehemmt." „Der Untergebene wird freilich dadurch von der Pflicht des Gehorsams nicht entbunden, und was geschehen soll, geschieht; aber man wird doch nur gezwungen den Befehl zu befolgen, nicht, zu billigen; zu thun, nicht, zu urtheilen; nachzugeben, nicht, beizustimmen. Der kühne Räsonneur verbeugt sich so tief, und gehorcht eben so hurtig, wie andere; aber man fürchtet die Verwegenheit seines Urtheils, und hütet sich, ihm Blößen zu geben" (III 326 f.; *403 f.*).

Kants lapidare Formulierung: „Nur ein einziger
Herr in der Welt[87] sagt: *räsonnirt, so viel ihr wollt,
und worüber ihr wollt; aber gehorcht!*" (IV 484; *455*)
wirkt wie die Zusammenfassung dieser Ausführungen
— wie ja auch für Kant die „Denk- und Drukfreiheit"
(III 312; *389*), die *Freiheit . . . von seiner Vernunft
in allen Stükken öffentlichen Gebrauch* zu machen"
(IV 484; *455*) ganz im Mittelpunkt seiner Antwort
steht. Seine Unterscheidung zwischen einem „Privatgebrauch" und einem „öffentlichen Gebrauch" der
Vernunft entspricht dabei zumindest der Sache nach
aufs genaueste dem dargelegten Verhältnis von „Subordination" und „Freiheit laut zu denken", sie bringt
es gewissermaßen auf den Begriff. Daß beide Verfasser
ihre Auffassung anschließend am Beispiel des Offiziers
erläutern, sei noch am Rande erwähnt.

Freilich vermag der Beitrag „Ueber Denk- und
Drukfreiheit" nicht zu erhellen, weshalb Kant im vorliegenden Zusammenhang so ausführlich auf die
Situation gerade des Geistlichen zu sprechen kommt.
Auch eine sachliche Erklärung ist schwer zu finden;
die Begründung, die Beyerhaus gibt: „Bei aller theo-
logischen Unbefangenheit ist sich Kant von vornherein
darüber klar, daß der Konflikt zwischen dem ‚Recht
der Aufklärung' und der ‚Erfüllung der Amtspflichten'

---

[87] Auch der anonyme Verfasser betont immer wieder die
Einzigartigkeit Friedrichs (vgl. III 323 ff.; *400 ff.*). Ebenso
hat Kants Gleichsetzung des „Zeitalters der Aufklärung"
mit dem „Jahrhundert *Friederichs*" (IV 491; *462*) in dem
angeführten Beitrag ihre Parallele: „Ich überlasse den
Geschichtforschern, den Einfluß zu bemerken, den seine
Handlungsweise auf das Staatsrecht, die Regierungskunst,
die Philosophie, und die Sitten seines Jahrhunderts gehabt
hat, und noch haben wird" (III 313; *390*).

den protestantischen Geistlichen mit besonderer Schärfe trifft" [88], ist ebenso allgemein wie nichtssagend — worüber sich Kant „von vornherein" im klaren war, entzieht sich der wissenschaftlichen Analyse. Dagegen vermag der Kontext der Berlinischen Monatsschrift auch in diesem Punkt die „Entstehungsgeschichte" der Kantischen Antwort zu erhellen.

1783 hatte Moses Mendelssohn in seiner Schrift *Jerusalem* ausführlich die Frage diskutiert: „ob es erlaubt sey, die Lehrer und Priester auf gewisse Glaubenslehren zu *beeidigen*?" [89]. Er hatte diese Frage strikt verneint und als warnendes Beispiel für die dadurch entstehenden Gewissenskonflikte unter anderem auf „die Bischöffe alle, die im Oberhause sitzen; die wahrhaft großen Männer alle, die in England Amt und Würden bekleiden, und jene 39 Artikel [90], die sie beschworen, nicht mehr so unbedingt annehmen, als sie ihnen vorgelegt worden" [91], hingewiesen. Mit Bezug auf eben diese Stelle hatte der angesehene Göttinger Orientalist Michaelis gegen Mendelssohn die Anklage vorgebracht, er habe ohne zureichenden Grund einen ganzen Stand in den Verdacht des Meineides gebracht.[92] Auf diesen Vorwurf nun antwortete

[88] A. a. O. S. 7.
[89] Moses Mendelssohn, *Jerusalem oder über religiöse Macht und Judentum*, Berlin 1783, S. 70.
[90] Gemeint ist das offizielle Glaubensbekenntnis der anglikanischen Kirche. Vgl. auch die Anmerkungen unten S. 511 f.
[91] A. a. O. S. 80 f.
[92] „Nachschrift zur Recension von Mendelssohns Jerusalem". In: Johann David Michaelis, *Orientalische und Exegetische Bibliothek*, Teil 22, Frankfurt am Main 1783, S. 167 u. 170. Vgl. III 25 ff.; *427 ff.*

Mendelssohn im Januar 1784 in der Berlinischen
Monatsschrift mit dem Beitrag „Ueber die 39 Artikel
der englischen Kirche und deren Beschwörung" (III
24—41; *426—443*). Der Zusammenhang mit Kants
„Beantwortung der Frage: Was ist Aufklärung?"
springt sofort in die Augen; die Frage, ob „nicht eine
Gesellschaft von Geistlichen, etwa eine Kirchenversammlung, oder eine ehrwürdige Klassis (wie sie sich
unter den Holländern selbst nennt) berechtigt sein"
sollte, „sich eidlich unter einander auf ein gewisses
unveränderliches Symbol zu verpflichten" (IV 488;
459), wird darin ja auf breitestem Raum diskutiert
(IV 488—491; *459—462*). Auch vorher schon weisen
einzelne Formulierungen („nicht mit voller Ueberzeugung unterschreiben"; IV 487; *458*) auf den Zusammenhang mit Mendelssohns Beitrag (vgl. III 26;
428) hin.

Mendelssohn sieht sich in seinem Aufsatz wie in
seinem Buch außerstande, auf die Frage, wie sich der
Geistliche in dem bezeichneten Fall verhalten solle,
eine allgemeingültige Antwort zu geben: „Drey verschiedene Wege stehen hier vor ihm offen. Er verschließt die Wahrheit in seinem Herzen, und fähret
fort, wider sein besseres Wissen, die Unwahrheit zu
lehren; oder er legt sein Amt nieder, ohne die Ursachen
anzugeben, warum dieses geschehe; oder endlich giebt
er der Wahrheit ein lautes Zeugniß, und läßt es auf
den Staat ankommen, was mit seinem Amte und mit
der ihm ausgesetzten Besoldung werden, oder was er
sonst für seine unüberwindliche Wahrheitsliebe leiden
soll. // Mich dünkt, keiner von diesen Wegen sey unter
allen Umständen schlechterdings zu verwerfen." [93] Für

---

[93] *Jerusalem*, a. a. O. S. 88 f.

Mendelssohn handelt es sich hier allem Vermuten nach um einen jener in seinem Aufklärungsaufsatz beschriebenen Kollisionsfälle, in denen „die wesentliche Bestimmung des Menschen mit der wesentlichen des Bürgers nicht harmoniren" kann (IV 198; *449*). Er weiß angesichts einer solchen Situation nur den Gewissenskonflikt zu beschreiben: „Ich kann mir eine Verfassung denken, in welcher es vor dem Richterstuhle des allgerechten Richters zu entschuldigen ist, wenn man fortfährt, seinem sonst heilsamen Vortrage gemeinnütziger Warheiten, eine Unwahrheit mit einzumischen, die der Staat, vielleicht aus irrigem Gewissen geheiliget hat. Wenigstens würde ich mich hüten, einen übrigens rechtschaffenen Lehrer dieserhalb der Heucheley, oder des Jesuitismus zu beschuldigen, wenn mir nicht die Umstände und die Verfassung des Mannes sehr genau bekannt sind; so genau, als vielleicht die Verfassung eines Menschen niemals seinem Nächsten bekannt seyn kann. Wer sich rühmt, nie in solchen Dingen anders gesprochen, als gedacht zu haben, hat entweder überall [= überhaupt] nie gedacht, oder findet vielleicht für gut, in diesem Augenblicke selbst, mit einer Unwahrheit zu pralen, der sein Herz widerspricht." [94]

Kant dagegen macht den Versuch, für das Problem Mendelssohns eine allgemeingültige Lösung zu finden. Er bedient sich dabei auch hier, das ist das Neue gegenüber dem Beitrag „Ueber Denk- und Drukfreiheit", der Unterscheidung zwischen „Subordination" und „Freiheit laut zu denken", zwischen „Privatgebrauch" und „öffentlichem Gebrauch" der Vernunft.[95] Während

[94] Ebd. S. 89. Vgl. III 37; *439*.
[95] Daß bei dieser Übertragung des *politischen* Modells auf den Bereich der *Religion* die von Beyerhaus angeführten

Mendelssohn in der Idee an der Einheit der Person
festhält (die den Gewissenskonflikt ja allererst möglich macht), empfiehlt Kant, darin vielleicht ‚moder-
ner‘, bewußt das ‚Doppelleben‘, die Unterscheidung
zwischen dem „Geschäftträger der Kirche“ und dem
„Gelehrten“ (IV 486; *457*) in einer und derselben
Person: „Der Gebrauch..., den ein angestellter Lehrer
von seiner Vernunft vor seiner Gemeinde macht, ist
bloß ein *Privatgebrauch*; ... in Ansehung dessen ist
er, als Priester, nicht frei, und darf es auch nicht sein,
weil er einen fremden Auftrag ausrichtet. Dagegen als
Gelehrter, der durch Schriften zum eigentlichen
Publikum, nämlich der Welt, spricht, mithin der Geistliche im *öffentlichen Gebrauche* seiner Vernunft, genießt einer uneingeschränkten Freiheit, sich seiner
eigenen Vernunft zu bedienen und in seiner eigenen
Person zu sprechen“ (IV 487; *458*).

Es ist nicht unwahrscheinlich, daß Kant vor allem
diesen seinen Lösungsversuch im Sinn gehabt hat, als
er aufgrund der Nachricht von „des Herrn *Mendelssohn* Beantwortung eben derselben Frage“ — der
Frage: Was ist Aufklärung? — noch die Anmerkung
hinzusetzte: „Mir ist sie noch nicht zu Händen gekommen; sonst würde sie die gegenwärtige zurück-
gehalten haben, die jetzt nur zum Versuche da stehen
mag, wiefern der Zufall Einstimmigkeit der Gedanken
zuwege bringen könne“ (IV 494; *465*). Möglicherweise
ist es sogar eine der Nebenabsichten Kants gewesen,
mit seinem Beitrag Mendelssohn gegen den ‚Göttinger‘
Michaelis in Schutz zu nehmen. In den gedruckten Aufsätzen aber ist von der erhofften „Einstimmigkeit der

Entscheidungen des Ministers v. Zedlitz mitgespielt haben,
läßt sich ebensowenig ausschließen wie beweisen.

Gedanken" wenig zu finden, sie gehen bei ihrer Antwort verschiedene Wege.

Dagegen hat Mendelssohn jene „Einstimmigkeit" gewissermaßen nachträglich und ohne Wissen Kants in einem Votum für die Mittwochsgesellschaft [96] hergestellt. Er bemerkt dort: „Was Hr. Kant *öffentlichen* und *Privatgebrauch der Vernunft* nennt, hat bloß etwas fremdes im Ausdrucke. Wenn ich ihn recht verstehe, so unterscheidet er bloß *Berufsgeschäfte* von *Außerberufsgeschäften. Berufsgeschäfte* sind diejenigen öffentlichen Verrichtungen, die mir von der Gesellschaft aufgetragen sind. In Ansehung dieser bin ich verbunden, mich der Mehrheit der Stimmen zu unterwerfen, weil ich sonst ... einen Eingriff in die Freiheit Anderer thun und meine Vernunft Andern aufdringen würde." [97] Freilich gibt Mendelssohn dem ‚Friederizianischen' Gedanken dabei unvermerkt eine Wendung ins Demokratische: es ist nun nicht mehr die „unumschränkte Monarchie" (III 328; *405*) oder einfach die „Regierung" (IV 485, *456*; 492, *463*), sondern zuerst und zunächst die „Gesellschaft", die „Mehrheit der Stimmen", der ich mich im „Privatgebrauch" meiner Vernunft zu unterwerfen habe. Die stillschweigende Umformulierung verrät die Distanz Mendelssohns gegenüber dem bestehenden Staat. Wenn er dem Kantischen Lösungsversuch trotz solcher Distanz zustimmen kann, so bezeugt das dessen Allgemeinheit: die Bedeutung, die Kants Antwort auch für die Gegenwart besitzt.

---

[96] Vgl. oben die Anmerkungen 41 und 86.
[97] *Moses Mendelssohn's gesammelte Schriften*, Bd. 4, Abt. 1, a. a. O. S. 146 f.

V. Der Briefwechsel zwischen Garve und Biester

1. Der Streit der Geschichtsphilosophien

Breiten Raum schließlich nimmt in der Berlinischen Monatsschrift der Kampf gegen den Katholizismus ein, für den ihr Name „fast sprichwörtlich geworden ist".[98] Dieser Kampf hat das Bild der Zeitschrift vor allem für die Zeitgenossen tiefgreifend geprägt und darüber manches andere zu Unrecht in den Hintergrund treten lassen. Nicht wenige sahen in den Herausgebern „ungebetene Herren Aufklärer", die „überall Catholicismus wittern"[99], „Diktatoren des wissenschaftlichen Geschmacks"[100] und „Polizey-Lieutenants des allgemeinen Glaubens in einer Residenz".[101] Aber es ist

---

[98] Meyen, „Die Berliner Monatsschrift von Gedike und Biester", a. a. O. S. 186. Vgl. *Vertraute Briefe an den Herrn Bibliothekar Biester in Berlin. Eine Beleuchtung der zwey Aufsätze in der neuen Berlinischen Monatsschrift vom März u. April 1801: Wie haben sich die Jesuiten um die Wissenschaften verdient gemacht? Ueber das Mitnehmen seiner Familie beym Uebertritt von einer Religionsparthey zur andern*, o. O. 1801, S. 4: „Biester's Wuth, Katholiken und Jesuiten anzuschwärzen".

[99] Leopold Freiherr von Hirschen, *Anti-Thomas Acatholicus. Oder: der entlarvte Biester und Konsorten*, o. O. 1788, S. 7 f.

[100] [Johann Wilhelm Bernhard von Hymmen], „Johann Paul Philipp Rosenfeld". In: *Beyträge zu der juristischen Litteratur in den Preußischen Staaten* [hrsg. von J. W. B. von Hymmen], Slg. 8, Dessau 1785, S. 225.

[101] Ebd. S. 226. Vgl. Simon Ludwig Eberhard de Marées, *Briefe über die neuen Wächter der protestantischen Kirche*, Heft 1—3, Leipzig 1786—1788. (Dagegen: Wilhelm Abraham Teller, *Sehr ernsthafte Beherzigungen für den Herrn*

Biester selber, der seine Zeitschrift emphatisch eine „protestantische Monatsschrift" (VII 63; *354*) nennt. Protestantismus und Aufklärung fallen für ihn in der Hitze des Streits fast schon ineins.

Der Kampf begann im Februar 1784 mit dem anonymen Aufsatz eines „Akatholikus Tolerans" über die „Falsche Toleranz einiger Märkischen und Pommerschen Städte in Ansehung der Einräumung der protestantischen Kirchen zum katholischen Gottesdienst" (III 180—192; *145—157*). Sein Verfasser ist allem Vermuten nach Biester selber, der auch sonst nicht müde wird, immer wieder gegen die „allerneueste Toleranz", die „modische *Toleranz gegen Unvernunft und Schwärmerei*" (VII 55; *346*) zu Felde zu ziehen. Die anschließende Diskussion weitete sich rasch zu einer allgemeinen Polemik gegen den Katholizismus aus (vgl. VI 539 ff.; *305 ff.*), die im Laufe der Zeit immer schrillere Töne annahm; der vorliegende Sammelband bringt aus diesem Komplex nur einige wenige, charakteristische Belege; doch werden zahlreiche andere Beiträge zu diesem Thema in den dazugehörigen Anmerkungen genannt.

Einer der geistigen Höhepunkte dieser Auseinandersetzung ist der Briefwechsel zwischen dem Breslauer

---

Superintendent de Marées in Dessau von dem Oberconsistorialrath und Probst Teller in Berlin, Berlin 1786.) Vgl. ferner Johann Caspar Lavaters *Rechenschaft an Seine Freunde. Zweytes Blat. Ueber Jesuitismus und Catholizismus an Herrn Professor Meiners in Göttingen*, Winterthur 1786. — Die angeführten Schriften zeigen, in welchem Maße der Streit gegen den *Katholizismus* in Wahrheit zugleich, wenn nicht gar zuerst, eine *innerprotestantische* Auseinandersetzung gewesen ist.

Philosophen Christian Garve, einem der angesehensten
Vertreter der deutschen Aufklärung des 18. Jahrhunderts, und dem Herausgeber Biester „Ueber die Besorgnisse der Protestanten in Ansehung der Verbreitung des Katholicismus" (VI 19—90, 488—554, VII
30—66; *182—357*). Hamann berichtet am 8. Juli 1785
von diesem „merkwürdigen Briefwechsel" (der im vorliegenden Band vollständig wiederabgedruckt ist), er
habe ihn „mit viel Erbauung mehr wie *einmal* . . . gelesen" [102]. Sein Thema ist nicht nur, wie es der Titel
nahelegt, der Einfluß des Katholizismus im protestantischen Europa. In dem Streit zwischen Garve und
Biester, dem Philosophen und dem Politiker und Pu-
blizisten, streiten vielmehr in Wahrheit zugleich zwei
verschiedene Geschichtsphilosophien und zwei verschiedene Konzeptionen von Aufklärung. Die Frage:
was ist Aufklärung? wo liegen die Hindernisse derselben? was sind die wahren Mittel zu ihrer Beförderung? zieht sich wie ein roter Faden auch durch diesen
Briefwechsel. In den Antworten der beiden Autoren
artikulieren sich zwei einander widerstreitende Grund-
möglichkeiten eines Verständnisses von Aufklärung,
die vielleicht — bei aller Verschiedenheit der Aus-
gangslage — bis zu einem gewissen Grade auch zur Er-
hellung der gegenwärtigen Situation beitragen können. Garve und Biester sind gleichsam Antipoden
innerhalb eines gemeinsamen Weltverständnisses.

Garves gesamte Geschichtsphilosophie ist von dem
Gedanken der Irreversibilität der Geschichte be-
herrscht. Aufklärung ist für ihn das Resultat eines not-
wendigen Prozesses, eines „Stromes der Dinge und der

---

[102] *Hamann's Schriften*, hrsg. von Friedrich Roth, Teil 7,
Leipzig 1825, S. 256.

Meinungen" (VI 26; *189*), der sich auf die Dauer
weder aufhalten noch umkehren läßt. Seiner daraus
erwachsenden Überzeugung von der Unaufhaltsamkeit
des Fortschritts gibt Garve immer wieder Ausdruck:
„Der Gang aller Dinge und besonders der Meinungen
der Menschen, geht, wenn man die Geschichte aller
Zeiten zu Rathe zieht, immer ununterbrochen vorwärts" (VI 30; *193*); „das Verständliche, Wahre und
Gute, wenn es einmal erkannt ist, wird über die
menschlichen Gemüther immer seine Kraft behalten"
(VI 61; *224*).[103]

Garve ist sich freilich bewußt, daß es sich bei der
von ihm entwickelten Geschichtsphilosophie nicht um
eine „demonstrative Gewißheit" handelt, die das
bloße, ‚unvoreingenommene' Studium der Geschichte
dem Menschen mit zwingender Notwendigkeit vermitteln könnte, sondern vielmehr um einen „demü-
thigen Glauben" (VI 489; *255*). Zur Rechtfertigung

---

[103] Vgl. das *Schreiben an Herrn Friedrich Nicolai von
Christian Garve, über einige Aeußerungen des erstern, in
seiner Schrift, betitelt: Untersuchung der Beschuldigungen des
P*[rofessor] *G*[arve] *gegen meine Reisebeschreibung,* Breslau
1786, S. 10 f.: „Ein auf Meinungen gegründetes System, das
nach erhaltner Herrschaft über die menschlichen Gemüther,
stuffenweise wieder in Verfall kömmt, kan schwerlich je
wieder hergestellt werden. Dieß beweist zum Theil die Erfahrung, indem wir in der Geschichte keine solche Rückkehr
des Menschengeschlechts, oder seiner größern Theile, zu
erloschenen Meynungen finden; zum Theil die Vernunft,
weil nie eine Meynung herrschend werden kan, als die in
das jedesmalige Gedankensystem der Menschen paßt, — der
immer während Fortgang aber der sämtlichen Kentnisse
und Begriffe bey den Menschen, alle einzelne Vorstellungen
derselben über besondre Gegenstände, also auch ihren religiösen Glauben, gleichsam mit sich fortreißt".

desselben knüpft er an die teleologischen Impulse der
Aufklärung[104] an: „die Anstalten, die ich zur Erhaltung, so wie zur Aufklärung der Menschen in der Welt
verbreitet sehe, sind groß genug, ... um ... mich von
dem Dasein und der Regierung eines verständigen und
moralischen höchsten Wesens zu versichern" (VI 489;
255); „nichts geht seinen geraden Gang fort, als die
gesunde Vernunft. Diese wird, so lange die höchste
Vernunft herrscht, nicht unterliegen" (VI 527; 293).
Doch ist Garves Fortschrittsglaube nicht ohne An-
fechtung: er ist ein unerschütterter, aber er ist alles
andere als ein naiver Glaube. In seine Zuversicht
mischen sich düstere Töne wie etwa die Befürchtung,
daß „irgend ein neuer Despot der Menschheit aufstehn"
könnte (VI 37; 200). Für den Zeitgenossen sei der
Gang der Geschichte oft kaum zu erkennen: „es hat
epidemische Thorheiten in jedem Jahrhunderte gegeben" (VI 496; 262). Allgemein gelte: „Eine absolute
und allgemeine Aufklärung ist nie gewesen, und wird
nach aller Wahrscheinlichkeit nie statt finden" (VI 495;
261).

In diesem Verständnis von Geschichte ist zugleich
auch eine Antwort auf die Frage enthalten, auf welche
Weise der Prozeß der Aufklärung in Wahrheit voranzutreiben sei. Aufklärung geschieht für Garve durch
die nüchterne, unaufgeregte Bemühung um Erkenntnis.[105] Aufklärung geschieht, indem jeder an seiner

---

[104] Vgl. *Das Zeitalter der Aufklärung*, hrsg. von
Wolfgang Philipp [Klassiker des Protestantismus, hrsg.
von Christel Matthias Schröder, Bd. 7], Bremen 1963,
S. LVIII ff.

[105] Vgl. Garves *Schreiben an Herrn Friedrich Nicolai*,
a. a. O. S. 96 f.: „die Aufklärung derjenigen Objecte die

Stelle diejenigen Wissenschaften betreibt, in denen er
zu Hause ist. Die Mittel zur Beförderung der Aufklärung — die „Waffen" der Aufklärung — sind „die
Philosophie, gründliche Studien, Sprachen, Geschichte
und Naturwissenschaft" (VI 60; *223*); „da ich gewahr
werde," antwortet Garve auf die Befürchtungen Biesters, „daß das Studium der Geschichte, der Sprachen,
einer vernünftigen Bibelauslegung, und der Philosophie, noch allenthalben im Gange ist, daß es sich auch
in katholischen Ländern immer mehr ausbreitet: so ist
mir gar nicht bange" (VI 46; *209*).

Ganz anders die Geschichtsphilosophie Biesters.
Zwar bekennt auch er sich „im Ganzen" zu einem
„Glauben an die zunehmende Aufklärung unsers Zeitalters, die ein gänzliches Zurüksinken in trägen
Sklavensinn nicht gestatten wird, an den immer freier
sich erhebenden Geist der gesunden Vernunft, welcher
endlich alle Fesseln ererbter Vorurtheile zerreißen
wird" (VI 68; *231*). Aber der Gang der Geschichte ist
für Biester — der nicht selten der ‚negativen Geschichtsphilosophie‘ Mendelssohns näherzustehen scheint als
dem Fortschrittsglauben Garves — kein irreversibler
Prozeß. Er kann jederzeit umgekehrt werden: „Ich
habe immer geglaubt, das was wir so stolz unsere
itzige Aufklärung nennen, sei nur höchst prekär, und
es bedürfe nur der Regierung von ein paar bigotten
Monarchen hintereinander, um uns ganz wieder zurükzusetzen" (VI 87; *250*); „der menschliche Verstand,
wenn er sich zu einer beträchtlichen Höhe empor gearbeitet hat," sinkt „dennoch zuweilen wieder zurük".
„Wo bleiben denn die zuversichtlichen Behauptungen",

mir die wichtigsten sind, diese ruhige Untersuchung morali-
scher und religiöser Wahrheiten".

fragt Biester Garve, „daß in aufgeklärtern Zeiten,
wenn das Licht der Vernunft und wahren Religion
einmal helle geglänzt hat, solche Rükfälle nicht geschehn" (VII 62; *353*)?

Auch für Biester führt seine Geschichtsphilosophie zu
praktischen Folgerungen. Während Garve seine ganze
Energie darauf konzentriert, den Prozeß der Aufklärung positiv voranzutreiben, richtet Biester seine
Aufmerksamkeit vornehmlich auf die von ihm so genannte „Un-Aufklärung" (VI 73 ff.; *236 ff.*). Ihm
geht es darum, geheime „Machinationen" „ins Licht zu
setzen" (VI 80; *243*), „das Publikum *aufmerksam,
achtsam* zu machen" (VI 551; *317*), seine Sache ist,
„Feuer rufen, wenn Gera brennt, wenn auch nur eine
Straße, nur ein Haus in Flammen steht" (VI 551; *317*).
Seine intensive Tätigkeit als Publizist ist die gerad-
linige Konsequenz seiner geschichtsphilosophischen
Überzeugungen.

In diesem Zusammenhang gelangt Biester auch dazu,
das Programm der Berlinischen Monatsschrift noch einmal zu formulieren; seine jetzigen Ausführungen artikulieren stärker ihre kämpferische Seite; sie treffen
den Charakter und die Motive der Zeitschrift dabei
in manchem genauer, als es die eher neutral gehaltene
„Vorrede" der beiden Herausgeber zu Beginn des
ersten Bandes (*3 f.*) getan hatte: „*Publicität* ist ihr
Hauptaugenmerk gewesen; Freimüthigkeit war immer
ihr Charakter; Verbreitung der Denkfreiheit, Empfehlung gereinigter und deutlich gemachter Begriffe,
Bestreitung der dunkeln Gefühlsphilosophie, war ihr
Zwek; Entbindung von allen Fesseln der Unvernunft,
Rettung des Rechtes der eigenen Untersuchung und des
eignen Nachdenkens ist, unter mancherlei Einkleidung,
oft ihr Gegenstand gewesen. Hundert Schriften solcher

Art können gründlicher, witziger, besser, sein; an *Eifer* in Bestreitung des Aberglaubens, an *Eifer* in Anwendung der rechten Mittel dazu, läßt sie keine vor sich" (VI 552 f.; *318 f.*).

Das verschiedene Verständnis von Geschichte und Aufklärung findet selbst im Sprachgebrauch der beiden Kontrahenten seinen Niederschlag. Bei Garve erscheint das Adjektiv ,aufgeklärt', abweichend vom heutigen Gebrauch des Wortes, mit auffallender Häufigkeit als Qualitätsbezeichnung nicht von Personen, sondern von Sachverhalten. Es besagt in solchen Fällen soviel wie ,sorgfältig untersucht', ,durchreflektiert', ,geklärt', mit einem Wort: soviel wie ,analysiert'.[106] So kann Garve Wendungen gebrauchen wie „Aufklärung des Gegenstandes" (VI 488; *254*), er kann davon sprechen, daß ein „Faktum bei weitem nicht aufgeklärt genug" sei (VI 53; *216*), daß manche Tatsachen „noch nicht nach allen Umständen aufgeklärt" seien (VI 46; *209*) oder daß man einen bestimmten Punkt „am meisten wünscht aufgeklärt zu sehn" (VI 517; *283*). Biester dagegen bevorzugt gerade in diesem Zusammenhang das Adjektiv ,aufgedeckt'. Ihm ist es darum zu tun, daß von einer „im Dunkeln gehaltnen Sache" immer mehr „aufgedekt" werde (VII 31; *322*). „Aufdekkung" (VI 546; *312*) und „Entlarvung" (VII 56; *347*) werden nachgerade zu Grundbegriffen seines Denkens.[107] Das wichtigste, allen anderen übergeordnete Mittel zur Beförderung der Aufklärung, ja in gewissem Sinne diese

[106] In der Tradition der *Analysis* (die wohl, historisch gesehen, die ursprünglichste Bedeutung von Aufklärung repräsentiert) stehen innerhalb der Berlinischen Monatsschrift vor allem die Beiträge von Samuel Johann Ernst Stosch; vgl. im vorliegenden Sammelband unten S. 371—381.

[107] Vgl. V 464, 466; VII 40 (*331*), 48 f. (*339 f.*), 65 (*356*).

selber, ist für Garve die Analysis, für Biester die Publizität.[108]

Aber selbst da, wo beide Autoren scheinbar die gleiche Sprache sprechen, verbinden sie mit ihr nicht selten einen gegenläufigen Sinn. So gebrauchen beide die typische Aufklärungsmetapher vom „Strahl der Erleuchtung". Aber diese Metapher hat bei Garve eine ganz andere Funktion als bei Biester. Garve ist es darum zu tun, Erkenntnis zu vermitteln, den Andersdenkenden durch den „Strahl der Erleuchtung" zu überzeugen: „Ich will mich dadurch nur aufmuntern", antwortet er Biester auf seine Befürchtungen und Warnungen, „die Wahrheiten der gesunden Vernunft, die ich einsehe, mir selbst und andern noch mehr ins Licht zu setzen, als ich bisher gethan habe: in der Hoffnung, daß ich vielleicht so glüklich sein könne, in irgend ein Gemüth, das den Verführungen der Schwärmerei oder des Aberglaubens offen stand, einen Strahl der Erleuchtung zu bringen, wodurch dasselbe zur guten Partei zurükgebracht werde" (VI 512; *278*). Biester dagegen geht es nicht so sehr darum, die Gegner der Aufklärung zu überzeugen, als vielmehr, sie zu bekämpfen; sein Ziel ist es, sie „durch diesen Stral des Lichts in ihrem Dunkel" zu stören, damit sie in Zukunft ein „nicht so ganz sicheres und bequemes Spiel mehr haben würden" (VI 553; *319*). Für Garve hat der „Strahl des Lichts" eine positive, für Biester eine negative Funktion.

[108] Vgl. V 472: „Die B. Monatsschrift hat seit ihrem Anfange sich ein Geschäft daraus gemacht, manche plumpe und feine Volkstäuschereien an das Licht zu ziehen, welches ihnen tödtlich ist. Und diese Publicität mag Jeden schrekken, der in unsrer Gegend im Dunkeln seinen Ehr- und Geldgeiz auf Kosten anderer zu befriedigen sucht!"

2. Das Problem der Geheimen Gesellschaften

Neben diesen grundsätzlichen Fragen, die das philosophische Verständnis von Aufklärung im ganzen betreffen, verdient jedoch noch eine speziellere Problematik des Briefwechsels Beachtung, nämlich die Thematik der sogenannten Geheimen Gesellschaften, „deren", wie Garve schreibt, „jetzt so viele, und unter so mancherlei Namen und Gestalten erscheinen" (VI 58; *221*). Der Raum, den diese Thematik in der Auseinandersetzung zwischen Garve und Biester einnimmt, entspricht nur ihrer kaum zu überschätzenden Bedeutung für das 18. Jahrhundert. Garve befindet sich hier in der Rolle des Außenstehenden, er kann ohne Einschränkung und Vorbehalt erklären, er selber sei „nie ein Mitglied solcher Gesellschaften gewesen" (VI 506; *272*). Seine Haltung gegenüber den Geheimen Gesellschaften, und zwar gegenüber allen, ist nicht durch Feindschaft, wohl aber durch kühle Ablehnung bestimmt: „nur die Aufklärung, und die deutliche jedermann offen dargelegte Wahrheit ist es, von der ich etwas hoffe"; „edle und verständige Menschen" werden wenig „ausrichten, wenn sie durch geheime Gesellschaften Wahrheit und Glükseligkeit verbreiten wollen. Was nutzen, und in einem großen Umfange in einem hohen Grade nutzen soll, muß offenbar geschehn" (VI 33 f.; *196 f.*).

Biester dagegen befindet sich an diesem Punkt der Auseinandersetzung in einer delikaten Situation. Sein Verhältnis zu den Geheimen Gesellschaften seines Zeitalters ist in mehr als einer Hinsicht kompliziert. Auf der einen Seite gilt ihnen sein ganzer Kampf; seiner Überzeugung nach „ist es ein vorzügliches Verdienst der B. Monatsschrift, diesen wichtigen Punkt in

Deutschland zuerst in Anregung gebracht zu haben"
(VII 31; *322*). Auf der anderen Seite aber gehört
Biester neben seiner Mitgliedschaft in der Mittwochsgesellschaft [109] selbst einem bestimmten Typus der Geheimen Gesellschaften an: er ist — wie zahlreiche
andere Autoren der Berlinischen Monatsschrift auch —
Freimaurer. Ebenso wie Gedike [110] und Zöllner, aber
auch wie der spätere Kultusminister Wöllner ist er
prominentes Mitglied der Großen National-Mutter-
loge zu den drei Weltkugeln; nach den Angaben von
Runkel war er „von 1789 bis 1816 vorsitzender Logen-
meister der St. Johannis-Loge ‚Zum goldenen Pflug'
in Berlin, einer Tochterloge der Großen Landesloge,
und von 1799 bis 1816 Redner der St. Andreas-Loge
‚Indissolubilis' " [111]. Die philosophischen Grund-
positionen von Garve und Biester scheinen sich daher
an dieser Stelle auf den ersten Blick beinahe zu verkehren: hier ist es Garve, der auf uneingeschränkte
Öffentlichkeit drängt; und hier ist es Biester, der eine
Einschränkung der Öffentlichkeit zum mindesten in
Kauf nimmt.

Hier liegt dementsprechend auch einer der wenigen
Punkte, an denen Biester seine eigene Idee von Aufklärung nicht durchhält und seiner Forderung nach

---

[109] Vgl. oben S. XXIV ff.

[110] Vgl. ders., „Maurerode, beim Schluß des Jahres 1783.
(vorgelesen den 31. December 1783. in der Mutterloge zu
den drei Weltkugeln.)" (III 108—112); „Zwei Maurerreden gehalten in der Mutterloge zu den drei Weltkugeln
in Berlin beim Jahresschluß von 1784 und 1785" (VII
167—183); „Maurerrede zum Andenken Friedrichs. Berlin,
den 14. Sept. 1786" (VIII 338—347) usw.

[111] Ferdinand Runkel, *Geschichte der Freimaurerei in
Deutschland*, Bd. 3, Berlin 1932, S. 179.

universeller Publizität von sich aus Schranken setzt.
Die Freimaurerei, so erklärt er, „wird überhaupt nie
in der Monatsschrift mit Tadel gemeinet werden".
„Wir glaubten nemlich, daß nicht dies, sondern eine
persönliche bescheidene Vorstellung bei den Vorstehern des Ordens, der rechte Weg sei, um den
Klagen und den etwanigen Mißbräuchen abzuhelfen"
(V 376).[112] Biesters Kampf gegen die Geheimen Gesellschaften ist daher in Wahrheit ein Kampf gegen
bestimmte Geheime Gesellschaften, ja es ist bis zu
einem gewissen Grade ein Kampf der Geheimen Gesellschaften untereinander. Es mag sein, daß Garve
diese Zusammenhänge durchschaut hat und bewußt
darauf anspielt; seine Kritik an den Geheimen Gesellschaften insgesamt (VI 33—35; *196—198*) muß jedenfalls ohne eine solche Annahme nahezu als unmotiviert
erscheinen.

So enthüllt der Briefwechsel zwischen Garve und
Biester zugleich auch die Grenzen der Berlinischen
Monatsschrift. Sie war bis zu einem gewissen Grade
auch ein Parteiorgan. Die Engen und Einseitigkeiten
ihrer Herausgeber haben ihre ursprüngliche Idee mehr
als einmal verdunkelt. Darüber hinwegsehen wollen
hieße, das Bild der Aufklärung, das sich in der Berlinischen Monatsschrift artikuliert, unhistorisch zu
idealisieren. Aber nicht dies: daß sie immer wieder
darüber hinauswuchs, daß sie *mehr* war als ein Parteiorgan, sichert ihr ihre Bedeutung für die Frage nach
der Aufklärung heute.

[112] Vgl. [Johann Moritz] Schwager, „Versuch einer
Schutzschrift für die Westphälinger. An den Herrn Director
Gedike" (I 487—500): „Vielleicht erweckt es auch ein besseres Vorurtheil für uns bey Ihnen, wenn ich Ihnen sage:
daß die Freymaurerey bey uns Eingang findet" (I 499).

Berlinische
Monatsschrift.

Herausgegeben

von

F. Gedike und J. E. Biester.

[Ausgewählte Beiträge aus den Jahren 1783—1786]

K.A. Fhr. von ZEDLITZ
Königl. Preuſſiſcher Statsminiſter.
gebohren 1731.

Wagner del.   D. Berger Scul. 1782.

Vorrede.

Unter den vortreflichen, guten, mittelmäßigen und schlechten periodischen Schriften, womit unser Vaterland bereichert, beschenkt, überschwemmt, und heimgesucht wird, — tritt nun auch unsere Berlinische Monatsschrift auf: schüchtern genug, weil sie ihre Schwäche und den Abstand von ihrem Ideale kennt; doch auch einigermaßen zutraulich, weil sie von mehrern wakkern und berühmten Männern Aufmunterung und Hülfe theils erhalten hat, theils wird. Wenn Eifer für die Wahrheit, Liebe zur Verbreitung nützlicher Aufklärung und zur Verbannung verderblicher Irrthümer, und Ueberzeugung einer nicht verdienstlosen Unternehmung, wenn diese drei Eigenschaften eines Verfassers oder Herausgebers seinem Werke einen Werth geben könnten, wie sie freilich wohl nicht können; so müßte unsere Schrift keine der schlechtesten sein.

Zu dem Behufe legen wir noch ganz kurz unsern Plan zur Anfange dieses ersten Stükkes vor, und bitten Jeden, der an derselben und an unsrer Gesellschaft nichts auszusetzen hat, dies Werk, das leicht gemeinnützig werden kann, durch Beiträge die hineinpassen und die er uns gönnen will, zu bereichern. Unser Plan ist die höchste Mannichfaltigkeit, in so weit diese mit angenehmer Belehrung und nützlicher Unterhaltung bestehen kann. Namentlich können wir folgende Rubriken angeben: 1) Nachrichten aus dem gesamten Reiche der Wissenschaften, vorzüglich von neuern Entdekkungen, in so fern sie allgemein merkwürdig und auch

dem

dem Nichtkenner interessant sind; 2) Beschrei=
bungen von Völkern und deren Sitten und Ein=
richtungen, zum liebsten aus den uns nähern
Ländern; 3) Beobachtungen über alles was den
Menschen betrift, und uns weiter in der Kennt=
niß unsrer selbst und unsrer Brüder bringen kann;
4) Biographische Nachrichten von merkwürdigen,
vorzüglich noch nicht nach Verdienst bekannten
Menschen; 5) Beiträge zur Ausbildung und
Kenntniß deutscher Sprache und Litteratur in
ältern und neuern Zeiten; 6) Uebersetzungen
wichtiger, noch zu wenig genutzter, Meisterstükke
des Alterthums; 7) Auszüge aus seltnen merk=
würdigen Schriften des Auslands; 8) Abhand=
lungen vermischter Art und mannichfachen In=
halts, die in den Ton unsers Planes stimmen. —
Dieses erste Stük konnte unmöglich Aufsätze aus
allen diesen Arten liefern; aber keine derselben,
und wenn wir auch künftig noch mehrere ge=
meinnützige kennen lernen, keine soll ausgeschlos=
sen bleiben.   Dankbar nehmen wir Beiträge an;
und eifrig sorgsam soll unser Bestreben sein, nur
wirklich Nützliches und Angenehmes unsern Le=
sern vorzulegen.

   Monatlich erscheint ein Stük von 6 bis 7
Bogen geheftet.   Sechs Stükke machen einen
Band.   Mit dem 6ten Stük wird der Hauptti=
tel ausgegeben.   Der Gedanke des Verlegers,
zuweilen (wenigstens vor dem ersten Stük je=
des Bandes) ohne Erhöhung des Preises, einen
saubern und getreuen Kupferstich von einem
merkwürdigen verdienten und noch nicht durch
Bildnisse bekannten Mann zu liefern, kann un=
möglich anders als dem Publikum gefallen.
Geschrieben Berlin am Ende des Dec. 1782.

           Die Herausgeber.   G. u. B.

2.

Ueber den Ursprung der Fabel
von der
weißen Frau.

Unter allen Mitteln gegen den Aberglauben scheint
mir keines sicherer als die Erforschung des Ursprun=
ges der Legenden und Fabeln; wenigstens ist un=
leugbar, daß es am allgemeinsten kann angewendet
werden. Viele Menschen, die man nicht ganz von
der Thorheit aller Wundergeschichten, Hexenmär=
chen und Geistererscheinungen überzeugen kann,
weil es ihnen an philosophischem Geiste, oder an
kritischem Scharfsinne, oder an historischen Kennt=
nissen fehlt, kann man doch wenigstens dahin brin=
gen, daß sie einzelne Geschichtchen verwerfen müs=
sen, so bald man ihnen zeigt, was zu der ersten Sa=
ge davon Gelegenheit gegeben, und ihre Ausbrei=
tung befördert hat. Dieses Mittel hat schon mehr=
mahl sein Glük gemacht, und, — um aus so vielen
nur ein Paar Beispiele anzuführen, — kein Ver=
nünftiger wird mehr an die h. Veronika und ihr

Schweiß=

Schweißtuch, worin das Angesicht des Heilandes
abgedrukt ist, so wenig als an die Eilftausend
Jungfern glauben, nachdem gelehrte Kunstrichter
die Veranlassung zu der erstern Fabel in der Ety-
mologie des Wortes (*) und zu der andern in der
unrichtigen Art, wie man den Namen einer S. Un-
decimilla, oder der XI. M (artyres) Virgines gelesen
hat, sehr richtig entdekt haben.

Ich würde mich glüklich schätzen, wenn ich die
Anzahl dieser entlarvten Fabeln vermehren könnte,
indem ich auf eine einleuchtende Art zeigte, was zu
dem Mährchen von der sogenannten weißen Frau
Gelegenheit gegeben hat. Ausser daß dadurch dem
Reiche des Aberglaubens wiederum etwas würde
abgenommen, das Reich der Wahrheit erweitert,
und das Herz aufrichtiger Christen von einer un-
christlichen Furcht befreiet werden: so könnte ich
hoffen, daß dieser Versuch, wenn er glüklich aus-
fiele, vielleicht zu ähnlichen Versuchen würde Gelegenheit geben.

Das

(*) Ex his intelligitur, Veronicæ vocabulum esse
    imaginis non mulieris, tracto inde etymo,
    quasi diceretur vera icon, seu iconia, et con-
    tractis in unum vocabulum litteris, Veronica.
    Mabillon Musæum ital. T. I. p. 86. 87.

(5)

Das Mährchen von der weißen Frau ist zu bekannt, als daß ich nöthig hätte es weitläuftig zu erzählen. Man giebt vor, daß an einigen Höfen zu gewissen Zeiten sich eine lange weibliche Gestalt sehen lasse, die man der langen weißen Kleider und Schleier wegen, mit denen sie umhüllet ist, die weiße Frau zu nennen pflegt. Der Aberglauben setzt hinzu, ihre Erscheinung sei allemal ein untrügliches Zeichen, daß irgend ein hohes Haupt an dem Hofe, wo sie sich sehen läßt, mit Tode abgehen werde. Der Ausgang hat diese Vorbedeutung unendlich oft widerlegt. Es sind Fürsten mit Tode abgegangen, ohne daß die prophetische Frau vorher erschienen; sie ist erschienen, ohne daß ein Todesfall erfolgt wäre, und man hat immer fortgefahren, an ihre weißagende Erscheinung zu glauben.

Man hat sogar die Fürstlichen Höfe genannt, an denen sie so freundschaftlich erscheinen soll; und das waren London, Koppenhagen, Stokholm, Berlin und einige andere; ja man hat endlich selbst den Weg, den sie auf ihrer Reise nimmt, so genau anzugeben gewußt, als wenn es die ausgemachteste Sache von der Welt wäre. Doch auch das ist noch nicht genug. Der Aberglauben, der mit seiner Leichtgläubigkeit selten auf halbem Wege ste-

A 3

hen

hen zu bleiben pflegt, hat sich einen so vollständigen
Roman über diese prophetische Erscheinung aufhef=
ten lassen, daß man die Zeit, wenn sie gelebt, ihr
Geschlecht, ihren Namen, und ihre ganze Geschich=
te anzugeben und zu erzählen weiß. Dieser Roman
lautet also:

Die weiße Frau, — erzählt die Legende, —
hieß bei ihrem Leben **Perchta**, und war eine ge=
bohrne Gräfin von Rosenberg aus Böhmen. Sie
ward ungefähr ums Jahr 1420 gebohren. Im
Jahr 1449 ward sie am Sonntage vor Martini mit
Johann von Lichtenstein vermählt. Sie hatte
ihre Hand einem Unwürdigen gegeben; denn sie
durchlebte mit diesem Joh. von Lichtenstein eine
höchst jammervolle Ehe, die sich endlich mit dem
Tode ihres grausamen Gemahls endigte. Er starb,
und nach seinem Tode begab sie sich zu ihrem Bru=
der; allein auch dieser starb bald, und ihr blieb nach
seinem Absterben die Pflicht, seine Kinder zu erzie=
hen. Dieser Pflicht unterzog sie sich mit aller mög=
lichen Sorgfalt, und so brachte sie ihr übriges Leben
bis an ihren Tod in frommer Abgeschiedenheit zu.
So wie sie ihr Leben in Erduldung vieler Leiden,
und in Erfüllung schwerer Pflichten zugebracht hat=
te, so widmete sie sich noch nach ihrem Tode der
                                            trauri=

traurigen Pflicht, ihrer Familie, ja auch den Fürstlichen Höfen, mit denen sie weitläuftig verwandt
war, den Dienst zu erweisen, und die daselbst sich
ereignenden, — wohl bemerkt — **männlichen To-**
desfälle — es läßt sich schwerlich sagen cui bono? —
durch ihre Erscheinung voraus anzudeuten. (*)

Ich bitte meine Leser sogleich zum voraus auf
dem Umstand aufmerksam zu seyn, daß sie nur die
männlichen Todesfälle prophezeihete; dieser Umstand wird uns vielleicht auf die Spur bringen, auf
der wir zu der Quelle des ganzen Mährchens gelangen. In diesem Punkte kommen alle angesehenen
Gewährsmänner ihrer prophetischen Erscheinungen
überein. Und ich weis nicht, ob ich nicht noch hinzu setzen darf, daß sie vorzüglich den Tod der Häupter der Familien anzeigte. Wenn dieser Umstand

A 4   seine

─────────────────

(*) Diese Erzählung ist gezogen aus **Johann Chri-**
stoph Nagels Differt. de celebri spectro, quod
vulgo die weiße Frau nominant, **Wittenberg** 1723,
woraus sie auch schon der neueste Ueberseßer von
Balthasar Beckers bezauberter Welt, Leipzig
1781, **Johann Moritz Schwager** im 1. Th. S.
185, 186 in der Anmerkung angeführt hat. Der
Wittenbergische Schriftsteller hält die weiße Frau
noch für ein gutartiges Gespenst.

(8)

seine Richtigkeit hätte: so würde er meine Auflö-
sung des Räthsels noch mehr bestätigen. Indes
glaub ich ihn in folgender Erzählung eines angesehenen, frommen und gelehrten Mannes augenscheinlich mit zu finden. Ich trage desto weniger
Bedenken, sie hier ganz herzusetzen, da die Beschreibung ihrer Gestalt und Kleidung, die darin vorkömmt, ganz auf meine bald folgende Erklärung der
Fabel zu passen scheint. In der Leichenpredigt auf
den Churfürsten Johann Sigismund von Brandenburg erzählt der damalige Hofprediger Johann Bergius: "Nach Mittage fragten endlich
"Se. Fürstl. Gnaden, ob man auch die weiße Frau
"wieder gesehen. Und zwar es hatte nicht allein
"dieselbige Tage, sondern auch die ganze Zeit her,
"in welcher der höchste Gott das Haus Branden-
"burg mit so manchen Todesfällen heimgesucht, ein
"solch Gesicht in weiß-leidtragender Gestalt, auf
"dem Churfürstl. Hause zu unterschiedenen Mahlen
"allerhand Standes und Alters auch Fürstlichen
"Personen, jedoch ohne schädlichen Schrekken oder
"Jemandes Verletzung sich sehen lassen, also daß
"man nicht mehr daran zu zweifeln, wiewohl auch
"unter dem gemeinen Volke viel dazu getichtet und
"hin und wieder spargiret worden. Was aber da-
                                              "von

(9)

„von zu halten, ob es ein Geſicht eines guten oder
„böſen Engels, oder vielmehr einer verſtorbenen
„Seelen (wie man im Pabſtthumb fürgegeben,) oder
„ob es ſonſt nur ein merum phantasma ſei, leidet die
„Zeit nicht, daß ich meine Gedanken erkläre. So
„viel mögen wir verſichert ſeyn, daß ſolches Geſicht
„nicht ohne Verhängniß Gottes geſchehen, daß es
„auch Gott nicht zum Böſen, ſondern zum guten
„Ende verhänge, zur Warnung denen, die ſonſt öf-
„ters nur allzu ſicher dahin leben; und folget doch
„nicht, daß eben ein Todesfall darauf erfol-
„gen müſſe, ſondern wenn Gott ſolche Warnung
„zuſchikket, ſo thut ers zu dem Ende, daß wir nach
„dem Exempel des Königs Hiskiä, durch emſiges
„Gebet und zeitliche Buße das angedrohete Unglük
„entweder abwenden, oder ja deſto beſſer uns dazu
„bereit halten mögen. — Als nun dennoch Se.
„Fürſtl. Gnaden danach gefraget, habe ich geant-
„wortet: Sie hätten ſich wegen der weißen Frau
„nicht zu fürchten, ſie würde Deroſelben nicht ſcha-
„den können, u. ſ. w. (*)

A 5   Eine

(*) Wenn man alſo den Urſprung der Fabel von der
    weißen Frau angeben will; ſo macht man ſich nicht
    anheiſchig zu erklären, woher der Wahn von weißen
    Frauen überhaupt entſtanden, ſondern von einer

Eine so wohl bescheinigte Erscheinung für ein Mährchen zu erklären, würde vermessen seyn, wenn man nicht wüßte, wie sehr die menschliche Einbildungskraft alles das zu sehen im Stande ist, wozu sie einmahl durch die Vorurtheile des Verstandes gestimmt ist.   In den Zeiten, wo man noch an Gespen-

solchen, die fürstliche Todesfälle ankündigt, in leidtragender Tracht, mit Nonnenschleiern erscheint. Daher kann auch die Nachricht von dem uralten Aberglauben in Deutschland, welcher das Land mit weißen Feyen bevölkerte, ihren Ursprung erklären. M. Gottfr. Schütze, in den Schutzschriften für die alten Deutschen, II. Bände, 2te Samml. Leipzig 1753. 8vo und zwar in der dritten Schutzschr. §. 8. Note 2. Seite 84. rükt folgende hieher gehörige Stelle ein, die er aus Joh. Picard. annal. Drenth. dist. 9. pag. 46 abgeschrieben, worin dieser weißen Frauen Meldung geschieht. „In wat Landt tot men komt, so hoort men alle Menschen uyt eenen Monde spreken, dat de voortyts geweest zyn Woonplaetsen der Witte Wyven, und de Gedachtnisse eeniger harer Wercken en Feyten is noch soo versch in de Memorie van veel Cryse-hoofden, als wanneer se noch onlanghs gebeurt waren.   In wat Plaetsen dat men dese Wooningen der Witte Wyven vindt, sal men de Ingesetenen eendrachtigh von haer in'tgemeyn hooren verklaren, namelyck: dat in sommige deser groote Bergen de Witte Wyven hebben gewoont: dat et omtrent dese Berghjes grouwelyck heft gespookt: dat

(11)

spenster und Hexen glaubte, sah jedermann in der
Mitternachtsstunde in jedem Winkel ein Gespenst,
man erklärte jede alte Frau für eine Hexe. Die
Erzählung des Hofprediger Bergius hält mich also
nicht ab, die Erscheinung der weißen Frau für eine
Täuschung der Einbildungskraft und alle Geschichten
von ihr für Mährchen zu erklären, ja ich finde in
derselben verschiedene Umstände, die meine Vermuthung,

men in denselven dickwyls een deerlyck Gekryt,
Gekerm en Weeklagen van Mannen, Vrouwen en
Kinderen gehoort heeft: dat se by Dagh en Nacht
dickwyls van barende en noodtlydende Vrouwen
zyn ghehaelt, en souden die gheholpen hebben,
oock dan wanneer alles disperaet was: dat se da
superstitieuse Menschen souden gewichet, haer Ge-
luck en Ongeluck voor geseyt hebben: dat se ge-
stoolen, verlooren, en vervremde Goederen wisten
aen te wyssen waer die schuylden: dat die Landt-
saten deselve met groote Eerbiedigheyt geeert hadden, als wat goddelychs in haer erkennende: dat
eenige Ingesetenen im sommige Gelegenheden in
dese Berghies geweest waren, en hadden aldaer
ongeloofiyeke Dingen gesien en ghehoort, maer
hadden, op peryckel van haer Leben, niet een
Woort mogen spreeken: dat se snelder waren
geweest, als eenige Creatuyren: dat zy altydt
in 't Wit waaren gekleedt geweest, en
wierden daerom niet witte Wyven, maer simplici-
ter de Witten genaemt.

(12)

thung, welche ich dem Leser sogleich mittheilen werde, bestätigen helfen.

Wie ist also dieses Mährchen entstanden? Ich
glaube nicht anders, als so wie der Wahn entstanden ist: daß es eine übele Vorbedeutung sei, wenn
einem Reisenden ein Hase über den Weg läuft.
Es ist nicht gut, hat man gesagt, daß der Hase über
den Weg läuft; es ist besser, wenn er gebraten in
der Schüssel liegt. Diesen Ursprung hat man vergessen, und der Aberglaube hat sich gefreut, zu seinem prognostischen Gesetzbuche eine neue Vorbedeutung hinzu zu thun. Ich sage, auf eben die Art ist
das Mährchen von der weißen Frau entstanden.
Die Erscheinung einer weißen Frau am Hofe bedeutete einen hohen Todesfall, das ist in einem gewissen Sinne richtig. Diesen Sinn hat man vergessen, und diese unschuldige Redensart hat dem
Aberglauben Gelegenheit gegeben, die Erscheinung
der weißen Frau zu einem vorbedeutenden Gespenste umzuschaffen.

Welches ist aber diese unschuldige Redensart?
— Um diese Frage beantworten zu können, muß
ich etwas weiter ausholen.

Die Geschichte sagt uns, daß in den mittlern
Zeiten die Trauer einer Fürstin und Königin um
ihren

ihren verstorbenen Gemahl in einer weißen Tracht bestand. Ich bin nicht im Stande genau anzugeben, wenn diese Mode abgekommen ist, und wenn an jedem Hofe die weiße Trauer der schwarzen Plaz gemacht hat. Von dem einzigen Castilianischen Hofe hat uns Herrera aufbehalten, daß die weiße Trauer an demselben gegen das Ende des funfzehnten Jahrhunderts abgekommen sei, und daß der lezte Prinz, der damit betrauert worden, Don Juan gewesen. Es war ferner gewöhnlich, daß die verwittwete Fürstin von dem Tode ihres Gemahls an, sich nicht anders als in Trauer kleidete. Eine natürliche Folge von dieser Mode war, daß man die fürstlichen Wittwen weiße Frauen nannte, und daß also, so lange die fürstliche Wittwe lebte, eine weiße Frau, oder eine weiße Königin sich am Hofe befand. Von dem französischen Hofe wissen wir es gewiß, daß man die verwittwete Königin, zumahl wenn auch eine regierende Königin an dem Hofe war, zum Unterschiede, la Reine blanche, (die weiße Königin) nannte, und an diesem Hofe muß auch die weiße Trauer noch länger gedauert haben, wenn es wahr ist, daß noch Heinrich der dritte von seiner Gemahlin ist weiß betrauret worden. (*)

Der

(*) S. CARPENTERII Glossarium v. Blanca.

(14)

Der Schriftsteller, aus dem Carpentier diese Nachricht anführt, sezt hinzu: daß die Geschichtschreiber der Mutter Ludewig des Heiligen mit Unrecht den Nahmen Blanche beilegen, sie habe eigentlich Clementia geheissen, und der Nahme Blanche sey ihr eigentlich wegen ihres langen Wittwenstandes belgelegt worden. Eine Stelle, welche die Nachricht, daß die Königlichen Wittwen die weißen Königinnen geheißen, unumstößlich beweiset, habe ich in dem alten berühmten Roman du Chevalier aux Cygnes gefunden, und ich wundere mich, daß sie Carpentiers Fleiße und Aufmerksamkeit entgangen ist. Dieser Roman ist wenigstens aus dem vierzehnten Jahrhundert, und enthält eine fabelhafte Geschichte der Abstammung des berühmten Gottfried von Bouillon, des Anführers des ersten Kreuzzuges und ersten Königes von Jerusalem. Er war ursprünglich in Versen geschrieben, man hat ihn aber auch in Prose, und so ist er etwas verändert von Pierre Desray im Jahr 1499 gedrukt worden. (*) Die eigentliche Aufschrift dieses Romans ist: Histoire miraculeuse

(*) Einen Auszug aus demselben findet man in den Melanges tirés d'une grande Bibliotheque Lett. F. 5. 4.

(15)

culeuſe du Chevalier au cyne (aux cygnes) fils du
puiſſant Roy Oriant, duquel eſt iſſu Godefroy de Bil-
lon (Bouillon) avec les faits de ce Roi et pluſieurs
autres Princes et Barons Chrenelis.

Die Mutter des Königs Oriant hieß Mat-
brune, ſie wird aber als verwittwete Königin in
dem Roman des Schwanenritters die weiße Königin (la Royne Blanche) genannt. Der Herausgeber der angeführten Memoires tirés d'une grande
Bibliotheque macht dabei die Anmerkung,, "daß
man noch im vierzehnten Jahrhunderte die verwittweten Königinnen ſo zu nennen pflegte, es ſei
zum Andenken der Königin Blanca, Mutter des
h. Ludewigs, oder weil ſie immer in Nonnen-
ſchleier, und weiße Florkappen gehüllet waren,
und eine immerwährende Trauer durch ihren ganzen Wittwenſtand trugen." Die erſtere Vermuthung muß aber wegfallen, ſo bald man annimt,
daß die Mutter Ludewigs des Heiligen ſelbſt wegen ihrer langen Wittwentrauer la Reine Blanche
(die weiße Königin) und nicht die Königin Blanca
ſei genennt worden, wie das aus der obenangeführ-
ten Stelle des Carpentier erhellet.

Ich glaube meine Leſer werden nun ſchon meine Auflöſung der Aufgabe über den Urſprung von
der weißen Frau von ſelbſt gerathen haben. Es
würde

würde also ihrem Scharfsinne vorgreifen heißen,
wenn ich noch hinzusetzen wollte, die Redensart:
die weiße Frau wird bald bei Hofe erscheinen,
habe nichts anders bedeutet, als: es werde bald
eine fürstliche Wittwe am Hofe sein, es wer=
de sich also bald ein hoher Todesfall ereig=
nen.   Ich hoffe, man werde den Uebergang von
dieser figürlichen Redensart auf die vor dem Todes=
falle hergehende Erscheinung eines Gespenstes von
einer weißen Frau, und auf ihre prophetische Miß=
deutung nicht zu gähe finden.   Wenn wir den Ur=
sprung der Fabeln allezeit aus so wahrscheinlichen
Hypothesen erklären könnten, so würden wir end=
lich immer mehr die Geschichte von Fabeln säubern,
und den Täuschungen des Aberglaubens vorbauen.
Daß man bei der unheilbaren oder gefährlichen
Krankheit eines Fürsten seine Fürstin sich als Witt=
we vorstelle, daß die besorgten und bekümmerten
Gemüther das, was sie blos besorgen können, schon
zu sehen glauben, daß sie dann das Gesicht für eine
Vorbedeutung halten, ist dem natürlichen Gange
der menschlichen Seele so gemäß, daß man sich
nicht wundern darf, wenn dieses unendlich oft in
der Welt geschieht.

                                        Man

Man mag meine Erklärung übrigens halten, für was man will: so hat sie doch den Vortheil, daß sie sich in den ganzen Zusammenhang aller Umstände, die man von dieser vorbedeutenden Erscheinung anführt, am besten paßt. Ich habe oben als einen Hauptumstand bemerkt, daß nach dem Volksglauben die Erscheinung der weißen Frau einen männlichen Todesfall bedeute. Dieser Umstand läßt sich beinahe nicht begreifen, wenn man nicht annimmt, daß die weiße Frau, ihren Ursprung von einer Wittwe habe.

Die Ueberlieferung sagt ferner: die weiße Frau erscheine in weißleidtragender Gestalt. Ich kann darunter nichts anders verstehen, als in den großen langen schleppenden Kleidern, mit den überhangenden Schleiern, so wie man sie jetzt von schwarzer Farbe trägt, wie sie aber zur Zeit des Ursprunges der Fabel von weißer Farbe getragen wurden.

Diese Schleier sind augenscheinlich von den Nonnen hergenommen, deren Kleidung die verwittweten Fürstinnen aus guten Gründen nachahmten; da sie das Andenken ihres Gemahles nicht besser, als durch eine gänzliche Abgeschiedenheit von der Welt ehren, und die Größe ihres Verlustes nicht

B

besser

(18)

beſſer zu erkennen geben konnten, als wenn ſie die
Kleidung der Gottvermählten nachahmten, und
dadurch bekannten, daß, nachdem ſie ihren fürſtli-
chen Gemahl verlohren, nun kein Sterblicher mehr,
— nur der Höchſte allein — ſeine Stelle in ihrem
Herzen einnehmen könne.

Es wird, denke ich, niemand von mir verlangen, daß ich Schritt für Schritt zeige, wie aus einem ſo geringen Urſpruuge eine ſo umſtändliche Geſchichte habe entſtehen können, als wir von der vorgegebenen weißen Frau oben angeführt habtn.
Nichts iſt leichter und gewöhnlicher, als eine Fabel, wenn einmahl der Grund dazu gelegt iſt, durch
weitläuftige Erdichtungen weiter aufzuſchwellen,
und durch die genauſte Umſtändlichkeit noch ferner
auszuſchmükken. Nachdem einmahl die Sage von
den Eilftauſend Jungfrauen Glauben gefunden
hatte, ſo fand ſich bald ein fruchtbarer Legenden-
ſchreiber, der ihre Thaten, ihr Vaterland, ihre
Kriegeszüge, Anführer u. ſ. w. ſo genau zu beſchrei-
ben wußte, als wenn er ihren Feldzügen ſelbſt mit
beigewohnt hätte.

Ich könnte mich alſo völlig für entbunden halten, die Umſtände, womit man das Mährchen aus-
geſchmükt hat, zu beurtheilen, und daß ſie erdichtet
ſind,

sind, darzuthun. Denn, außer daß sie mit der
Hauptsache von selbst fallen müssen: so sind wir
von den Zeiten, wohin man sie versetzt hat, zu weit
entfernt, als daß man sich auf jede Kleinigkeit in
derselben einlassen könnte.

Indeß enthält die Geschichte doch einen Um-
stand, der selbst verräth, daß sie erst ist erdichtet
worden, nachdem man bereits lange an eine weiße
Frau geglaubt hatte. Die Legende legt ihr den
Nahmen Perchta von Rosenberg bey. In der
Wahl dieses Taufnahmens Perchta glaube ich eine
Spur zu finden, daß die Geschichte der Gräfin von
Rosenberg bereits die Ueberlieferung von einem Gespenste voraussetze, und daß die Erstere dieser letztern angepaßt sei. Der weibliche Taufnahme
Prechta oder Perchta ist so ungewöhnlich, daß
man sich billig wundert, ihn hier zu finden. Wenn
man seinem Ursprunge auf den Spuren der Analogie nachforscht: so müßte er von dem männlichen
Taufnahmen, Brecht, Bert, abgeleitet werden,
welcher aber außer der Zusammensetzung als: in
Albrecht, Berthold, Adelbert, u. d. gl. nicht vorkömmt. Aus diesem Grunde läßt sich urtheilen,
daß auch der Name, Prechta, Perchta, Brechta,
nicht außer der Zusammensetzung vorkommen wer-

de.

(20)

de. Wie kömmt er also hieher? — Ich will eine
Muthmaßung wagen, die ich für nichts weiter als
für eine Muthmaßung ausgebe, eine Muthmaſ-
ſung, die, wenn ſie auch ſich nicht ſollte beſtätigt
finden, meiner Auflöſung in der Hauptſache doch
keinen Schaden thun würde.

Wir finden, daß dem heil. drei Königstage
auch der Nahme Prechtag beigelegt werde. Ver-
ſchiedene Sprach- und Alterthumsforſcher erklären
dieſe Benennung unmittelbar für eine wörtliche Ue-
berſetzung des Worts Epiphanias. Das thut Haltaus. (*) Dieſer Ableitung iſt die Sprache nicht
entgegen. Denn Brehen, Brechen hieß noch im
funfzehnten Jahrhundert ſo viel als glänzen; das
alte deutſche Vocabularium von 1482 giebt ſchei-
nend, prehend durch rutilus, und dieſe Ableitung
ſchikt ſich ſelbſt ſehr gut zu den Wörtern Brecht,
Bert, Bern, Warn ꝛc. womit ſehr viele Nahmen
berühmter, edler, erlauchter und glänzender
Männer zuſammengeſetzt ſind, und er iſt noch in
dem engliſchen bright ſichtbar.

Dem ungeachtet hat ſie andern Sprachfor-
ſchern nicht gefallen, und einige haben lieber die
Benennung des heil. drei Königtages von einer

Brech

(*) S. Haltauſii Calendar. medii Aevi. S. 37.

Brech ableiten wollen, welche ein weibliches Ge=
spenst sein soll, das an diesem Tage und der darauf
folgenden Nacht sein Wesen hatte, indem es, nach
der Sage des Aberglaubens, den Leuten den Bauch
aufschnitt. Frisch (*) sagt, daß man mit diesem
Gespenste noch bis auf diese Stunde in Franken
die Kinder in Furcht jage; er glaubt aber, daß
das Gespenst seinen Nahmen von dem Brechtage,
nicht der Brechtag den seinigen von dem Gespenste
habe.

Ich nehme mir nicht heraus, diesen gramma=
tischen Streit zu entscheiden, ich führe nur diese
verschiedenen Ableitungen in der Absicht an, um
daraus zu zeigen, daß man der weißen Frau nicht
ohne Ursach den Nahmen Perchta von Rosenberg
gegeben. Wenn der weibliche Nahme Perchta
oder Prechta außer der Zusammensetzung eben so
wenig vorkömmt, als der männliche Nahme Bercht
und Brecht: so man kann schwerlich einen ver=
nünftigern Grund angeben, warum die Legende
gerade diesen Nahmen zur Ausschmückung ihres
Mährchens gewählt habe, als weil er in der Gei=
B 3   ster=

(*) S. Johann Leonhard Frisch Deutsch=Lateini=
sches Wörterbuch v. Percht.

sterlehre des Volksglaubens der Nahme eines Gespenstes war.

Sonach träfen wir dann hier auf eine un-
zweideutige Spur von der Erdichtung der Legende;
es ergäbe sich aus ihr selbst, daß der Wahn von einem Gespenste, das unter der Gestalt einer weißen
Frau zu erscheinen pflegt, schon unter dem Volke
gewesen sei, ehe man noch die Legende dazu erdichtet, indem selbst dieser Wahn den Erdichter derselben, in der Wahl des Nahmens seiner Heldin,
geleitet zu haben scheint.

Ich müßte nicht wissen, welche Stärke der
Beweise man für eine historisch gewisse Wahrheit
mit Recht verlangen könne, wenn ich das Resultat
meiner Untersuchungen über die weiße Frau für etwas mehr als eine bloße, aber ziemlich wahrschein-
liche Vermuthung ausgeben wollte. So schwach
indeß diese Wahrscheinlichkeit immer sein mag, so
giebt sie uns doch immer eine mögliche Art an die
Hand, das Entstehen und Ausbreiten einer solchen
abergläubischen Ueberlieferung zu erklären, und ent-
kräftet also die Beweise, womit der Aberglaube seinem Wahne ein Gewicht zu geben glaubt.

Joh. Aug. Eberhard.

————

Nach-

(23)

3.

Nachtrag zu der Legende von der weißen Frau.

Die Quellen des Aberglaubens sind eben so versteckt, und in ihrem ersten Ursprung eben so gering und unbedeutend, als die Quellen des Nil. Sie schwellen nach und nach zum Strom auf, der, ohne den Boden zu befruchten, über seine Ufer trit, und Vernunft und Wahrheit mit sich fort schwemmt. Sie selbst werden oft erst spät nach vielen mislungnen Versuchen und abentheuerlichen Theorien entdekt, und meistens da entdekt, wo sie keiner vermuthete.

Wer je darüber nachgedacht hat, durch welche unmerkliche Fortschritte eine abergläubische Idee zu wachsen pflegt, was für seltsame Kombinationen und rasche Sprünge sich die einmal durch Hang zur Schwärmerei, durch Andächtelei, durch feierliche Cerimonien, durch Furcht u. s. w. angeregte Imagination erlaubt, und wie oft der Aberglaube selbst aus Wortspielen und Sprachzweideutigkeiten Nahrung saugt — der wird obige von einem der

scharfsinnigsten Philosophen Deutschlands versuch-
te Erklärung von dem Ursprung einer eben so berühmten als lächerlichen Gespensterhistorie, nicht
nur sehr sinnreich, sondern auch dem durch Geschichte und tägliche Erfahrung bewährten Gange
abergläubischer Ideen und schwärmerischer Verirrungen ungemein anpassend finden. Und er muß
es dem Philosophen Dank wissen, der, statt mit
allgemeinem Räsonnement oder Deklamation gegen
den Aberglauben zu kämpfen, von dessen Panzer
auch die schärfsten Pfeile des Räsonnements zurük-
prallen, lieber mit der Fakkel der Geschichte die
oft verwehte Spur seines Ganges verfolgt, um die
dunkle Geburtsstätte, und die meistentheils sehr
kleine und armselige Wiege des vermeinten Riesen
zu finden, den nur blinde Leichtgläubigkeit und
schwerhörige Einfalt zum Riesen machten.

Da der berühmte Verfasser der vorigen Abhandlung die eigentliche Legende nur kurz berührt
hat, und ich vermuthen darf, daß eine etwas aus-
führlichere Nachricht für viele Leser nicht ohne Interesse sein dürfte, so liefere ich einen Nachtrag, so
gut ich ihn aus meinen wenigen Quellen liefern
kann. Meine Gewährsmänner sind — lauter leicht-
gläubige Mährchenerzähler, der Jesuit Balbinus,
der

der ehemals berühmte itzt vergeßne Polygraph,
Erasmus Francisci, in seinem wenigstens dreimal
aufgelegten höllischen Proteus, einer wahren
Fundgrube des lächerlichsten und widersinnigsten
Aberglaubens, Brand (Rektor zu Spandau)
in einer kleinen Schulschrift: Die von Gott erschaffne unsichtbare Welt, 1725. u. s. w. Freilich sehr trübe schlammige Quellen. Aber das sind
die Quellen des Aberglaubens und der Schwärmerei allemal. Um nicht jeden Augenblik die Ausdrükke: man sagt, man glaubt, sie soll u. s. w.
zu wiederholen, so erlaube man mir, das Mährchen,
das gleich andern mit einiger historischen Wahrheit
gemischt ist, ganz in dem Ton der Geschichte zu erzählen. Ist's doch sogar von uralten Zeiten her bis
itzt nichts ungewöhnliches, daß Geschichtschreiber,
ohne einen warnenden Wink für den Leser, ge-
glaubte, oder ersonnene Mährchen ganz wie Geschichte erzählen.

Die gewöhnlichste Tradition ist, daß die weiße
Frau eine Böhmische Gräfin Perchta von Rosen-
berg sei. Sie ward zwischen 1420 und 30 gebo-
ren. Ihr Vater, Ulrich von Rosenberg, war
Oberburggraf in Böhmen, und unter Autorität des
Pabstes oberster Feldherr des katholischen Heers ge-

gen

(26)

gen die Huſſiten.   Er vermählte ſeine Tochter an
Johann von Lichtenſtein, einen Steiriſchen
Freiherrn, einen laſterhaften und äußerſt hartherzi-
gen Mann.   Ihre Ehe mit dieſem Barbaren war
voll Elend und Jammer.   Endlich befreite der Tod
des Tyrannen das lange gequälte ſeufzende Weib
aus ihrer Sklaverei.   Sie kehrte nach Böhmen zu
ihrem Bruder Heinrich zurük, und übernahm nach-
mals mit eben ſo vieler Klugheit als Gutherzigkeit
die Erziehung mehrerer Pupillen aus ihrer Familie,
unter andern der verwaiſten Söhne des Meinhard
von Neuhaus.   Bei dieſen ihren dankbaren Mün-
deln blieb ſie bis an ihren Tod, und hieß ſchon bei
ihrem Leben wegen ihrer weißen Witwentracht die
weiße Frau.

　　Sie erbaute das Neuhäuſſiſche Schloß.   Dieſer Bau daurete viele Jahre zu großer Beſchwerde
der Unterthanen, die bei Grabung und Aufführung
der Wälle, Aufrichtung der Thürme, und Zufüh-
rung der Baumaterialien gebraucht wurden.   Der
freundliche Zuſpruch der weißen Frau erleichterte
ihnen indeſſen die Laſt des Frohndienſtes.   Nach
Vollendung des Baues richtete ſie allen Unterthanen ein koſtbares Mahl an, und machte eine Stiftung zur jährlichen Widerholung eines ſolchen Lie-
bes-

(27)

besmahls, das nachher auf den grünen Donnerstag
verlegt, und von dem dabei gewöhnlichen Hauptge-
richt der süße Brei genannt ward. Ob diese Stiftung noch bestehen mag, ist mir unbekannt. Wenigstens bestand sie noch gegen das Ende des vorigen Jahrhunderts. Der Böhmische Jesuit Balbinus versichert,
daß er selbst mehr als einmal unter den Zuschauern
zugegen gewesen, und daß jedesmal zum wenigsten
siebentausend, zuweilen neun bis zehntausend Arme
aus der ganzen umliegenden Nachbarschaft auf den
geräumigen Schloßplätzen zu Neuhaus wären be-
wirthet worden. Zehntausend hungrige Magen
auf einmal zu bewirthen und satt zu machen, will
freilich für einen Böhmischen Edelmann immer
schon viel sagen. Indeßen was thut und glaubt
man nicht, um nur nichts mit der weißen Frau zu
schaffen zu haben! Denn das sonst so gutmüthige
und freundliche Gespenst gerieth doch, sagt man,
jederzeit in die äußerste Wuth, wenn einmal in einem Jahr aus Geiz oder Nachläßigkeit der Besitzer
von Neuhaus die feierliche Mahlzeit des süßen
Breies unterblieb. Dis geschah vornehmlich im
dreißigjährigen Kriege, als die Schweden eine
Zeitlang Neuhaus in Besitz hatten, und sich um
weiße Frau und süßen Brei unbekümmert ließen.

Jetzt

Jetzt erschien sie nicht wie sonst mit der Miene einer
ruhigen Dulderin, sondern mit aller Würde und
Wuth eines zürnenden Weibes. Das ganze Schloß
war voll Lärm und Unruhe. Die Wachen wurden
verjagt, geschlagen, und von einer unsichtbaren
Kraft zu Boden gestürzt. Die Officiere wurden
bei Nacht aus den Betten geworfen, und auf der
Erde herumgezogen. Ein Bürger rieth endlich dem
schwedischen Kommendanten, das unterlassene Lie-
besmahl anzurichten. Er that es, die weiße
Frau ward besänftigt, und siehe auf einmal war alles wieder ganz ruhig.

Balbinus berichtet, in dem Neuhausischen
Schloße stehe ein Bild in Lebensgröße, das die
weiße Witwe vorstelle. Alle, denen die weiße
Frau jemals erschienen, gestünden, daß dis Bild
ihr wie aus den Augen geschnitten sei. Er selbst
sah es 1655, und bemerkte auf demselben nicht nur
das Rosenbergische Wappen, sondern auch den Namen Perchta.

Uebrigens erscheint sie in Böhmen an mehrern
Orten, immer indessen nur bei vornehmen Familien. Warum sie aber vornehmlich in dem
Schloße zu Rosenberg und dem zu Neuhaus zu
erscheinen pflege, ist sehr begreiflich, da sie in jenem
                                              gebo-

geboren worden, in diesem hingegen, das sie selbst
erbaut, gestorben. Sie erscheint daher auch nirgends öfter als zu Neuhaus, und sie ließ sich zu der
Zeit, da sich Balbin in dem dasigen Jesuiterkolle-
gium befand, so weit herab, durch ihre Erscheinung
auch die Todesfälle der Mitglieder dieses Kollegiums
zu weißagen. Der Pater Müller erzählte dem Balbin, er habe selbst die weiße Frau um Mittagszeit
gesehen, wie sie aus einem Schloßfenster von einem
öden Thurm auf die Stadt Neuhaus herabgesehen.
Als aber jedermann auf dem Markt mit Fingern
auf sie gezeigt, wäre sie zwar von ihrem Platz nicht
weggetreten, wäre indessen immer kleiner geworden
und endlich verschwunden. Wilhelm Slavata,
Böhmischer Reichskanzler und Herr dieses Schloßes,
erwähnt nicht nur in seinen libris Apologeticis der
Erscheinung der weißen Frau als einer sehr gewöhnlichen landkundigen Sache, sondern setzt auch hinzu, die weiße Frau befinde sich im Fegefeuer und
könne daraus nicht eher erlöst werden, als bis das
Schloß zu Neuhaus entweder eingefallen oder nie-
dergerissen sein würde.

Die andern Oerter in Böhmen, wo sie von
Zeit zu Zeit erscheinen soll, sind nach Balbins Be-
richt Krumlow, Wittengau, Frauenberg, das
Schloß

(30)

Schloß zu Bechin, zu Teltzen, das uralte Schloß
Kraselow oder Schwamberg, und das Schloß
der Herren von Berka. Vermuthlich sind diese
Familien sämtlich durch Verwandtschaft mit den
Häusern der Herrn von Rosenberg und Neuhaus
verknüpft.

Sie erscheint indessen nicht immer blos als
Todesprophetin, sondern auch bei bevorstehenden
Geburten, Vermählungen und andern frohen Begebenheiten in der Familie. Zum Unterschiede
trägt sie bei einem Sterbefall in beiden Händen
schwarze Handschuh, zur Anzeige fröhlicher Vorfälle
hingegen erscheint sie, nach Francisci Ausdruk,
durchaus weiß im Talar nach der Weise vorneh-
mer Standeswitwen. Doch schreibt Gerlach
(im türkischen Tagebuche,) der Kaiserliche Gesand-
te bei der Pforte, Freiherr von Ungnad, habe in
Konstantinopel erzählt, so oft einer vom Rosenber-
gischen Geschlecht in Böhmen geboren würde, erschiene ein Weib in weißer, wenn aber jemand stür-
be, eins in schwarzer Kleidung.

Bisweilen geht sie in Neuhaus mit raschem
Gang durch das Schloß, öffnet und verschließt bald
dis bald jenes Zimmer mit einem an ihrem Gürtel
hangenden Bund Schlüßel. Sie ist überhaupt
nicht

nicht lichtscheu, und zeigt sich daher nicht nur zur
gewöhnlichen Gespensterstunde bei Nacht, sondern
selbst bei hellem Tage. Wenn ihr jemand begegnet
und sie grüßt, ertheilt sie ihm mit Neigung des
Hauptes und mit aller Gravität einer bejahrten vornehmen Witwe einen freundlichernsthaften Gegen-
gruß, und geht, wenn man sie nicht hindert, ruhig
und sittsam, ohne jemand zu beleidigen, ihren Weg
fort. Nur dann, wenn jemand sie mit Flüchen be-
grüßt, wird sie zornig, und macht ein finstres Gesicht; ja zuweilen verfolgt sie den vermeßnen Lä-
sterer mit Steinen und allem, was ihr in die Hände kömmt.

Diese Reizbarkeit bewies sie vornehmlich 1539
auf dem Schloße zu Wittengau, als der nachma-
lige Besitzer desselben Peter Wok von Rosenberg, der der letzte seines Stammes war, noch als
ein neugebornes Kind in der Wiege lag. Dis Kind
war ein besondrer Liebling der weißen Frau. Sie
wiegte es, wenn die Wärterinnen schliefen, nahm
es, wenn es weinte, freundlich aus der Wiege auf
ihre Arme, kosete und spielte mit ihm, und trug es
mit aller Freundlichkeit und Herzlichkeit einer Kin-
dermuhme durch die Zimmer herum. Nach einiger
Zeit ward eine neue Kinderwärterin angenommen,
                                                    der

(32)

der dis Schauspiel ganz neu war, und der die Kol-
legenschaft eines Gespenstes nicht anstand. Sie
faßte daher einmal das Herz, und riß der geschäfti-
gen weißen Frau das Kind aus den Armen. Ißt
ward sie aufs äußerste erbittert, und hielt an die
vermeßne Magd in der kräftigen Rhetorik des Fisch-
markts eine so nachdrükliche Rede, wie sie nur immer von der geläufigen Zunge der geübtesten
Hökerin strömen kann. Wer Lust hat, mag sie in
Francisci höllischem Proteus S. 83 selbst nachle-
sen. Nach gehaltner Rede verschwand sie, ohne
sich wieder bei dem Kinde sehen zu lassen, nachdem
sie es noch der Amme nachdrüklich empfolen, und
ihr zugleich aufgetragen, ihm einst in seinen Jünglingsjahren die Liebe der weißen Frau für ihn zu
erzählen, und ihm dabei den Ort in der Wand zu
zeigen, wo sie aus- und einzugehen gepflegt. Dis
geschah, und Peter Wok ließ, als er Besitzer des
Schloßes geworden, in der Wand nachgraben, und
fand — einen unermeßlichen Schatz, wovon er
1611 dem Kaiser Rudolph einige hunderttausend
Thaler zur Löhnung für das mißvergnügte Passaui-
sche Kriegsherr vorschoß.

Ueberhaupt hat sich die weiße Frau bei mehrern Gelegenheiten dienstfertiger und herablassender
gezeigt,

gezeigt, als man es von einer Matrone ihres Stan=
des und von der furchtbaren Todesverkünderin er=
warten sollte. Als im Jahr 1604 Joachim von
Neuhaus auf dem Tode lag, und niemand einen
Beichtvater holte, übernahm die weiße Frau in
höchsteigener Person dies Geschäft, und holte den
Pater Rektor des Jesuitenkollegiums, Nicolaus
Pistorius. Ein andermal als Frau Catharina von
Montfort die Frau Maria von Hohenzollern in ih=
rer Krankheit zu Bechin besuchte, und nicht gleich
eine Fakkel bei der Hand war, erschien auf einmal
die weiße Frau und leuchtete mit einer Fakkel vor=
an. Einer großen Fürstin, die eben vor dem Spie=
gel stand und ihre Kammerfrau fragte, wie viel die
Uhr sei, erschien ebenfalls plötzlich die weiße Frau
mit der Antwort: Zehn Uhr ist's, ihr Lieb=
den!

Fragen wir, wie denn dis Böhmische Natio=
nalgespenst dazu gekommen, sich auch in Berlin und
an andern Höfen Europas sehen zu lassen, so weiß sich
die Legende zu helfen. Das Rosenbergische Haus,
heißt es, war seit jeher wegen seines großen Anse=
hens und Reichthums mit mehrern fürstlichen Häu=
sern Deutschlands verschwägert. Wilhelm von Ro=
senberg, Oberburggraf von Böhmen, heirathete

C　　　　　　　　　　　vier=

viermal, und jedesmal eine Fürstentochter Deutsch/
lands.   Besonders ist seine Vermählung mit des
Churfürsten von Brandenburg Joachim 2. jüngster Tochter Sophia merkwürdig, und historisch
gewis. (*)   Er hielt 1561 ein prächtiges Beilager
zu Berlin, und ein Theil seiner Morgengabe war —
die weiße Frau.   Vermuthlich war das Fegefeuer
bisher noch zu unwirksam gewesen, um alle irdischen
Schlakken aus ihrer Seele auszubrennen, so daß
sie auch hier noch dem Stolz unterlag, den der neue
unerwartete Glanz ihres Hauses bei den fürstlichen
Vermählungen ihres Urneffen rege machte.   Genug
sie wollte nicht allein zurükbleiben, und erhob sich
also nunmehr aus dem Range eines hochgräflichen
Gespenstes zu dem eines fürstlichen.   Ihr Stolz be-
gnügte sich damit noch nicht.   Sie bildete sich ein,
alle mit dem Hause Brandenburg nahe oder fern
verwandte Häuser wären nunmehr auch ihre Verwandten, denen sie daher von Zeit zu Zeit einen
freundschaftlichen Besuch schuldig sei.   Und so kam
sie denn nicht nur nach Bareuth, wo sie 1678 den
Tod des apanagirten tapfern Prinzen, Erd-
                                              mann

(*) S. Cernitii electorum Brandenb. eicones p. 54
     und 64. Pauli's preußische Staatsgeschichte B. 3.
     S. 194.

(35)

mann Philip, Markgraf Georg Albrechts Sohn, durch ihre Erscheinung auf seinem Stuhl vorherverkündigte (*); sondern auch nach London, Koppenhagen, Stokholm u. s. w. Und wofern die alte Böhmische Matrone Gelegenheit hat, irgend einen genealogischen Kalender aus unsern Regionen zu erhalten, so wird sie nicht ermangeln, bei allen Höfen Europa's nach der Reihe sich vorstellen zu lassen, oder vielmehr als Base sich selbst vorzustellen. So kann man sich's denn doch allenfalls erklären, daß so oft fürstliche Todesfälle sich ohne einen vorherigen Zuspruch der weißen Frau ereignet haben. Die gute Matrone ist zu entschuldigen. Sie hat ein gar zu weitläuftiges Departement.

Ihr Besuch am Berlinischen Hofe im Jahr 1628 ist besonders merkwürdig. Bisher war sie immer stumm gewesen. Die lang unterdrükte Weiblichkeit siegte endlich. Die weiße Prophetin that ihren Mund auf und rief mit vernehmlicher Stimme: Veni, judica vivos et mortuos. Peter Goldschmidt erzählt in seinem höllischen Morpheus, daß in den Jahren 1659 und 60 sich die weiße Frau in Berlin sehn lassen, und daß bald darauf die Mutter des Churfürsten zu Krossen, und

C 2   seine

(*) s. Rentsch Brandenb. Cedernhayn S. 714.

seine Schwester die Herzogin von Kurland, (*) ge=
storben wären.   Ein Umstand, der der sonstigen Tra=
ditiou widerspricht, die sie nur männliche Todes=
fälle verkündigen läßt.   Bei ihren damaligen Be=
suchen zeigte sie sich so rüstig und mannhaft, daß sie
den Churfürstl. Oberstallmeister von Borgstorf,
der anfänglich ihre Existenz bezweifelt hatte, und
sie, als er ihr begegnete, etwas hart anredete —
die Treppe hinunterwarf.

Im Jahr 1667 erschien sie abermals wider die
Regel als weibliche Todesprophetin, um den Tod
der Churfürstin Luise Henriette anzudeuten.   Und
zwar erschien sie dismal im Schlafzimmer der Chur=
fürstin, am Tische sitzend als ob sie schriebe.   Als
die Churfürstin selbst kam, stand sie auf, verneigte
sich und — verschwand.   Der Tod des großen Chur=
fürsten selbst ward ebenfalls von ihr geweißagt.
Wenigstens sah sie ein Jahr vorher der Hofpredi=
ger Brunsenius auf dem Schloß herumspatzieren,
als er eben an einem Sonntage sich auf dem
Schloße, um daselbst zu predigen, eingefunden.
Er bemerkte sich Tag und Stunde, und — credite
                                             poste-

(*) Diese letzte starb doch erst 1676, die erstre aber
    würklich 1660.

(37)

posteri! — nach einem Jahr erfolgte an demselben
Tage der Tod des Churfürsten.

Der Aberglaube ist nie mit sich selbst einig.
Man darf sich also nicht wundern, daß uns außer
der Böhmischen Gräfin Perchta von Rosenberg
noch andre Frauenzimmer genannt werden, die nach
ihrem Tode die Rolle der weißen Frau zu spielen
übernommen. Man nennt uns vornehmlich eine
verwitwete Gräfin von Orlamünde, über deren Namen man jedoch nicht einmal einig ist. Nach einigen hieß sie Beatrix, und war des Grafen Otto I.
von Orlamünde Witwe, nach andern Cunigunda,
und eine dritte Nachricht nennt sie Agnes. Der.
Burggraf von Nürnberg Albrecht der Schöne,
machte einen so tiefen Eindruk auf ihr Herz, daß
sie sich über die Regeln der weiblichen Sittsamkeit
hinwegsetzte, und sich ihm selbst zur Gemahlin an-
trug. Aber sie hatte von ihrem ersten Gemahl zwei
Kinder am Leben. Diese dienten dem feinen Burg-
grafen zum Vorwande, um dem unerwarteten An-
trage mit guter Manier auszuweichen. Ihre Liebe
ward durch dis Hindernis nur noch mehr entflammt. Sie schwor ihren Kindern den Tod. Eine lange dazu verfertigte Nadel, die sie ihnen durch
die Hirnschale stieß, ward das Werkzeug des Mor-

des. Die graufame That ward entdekt, und die
Mörderin zum ewigen Gefängniffe verurtheilt.
Hier von zwei Furien gefoltert, von verfchmähter
beleidigter Liebe, und von dem Bewußtfein des
fchreklichften Mordes, nährte fie in ihrer rachfüchti=
gen Seele den Wunfch, einft nach ihrem Tode, noch
den Abkömmlingen des Zollerifchen Haufes, fo lan=
ge nur noch einer des Stammes übrig wäre, zum
Schrek in weißer Tracht zu erfcheinen.   Ihr
Wunfch, fagt die Legende, ward erhört, und fie —
fpukte.   Nach diefer Erzählung ift nun die weiße
Frau nicht mehr warnende Freundin, fondern ein
feindliches rachfüchtiges Weib.

Der Rektor Brand nennt ferner eine Gräfin
von Leiningen, die zu den Zeiten Joachim 1. am
Brandenburgifchen Hofe gelebt, und diefes Churfür=
ften Ehe gefucht habe.   Ich finde indeffen keine wei=
tere Nachricht von derfelben.

Bekannter ift die Anna Sidow, eine Bei=
fchläferin des Churfürften Joachim 2, die fchöne
Gießerin genannt, weil fie vorher mit einen Stük=
gießer, Michael Dietrich verheirathet gewefen war.
(*) Der Churfürft erzeugte mehrere Kinder mit
                                        ihr,

(*) f. Oelrichs Beiträge zur Brandenb. Gefchichte.
    S. 210 und 211.

(39)

ihr, und sie hatte so viele Gewalt über ihn, daß er
schon 1561 den Churprinzen Johann Georg sich
eidlich anheischig machen ließ, künftig ihr und ihren
Kindern alles zu lassen, was ihnen der Churfürst
gegeben, und sie überhaupt freundschaftlich zu behandeln. Johann Georg brach sein Wort, und
setzte sie gleich nach dem Tode seines Vaters nach
Spandau, wo er sie bis an ihr Ende sehr hart hielt.
Und nun entstand der Wahn, daß sie, um sich zu
rächen, im Schloß erschiene. Man hat, dünkt
mich, mehr Exempel von Weibern, die aus Rach-
sucht nach ihrem Tode gespukt haben sollen, und,
wenn sie auch nicht tödten konnten, wenigstens To-
desprophetinnen wurden.

Unstreitig hat die gewöhnliche Meinung von
der Gräfin Perchta von Rosenberg den meisten
innern Zusammenhang. Ueberhaupt ist es mir aus
mehrern Ursachen wahrscheinlich, daß das Mährchen von der weißen Frau weder früher noch später
entstanden, als unter Churfürst Joachim 2., der,
wie ich oben erwähnt, seine Tochter Sophie an
den Grafen von Rosenberg vermählte. Joachim 2.
war zwar aufgeklärt genug, das Joch des Pabstes abzuschütteln, aber in mancher andern Rüksicht
noch sehr schwach und leichtgläubig, daher er mit

C 4 Pro-

(40)

Projektmachern aller Art, mit Goldmachern, ja,
wie ihm wenigstens Schuld gegeben ward, mit Geis
sterbannern und Schwarzkünstlern sich einließ. An
einem solchen Hofe konnte die Fabel von der weißen
Frau sehr leicht aufkeimen und reif werden. Dazu
kam die Sage von einer besondern Vorhersehungsga=
be des Churfürsten Joachim 2, durch die er vor=
nehmlich von hohen Todesfällen in seiner Familie
belehrt worden sein soll. Ein sehr merkwürdiger
Umstand ist es, daß er unter andern auch den Tod
seiner an den Grafen Rosenberg vermählten Toch=
ter auf diese Art vorhergewußt. (*)

Unter König Friedrich 1. Regierung fand
man 1709 beim Schloßbau, da man einen Theil
des Gebäudes niederriß, in einer Mauer ein weib=
liches Gerippe, das man treuherzig genug für das
Gerippe

(*) Beim Cernitius (Electorum Brandenb. eicones
corumque res gestae) heißt es p. 64. „Illud maxi,
me admirabile fuit in Joachimo, quod saepissime
secreta impulsione de principum et domesticorum
emigrationibus ex hac vita admoneretur, ante-
quam ipsi nunciarentur. Qua in re praeternatu-
ralis in ipso vis fuisse putatur. — Non praemo-
nitus rescivit mortem Philippi, Cattorum princi-
pis. — Quum esset in arce Copnicensi, in qua vitam finivit, conturbatus est nonnihil incerti ani-

Gerippe der weißen Frau ansah, und es auf dem
Domkirchhofe begrub, in der Hofnung, sie würde
nunmehr nicht wiederkommen. Würklich ließ sie,
wie der Rektor Brand versichert, sich geraume Zeit
hindurch, ohngeachtet der öftern Todesfälle in dem
Königlichen Hause, nicht ferner sehen. Doch wag-
te sie es noch einmal unter König Friedrich Wilhelm. Als aber der König das Gespenst von der
Wache gefangen nehmen und öffentlich in die Fie-
del stellen ließ, (**) verging ihr seitdem alle Lust zu
spuken. Ueberhaupt ist es sehr begreiflich, daß Betrug und Schelmerei sich den einmal herrschenden
abergläubischen Wahn sehr oft zu Nutze gemacht
haben mag.

Leider — mit Erröthen schreib' ich's — ist der
Glaube an die weiße Frau noch nicht ganz ausge-

C 5   storben.

mi praesagio, quod quum explicare ilico non pos-
set, juſſit obſervari id temporis momentum tanquam ſibi aliquid portendens. Id poſtea praeciſe
comperit fuiſſe horam *emigrationis ſuae filiae,
quae Roſenbergio nobiliſſimorum ac opulentiſ-
ſimorum Bohemiae procerum facile principi
nupta erat.*

(**) ſ. Nicolai Beſchreibung von Berlin, IIter Th.
4ter Anhang S. 8.

(42)

storben. Ein Aberglaube, der Jahrhunderte lang sich festwurzelte, ist schwer auszurotten. Es sind noch nicht zwei Jahre, da man sich noch eine Erscheinung der weißen Frau ins Ohr flüsterte. Es wäre in der That kaum zu begreifen, wie in Berlin noch immer soviel Aufklärung und soviel Einfalt, soviel Verachtung aller geheiligten Vorurtheile und Schwärmereien, und soviel Aberglaube ruhig neben einander wohnen können, wenn nicht alle große Städte ähnliche Erfahrungen lieferten. Immer ist es indessen zu unsern Zeiten nur dem Pöbel verzeihlich, an Mährchen der Art, wie das von der weißen Frau, zu glauben. Aber was soll man dazu sagen, wenn Leute, die durch Geburt, Erziehung, Stand über den Pöbel erhaben sind, dennoch hierin mit dem Pöbel übereinstimmig denken?

Hunc igitur terrorem animi tenebrasque
aliquando
Non radii solis neque lucida tela diei
Discutient?

Friedrich Gedike.

Wiederum ein Beispiel von trauriger Schwärmerei aus Aberglauben.

Gegen Ende vorigen Jahres kam eine Bauersfrau aus dem Dorfe Quetzin, ohnweit Kolberg in Pommern, beim König mit einer Bittschrift ein, worin sie, weil sie keine Ruhe mehr auf Erden hätte, um ihren Tod bat. Die Eingabe ward an den Staatsminister Freiherrn von Zedlitz remittirt; und von diesem ward mir aufgetragen, die Frau ad Protokollum zu vernehmen. Hernach sind auch Akten darüber verhandelt, die ich itzt vor mir habe. Die Sache verhält sich folgendergestalt.

Die Frau heißt Malwitzen (gebohrne Rasch), 40 Jahr alt, und ohngefähr seit 20 Jahr mit ihrem noch lebenden Manne verheirathet. Sie gebahr ihm 6 Kinder; vier davon starben, vor ohngefähr drittehalb Jahren, plötzlich und schnell hintereinander an einer ansteckenden Krankheit. Dieß versetzte ihrem Herzen und ihrem Verstande einen gefährlichen Stoß. Sie war schon sonst, auch vor ihrer Verheirathung, zuweilen melancholisch gewesen; in ihrem Ehestande war sie's auch, und vorzüglich während der Schwangerschaft. Dieser traurigen Gemüthslage war sie sich jedesmal selbst bewußt, und pflegte dann drei Prediger ihrer Ge-

R 4   gend

gend zu ersuchen für sie zu beten.   Wahnsinnig mögte ich sie doch nicht nennen, so wenig wie alle Re-
ligionsschwärmer; selbst, wie ich sie sprach, im
höchsten Momente ihrer Schwärmerei und Trau-
rigkeit, sprach sie noch immer über alles andere völlig vernünftig. — Genug diese verstorbnen Kinder
beschäftigten nun beständig ihre Einbildungskraft.
Sie dachte stets an sie; was Wunder, daß sie sie
endlich auch sah? Sie liebte sie, sie hielt sie für
fromm und gut; und sah sie also in weißen Kleidern erscheinen.   So sah sie einst namentlich die
älteste zum meisten von ihr geliebte Tochter, in weis-
sem Gewande, im Garten spazieren, und hörte sie
singen: "durch einen sanften Tod komm' ich zur
Ruh, u. s. w." Sie hielt solche Besuche und Erscheinungen für Trost und für unumstößliche Beweise der Seligkeit ihrer Kinder.   Dennoch konnte
sie sich nicht zufrieden geben; sie war Tag und Nacht
bei den Gräbern ihrer Kinder, kniete darauf, bete-
te, sang, gieng um die Kirche herum, weinte, schrie,
u. s. w.   Ein Vierteljahr nachher klagte sie — und
unter andern auch dem Prediger ihres Dorfes —
daß *) sie fürchte, ihre Kinder sein nicht selig. Bald
darauf kam die sichre Behauptung dieser Sache, die
nach ihren Ausdrükken so lautete, daß ihre Kinder
Höllenglut schwitzten; und, setzte sie hinzu, ihre Kinder

---

*) Diese Einbildung kam wahrscheinlich daher, daß
   die weißen Erscheinungen mogten eine Zeitlang aus-
   geblieben sein.   B.

der sein auch nicht mehr im Grabe. Um über diese
letzte ihr so schrekliche Sache zur Gewißheit zu gelangen, verfiel sie darauf, selbst auf dem Kirchhofe
nachzugraben, sprach mit dem Prediger darüber;
und unternahm es endlich, am hellen Tage, in
Gesellschaft ihres Mannes und anderer. Eine
Menge Volks lief hinzu; dies zog auch den Prediger hin, der die Sache schon geschehen fand. Der
Körper der geliebtesten Tochter war ausgegraben,
der Sarg stand auf der Bahre; die unglükliche Mutter fand ein schwarzes Band an dem Leichnam,
und rief aus: dies sei ein schwarzes Höllenband,
womit ihre Tochter gebunden sei; worauf des Predigers Frau ihr ein rothes Band schikte. Die ganze
Sache gab ihrer Schwärmerei freilich neuen
Schwung, indessen hatte der Augenschein sie doch
etwas beruhigt. Bald aber dünkte es ihr, man
wolle ihr ihr Kind wegstehlen; sie lief hin, grub,
sah nach, verscharrte das Kind wieder, und gieng
nach Hause; und so dauerte das Hinlaufen und
Ausgraben eine Weile fort.

Itzt erwachte unglüklicherweise in ihrer Seele
ein bekannter und bis dahin bei ihr gleichsam einge-
schlummerter Volksglaube: daß ein Todter, dessen
Gebeine in seiner Ruhestätte gestört wären, auch
im Genuß der Seligkeit dadurch gestöret würde. *)

R 5   Nun

*) Dieser Aberglaube, den mancher wohl gar unschäd-
lich nennt (als wenn irgend eine Verkehrtheit und
Ver-

Nun hielt sie sich für die abscheulichste Kindermör-
derinn, Mörderinn des ewigen Glüks ihrer Kinder.
Nun rief sie aus: ihre Kinder waren durch das
Ausgraben aus der Herrlichkeit Gottes gestoßen,
und wären ewig verdammt; und daran sei nur sie
Schuld. Nun erschienen ihr die Todten wieder;
aber aus den friedfertigen weißen Gespensterchen
wurden mit einemmal schwarze Unholde, die sie immer verfolgten, sich bald auf ihren Kopf bald auf
den Hals setzten, sie stießen, kniffen, u. f. w. Und
in dieser bejammernswürdigen Lage blieb sie nun immer fort. Zwar hatte sie nur Ein Kind ausgegraben, und hätte sich also wegen der übrigen beruhigen können; allein sie war sinnreich genug sich selbst
zu quälen. Dies eine Kind hatte sie mehr als viermal ausgegraben, und dies berechnete sie nun so,
daß auch alle übrigen vom gleichen Fluche getroffen
wären. Auszureden war ihr dies nicht; die schwarze Farbe der Erscheinungen bestätigte es zu sehr.
Zwei Jahre lang litt die Unglükliche diesen Schmerz
eigener Vorwürfe und eingebildeter körperlicher Peinigung. Man kann sich ihr Jammern, ihr ganzes
Thun und Leben vorstellen. Ihr Mann, ein Muster

Verwirrung der Begriffe das sein könnte!) ist ziemlich allgemein, und betrift jede Art auch der un-
willkürlichsten Störung. Ich habe von einer Frau
in Hamburg gehört, die völlig ihren Verstand darüber verlor, als die dortige Michaeliskirche ab-
brannte, in welcher ein Paar ihrer verstorbnen Kinder begraben lagen.   B.

ster von Gedult, konnte es endlich nicht mehr aushalten, und entschloß sich davon zu gehen. Das,
und der Gedanke an ihre zwei dann völlig unver-
sorgten Söhne machte ihr das Leben zuwider; sie
gieng nach Potsdam, um dem König die oben angeführte Bittschrift zu übergeben.

Sie gestand, seitdem sie von ihrem Dorfe entfernt gewesen, von dem Quälen der schwarzen Gespenster befreit gewesen zu sein. Das habe sich auch
schon bei ihren andern kleinen Reisen zugetragen.
Natürlich mußte jeder Winkel im Hause sie lebhafter an ihren Verlust erinnern, und ihre Phantasie
beflügeln. Darum wollte sie auch durchaus nicht
wieder nach Hause. So glaubte sie doch einer Art
Qual los zu sein; obgleich sie noch immer das traurige Gefühl mit sich herumträgt, ihre Kinder
auf ewig unglüklich gemacht zu haben. — Itzt befindet sie sich hier im Arbeitshause.

Noch ist bemerkenswehrt, daß sie angab: das
Ausgraben der Verstorbnen sei im Pommerschen
sehr gewöhnlich; und sie bat aufs rührendste, daß
man doch dies verbieten mögte, damit nicht soviel
Menschen unschuldigerweise verdammt würden.
Auch ergiebt sich wirklich aus den Akten, daß vor mehrern Jahren im nehmlichen Dorfe der damalige Prediger einer fast auf gleiche Art melancholischen Frau,
als die Malwitzen es Anfangs war, rieth ihr Kind
auszugraben, worauf sie soll beruhigt worden sein.

K. G. Schröder.

Etwas über die Hexenprozesse in Deutschland.

Unser jetziges Zeitalter wird mit Recht das aufgeklärte genannt. Alle Wissenschaften und Künste, sind zu einem solchen Grad der Vollkommenheit gestiegen, daß man in der Geschichte kein Volk
aus den ältern Zeiten wird aufstellen können, welches in allen Wissenschaften es so weit gebracht hätte, als wir.

Man werfe mir nicht ein, daß wir noch lange
nicht auf dem Punkt sind, wo wir sein sollten; daß
die Aufklärung in Deutschland noch lange nicht allgemein ist; daß noch manche Gegenden mit dem
undurchdringlichsten Nebel der Unwissenheit und
des Aberglaubens bedekt sind; daß alle Wissenschaften, wie unsere Kleider und Sitten, der Ab-
wechselung der Mode unterworfen sind; und daß,
wenn ein Irrthum und Vorurtheil überwunden
und verdrängt worden, ein anderes, mehrentheils
das entgegengesetzte, an seine Stelle tritt. — Alles
wahr. Indessen rede ich itzt nur im allgemeinen
von dem einsichtsvollesten Theil des deutschen
Publikums, und betrachte die itzige Aufklärung
Deutschlandes in Beziehung auf das vorhergehende
Zeitalter.

Insonderheit ist die Rechtsgelehrsamkeit jetzt auf dem Wege, sich ihrer höchstmöglichen Vollkommenheit zu nähern. Gleich mit dem Anfange des jetzigen Jahrhunderts standen Männer auf, welche alle Fächer dieser weitläuftigen Wissenschaft mit philosophischem Scharfsinn bearbeiteten, sie von den Schlaken des Aberglaubens und der Vorurtheile reinigten, die Gerichtshöfe von unnützem Zwang und Formalitäten säuberten, und die Rechtspflege einfacher, und zwekmäßiger zu machen suchten. Und wie weit ist man nicht schon hierinn gekommen!

Im ganzen schadets hierbei nicht, daß man oft aus Neuerungs- oder Nachahmungssucht zu weit gegangen ist, das Kind, wie man zu sagen pflegt, mit dem Bade ausgegossen, und auf mancherlei Weise seines Zweks verfehlt hat. Selbst diese Fehler werden lehrreich; sie führen zu Beobachtungen und Erfahrungen, auf welche man sonst nicht gekommen sein würde.

Die Welt weiß es, mit welchem Ernste jetzt in verschiedenen Staaten Europens an der Abschaffung alter, auf die jetzigen Sitten und Verfassung nicht mehr passender, und an der Einführung neuer, verständlicher, und dem Bedürfniß des Zeitalters angemessener Gesetze, gearbeitet wird. Ich würde zu weitläuftig werden, wenn ich alle Vortheile und Verbesserungen erzählen wollte, welche die deutsche Gesetzgebung, die Rechtspflege, der Prozeß, und über-

überhaupt die Rechtsgelehrsamkeit in unsern Tagen
vor der ältern gewonnen hat.   Ich darf aber nur
die Hexenprozesse und die Folter nennen, um einleuchtend und überzeugend darzuthun, daß unsere
Zeiten mit Recht aufgeklärt genannt zu werden
verdienen.

Wenn man sich der ehemaligen gerichtlichen
Verfahrungsart erinnert; wenn man die ungeheure Menge der Todesurtheile lieset, welche wegen der Hexerei, Zauberei, teuflischen Buhlerei,
Geisterbannens und Schatzgrabens ergangen sind;
so schaudert einem die Haut.   Man durfte nur damals seinen Zeitgenossen am Verstande, am Fleiße,
an Hülfsmitteln zur Erwerbung eines Vermögens
überlegen sein; man durfte nur von einem Neider
oder Feinde der Zauberei beschuldigt; oder von
einer auf die Folter gespannten Person, entweder
in der Betäubung der Schmerzen, oder auf Einge-
gebung eines boshaften Richters oder Nachrichters,
genannt werden: so ward man sogleich als ein He-
renmeister vor das Gericht geschleppt, und so lange
gepeiniget, bis man Schandthaten und Laster bekannte, an die man gar nicht gedacht hatte, und
bis der Scheiterhaufen dem Prozeß ein Ende machte.   An vernunftmäßige Beweise eines Verbrechens
ward gar nicht gedacht; und die Richter, welche der
Trost und Schutz der Bürger sein sollten, legten
alles Gefühl der Menschlichkeit und der gesunden
Vernunft ab.   Man bot alle Kräfte des Verstandes

(300)

des und Scharfsinns auf, um die Peinigung so
quaalvoll zu machen, als nur möglich war. Wenn
der Gepeinigte den Tag nach überstandener Tortur, sein erpreßtes Bekänntniß wieder zurüknahm;
so wurde die Tortur so oft wiederholet, daß ihm die
Lust vergieng, seine Urgicht wiederum abzuändern;
und daß er vielmehr die Endigung seines Lebens als
die größte Wohlthat betrachtete.

Nun — diese Hexenprozesse haben zwar ziemlich aufgehöret; nach einer Arbeit eines ganzen
Jahrhunderts aufgehört. Aber — mit Betrübniß
muß ichs sagen — der Aberglaube selbst ist so wenig
vertilgt, daß er vielmehr seit den letzten zehn Jahren wieder neue Kräfte bekommen zu haben scheinet,
und nur auf Gelegenheit wartet, um sich wieder in
seiner scheuslichen Gestalt öffentlich ungestraft sehen
lassen zu können. Wir sind wahrlich in Gefahr, in
die vorige Barbarei und Unwissenheit zurük zu fallen, und den Ruhm der Aufklärung zu verliehren,
wenn wir nicht auf unserer Hut sind. Denn es
herrscht noch überall, bei Gelehrten und Ungelehrten — bei Juristen und Theologen — nicht in katholischen Ländern allein, sondern selbst mitten in
protestantischen Provinzen — nicht allein in finstern entlegenen Dörfern, sondern auch in den an-
sehnlichsten Städten — unter dem vornehmen und
geringen Pöbel — der dikste, dummste und schänd-
lichste Aberglaube. Mögten doch Gerichtspersonen
nicht so oft von dieser Wahrheit überzeugt werden!
Mög=

(301)

Mögte man doch nicht von einer vornehmen, ehe=
mals sehr erleuchteten Stadt, so traurige Nachrich=
ten hören, daß man daselbst seit kurzen wiederum
anfange Gespenster zu sehen und Geister zu
bannen!

Die Sache gehet wahrlich weiter, als man sich
vorstellet. Wenn viele richterliche Personen, auch
wohl Prediger aufrichtig reden sollten; so würden
sie mit dem berühmten Leiser *) sagen: Die He=
xerei und Zauberei selbst ist nicht von dem
Erdboden verschwunden, sondern man hört
nur deshalb nichts weiter von solchen Ge=
schichten, weil die mehresten unserer jungen
Kollegen so leichtsinnig das Wesen der Zau=
berei verläugnen, und keine weitere Nach=
frage darnach gestatten wollen. Wenn es
aber nach unserer Einsicht gehen dürfte: so
wollten wir bald der Welt überzeugend vor
Augen legen, daß es Gespenster, Hexen, Zau=
bermeister, Ahndungen und Geisterbanner
gäbe.

Es kränkt mich, daß ich diese, von kindischer
Schwäche zeugende Worte, von einem sonst so
großen verdienstvollen Manne lesen muß. Noch
mehr aber, daß man in den schätzbaren Beiträgen
zur juristischen Litteratur in den preußischen
Staaten, in der 3ten Sammlung S. 70 u. f.
eine

---

*) In med. ad Pand. spec. 608. med. 8.

eine Abhandlung findet, in welcher im ganzen Ernste behauptet wird, daß ein Ermordeter nach
dem Tode sichtbar auf dieser Welt erscheinen,
seinen Mörder den Hinterbliebenen angeben
könne, und daß eine solche Angabe, in peinlichen Fällen, eine glaubwürdige Anzeige
sei. —

Wie oft kommen nicht die Betrügereien, welche
durch vorgespiegelte Geisterbannung und Schatz-
grabung unternommen werden, noch immer zur
gerichtlichen Untersuchung? Seit dem Jahre 1780
sind bei der Königl. Preuß. Quedlinburgschen Erbvoigtei zwei derselben von Wichtigkeit vorgefallen.
Ist gleich von Seiten dererjenigen, welche die Betrügerei spielen, selten einer, welcher solche Possen
für wahr hält; so sind doch alle die Elenden, welche auf solche Art reich werden wollen, von diesem
Wahn verblendet.

Wenn katholische Christen sich von den Thorheiten, welche beim Schatzgraben getrieben werden,
verblenden lassen; so ists ihnen leichter zu verzeihen. Denn der Geisterbeschwörer muß, nach
der Legende, ein katholischer Ordensgeistlicher
sein; die Schätze müssen ferner durch Lesung der
Messen in katholischen Klöstern, und durch die
dafür zu bezahlenden Gelder, gelöset werden, wie
es in der Sprache dieser Betrüger heißt. Wenn
aber ein Protestant das Gebet eines katholischen Priesters für kräftiger hält, als das Gebet
                                        eines

eines proteſtantiſchen Pfarrers: was ſind das
für Religionsbegriffe! Welcher Unſinn!

Noch mehr! Iſt wohl auf dem ganzen Harze
eine Stadt, ein Dorf, ein Bergwerk, in welchem
nicht die Erſcheinung eines Berggeiſtes, die Kraft
der Wünſchelruthe, die Geiſterbannung und
Hebung unterirrdiſcher Schätze, die Kobol-
de, Geſpenſter und alle dergleichen Dinge, noch
itzt von dem größten Theil geglaubt werden? Iſt
wohl eine proteſtantiſche Stadt in ganz
Deutſchland, in welcher der Aberglaube dieſer
Art ganz vertilgt wäre?

Zu dieſen Betrachtungen veranlaßten mich die
bei der hieſigen Königl. Preuß. Erbvogtei noch vorhandenen Hexenakten, aus denen ich einige Auszüge gemacht, um das Lächerliche und Schrekliche des
Trotz allen Bemühungen denkender Köpfe dennoch
noch nicht ganz vertilgten Aberglaubens deſto auffallender und glaubwürdiger darzuſtellen. Nie war
mir die erſtaunliche Anzahl der Hexenprozeſſe, welche ſonſt die Gerichtshöfe beſchäftigten, ſo auffallend.
Voltäre ſagt, daß ſeit der Zeit, da der Pabſt Gregor der heilige das unſinnige Geſetz der Römer
in die Chriſtenheit eingeführt, daß die Hexen und
Zauberer verbrannt werden ſollen, Ein hundert
tauſend Menſchen unſchuldigerweiſe als Hexen-
meiſter wären verbrannt worden. Dieß iſt noch
viel zu wenig geſagt. Wir wollen eine nähere Unterſuchung darüber anſtellen.

　　　　　　　　　　　　　　　Ich

(304)

Ich habe aus dem Zeitraume vom Jahre 1569
bis 1598, also in ungefähr 30 Jahren, einige
dreißig Auszüge *) von Hexenprozessen gemacht,
welche mit dem Scheiterhaufen geendiget sind.
Man denke nicht, daß weiter keine, als die hier ge=
nannten Personen in diesem Zeitraume allhier hin=
gerichtet wären. Ich glaube, daß die Anzahl der=
selben sich mehr als noch einmal so hoch be=
laufe. Denn in diesem Zeitraume sind in unserm
Aktenverzeichniß viele Akten angeführt, die nicht
mehr aufzufinden sind. Es sind ferner in den vor=
handenen Akten einige Personen genannt, welche
der Hexerei wegen allhier hingerichtet sind; und
doch sind diese Akten in dem aufgenommenen Ak=
tenverzeichniß nicht zu finden. Die Ursach davon
ist bald zu finden. Unser Aktenverzeichniß ist erst
im Jahre 1700 verfertigt worden, als die Freischutz=
gerechtigkeit des hiesigen Stifts, und mit derselben
die peinliche Gerichtsbarkeit, von Kursachsen an
Kurbrandenburg abgetreten wurde. In den vori=
gen Zeiten hat man die Akten nicht so sorgfältig ver=
wahret, noch ein so genaues Verzeichniß darüber
aufgenommen, als in den neuern Zeiten. Vielleicht
hat man auch oft in ältern Zeiten von dem ganzen
Prozesse gar nichts zu Papier gebracht.

Ich

*) Wir werden im nächsten Stük einige derselben
liefern.   A. d. H.

(305)

Ich will daher nur annehmen, daß in dem genannten Zeitraume von 30 Jahren zum wenigsten
40 Personen durchs Feuer als Hexen hingerichtet
sind; ob ich gleich glaube, daß ich, ohne die Sache
zu übertreiben, 60 annehmen könnte. Nach diesem
Verhältniß würden nun in jedem Jahrhunderte allhier in Quedlinburg ungefähr 133 Personen als
Hexen verbrannt worden sein. Denn man kann
sicher voraussetzen, daß, je finsterer und unwissen-
der die Zeiten; desto wütender und geschäftiger die
Leute gewesen sind, die Teufelskünste aufzusuchen,
um sich durch die Hinrichtung der vermeinten Hexen ein erbauliches Schauspiel zu machen. Seit
der Zeit also, da Quedlinburg, mit Inbegriff der
dazu gehörigen Ländereien, einen eigenen Staat
ausgemacht hat, sind allhier in einem Zeitraume von
650 Jahren, wenigstens 866 Menschen um der Hexerei willen, zum Scheiterhaufen geführet.

Um in unserer Untersuchung weiter zu gehen,
müssen wir uns zuvor erinnern, daß die Sachsen
schon im 6ten Jahrhunderte angefangen haben, die
vermeinten Hexen zu verbrennen. Diesen Gebrauch haben sie von den Franken angenommen. *)
Die Franken aber haben denselben unstrei-
                                              tig,

---

*) Leyser. l. c. Sp. 608. med. 14. seq. Vielleicht
ist dieser Gebrauch noch weit älter; es fehlet uns
nur an schriftlichen Zeugnissen von dieser Sache.

(306)

tig, bei der Einführung der christlichen Religion,
von den Römern erhalten. Denn daß die Römer
auch schon vor der Einführung der christlichen Lehre,
Zauberei, oder eine durch Hülfe feindseliger Götter,
vermittelst Absingung gewisser Lieder, oder durch
andere geheimnißvolle Künste hervorgebrachte Beschädigung der Früchte, Thiere und Menschen geglaubt haben, erhellet schon aus den Gesetzen der 12
Tafeln. Es läßt sich auch erweisen, daß dies
Volk schon die Verbrecher von dieser Art mit dem
Feuer bestraft habe. *) Indessen ist so viel
gewiß, daß der Pabst Gregor der Große oder der
Heilige sich in dem 6ten Jahrhunderte damit den
Namen des Heiligen erworben hat, daß er seinem
heiligen Grimm wider die Teufelskünstler und He-
renmeister Raum gegeben, **) und die Strafe
des Scheiterhaufens wider sie verordnet hat. —
Ich rede hier von dem Ursprung der Strafe des
Verbrennens. Denn der Aberglaube von Hexen und
Hexenmeistern ist auch in Deutschland älter, als die
christliche Religion. Schon das Salische Gesetz
erwähnt im 22ten Titel der Hexerei und Zauberei,
und bestimmt darauf eine Geldbuße. Ueberhaupt
hat man die Bemerkung gemacht, daß, je wilder
und roher die Völkerschaften angetroffen werden:
sie desto geneigter sind, unbegreifliche, verborgene
Künste

---

*) l. 3. de LL. et C. de maleficis et mathematicis
**) Decr. P. 2. causs. 26. qu. 5. cap. 8. et 10. cfr.
　Sept. Decr. L, 5, tit, 12. cap. 3 et 5.

(307)

Künste, und folglich auch Hexereien und dergleichen
Fratzen zu glauben.

Ich komme auf meine Berechnung zurück. Es
ist gewiß, daß man in dem römischen Staate schon
vor dem 3ten Jahrhunderte der christlichen Zeitrechnung angefangen hat, die Hexen und Zauberer
zu verbrennen; daß aber dieser Gebrauch sich erst
mit dem 6ten Jahrhunderte nach Deutschland gewandt hat. Und von diesem letztern Zeitpunkt
wollen wir unsere Berechnung anheben, und damit
bis zum 18ten Jahrhunderte fortgehen. Gesetzt
auch, daß in den ersten Jahrhunderten nicht so häufig gemordet und gebraten worden; so ersetzen doch
die in den letzten Zeiten weit häufiger vorkom-
menden Todesurtheile, als in meiner Berechnung
zum Grunde gelegt worden, dasjenige überflüßig,
was in jenen etwa fehlen mögte.

Es ist mehr, als wahrscheinlich: je näher nach
Rom; desto mehr Hexenprozesse. Denn seit der
Zeit, daß der Pabst Gregor das heidnische Gesetz
der Römer, die Hexen mit Feuer zu vertilgen, in
die christliche Religion aufnahm, und in heiliger
Begeisterung zwei vornehme Senatoren in Rom
als Hexenmeister verbrennen ließ, bildeten sich alle
Priester nach ihrem untrüglichen Oberhaupte, und
man sah nun allenthalben Scheiterhaufen anzün-
den, um die Hexen darauf zu braten. Die Geistlichen hatten die größte Gewalt in Händen, und
drangen auf die Vertilgung der Hexen mit desto

　　　　　　　　　　　größerm

(308)

größerm Eifer, je mehr sie sich dadurch einen Einfluß in die Gerichte verschaffen konnten. Die Richter ermangelten auch nicht, auf die Hexen fleißig
Jagd zu machen. Außerdem, daß sie sich hiedurch
die Gunst der Geistlichen erwarben, und ihnen selbst
auch dies Geschäft aus religiösen Bewegungsgründen
wichtig war, gewannen sie dadurch die herrlichsten
Einkünfte. Die Güter der zum Tode verurtheilten Hexen fielen dem Richter in die Hände; *) und es müßte schlecht gewesen sein, wenn
nicht, auch bei dem geringsten Hexenprozeß, die
Sporteln hätten bezahlt werden können.

In Deutschland, Frankreich, Spanien, Italien und England, und überhaupt in dem Theile
Europens, welcher seit dem Ausgang des 6ten
Jahrhunderts sich zur christlichen Religion bekannt
hat, sind wenigstens 71 Millionen Einwohner anzunehmen. Wenn nun in einem so kleinen Bezirk
Deutschlandes, welcher kaum 11 bis 12000 Menschen fasset, in Einem Jahrhunderte auf 133 Personen als Hexen hingerichtet sind; so beträgt dieses
in der ganzen christlichen Kirche auf jedes Jahrhundert 858,454, und auf den von mir bezeichneten Zeitraum von 11 Jahrhunderten neun Millionen vierhundert zwei und vierzig tausend
neunhundert vier und neunzig Menschen.

Wollte ich die unglüklichen Schlachtopfer mit-
zählen, welche theils vorher, nämlich vom dritten
bis

*) Goldast von der Konfiskation der Hexengüter.

(309)

bis zum sechsten Jahrhundert, theils nachher,
nämlich noch in dem gegenwärtigem Jahrhunderte,
theils im übrigen Europa, als Polen, Schweden,
Dännemark ꝛc. auf eben diese Weise hingerichtet
sind; so könnte ich diese Berechnung noch weit höher treiben.

Man hat sonst dafür gehalten, daß der Pabst
Innozenz der 8te der Urheber der Hexenprozesse in Deutschland sei. Es ist zwar richtig, daß
dieser lasterhafte und herrschsüchtige Pabst am 5ten
Dezember 1484 die berüchtigte Bulle erlassen hat,
wodurch Jakob Sprenger, Johann Gremper,
und einige Notarien, unter der Aufsicht des Bischofs zu Straßburg den Auftrag erhielten, in
Deutschland die Hexenprozesse wider alle Personen,
wes Standes und Würden sie sein möchten, aufs
eifrigste zu betreiben. Aber keinesweges ist hierdurch der Hexenprozeß zuerst in Deutschland eingeführt worden. Diese Plage der christlichen Völker
hat der Pabst Gregor der Heilige erfunden, wie
ich schon vorhin angeführt habe. Man werfe nur
einen Blik in jene berüchtigte Urkunde, und man
wird sogleich daraus ersehen, daß damals in Deutschland schon einiges Licht aufgehen wollte; daß die klüg-
sten unter den Priestern schon angefangen hatten, die
Lehre von den Teufeln und ihren unseligen fürchterlichen Wirkungen auf die Körperwelt zu bestreiten; daß
sie die Thorheit und Grausamkeit der schon lange vorhandnen Hexenprozesse einsehen lernten; daß die Rich-

U 3   ter

ter schon aufhörten, die Hexen und Zauberer so heftig,
als zuvor, zu verfolgen, daß man auf dem Wege
war, die Rechte der gesunden Vernunft wieder herzustellen, und von den grausamen Ermordungen
seiner Brüder abzustehen; daß aber der Pabst Innozenz der achte diese Aufklärung *) sehr übel
empfand, und daher wieder die bisherige Nachlässigkeit der Priester und Richter heftig eiferte, die
strengste Verfolgung der Hexen, unter Bedrohung
des Banns und göttlicher ewiger Strafen, ernstlich anbefahl, und sich unter dem Dekmantel der Religion, eine solche tyrannische Gerichtsbarkeit über
alle Bewohner Deutschlandes anmaßete, welche
auch selbst die mächtigsten Fürsten zittern machte.
Denn bei der zunehmenden Einsicht und Aufklärung
des deutschen Publikums fand der heilige Vater seine Rechnung nicht.

Zu verwundern ist es allerdings, daß unser guter Luther die unvernünftige und heidnische Grille
von Zauberei, von Gespenstern, und der Macht des
Satans in sein Glaubensbekänntniß mit aufnahm.
Es sind von ihm verschiedene Gespenstergeschichtchen
                                                      bekannt;

*) Dahin gehören die Worte: tamen nonnulli cleri-
ci et laici illarum partium — näml. in Deutschland
— quaerentes plura sapere, quam oporteat
— Deutlicher konnte nun wohl dieser Barbar nicht
eingestehen, daß die deutschen Priester und Richter
klüger geworden wären, als ihm lieb war, und
als sie sein sollten.

(311)

bekannt; insonderheit die, wo er zu Eisleben einem
Teufel das Tintenfaß nach dem Kopf geworfen hat.
Diejenige ist aber am wenigsten zu seinem Ruhme,
als ihm ein Pfarrer vom Lande meldete, es sei ein
Weib in seinem Dorfe gestorben, welches sich im
Grabe selbst auffräße, und davon stürben
alle Leute im Dorfe; mit der Aufrage: wie er
sich dabei zu verhalten habe? Luther gab ihm
zur Antwort: das wäre nichts weiter, als des Teufels Bosheit und Betrügerei, der Teufel wolle
kurzum gefürchtet, geehret und angebetet sein, wie
Gott; er könne also nicht leiden, daß man ihn ver-
achte; man solle daher nicht glauben, daß es ein
Gespenst oder Seele sei, sondern der Teufel
selbst; darum solle man in die Kirche zusammen
gehen, und Gott bitten, er wolle ihnen ihre Sünde
vergeben um Christi willen, und dem Teufel weh-
ren. *) Albern genug! Wenn aber im Jahre
1779 in Westpreußen, und 1783 in Glarus
noch Hexenprozesse vorkommen: dies ist freilich noch
schändlicher!

Quedlinburg den 19ten Nov. 1783.

G. C. Voigt.

*) Hauber in bibl. mag. Th. 3. S. 794 u. 795.

(408)

Betrachtungen über die Hinrichtung mit dem Schwerdte.

Man hat oft nicht ohne Ursache darüber gelacht, daß Gelehrte von menschlichen Verfassungen und Einrichtungen die höchste Vollkommenheit erwarteten, oder die wirkliche Welt so geschwind umschaffen und verbessern wollten, als sie ihre fromme Wünsche oder Träume niederschrieben. Auch haben Männer von Geschäften mit Recht darüber gespottet, wenn unberufene Schriftsteller sich zu Gesetzgebern von idealischen Staaten aufwerfen, und diese Staaten von lauter weisen Königen oder Häuptern, von unbestechlichen Richtern, und eben so erfahrnen als tapfern Heerführern regieren und vertheidigen ließen. Allein mit eben so vielem Rechte dürfen Gelehrte sich darüber wundern, daß noch immer schädliche oder gar grausame Mißbräuche, die in den Zeiten der Barbarei oder der höchsten Verderbniß der menschlichen Natur entstanden sind, und deren Beibehaltung mit keinem Vortheile, weder für den Fürsten, noch für dessen Diener verbunden, an deren Abschaffung aber dem menschlichen Geschlecht sehr vieles gelegen ist, wenn solche Miß-

(409)

Mißbräuche noch immer in den Zeiten der Aufklärung und Verfeinerung fortdauern. Zu diesen Mißbräuchen rechne ich die in Deutschland und mehrern
Europäischen Ländern übliche Hinrichtung der Delinquenten mit dem Schwerdte. Schon lange hof-
te ich, daß ein Rechtsgelehrter oder Staatsmann
von Ansehen diesen Mißbrauch öffentlich, und mit
Nachdruk rügen würde. Da mich aber meine Hofnungen noch immer täuschen, und ich selbst in der
Gegend, worin ich wohne, seit kurzer Zeit, zwei
neue Beispiele von unglüklichen Hinrichtungen er-
lebt habe; so halte ich es für meine Pflicht, nicht
länger über einen Gegenstand zu schweigen, der einem jeden gefühlvollen Menschen wichtig sein muß,
und über den ein jeder nachdenkender Mann zu reden das Recht hat. Ich schmeichle mir zwar nicht,
daß meine Bemerkungen den Erdengöttern in die
Hände fallen werden, von deren Winken die Schiksale und das Leben der Menschen abhängen; allein
das darf ich doch wahrscheinlich hoffen, daß einer
oder der andere von denen, die in dem Rathe der
Fürsten sitzen, meine Gedanken lesen werde. Diese, wie alle wahre Menschenfreunde, fordere ich im
Namen der leidenden Menschheit auf, meine Betrachtungen zu beherzigen, und wenn sie denselben
ihren Beifall nicht versagen können, aus allen
Kräften den Unglüklichen zu Hülfe zu eilen, die
mitten unter den Schrekken des Todes, von der
ganzen Welt, selbst von ihren Eltern, Weibern,

Cc 5

Kin-

Kindern, Brüdern und Freunden verlaſſen werden,
die aber auch in den letzten Augenblicken ihres Lebens noch immer unter dem Schutze und der Auf-
ſicht der Geſetze, und ihrer Urheber und Ausüber
bleiben ſollten.

Unter allen natürlichen und gewaltſamen Todesarten iſt keine leichter, als die Enthauptung,
wenn dieſe Strafe anders nach den Abſichten der
Geſetzgeber und Richter vollzogen wird. Es finden
ſich gewiß ſowohl unter denen, die auf dem Bette
der Ehren ſterben, als die von Krankheiten aufge-
rieben werden, nur ſehr wenige, die ſo ſchnell, ſo
ganz ohne Todeskampf, und mit ſo geringen augen-
blicklichen Schmerzen aus dem Leben weggerückt würden, als diejenigen, welchen ein einziger Streich
Kopf und Leben nimmt. Glückliches Enthaupten
iſt aber nicht bloß die leichteſte und kürzeſte, ſondern
auch zugleich eine der weiſeſten und zwekmäßigſten
Strafen, die man nur je auf ſchwere Verbrechen
geſetzt hat. Indem ſie dem Leidenden die mög-
lichſt kleine Marter verurſacht, macht ſie doch zugleich auf die Umſtehenden die ſtärkſten und dau-
rendſten Eindrücke. Das unvergeßliche Geräuſch,
das von dem tödlichen durch den Hals fahrenden
Eiſen hervorgebracht wird, das fürchterliche Rau-
ſchen und Spritzen des kochenden Bluts, die plötzliche Entſeelung eines Körpers, der ſich noch vor
wenigen Augenblicken gleich andern bewegte, die
ſcheusliche Todesbläſſe, die ſich auf dem verbluteten
Ge-

Gesichte zeigt, endlich die gräßliche Verstümmelung
des entseelten Leichnams prägen sich tiefer und un-
auslöschlicher ein, als die Bilder von andern lang-
samern und qualvollern Todesarten. Hiezu kömmt
noch, daß das Enthaupten eben so vieler, oder noch
mehrerer Stuffen und Vermannichfaltigung, als
eine jede andere Todesstrafe fähig ist, ohne daß dadurch den Qualen der Delinquenten irgend etwas,
oder etwas beträchtliches hinzugesetzt würde.

Allein eben diese menschliche und weise Strafe
wird eine der unsichersten und grausamster, wenn
sie nicht mit dem Beil, sondern mit dem Schwerdte vollzogen wird. Das Hinrichten mit dem
Schwerdte entstand nur in solchen Zeiten und unter solchen Völkern, in und unter welchen entweder
wilde Zwietracht, oder ein noch wilderer Despotismus alle zärtern Gefühle erstikte, alle Rechte der
Menschheit unterdrükte, und die Würde unserer
Natur entweder gänzlich vergessen machte, oder auf
die frevelhafteste Art schändete. Unter den Römern
waren die grausamen Sieger in den bürgerlichen
Kriegen die ersten, die ihre Feinde durch das
Schwerdt von Henkern erwürgen ließen, welchem
Beispiele bald nachher die römischen Kaiser folgten. *) Unter allen diesen Wütrichen dachte keiner

---

*) Daß in Rom ursprünglich nicht bloß Unterthanen,
sondern auch Bürger mit dem Beile hingerichtet
worden, scheint mir allein aus den Beilen unleug-
bar,

ner, so wenig als jeßo die asiatischen Despoten, daran: daß man auch gegen Feinde, Sklaven und
Verbrecher Pflichten der Menschheit zu erfüllen
habe;

bar, welche die Liktoren als Zeichen der Ober-
richterlichen Gewalt schon in den Zeiten vor den
ersten Magistratspersonen hertrugen, da sie noch
über keine Bundesgenossen und weitläuftige Provinzen zu gebieten hatten. Als aber in der Folge
alle römische Bürger der Todesstrafe entzogen, und
nur allein Bundesgenossen, Insassen, Fremdlinge,
und Sklaven mit dem Beile abgethan wurden,
entstand, vielleicht noch vor dem Umsturze der Republik, die Meinung, daß die Enthauptung mit dem
Beile eine freier Bürger unwürdige Strafe sei.
Wenigstens brauchten die Triumviri, so viel ich
mich besinne, gegen ihre Feinde nie das Beil, sondern immer das Schwerdt; und auch der Senat
ließ die vornehmen Mitverschwornen des Katilina
nicht mit dem Beile enthaupten, sondern im Ge-
fängnisse erdrosseln. Weil auch in der Folge die
römischen Kaiser die Personen, die ihnen verhaßt
oder verdächtig waren, gemeiniglich mit dem
Schwerdte hinrichten ließen; so wurde die Enthauptung mit dem Schwerdte allmälig für ehren-
voller als andere Todesstrafen gehalten, und diesen
selbst in den Gesetzen vorgezogen. Herr Prof.
Meister, dem ich auch die nachfolgenden Citaten
schuldig bin, hat mir folgendes vom Ulpian abge-
faßtes Gesetz angezeigt. L. 8. §. 1. Dig. de poen.
sed gladio animadverti oportet, non securi, aut te-
lo, vel fusti, vel laqueo, vel quo alio modo.
Doch gab es auch noch unter den Kaisern Beispiele, daß vornehme Personen, dergleichen Papi-
nian war, mit dem Beile enthauptet worden.
Spart. in Carac. c. 4. Der Kaiser mißbilligte
diese Todesart, allein die Rechtsgelehrten sind
nicht

habe; und keiner bekümmerte sich darum, ob derjenige, den er zum Tode verurtheilt hatte, mit einem Streiche hingerichtet, oder auf eine langsame
                                                Art

nicht einig darüber, ob deswegen, weil sie zu leicht,
oder weil sie zu schimpflich gewesen sei. Diesen
Wahn: daß die Schwerdtstrafe ehrlich, und die
Beilstrafe hingegen schimpflich sei; nahmen unsere
Vorfahren, wie Todesstrafen überhaupt, von den
überwundenen Römern viel früher an, als die Gesetze dieses Volks in Italien wieder gefunden, öffentlich gelehrt, und feierlich in den meisten Europäischen Ländern aufgenommen wurden. Man richtete daher im Mittelalter nur Vornehme mit dem
Schwerdte, und gemeine Verbrecher mit dem Beile hin. Man sehe Daepler im Schauplatz der Lei-
bes- und Lebensstrafen P. II. c. 2. n. 19 seqq. Böhmer ad const. crim. carol. art. 192 §. 1. und Quistorp peinl. Recht §. 73. Die Geschichte der all-
mälichen Einführung der verschiedenen Todesstrafen in unsere heutigen Staaten ist bisher weder kri-
tisch noch vollständig bearbeitet werden, und wäre
daher für einen philosophischen Rechtsgelehrten
ein wichtiger Gegenstand neuer Untersuchungen.
Nach dem Ausspruche eines der größten Rechtsgelehrten unsers Vaterlandes entstanden besoldete
Nachrichter erst im 16ten Jahrhunderte, indem ihr
Geschäft vorher gewöhnlich von den jüngsten Schöppen verrichtet wurde. Böhmer ad Carpzov.
Prax. Crim. T. III. p. 391. Gemeiniglich hält man
das Ansehen des allgemein aufgenommenen römischen Rechts für die Ursache der Einsetzung besolde-
ter Nachrichter; allein ich möchte die römischen
Gesetze lieber nur für eine Veranlassung, und hingegen für die wahre Ursache der Entstehung des
eben genannten neuen Standes die Aufklärung und
Verfeinerung der Sitten halten, die sich im An-
                                                fange

Art gemartert und zerfleischt wurde. *) Man trug
das Würgegeschäft, wie noch jetzo in den morgen-
ländischen Reichen dem ersten, dem besten, meistens
aber

fange des sechszehnten Jahrhunderts von Italien
aus über ganz Europa, und auch über unser Vaterland verbreitete. Merkwürdig aber ist es, daß ein
ganzes Jahrhundert nachher, als die Schöppen zu
henken und zu enthaupten aufgehört hatten, die
Gewerker durch ein rechtliches Bedenken angehalten wurden, die Häute von hingerichteten und se-
cirten Missethätern zu gerben. Ich führe die Worte des Responsi selbst an, wie ich sie beim Carpzov S. 393 finde: — „Derowegen auch solcher Ca-
daverum sectio und Anatomia zu Recht zuläßlichen:
darüber auch das bonum publicum die Zurichtung
der Menschenhäute, als welche zu vielen nützlichen
Sachen gebraucht werden mögen, erfordert, u. s. w.
so haben sich obgedachte Handwerker mit ihrem
Einwenden nicht zu helfen: sondern sie sein nach
verbrachter Anatomia die Menschenhäute zu gerben
schuldig, und mögen dannenhero an ihren Ehren
von niemand angegriffen, noch aus den Zünften gestoßen werden: in ferner Verweigerung auch, werden sie hierzu von der Obrigkeit durch gebührliche
Zwangsmittel billig angehalten. V, R. W.
M. Febr. 1631."

*) Vielmehr wünschten es Tyrannen oft, und ihre
Würger suchten sich dadurch Gnade und Belohnun-
gen zu erwerben, daß sie die Verurtheilten nicht
schnell oder mit einem Streiche tödteten. Franz
Byrard sagt von seinen Reisegefährten, welche der
König der Maldiven hinrichten ließ: on leur don-
na plusieurs coups, et qui ne leur donnoit qu'un
coup, n'estoit pas estimé bon soldat. Ils en font
toujours ainsi, quand c'est pour executer le com-
mandement de leur roi, et fust à leur parent pro-
che,

(415)

aber doch Soldaten und selbst vornehmen Kriegs=
bedienten auf; und dies Geschäst war eben so wenig
schimpflich, als es ablehnbar war. Nothwendig
mußte die menschliche Natur in einer Verfassung
verwildern, wo keiner sicher war, daß ihm nicht
von dem ersten, der ihm begegnete, Kopf und Leben
abgefordert, oder daß er selbst durch die Laune eines
Tyrannen gezwungen wurde, seinen besten Freund
umzubringen. Von einem solchen Volke nun, das
durch den ungeheuersten Despotismus auf das
tiefste erniedrigt war, nahmen unsere Vorfahren zu
einer Zeit, da sie zwar nicht so verdorben, aber eben
so wenig menschlich, als die entnervten Römer wa=
ren, nicht blos Gesetze, sondern auch Tortur und
Todesstrafen an. Noch neulich hat einer unserer
lehrreichsten Geschichtschreiber *) angemerkt, daß
im Mittelalter in einigen Reichsstädten die jüng=
sten Rathsherrn, in andern die jüngsten Bürger,
so wie in den Klöstern gewisse Geistliche die gesetz=
mäßigen Büttel waren; ja daß sogar mehrere Ge=
rechtigkeitsliebende Fürsten mit eigener hoher Hand
die

che, ou mesme à leur frere, pour temoigner par
là le zele, qu'ils ont au service du Roi. Voyages
p. 60. Eben so ist die Denkungsart der Sklaven
aller übrigen asiatischen. Despoten beschaffen. —
Sogar die Elephanten des Königs von Ceilan,
und anderer Monarchen sind darauf abgerichtet,
daß sie die Verurtheilten geschwind und langsam,
wie man es wünscht, abthun können.
*) Herr Möhsen in seiner Geschichte der Wissenschaf=
ten in der Mark Brandenburg.

(416)

die Straßenräuber ihres Landes henkten oder ent-
haupteten. Wenn nicht der gänzliche Mangel von
menschlichem Gefühl, den solche Sitten und Einrichtungen verrathen, den Abgang von Geschiklichkeit ersetzte; so musten diese ungeübten Henker viele
von den Elenden, die in ihre Hände fielen, auf eine
fürchterliche Art martern. Es war daher eine wichtige Verbesserung, und ein Vorbothe milderer Zeiten, daß man allenthalben besoldete und privilegir-
te Nachrichter annahm. Dieser neue Stand trieb
seine Handthierung nicht nur kunstmäßig, sondern
machte auch durch beständige Uebung seine Faust
in eben dem Verhältnisse sicher, in welchem er sein
Herz zu verhärten genöthigt wurde. Noch während des ganzen letzten Jahrhunderts, und selbst
im Anfange des gegenwärtigen, waren die Erzie-
hungs- und Polizeianstalten in dem größten Theile
von Europa so schlecht, daß in den meisten Ländern
unsers Erdtheils alle Wälder mit Räuberbanden besetzt, alle Wege unsicher, und selbst die Einwohner
großer Städte gegen die Gewaltthätigkeiten von
Mördern und Dieben nicht genug geschützt waren.
Man wüthete daher fast unaufhörlich gegen diese
Störer der öffentlichen Sicherheit mit Rad und
Schwerdt, und die Executionen waren so häufig,
daß manche Scharfrichter mehrere Hunderte von
Delinquenten hinrichteten. Ich selbst habe in dem
Zeughause einer berühmten Stadt fünf Schwerdter
gesehen, mit deren jedem hundert Verbrecher abge-
                                                    than

(417)

than waren, und die von denen, welche sie zum
Schrekken der Missethäter geführt hatten, als
Denkmäler ihrer Kunst und ihres Ruhms neben
den glorreichsten Spolien überwundener Feinde waren aufgehängt, und der Göttin der Gerechtigkeit
geheiligt worden. In solchen rohen Zeiten, wo die
Verbrechen und Exekutionen so häufig, und die
Henker so geübt und gefühllos waren, mußten die
Beispiele von unglüklichen Hinrichtungen sehr selten sein. Man schlachtete Menschen ohne die geringste Rührung, und traf die Linie an dem Halse
eines lebenden Menschen eben so sicher, als wenn
man nach dem Halse einer todten Larve gezielt hätte. Unsere Vorfahren dachten also auch gar nicht
daran, eine Strafe abzuschaffen, die fast niemals
mißlang, und die meistens den Absichten des Richters entsprach.

Eben die Strafe aber, die unter den jetzo angeführten Umständen nur selten mit großen Nachthei-
len verbunden war, sollte billig allenthalben mit der
Vertilgung großer Räuberbanden aufgehoben worden sein. Schon die Erfahrungen eines oder einiger Menschenalter haben gelehrt, daß die Hinrichtungen mit dem Schwerdte öfter, wie vormals in
scheußliche Metzeleien ausgeartet sind; und wir
müssen fürchten, daß eben dieses in der Zukunft noch
häufiger geschehen werde. Je mehr unsere Verfassungen und Polizeianstalten sich vervollkommnen,
je aufgeklärter und gesitteter die Menschen, und je

seltener also große Verbrecher werden; desto unge-
übter und menschlicher müssen selbst die Henker
werden, und desto weniger werden sie im Stande
sein, die Regungen der Menschlichkeit zu unterdrükken, und das Zittern ihrer würgenden Faust zurük-
zuhalten. Wenn man also die Schwerdtstrafe nicht
aufhebt, so sezt man Delinquenten immer mehr der
Gefahr aus, anstatt eines schnellen einfachen Todes, den die Gesetze ihnen zuerkannt hatten, eines
vielfachen grausamen Todes zu sterben. Man ver-
vielfältigt die Schrekken des Todes der Unglüklichen; man ängstigt alle empfindliche Personen in der
Gegend, wo eine Exekution vorgenommen werden
soll, schon lange vorher mit dem Gedanken, daß der
Verurtheilte vielleicht, wie viele andere, auf eine
entsetzliche Art werde zerfleischt werden. Man
quält die Zuschauer, die meistens von einer sehr ver-
zeihlichen Neugierde und ohne die ihnen bevorstehenden Eindrükke zu ahnden, herbeigezogen werden,
mit dem gräßlichen Schauspiel von Martern, womit die Augen und Gemüther kultivirter Menschen
ewig verschont bleiben sollten; man peinigt endlich
den Scharfrichter selbst mit der unsäglichen Angst,
daß er vielleicht fehlen und sich dadurch den Unwillen seiner Obern und die Verwünschungen seiner
Mitbürger zuziehen werde. Man straft also nicht
nur diejenigen, die Strafe verdienten, viel stärker, als die Gesetze wollten; sondern man peinigt

auch

auch unzählige unschuldige Menschen, welche man
zu strafen kein Recht hat.

Alle diese nachtheiligen Folgen vermeidet man,
wenn man zur Vollstrekkung der Gesetze statt des
Schwerdts das Beil wählt. Das letztere Werkzeug des Todes ist viel sicherer, als das erstere, sowohl wegen der größern Schwere desselben, als wegen der perpendicularen Richtung, worin es gebraucht wird. Das Schwerdt hingegen, wenn es
auch von dem nervigten Arm eines nicht zagenden
Mannes geführt wird, muß nothwendig oft fehlen:
nicht nur weil es zu leicht ist, als daß es den Hals-
knochen eines starken Mannes, da wo er am dikſten
ist, mit einem Streiche durchhauen könnte, sondern weil es auch in einer Richtung geführt wird,
in welcher wir unsern Arm nur selten brauchen,
und also auch nie so sicher und mit so viel Kraft als
nach andern Direktionen würken und treffen können. Zu den großen Vorzügen des Beils vor dem
Schwerdte muß man auch noch diesen rechnen, daß
der Scharfrichter, der das erstere braucht, das Ant-
litz des liegenden Delinquenten, also gerade den
Theil des Körpers nicht sieht, dem die meisten Merkmale der menschlichen Natur eingeprägt sind, und
auf welchem sich auch die Schrekken des Todes am
allerdeutlichsten ausdrükken.

So groß und unläugbar aber die Vorzüge des
Beils vor dem Schwerdte sind; so glaube ich doch,
daß die gewöhnliche Art mit dem Beil hinzurich-

(420)

ten, noch einer großen und unserer Aufklärung und
Menschlichkeit würdigen Verbesserung fähig sei.
Es kömmt mir immer noch grausam vor, daß man
Menschen ohne Noth zwingt, sich mit dem Blut
ihrer Nebenmenschen zu beflekken. Ueberdis glaube ich, daß man Delinquenten auch der Möglichkeit
der Gefahr entziehen müsse, eines martervollen nicht
bloß einfachen Todes zu sterben. Ungeachtet das
gewöhnliche Enthaupten mit dem Beil unendlich
sicherer ist, als das mit dem Schwerdte; so soll es
doch Beispiele geben, daß ein einziger Streich nicht
hinreicht, das Haupt von dem übrigen Körper zu
trennen. *) Dieser Gefahr und der Nothwendigkeit, Menschenhände zum Würgen zu brauchen,
                                            würde

---

*) Einen andern Fall, daß der Henker den Delinquen-
   ten mit einem Streiche nicht hinrichten wolle,
   nehme ich in unsern Zeiten als kaum möglich an.
   Der Lictor des Verres in Sicilien, Sestius, ließ
   sich dafür bezahlen, daß er selbst unschuldig Verurtheilte mit einem Hiebe tödtete; und er war in
   diesem Zeitalter gewiß nicht der einzige, der mit
   seiner Henkerskunst einen verabscheuungswürdigen
   Wucher trieb Aderat, sagt Cicero in Verrem V. 45.
   janitor carceris, carnifex praetoris, mors terrorque
   sociorum et civium, lictor Sestius, cui ex omni
   gemitu doloreque certa merces comparabatur.
   Ut adeas, tantum dabis: ut cibum tibi intro ferre
   liceat, tantum. Nemo recusabat. Quid ut uno
   ictu securis afferam mortem filio tuo, quid dabis?
   ne diu crucietur? ne saepius feriatur? ne cum
   sensu doloris aliquo aut cruciatu spiritus aufera-
   tur? Etiam ob hanc causam pecunia lictori daba-
                                            tur.

würde man entgehen, wenn man das rächende Beil
von einem unfehlbaren und gefühllosen Gewichte
oder Maschine treiben ließe. Diesen Wunsch hatte
ich schon lange gehegt, als mein gelehrter Freund,
Herr Professor Beckmann mir sagte, daß es in
Italien gewöhnlich sei, durch eine Maschine enthaupten zu lassen, und daß ich diese Maschine in
den Reisen des Pere Labat beschrieben finden würde.
Ich will die Worte des Schriftstellers selbst aus
dem ersten Kapitel des siebenten Bandes hersetzen,
wenn ich vorher werde bemerkt haben, daß diese
Maschine in Italien nur bei Edelleuten und Geistlichen gebraucht wird. L'instrument, sagt Labat,
appelé Mannaya, est un chassis de quatre à cinq pieds
de hauteur, d'environ quinze pouces de largeur
dans oeuvre; il est composé de deux montans d'environ trois pouces en quarré avec des rainures en dedans,
pour donner passage à une traverse en coulisse, dont
nous dirons l'usage ci-après. Les deux montans sont
joints l'un avec l'autre par trois traverses à tenons et
à mortoises, une à chaque extremité, & une environ à
quinze pouces audessus de celle, qui ferme le chassis;

              Dd 3   c'est

---

tur. O magnum, ruft der Redner aus, atque in-
tolerandum dolorem! o gravem acerbamque for-
tunam! Non vitam liberum, sed mortis celerita-
tem pretio redimere cogebantur parentes. Atque
ipsi etiam adolescentes cum Sestio de eadem plaga,
et de uno illo ictu loquebantur. &c.

e'eſt ſur cette traverſe, que le patient à genoux poſe
ſon cou: au deſſus de cette traverſe eſt la traverſe mo-
bile en couliſſe, qui ſe meut dans les rainures des montans.   Sa partie inferieure eſt garnie d'un large coupe-
ret de 9. à 10. pouces de longueur, et de 6. pouces de
largeur, bien tranchant, et bien aiguiſé.   La partie
ſuperieure eſt chargée d'un poids de plomb de ſoixan-
te à quatre-vingt Livres, fortement attaché à la traverſe; on leve cette traverſe meurtriere juſqu'à un pouce
ou deux près de la traverſe en haut, à la quelle on
l'attache avec une petite corde.   Lorsque le Earigel
fait ſigne à l'exécuteur, il ne fait que couper cette corde, et là couliſſe tombant à plomb ſur le cou du patient le lui coupe tout net, et ſans danger de manquer
ſon coup.

Meiners.

Ueber den Ursprung der Weihnachts= geschenke.

Manche in der That sonderbare und auffallende Gebräuche haben ihr Sonderbares und Auffallendes für uns fast ganz verloren, weil wir von der frühsten Kindheit an daran gewöhnt sind, und ihre Allgemeinheit uns hindert, das Sonderbare darin aus dem Gesichtspunkte anzusehn, woraus sie ein ganz Fremder nothwendig ansehen müßte.   In Reisebeschreibungen von entlegenen Ländern ist die

E 5　　　　　　　　　　Schil=

(74)

Schilderung der Gebräuche und Sitten einer fremden Nation für jeden Leser gewiß immer der interessanteste und unterhaltendste Theil. Aber, es fällt uns dabei nur selten ein, daß wir selbst eine Menge Gebräuche im Gottesdienste und im bürgerlichen Leben haben, die die Neugier und Verwunderung andrer Völker und andrer Zeiten gewiß eben so stark und stärker zu rezen im Stande wären. Dem Ursprunge solcher Gebräuche, sollten sie auch, dem ersten Anblik nach, noch so unbedeutend scheinen, nachzuspüren, ist vielleicht nicht immer bloß eine unschuldige Beschäftigung einer müßigen Spekulazion und zweklosen Neugierde. Ich bin vielmehr überzeugt, daß Untersuchungen der Art den denkenden Kopf oft zu ganz unerwarteten Resultaten und Aufschlüssen führen können, die über eine Menge andrer Ideen Licht verbreiten.

Der Gebrauch der Weihnachtsgeschenke ist eben so alt, als allgemein. Gemeiniglich erklärt man ihn aus der Gewohnheit, bei der Geburt eines neuen Kindes den schon vorhandnen ältern Kindern gleichsam im Namen des neuen Ankömmlings kleine Geschenke zu machen, um sie dadurch gleich vom Anfang an desto fester an ihn zu knüpfen und die brüderliche und schwesterliche Liebe früher, als sonst vielleicht geschehen würde, allmählig aufkeimen zu lassen. Eben so, meint man, sei der Gebrauch der Weihnachtsgeschenke unter den Christen durch den frommen Gedanken veranlaßt worden, die Kinder
da-

(75)

dadurch deſto früher zur Liebe Jeſu zu gewöhnen.
Ich will von dem Werth oder Unwerth dieſer päda=
gogiſchen und religiöſen Tändelei itzt weiter nichts
ſagen, als daß es mir für das menſchliche Herz er=
niedrigend ſcheint, durch dergleichen armſelige Kunſt=
griffe gute Empfindungen und Geſinnungen hervor=
zubringen, und Kinder ſo früh zu der eigennützigen
Denkungsart zu gewöhnen, ſich ihre Liebe durch Ge=
ſchenke gleichſam abkaufen zu laſſen. Dies, dünkt
mich, iſt für jeden vernünftigen Menſchen ſo auf=
fallend, daß jene tändelnde Methode wol nicht leicht
ſo allgemein werden konnte, um die allmälig vergeſ=
ſene Quelle eines allgemeinen Gebrauchs zu wer=
den; und dies um ſo weniger, da dieſer Gebrauch
ſich nicht bloß über Kinder erſtrekt, auf die allein
doch jene pädagogiſche Tändelei anwendbar war.

Noch unzulänglicher iſt die Herleitung dieſes
Gebrauchs aus den Geſchenken, die die ſogenannten
Weiſen oder Könige des Morgenlands dem neuge=
bornen Meſſias gebracht haben ſollen. Ohne mich
itzt darauf einzulaſſen, ob dieſe ganze Tradition, die
freilich den Geographen ſowol als den Aſtronom in
einige Verlegenheit ſetzt, hiſtoriſche Wahrheit, oder,
wie ſelbſt manche kritiſche Theologen glauben, ein
frommer Mythos ſei — ſo läßt ſich doch die Kombi=
nation der Begriffe nicht wohl begreifen, durch die
man von Geſchenken, die jene Weiſen dem vermeinten
neugebornen König der Juden nach der Sitte des
Orients als ein Zeichen der Unterthänigkeit und Hul=
                                              digung

digung brachten, zu Geschenken übergegangen sein
könnte, die nachher bei der Geburtsfeier ebendessel-
ben an Kinder und andre Personen gleichsam im
Namen des Christkindes gemacht wurden.

Wenn ich behaupte, daß dieser Gebrauch nichts
mehr und nichts weniger als ein Ueberrest einer heidnischen römischen Gewohnheit, und namentlich der
Saturnalien sei, bloß unter einem andern Namen; so kann dies nur dem anstößig und befrem-
dend scheinen, der, unbekannt mit dem Alterthum,
überall nicht weiß, wie viel Einrichtungen und Gebräuche in unsrer bürgerlichen und gerichtlichen und
vornehmlich gottesdienstlichen Verfassung, aus dieser Quelle als ein Erbtheil auf uns gekommen.
Sind doch sogar viele Ideen, die dem reinen Urchri-
stenthum fremd waren, aus der römischen und griechischen Religion, besonders aber aus der Religions-
philosophie der Alexandrinischen Schule, in das theo-
ologische Sistem des Christenthums übergegangen.
Wie viel leichter war die Forterbung von Gebräuchen, von denen der sinnliche Mensch überhaupt sich
noch weit schwerer als von Ideen losreißen läßt.

In der That findet sich eine überaus auffallende
Aehnlichkeit zwischen der Feier der römischen Saturnalien und unserm Weihnachtsfest, eine Aehnlichkeit, die sogar in Kleinigkeiten zutrist. Die Saturnalien der Römer fielen in dieselbe Zeit. Sie
wurden vom 17ten bis 24sten Dezember gefeiert,

also

(77)

also sieben Tage *). Eben so lange währte anfänglich das Weihnachtsfest, bis es auf vier, und vermuthlich erst im 11ten Jahrhundert auf drei Tage verkürzt wurde **). Man theilte an diesem Fest allerlei kleine Geschenke aus, vornemmlich auch an die
Sklaven. Man beeiferte sich zu keiner Zeit so sehr,
dem Hausgesinde milde und freundlich zu begegnen,
und ihnen wenigstens ein paar vergnügte Tage im
Jahr zu verschaffen. Sie genossen während dieses
Festes einer Art von Freiheit, und wurden zu keiner
Arbeit angehalten. Eben so machten es die ältesten
Christen mit ihren Sklaven beim Weinachtsfest.
(Constitutt. apostol. l. 8. c 33.) Und noch itzt freut
sich das Gesinde auf keinen Tag im Jahr so sehr,
als auf Weihnachten. Unter den Geschenken, die
man sich zu machen pflegte, war gewöhnlich ein
Wachsstok ***); noch itzt ein überall gewöhnliches
Zube-

---

*) Anfänglich zwar nur einen Tag; durch Jul
  Cäsar kamen zwei hinzu, seit dem Kaligula noch
  zwei, und in diesen fünfen rechnete man noch
  die zwei Tage des Festes Sigillaria. Doch sagt Makrobius, der diese Veränderungen umständlich erzählt (Saturn. l. 1. c. 10.) apud veteres jam opinio fuit,
  septem diebus peragi Saturnalia; si opinio vocan-
  da est, quæ idoneis firmatur auctoribus &c. Und
  in Lukians Saturnalien sagt Saturn selbst: ἑπτὰ
  μὲν ἡμέρων ἡ πᾶσα βασιλεία. vid. LipsiiSaturn.
**) S. Wildvogelii Chronoscopia legalis p. 286.
***) Macrob. Sat. I, 7. inde mos per Saturnalia missi-
  tandis *cereis* cœpit. Alii cereos non ob aliud mitti
  putant, quam quod hoc principe a tenebrosa vita
  quasi ad *lucem* editi sumus.

(78)

Zubehör der Weihnachtsgeschenke für Kinder und
Gesinde. — Zu den gewöhnlichen Speisen an diesem
Feste gehörte Honig, als ein Sinnbild des goldnen
Zeitalters, da es noch Bäche voll Milch und Honig
gab *), und weil man den Saturn für den Erfinder
des Honigbaus hielt **). Auch auf diesen Gebrauch
wird noch izt beim Weihnachtsfest in vielen Provinzen strenge gehalten; und auf ihn bezieht sich die zu
keiner Zeit so häufige Verfertigung und Verkau-
fung der sogenannten Honig= oder Pfefferkuchen.
Und eben so hatten auch bei den Saturnalien die
Kuchenbäcker ihre volle Arbeit. (Lucian. Sat. c. 13.)
In den lezten Tagen derselben war ein öffentlicher
Jahrmarkt (Sigillaria), wo allerlei Puppenwerk und
Bilderchen, vornehmlich von Wachs (Sigilla), die zu
kleinen Geschenken bestimmt waren, verkauft wur-
den. ***) Grade wie auf unserm Christmarkt. Zur
Zeit der Saturnalien waren überall nicht nur
                                                    Schul-

---

*) Beim Lukian (Saturn. c. 7.) sagt Saturn selbst:
   ὀλίγας ταύτας ἡμέρας ἀναλαμβάνω τὴν ἀρχὴν, ὡς
   ὑπομνήσαιμι τὲς ἀνθρώπες, οἷος ἦν ὁ ἐπ᾽ ἐμᾶ βίος,
   ὁπότε ὁ οἶνος ἔρρει ποταμηδὸν καὶ πηγαὶ μέλιτος καὶ
   γάλακτος. id. c. 20.

**) Macrob. Saturn. I, 7. Placentas mutuo mittitant,
   mellis & fructuum repertorem Saturnum affir-
   mantes.

***) Macrob. Saturn. I, 10. & 11. — Sueton. in Claud.
   c. 5. — Spartian, Anton. Carac. 1. id. in Adrian.
   c. 17.

(79)

Schulfeiertage *) sondern anch Gerichtsferien **).
Beide woch itzt zur Weinachtszeit. Die Gerichtsferien
zur Weihnachtszeit wurden schon vom Kaiser Theo-
dosius geboten. (Cod. Theod. l. 2. c. de feriis) nachher
vom Valentinian, wie auch von dem griechischen
Kaiser Manuel Comnenus, und späterhin nicht nur
in dem kanonischen Recht, sondern auch in der
Reichskammergerichtsordnung bestättigt ***).

Noch auffallender ist die Aehnlichkeit zwischen
beiden Festen, wenn man weiß, auf welche Art in
den mittlern Zeiten das Weihnachtsfest gefeiert
ward. Das berühmte Narrenfest, das ohngeachtet aller dagegen von Regenten, Koncilien und Päb-
sten gemachten Verordnungen sich bis gegen das Ende des 16ten Jahrhunderts erhielt ****), und wovon
noch itzt, vorzüglich zwar in katholischen Ländern
aber doch auch hie und da noch unter den Protestanten, Ueberreste sind *****), ward gewöhnlich in den
Weihnachtstagen gefeiert; wenigstens fiel es immer
zwischen Weihnachten und dem Fest Epiphanias. Die

Aus-

*) Plin. Ep. 6. 7. Tu in scholam revocas, ego adhuc
Saturnalia extendo. Martial. 5. epigr. 84.
**) Martial. l. 7. Ep. 28, 7.
***) S. Wildvogelii Chronoscopia legalis p. 279. u. 298.
****) Du Fresne Glossar. v. Kalendæ.
*****) Z. B. Die in der Christnacht gewöhnlichen Ver-
kleidungen in Engel, Hirten u. s. w; die Besuche,
die das sogenannte Christkind und der Rnech: Ru-
precht in Häusern, wo Kinder sind, machen, eine
Gewohnheit, die auch in unsern Gegenden, vornehm-
lich auf dem Lande (ja selbst in Berlin) noch sehr
im Gange ist.

(80)

Ausgelassenheiten und Ausschweifungen, die dabei
vorgingen, waren denen an den Saturnalien sehr
ähnlich.   Wie an diesen die Sklaven die Rolle des
Herrn spielten, und die Herren sich es auf diese kurze
Zeit wol gar gefallen ließen, den Befehlen ihrer
Sklaven zu gehorchen — eben so legten selbst Bischöfe an dem Narrenfest ihre Würde ab, und lies-
sen sich ganz zu ihren Untergebnen herab.   Und wie
bei den Saturnalien unter den Sklaven ein Gast-
malskönig durchs Loos erwählt ward *), so ward
auch ein Narrenbischof, oder wohl gar ein Nar-
renpabst aus den niedrigern Kirchenbedienten erwählt, der alle geistliche Funktionen eines förmlichen Bischofs verrichtete **).   Die Mummereien,
Tänze, Schwänke, Possen und Ausschweifungen,
die bei diesem Fest vorfielen, stimmen genau mit
der Feier der Saturnalien überein, bei denen ebenfalls alle Arten von Narrheit und Ausgelassenheit
gleichsam privilegirt waren, wie vornehmlich aus
Lukians Saturnalien erhellt.

Selbst in der Absicht und Bedeutung der Feier fand
sich zwischen beiden Festen eine Aehnlichkeit, die der
Beibehaltung der saturnalischen Gebräuche bei den
Chri-

---

*) Lucian. Saturn. c. 2. & 4.
**) Mitten in der Feier der Saturnalien fiel das Fest
    der Laren, nehmlich (Macrob. Sat. I, 10.) XI. Kal.
    Ian. d. i. den 22. Dez.   An diesem Feste pontifizir-
    ten die Sklaven. (Dionys. Hal. l. iv. p. m. 219.)
    grade wie bei dem Narrenfeste die untern Kirchen-
    diener.   Auch zogen die Sklaven bei den Saturna-
    lien die Kleider ihrer Herren an.   Dio Cass. l, 60.
    p. 957. (ed. Reim.)

(81)

Christen sehr das Wort reden muste. Die Saturnalien waren ein Bild des ehmaligen goldnen Zeitalters,
da noch keine Verschiedenheit der Stände Menschen
von Menschen trennte, da noch völlige Gleichheit und
Freiheit unter den Menschen herrschte, und es eben so
wenig einen Herrn als einen Sklaven gab. Eine
süße Fantasie, deren Abbildung wol eines siebentä-
gigen Festes werth war! — Die Geburt Jesu sah
man von den frühsten Zeiten der Kirche ebenfalls
als den Anfang eines neuen goldnen Zeitalters an,
und man deutete daher mehrere poetische Stellen
der hebräischen Dichter darauf als Weissagungen.
Man erwartete von Jesu eine Wiederherstellung des
paradisischen Standes der Unschuld (der doch,
einige besondre orientalische Modifikationen abgerechnet, im Grunde einerlei mit dem goldnen Sa-
turnischen Zeitalter der Griechen und Römer, und
so gut als dieses ein süßer poetischer Traum ist). Und
da man nicht beweisen konnte, daß durch das Christenthum die leibliche Knechtschaft aufgehoben
worden (obgleich — seltsam genug! — viele neuere
Schriftsteller uns die Aufhebung der Sklaverei als
eine Wirkung des Christenthums nennen, ohne sich
zu erinnern, daß es christliche Nationen sind, die in
Amerika und Westindien ihre Negersklaven im Ganzen gewiß mit mehr Härte und Barbarei behandeln
als ehmals Römer und Griechen die ihrigen) — so
half man sich durch den Begrif einer geistlichen
Knechtschaft. Denn die allegorisirende Mystik

trug alle Verhältnisse und Situationen des bürgerlichen Lebens in die Religion über, und im Grunde
ist doch der Begrif einer geistlichen Knechtschaft immer noch richtiger und verständlicher, als die Begriffe von geistlicher Zeugung, geistlichen Vermälun-
gen, geistlichen Geburten und Wiedergeburten, geist-
lichem Tode u. s. w. Endlich, da man merkte, daß
es vor der Hand mit dem goldnen Zeitalter doch
nicht recht gehen wollte, träumte man eine künftige
zweite Erscheinung Jesu, und ein tausendjähriges
Reich, wo denn das goldne Zeitalter oder der Stand
der Unschuld erst in völliger Reinheit und Schönheit
wieder aufblühen sollte. Ob sich die römischen Sklaven, wenn's mit ihrer Saturnalienkomödie zu Ende
ging, auch mit einem solchen künftigen tausend-
jährigen goldnen Zeitalter getröstet haben mögen,
weiß ich nicht; aber wol mögt' ich den itzigen Negersklaven einen solchen süßen Traum wünschen,
um sich damit bei der Grausamkeit ihrer christlichen
Tyrannen zu beruhigen.

Eben diese mystische Aehnlichkeit beider Feste
konnte vielleicht am ersten Anlaß geben, die Weih-
nachtsfeier in die Zeit der Saturnalien zu verlegen,
wiewol ich vermuthe, daß man doch, um zu verhü-
ten, daß man beide Feste nicht ganz für einerlei
hielte, das Weihnachtsfest erst grade den Tag ange-
hen ließ, mit dem die Saturnalien aufhörten. Die
gewöhnliche muthmaßliche Herausrechnung des
25sten Dezembers als des wirklichen Geburtstags
Jesu

(83)

Jesu fällt ins Lächerliche. Es ist bekannt, daß der
eigentliche Geburtstag des göttlichen Stifters unsrer Religion durchaus ungewiß ist. *)   Mehrere
Jahrhunderte, wenigstens die beiden ersten, ver-
strichen, ohne daß, dies Fest gefeiert wurde. Erst
im dritten Jahrhundert scheint es aufgekommen zu
sein.   Aber die morgenländische Kirche, in deren
Nähe keine Saturnalien gefeiert wurden, feierte es
den 6ten Januar **), und nur die abendländische
den 25 December, bis zu Chrysostomus Zeit (also
erst am Ende des 4ten Jahrhunderts) auch die
morgenländische Kirche sich zu diesem Tage be-
quemte ***).

Wem es unbegreiflich scheinen sollte, wie sich
die ersten Christen entschließen konnten, die Gebräuche eines heidnischen Festes bloß mit Veränderung
des Namens zu adoptiren, der muß die Anhänglichkeit des großen Haufens an alte hergebrachte Gebräuche nicht kennen.   Es ist ja selbst aus dem
neuen Testament bekannt, wie schwer es den aus
den Juden bekehrten Christen, ja selbst den Apo-
steln, ward, ihre jüdischen Vorstellungen und Rituale ganz abzulegen; sollte es denen, die aus dem
Heidenthum zur christlichen Religion übergegangen
                         F 2   waren,

*) Clemens Alexandr., ein Schriftsteller des zweiten
    Jahrhunderts, führt schon die zu seiner Zeit sehr
    widersprechenden Meinungen darüber an. Strom. I.
    p. m 340.
**) f. Bingham origines ecclesiast. Vol. 9. p. 67 sqq.
***) Chrysost. homil. 31 de natali Christi.

(84)

waren, weniger schwer gewesen sein, allen ihren ehmaligen religiösen Gewohnheiten zu entsagen?
Man sieht dies ja noch in unsern Tagen an den
von neuern Missionarien, mögen es Jesuiten oder
Zöglinge des hallischen Waisenhauses sein, gestifteten
neuchristlichen Gemeinen in Asien und Amerika. Sie
behalten ihre alten Begriffe und Gebräuche wenigstens zur Hälfte bei und vereinigen sie mit der neuen
Ueberlieferung, so gut sie können, zu einem Ganzen.
Eben so bei den ältesten Christen. Und die Bischöfe
verstanden auch schon damals so gut wie in neuern
Zeiten die Jesuiten die große Kunst, allen alles zu werden, und selbst die Vorurtheile und Mißbräuche ihrer heidnischen Zeitgenossen zu ihren frommen Absichten zu nutzen. Sie sahen ihnen daher gern in
der Anhänglichkeit an ihre alten Gebräuche und
Vorurtheile nach, und waren öfters zufrieden, nur
einen neuen Namen an die Stelle des alten ge-
pflanzt zu haben. Selbst der von schmeichelnden Priestern Groß gelogene Konstantin, der (wie selbst aus
seinem kriechenden Lobredner, Eusebius, erhellt)
gegen die Anhänger der römischen Religion eben so
intolerant und intoleranter war, als es mehrere seiner Vorfahren gegen die Christen gewesen waren,
hatte doch nach eben diesem Eusebius den Grundsatz,
um die christliche Religion den Heiden annehmlich
zu machen, den äußern Pomp und Schmuk von
diesen für jene zu borgen. So kam es denn, daß
das ganze Rituale der römischheidnischen Religion
                                                    in

(85)

in die römisch christliche überging und noch ißt darin,
sogar bis auf manche äußerst unanständige Gebräuche, fortdauert *).　Und selbst wir Protestanten
richten uns in manchen an sich unschuldigen Kirchen-
gebräuchen nach dem Beispiel der alten römischen
und griechischen Religion **).

Es ist auch keine bloße aufs ungewisse gewagte
Vermuthung, daß die Christen in den ersten Jahrhunderten vor der Einführung des eigentlichen
Weihnachtsfestes die römischen Saturnalien mitge-
feiert.　Es ist vielmehr ein aus den Kirchenvätern
und namentlich dem Tertullian historisch erweisli-
ches Faktum.　Und ob gleich Tertullian (in seinem
Buche vom Gößendienst) gegen die Anhänglichkeit
der neuen Christen an ihre alten Feste und Gebräuche, und namentlich an die Saturnatien, sehr nachdrüklich eifert ***), so scheint doch sein Eifer eben

F 3　　　　　　　　　　　so

*) So sah noch 1780 der Ritter Hamilton zu Isagna
in Abruzzo dem heiligen Cosmus unter dem züchti-
gen Namen großer Zähen wächserne Priapen opfern.
f. Götting. Taschenbuch 1784. S. 47 f.

**) Um nur ein Beispiel anzuführen, warum stehn
auch in unsern Kirchen die Altäre immer gegen
Morgen?　Aus keiner andern Ursache, als weil dis
eine heilige Observanz bei den Römern war. f. Vitruv. L. IV. c. 5.

***) TERTVLL. de Idololatr. c. 13. „Hoc loco re-
tractari oportet de festis diebus & aliis extraordi-
nariis solennitatibus, quas interdum lasciviae, interdum timiditati nostrae subscribimus, adversus
fidei disciplinam communicantes Nationibus in
ide-

(86)

so fruchtlos gewesen zu sein, als es in den mittlern
Zeiten der Eifer so vieler vernünftigen Geistlichen
gegen das sogenannte Narrenfest und Eselsfest,
und andre zum Theil eben so schändliche als lächerliche Gebräuche war, und als der Eifer des Herrn
E. in diesem Stük der Monatsschrift (Nr. 6.) gegen die Misbräuche und Ausschweifungen der Christnacht vermuthlich sein wird.

Wer aus dem bisher gesagten schließen wollte,
daß ich das Weihnachtsfest für ein unnützes überflüs-
siges Fest hielte, der würde mir wahrlich sehr unrecht thun. Das menschliche Geschlecht hat dem
liebenswürdigen Stifter der christlichen Religion zu
viel zu danken, als daß es nicht das Andenken dieses
wolthätigen menschenfreundlichen Gesandten der
Vorsehung auf alle mögliche Art zu verewigen verpflichtet wäre. Und ist gleich sein Geburtstag durchaus ungewiß, so daß selbst einer der größten Chronologen, Jos. Skaliger *), gesteht, nur Gott allein
könne

idolicis rebus.” Und c. 14. „Nobis *Saturnalia*
& Januariae & Brumae & Matronales frequenten-
tur? *munera commeant? strenae consonant?*
lusus, convivia constrepunt? O melior fides na-
tionum in suam sectam, quae nullam solemnitatem
Christianorum sibi vindicat! Non dominicum
diem, non Pentecosten, etiam si nossent, nobis-
cum communicassent; timerent enim ne Christiani
viderentur. nos ne ethnici pronuntiemur, non ve-
remur. Beiläufig bemerke ich, daß, wenn zu Ter-
tullians Zeiten schon das eigentliche Weihnachtsfest
wäre gefeiert worden, er es hier gewiß erwähnt haben würde und müßte.

*) de emendat. temp. p. 545.

(87)

könne ihn wissen, so muß doch auch der durch eine
alte Tradition und Observanz angenommene Geburtstag desselben jedem Bekenner seiner reinen Ver-
nunftsreligion gewiß eben so heilig, und heiliger
sein, als den Schülern und Nachfolgern des Sokrates und Plato noch viele Jahrhunderte nach ihrem Tode der Geburtstag dieser athenischen Weisen
war *).   Aber soviel ist und bleibt doch richtig, daß
nie das Gedächtnißfest eines großen Mannes seit den
ältesten Zeiten her mit so vielen Tändeleien, Ungereimtheiten und zum Theil schändlichen Misbräuchen,
verunstaltet worden, als das Geburtsfest Jesu, und
wer hiervon noch nicht genug überzeugt ist, darf ja
nur die Weihnachtslieder in dem alten Porstischen
oder einem ähnlichen Gesangbuche aufschlagen, um
mit Staunen und Unwillen zu sehn, zu welchen die
Gottheit und den gesunden Menschenverstand ernie-
drigenden Vorstellungen dies Fest Anlaß gegeben **),
das, um jedem Christen ehrwürdig zu sein, wahrlich
keines mystischen Unsinns bedarf.

                                        Fr. Gedike.

*) Plut. Symp. 8, 1. Porphyr. in vita Plot.
**) Ich appellire an den unbefangenen gesunden Men-
    schenverstand, ob es nicht wahre Gotteslästerung
    ist, zu singen: „Kleiner Knabe, großer Gott,‟
    (s. Porst. Gesangb. Nr. 41. v. 1.) oder (Nr. 37. v. 2.)
    „der allerhöchste Gott wird gar ein kleines
    Kind.‟ — Bei Gott, wie ist es möglich, daß selbst
    Geistliche solche Gotteslästerungen — nicht dul-
    den — nein als Gottesverehrungen mit andächti-
    gem Eifer und heiliger Verschwärzung der anders-
    denkenden vertheidigen können!!

§ 4

(265)

Vorschlag, die Geistlichen nicht mehr bei Vollziehung der Ehen zu bemühen.

Man ist izt in mehrern Ländern beschäftigt, so wie andre Geseze, so auch diejenigen, welche die Ehe selbst, oder deren Vollziehung und Trennung angehn, zu ändern, zu bessern oder gar neu einzurichten. Warum sollte ein menschenliebender Weltbürger nicht diese Veranlassung nuzen, um einen Vorschlag zu erwähnen, der wahrscheinlich weder den Grossen dieser Erde noch den Gesezgebern unmittelbar zu Ohren kommen wird, ihm aber doch der Erwähnung sehr wehrt zu sein scheinet? Er betrift das Religiöse, das, vorzugsweise vor allen andern Kontrakten, den Ehekontrakt bei seiner Vollziehung begleitet.

Daß das Ehebündniß ein Kontrakt, und nichts weiter als das ist, wird wohl kein Vernünftiger leugnen. Der Naturtrieb, welcher macht, daß man das Weib das man umarmte, den Sohn den man zeugte, liebt, kann — wie bei vernünftigen Wesen alle andern Naturtriebe — unterdrükt, mislenkt, überwunden werden. Aber in diesem Falle litten die Einzelnen, und selbst der Staat zu viel; darum mußte diese von Natur eingeprägte, stillschweigende, innerliche Verabredung der Menschen

(266)

schen eine öffentliche, äusserliche, notorische (allge=
mein bekannt gemachte) werden. — Ferner: Jeder
wichtige Kontrakt erfordert zu seiner Gültigkeit ge=
wisse Feierlichkeiten; eine wohlthätige Einrichtung
polizirter Staaten! Sonst bedenkt so mancher
nicht, wozu er sich einläßt; sonst wird er von ge=
wissenlosen Gewinnsüchtigen misleitet und mis=
braucht, und wundert sich hernach, daß ein kleiner
unvorsichtiger Schritt so wichtige Folgen haben soll.
Daher die Vorbereitungen, die Förmlichkeiten, oh=
ne welche wichtige Verabredungen nicht gelten, als:
Handgeld, Schrift, Stempelpapier, Zeugen, u. s. w.
Was Wunder, daß man auch Förmlichkeiten bei
der Ehe befahl!

Aber, warum mischte man, mehr als bei an=
dern Kontrakten, die Religion oder wenigstens die
Geistlichkeit hinein? Es geschah theils aus gut=
gemeinter obwohl nicht hinlänglich überlegter Ab=
sicht, diesen Kontrakt ja recht ehrwürdig, heilig,
unverbrüchlich zu machen; theils auch wohl, weil
die allenthalben sich zudrängende regiersüchtige Geist=
lichkeit auch dieß wichtige wo nicht wichtigste Ge=
schäft des Menschengeschlechts an sich zu ziehen
suchte. Graf Zinzendorf erfand bei seiner Sekte,
um aufs höchste über die Gemüther der Menschen
zu herrschen, den Satz: daß er (oder der heilige
Geist durch ihn) nicht bloß die Ehen bestimmen
müsse, sondern selbst die Zeit der ehelichen Liebes=
werke, damit seine Jünger völlig abhängig würden,
                                           weder

(267)

weder Wahl noch Triebe frei behielten.   Der Papst
erfand: daß keine Ehe gültig sei, welche die Geistlichkeit nicht einsegne, daß sie aber dann auch ein
Sakrament werde und ein unauflösliches Band habe; daß manche Grade der Verwandschaft, manche
andre Verbindungen (als das Gevatterstehen,
u. s. w.) keine Ehe zulassen, doch Er zuweilen darüber entbinden könne; daß ein gewisser Stand (der
geistliche) gar nicht heirathen dürfe, und also ein
Sakrament dem andern im Wege stehe; u. s. w.
Und die Menschen waren gutherzig genug, sich solche Tyranneien, wenigstens eine Zeitlang, gefallen
zu lassen. — In vielen protestantischen Ländern gehören streitige Ehesachen noch immer vors geistliche
Gericht; und die geistliche Macht scheidet die Ehen,
wie sie sie knüpft.   In andern aufgeklärtern Ländern erkennt das Civilgericht, wie über andre Kontrakte, so auch über diesen; obgleich ich fürchte, daß
man hier nicht so konsequent verfährt als dort.
Die natürliche Rechtsregel ist: Ein Band werde so
getrennt wie es geknüpfet ward! Warum knüpft
es hier noch die Geistlichkeit?

    ”Allein, warum will man die Geistlichkeit auch
”aus diesem — wenn auch mit Unrecht angemaß-
”ten — Besitze verdrängen?”   Die erste natürlich-
ste Antwort ist: sie hat nichts dabei zu thun, sie gehört gar nicht hin.   Daher ist ihre Einmischung
hier völlig überflüßig und unnütz; kann also leicht,
wie alles Unnütze, schädlich werden; ist den mehr-
                                              sten

(268)

sten lächerlich, und manchem so anstößig, daß er
lieber gar nicht in den Ehestand tritt. Alles dieß
hat der vortrefliche Diez, der zu gleicher Zeit so aufgeklärt und so aufklärend ist, meisterhaft ausgeführt. *) — Aber ich habe Lust, noch einen Schritt
weiter zu gehen.

Der Eine Kontrakt wird mit solcher Heiligkeit
betrieben, die andern nicht. Das Eine Gesetz führt
so sehr die Sanktion der Religion bei sich, die andern nicht. Was ist der natürliche Schluß des unaufgeklärten Bürgers? (Und für aufgeklärte bedarf es doch wohl all der Ceremonien nicht!) Nothwendig dieser: "Gott selbst will nicht, daß ich jenen Kontrakt oder jenes Gesetz breche; die andern
sind wohl nur von Menschen gemacht, und mit denen hats daher so viel nicht zu bedeuten." Bei jenen wird die ganze Macht des schauervollen heiligen Eindrucks und der unnennbaren dunklen Gefühle aufgeboten (und diese Macht bleibt denn doch bei
allen eine Zeitlang, und bei manchen auf immer würk-
sam); bei diesen ist nichts dergleichen was die Gemüther bindet. Ist denn Ein Gesetz des Staats
minder ein Gesetz als ein anderes? Ist es, als
Gesetz, weniger wichtig und unverbrüchlich? Darf
es das sein, wenn nicht aller Geist der Nation,
alle

*) In einer Abhandlung, die in den Berichten der
Dessauer Gelehrten Buchhandlung vom Oktober
1782 steht.

alle Liebe zum Staat, aller Patriotismus verloren
gehn soll?

Ich will kurz sagen, was ich wünsche: Wie treflich, wenn Glaube und Bürgerpflicht mehr verbunden wären; wenn alle Gesetze die Heiligkeit von
Religionsvorschriften hätten! Dann gäb es wieder
Patrioten, die ihr Blut für den Staat vergössen,
wie Märtyrer es für die Religion thaten. Dann
lernte früh die Jugend neben ihrem Katechismus,
oder vielmehr in demselben, die Staatseinrichtungen; dann hielte spät das Alter dieß früh gelernte
heilig. Wie hängt man nicht itzt an allem, was
man mit der Religion verbunden glaubt (als dem
Glauben an gute und böse Geister, den schlechten
Kirchengesängen, der Achtung für elende Prediger,
u. s. w.)! Und doch erfährt itzt oft ein redlicher
Gläubiger manchen wahrlich harten und bittern
Kampf im Herzen, findet seine Religion bald mit
den Landesbefehlen in Kollision, bald mit den (ihm
zum Unterhalt doch unentbehrlichen) Weltgeschäf-
ten in Streit. So wird der Mensch von mehrern
Pflichten und Trieben hin und hergezerrt. Was
könnte nicht aus ihm werden, wenn er ganz mit
ungetheilter Kraft der Seele an Einem hinge?
wenn das, was die Achtung für Landesgesetze und
die Ehrfurcht für Religionswahrheiten mächtiges
haben, zu Einem Zwekke verbunden würde? O
ein grosses glükliches Jahrhundert, wo das einst geschieht! Die weisesten und besten unter den Men-
                                              schen

schen ersannen, um ihre Brüder zu beglükken, die
bürgerliche Gesellschaft: sie gründeten kleine Staaten, ordneten Hausstand, Zucht, Ruhe, Sicherheit, setzten Recht und Sitte fest; und hiessen Väter des Volks und Gesetzgeber. Die weisesten und
besten unter den Menschen ersannen, um ihre Brüder zu beglükken, tiefe Weisheit, abgezogne Wissenschaft: dachten über Natur und Schöpfer und Bestimmung des Menschen und sein Verhältniß zu
Gott nach, lehrten Tugend und Gottesfurcht und
Gottesliebe und Glük; und hießen Lehrer des Volks
und Religionsstifter. Dankbar verehrt beide Arten
der Edlen die Nachkommenschaft, und glaubt willig, daß sie mit höherer Erleuchtung begabt, dem
Himmel näher, und von ewigen Geistern selbst unterrichtet wurden. So die Stifter dieser heilsamen
Einrichtungen; so auch die Verbesserer derselben,
da sie, nach dem Schiksal aller irdischen Dinge,
ausarteten und verdarben! Gleich zu Anfang waren Einerlei Männer mit beiden beschäftigt; wer
den Staat gründete, lehrte sein Volk auch Religion, und umgekehrt. Und was kann natürlicher
sein? Glük im weitesten Umfange des Worts,
Glük so weit es Menschen nur fähig sind, zu ge-
niessen, kann ja nur der Endzwek alles Großen sein,
was Menschen thun. Und nicht auch dieser Einrichtungen?— Warum sind sie dann itzt getrennt,
da sie doch Ein Ziel haben? O wann kömmt die
Zeit, da die Besorgung der Religion eines Staates
nicht

nicht mehr das privative Monopolium einiger Wenigen ist, die den Staat oft in Verwirrung setzten;
sondern selbst wieder Staatsangelegenheit wird!
Dann ist Eintracht zu hoffen; dann schweigt die
unselige Spaltung zwischen Kirche und Staat.
Dann haben die Gesetze wieder Gotteskraft *);
dann scheuen sich die Väter des Volks, Eigennutz
und kleine niedre Absichten in ihren Gesetzen reden
zu lassen, da sie an Gottes Statt reden; dann
scheuen sich die Bürger, heilsame Landesverordnun-
gen zu brechen, da sie überirdische Heiligkeit haben!
Dann haben wir wieder Staat, Bürger, Patrioten; lauter itzt entartete Namen. Dann fühlt
der Unterthan Anhänglichkeit an sein Land, Liebe
für seine Gesetzgeber, Achtung für ihre Verordnungen. Geht und höret itzt den platten Spott darüber im Munde des Pöbels, hört den Triumph
über die Pfiffigkeit im unentdekten Betruge. Wer
noch Bürger, wer Mensch ist, muß trauren; denn
das sind grössere Blasphemien, als wenn Kruzi-
fixe geschimpft und geschändet werden.

Es ist bekannt, daß Religion fast noch das Einzige ist, womit man den gemeinen Mann fassen
kann,

*) „Ihr die ihr über viel herrschet, und erhaben seid
„unter den Völkern! Euch ist die Oberherrschaft
„gegeben vom Herrn, und die Gewalt vom Aller-
„höchsten; welcher einst wird fragen wie ihr han-
„delt, und forschen was ihr ordnet. Denn ihr seid
„seines Reichs Verweser." Alt. Testament. —
„Alle Obrigkeit ist von Gott." N. Test.

(272)

kann, zumal bei dieser Erschlaffung, dieser Halbweisheit, dieser Ueppigkeit. O ihr Fürsten des Volks,
ergreift doch den einzigen Zügel, der euch noch bleibt.
Aber führet ihn väterlich selbst, vertraut ihn nicht
jedem ohne Unterschied. Seht nur, welche Religion im Ganzen euer Volk drükt! Finstrer Aberglauben oder thörichte Phantasien machen es bald
dumm bald wild; und Gauner verstehn die Kunst,
es zu lenken, zu betriegen, zu beunruhigen, zu quälen, es gegen Staat und Natur und Gott dadurch
zu empören. Wo diese Ungeheuer fehlen, seht da
ist doch wenigstens keine praktische, fürs Menschen-
leben brauchbare, zu Menschenglük würksame, in
die menschliche Gesellschaft (das ist ja der Staat)
eingreifende Religion da. Ihr Väter der Völker!
Verbindet die Edlen unter den Religionslehrern
mit Euch, die Wenigen, welche in der That das
Glük des Volks suchen, wie Ihr es Eurer Schuldigkeit gemäß auch sucht. Es giebt ja nicht zweierlei Art Glük für Menschen, es kann nur Eines
sein; Ihr arbeitet beide darauf, verbindet Euch!
Laßt Politik und Religion, Gesetze und Katechismus Eins sein! Laßt das Volk fühlen, daß Ihr
ihm Glük bereitet; und laßt es glauben, daß Gott
es ihm bereitet hat. Und hat Der es etwa nicht
gethan? Was liegt daran, ob mittelbar oder unmittelbar?

»Aber, was will ich denn? Die Gesetze sollen
»Religionskraft haben, und dem Ehegesetz, dem
                                                    ein-

(273)

"einzigen welches sie hat, soll sie genommen wer"
"den?" Eben das letztere, wegen des erstern.
Ein Zweig, und wär er auch noch so schön und
treflich am Baume, werde nicht allein gepflegt, auf
Kosten des Stammes! Jener Schluß der Unauf=
geklärten, den ich oben anführte, ist so natürlich,
daß er ewig da sein wird. Nein! Alle Gesetze sein
gleich heilig; keines habe ein so ausgezeichnetes Vor=
recht vor den andern; die andern, und was noch
schlimmer ist, das Ganze muß nothwendig Scha=
den darunter leiden. Also entziehe man erst dem
Ehebündniß seine äussere Heiligkeit; die innere wird
durch Gewohnheit, Tradition, guten Unterricht u.
s. w. doch beim Volke bleiben. Nach und nach ge=
wöhnt man sich dann, es den andern gleich, die an=
dern ihm gleich zu denken; man wird es nicht an=
stößig finden, daß ein wichtiges Gesetz ohne Beglei=
tung der Geistlichkeit sei; man wird es denkbar fin=
den, daß auch ohne diese Begleitung etwas wichtig
und heilig sei. So wächst, indem scheinbar das
Eine abnimmt, in der That alles Uebrige, und Je=
nes mit. Und dann baue man endlich die Grund=
sätze des Staats auf die festen Pfeiler der Volksre=
ligion; der Stamm selbst ziehe diese ganze Aukto=
rität an sich, die sich alsdann schon von selbst bis in
die feinsten Zweige verbreiten wird.

Die Zeit, die diese Rosen tragen wird, ist frei=
lich fern; wahrscheinlich erleben unsre Enkel sie noch
nicht. Aber sie auch nur in unmerklicher Ferne, im

kleinſten Anlaſſe vorbereitet zu haben, muß dem
Menſchenfreund genügen; und wer Blik fürs Ganze hat, wird ihm beiſtimmen. Es iſt nicht die Rede von geputzten künſtlichen Lauben, deren ranken-
de Bekleidung ſchnell aufſchießt, und vielleicht des
Herrn Auge entzükt, aber weder Kraft noch Dauer
hat; Glükſeligkeit eines Volks (und wohin können
ſonſt Staatseinrichtungen zielen?) muß einem heiligen Eichenwald gleichen, der langſam und unmerk-
lich aufwächſt, aber dann auch für Jahrtauſende
daſteht, feſte Stämme zu Städten, Palläſten, und
Schiffen liefert, Kraft zeigt und Glük verbreitet,
des Sturmes der Zeit und der künſtlichen Lauben
und der Büſche um ſich her ſpottet. — Indeß ließe
ſich itzt auch vielleicht ſchon ein großer Schritt thun.
Schon mehrere haben vorgeſchlagen (und Möſer
noch neuerlich für die katholiſche Geiſtlichkeit), den
Konkubinat wieder einzuführen. Es iſt bekannt,
daß dieſe heilſame Anſtalt eines der edelſten Staaten (der römiſchen Republik) von einfältigen und
frömmelnden Regenten des elendeſten Hofes den
die Geſchichte kennt (des byzantiſchen), aufgehoben
worden; und endlich wäre es wohl Zeit, der Natur
der Vernunft und den itzigen Umſtänden wieder
nachzugeben. Wie ſoll es denn der unbegüterte
Mann vom Stande machen; deſſen vom Staat anerkannte Frau und Kinder natürlich einen ſtan-
desmäßigen Aufwand machen müſſen? Warum
ſoll er nicht einen dem heiligſten Ehebündniſſe gleich

(275)

unverbrüchlichen Kontrakt mit einem Mädchen das
ihn liebt, schließen dürfen? Er ist ihr wahrer
Mann, vor Gott, vor ihr, und vor seinem Gewissen; und will er seinen Kontrakt brechen, so kömmt
richterliche Hülfe, wie beim Ehebruch; nur der
Staat ignorirt diese Heirath; das Mädchen führt
nicht seinen Namen, macht also nicht Anspruch an
seinen Stand; und weder sie noch seine eigne Liebe
quält ihn, trotz seines Unvermögens, sie denen vom
gleichem Stande gleich zu halten. Seine Kinder
haben nicht seinen Namen noch seinen Titel (wie
viel unglükliche Junker und Fräulein seufzen nicht
unter der Last des väterlichen Standes!): sondern
werden, was sie wollen, Menschen, Bürger; gleichen den nachgebornen Söhnen der brittischen Lords.
In England kann freilich eines Pairs Sohn Kaufmann und Handwerker sein; durch bessere Erziehung und etwas mehr Unterstützung wird er vortreflich in seinem Fache, und schämt sich dieser Vor-
treflichkeit nicht. Aber bei uns! Gott bewahre!
Welcher adeliche Fähndrich würde das von seinem
Sohne zugeben? ... Der eingeführte Konkubinat
würde wieder Naturfreuden und Familienglük verbreiten, die durch itzige Vorurtheile und itzigen Luxus so sehr leiden; würde einen Haufen gesunder
braver, von edlen Eltern geborner und erzogner,
Kinder schaffen, die etwas mehr wehrt sind, als das
unruhige faule verloffene Gesindel, das an so manchen Orten mit theuren Kosten unter dem Namen

Ko-

(276)

Kolonisten angesetzt wird. — Nun diese Konku-
binatsehe sei bündig und rechtskräftig ohne Geistlichkeit! So ist doch schon ein Schritt gewonnen.

C. v. K.

(508)

Ist es rathsam, das Ehebündniß nicht ferner durch die Religion zu sanciren?

Die Veranlassung zu diesem Aufsatze hat mir der im September dieser Monatsschrift von einem Ungenannten gethane Vorschlag, dem Ehebündnisse seine äußere Heiligkeit zu entziehen, an die Hand gegeben; und ich begnüge mich für jetzt, denselben blos mit einigen Anmerkungen zu begleiten, da eine ausführliche Untersuchung eines solchen Gegenstandes ein eigenes Buch erfordern würde.

Der Hauptgrund, warum der Verf. jenes Vorschlags die religiöse Sanktion von dem Ehebündnisse trennen will, ist der Schluß, den der unaufgeklärte Theil des Volkes machen könnte: "daß die übrigen Verhältnisse des Lebens nicht so unverletzlich wären, als die eheliche Verbindung, da diese allein durch die Religion geheiligt werde." Mich dünkt, es läßt sich hierauf vornehmlich zweierlei antworten.

Zuerst. Es giebt ja doch offenbar Grade der Wichtigkeit unter den bürgerlichen Verträgen, je nachdem von der Erfüllung derselben mehr oder weniger abhängt. Jeder Staat sieht sich ja eben deswegen genöthigt, auch ihre Verletzung mit ungleichen Strafen zu belegen. Liegt aber dem Staate an der Heiligkeit irgend eines Verhältnisses außerordent:

(509)

ordentlich viel, so ist es gewiß das Verhältniß der
Gatten gegen einander, und das darauf gegründete
zwischen Eltern und Kindern. Es würde überflüssig
sein, den engen Zusammenhang darzuthun, in wel=
chem dasselbe mit dem wichtigsten Theile irdischer
Glükseligkeit steht. Welch ein genaues Augenmerk
hat daher jeder Staat, der mit väterlicher Vorsor=
ge für das Wohl seiner Bürger sorgt, vornehmlich
darauf zu richten, und wie sorgfältig hat er jede
Motive, wodurch er auf das Gemüth seiner Unter=
thanen würken kann, besonders dabei zu benutzen!

Die Ehe durch Religion zu sanciren würde, in
dieser Hinsicht, selbst bei einer Nation rathsam sein,
wo schon die herrschende Denkungsart, Sitten und
Volkscharakter keine Entheiligung derselben fürch=
ten ließen; weil ein Band mehr doch immer ein
Band mehr ist, und im Falle der Noth vielleicht
noch allein hält. Und nun, sollte in unsern Zeiten
die Sanktion der Ehe durch Religion überflüssig sein?
In unsern Zeiten, wo die Ausschweifungen so mäch=
tig um sich greifen, wo man von abscheulichen La=
stern mit Lächeln spricht, wo sich ein leichtsinniger
Mensch unterstehen darf, sich seiner Galanterien zu
rühmen, und doch noch auf den Namen eines gu=
ten Mannes Anspruch zu machen, wo elende Ro=
manen= und Komödienschreiber die allerverworfen=
sten Principien mit süßen Vehikeln den Herzen un=
vorsichtiger Leser einflößen, wo man die Libertinage
auf Grundsätze gebracht zu haben glaubt, wo wir
wohl

(510)

wohl gar von sogenannten Philosophen sagen hören:
"ich kann meinem Herzen nicht gebieten"; wo jeder
an den Sitten stümpert, ohne zu bedenken und vielleicht ohne zu ahnden, daß Gewohnheiten und Sitten mächtiger, als Gesetze, auf den Geist des Volkes würken; wo man, ohne die Schande zu fühlen,
von altväterischer Ehrlichkeit spricht, wo es die
Dame allenfalls mit dem Fächer bestraft, wenn jemand in einem Epigramm statt punica fides Wei-
bertreue setzt; wo fast keine vaterländische Sitte
mehr übrig ist, die von französischen Alfanzereien
noch verdrängt werden könnte — in unsern Tagen
sollte es überflüssig sein, für äußerliche Heiligkeit
der Ehe zu sorgen; und sollte man hoffen, daß die
innere durch Gewohnheit, Tradition, u. s. w. bleiben werde?

Die Ehe unterscheidet sich überdies durch ihre
eigenthümliche Natur von jeglichem andern Vertrage, und macht eben dadurch eine größere Sanktion nothwendig. Bei jedem andern Vertrage ist
es gewöhnlich jeglichem Theile leicht, die von dem
andern erlittene Kränkung seiner Rechte zu beweisen; die Obrigkeit kömmt dem Beleidigten zu Hülfe, und zwingt den Ordnungsstörer zur Genug-
thuung. Wer daher auch nicht durch sein Gewissen
getrieben wird, sein Versprechen zu erfüllen, muß
wenigstens den Arm des Richters fürchten. Ganz
anders bei dem ehelichen Verhältnisse. Wie kann
der eine Gatte alle die kleinen und großen Kränkun-

gen,

(511)

gen, die er von dem andern leidet, vor den Rich=
ter bringen? Wie kann sich die Obrigkeit auf das
kleinste Detail der Wirthschaft und der Familienan=
gelegenheiten einlassen? wie kann sie den Beleidi=
ger strafen, ohne dem Beleidigten zugleich hart zu
fallen, da ihre beiderseitige Wohlfarth in Eins zu=
sammenschmilzt? — In die Begegnung der Gat=
ten gegen einander, in die Kinderzucht, in die Ein=
richtungen des Hauswesens kann sich die Obrigkeit
niemals mischen, ohne durch ihren Beitritt alle
häusliche Glükseligkeit zu verscheuchen. Alles, was
kein Gegenstand der Gesetzgebung werden, und den=
noch höchst wichtig sein kann, bleibt dem Gewissen
der Gatten überlassen. Und da ist es wahrlich doch
für die Summe des Glüks bei einem Volke kein
kleiner Gewinn, wenn die religiöse Sanktion der
Ehen die Vorstellung erhält, daß Gott die Unver=
letzlichkeit derselben fordert. Vornehmlich zeigt die
Religion ihre mächtige und wohlthätige Wirkung,
wenn unglükliche Zufälle die eheliche Glükseligkeit
verbittern; wenn sie dann den niedergeschlagenen
Gatten tröstet, den murrenden zur Geduld, den
verzagten zum Muthe erwekt. — Ich habe im er=
sten Theil meines Lesebuchs für alle Stände
eine Anekdote erzählt*), für deren Wahrheit ich bür=
ge, die ich aber nicht besser erfinden könnte, um
das, was ich eben gesagt habe, mit einem Beispiele
zu belegen. Wer kann es ohne Rührung lesen,

wenn

---

*) Hohe Tugend in einer niedern Hütte.

(512)

wenn die edle, fromme Frau sagt: "es ist mein
Mann: ich habe ihm vor den Augen Gottes
gelobt, ihm treu zu sein in Glük und Unglük?

Eine andere Betrachtung, die ich hier bloß anführen kann, die ich aber wohl von einem Manne,
wie etwa Möser, ausgeführt zu sehen wünschte,
ist die: daß gerade die eheliche und die daraus entsprin-
gende Familienverbindung diejenige ist, die am Ende den ganzen Staat zusammenhält. Je schlaffer
und dünner diese Bande werden, desto mehr verschwindet der Enthusiasmus der Bürger für das Vaterland. Freilich treibt auch Größe der Seele und
erhabnes Wohlwollen edle Männer zur anmittel-
baren Liebe des Staates an; aber den allermeisten
ist das Vaterland doch nur deswegen theuer, weil
sie durch die Bande des Bluts und des Herzens daran gefesselt werden; nicht der Boden, wo sie geboren wurden, nicht die Obrigkeit, die ihnen die ersten Gesetze gab, sondern Vater und Mutter, Gat-
tin und Kind, Brüder und Verwandte bestimmen
ihr Vaterland. Wieviel muß daher dem Staate,
der den Werth des Patriotismus kennt, daran liegen, diese natürlichen und ersten Bande zu heiligen;
und wie könnte er das kräftiger, als durch die Religion? Was kann sich die Regierung von der Treue
dessen versprechen, der nicht seinen allernächsten Verhältnissen treu ist? Leider wird aber dies von den
Staaten so oft verkannt! Giebt es nicht hie und da
Gesetze, die wo nicht unmittelbar, doch auf eine
ent-

(513)

entferntere Weise, gerade umgekehrt, die Wirksamkeit für das Ganze auf die Trennung der Familienverhältnisse bauen wollen. Mich dünkt, daß bei der Frage: "woher der Mangel des Patriotismus in "unsern Tagen?" eben hierauf vorzüglich Rüksicht zu nehmen wäre. Es gab Nationen, bei denen Vergehungen gegen Eltern, Brüder und Gatten als die abscheulichsten Verbrechen geahndet wurden, wo diese Verbindungen auf jede mögliche Art sancirt waren, und heilig gehalten wurden; und diese Nationen hatten Patrioten, die für das Vaterland — das ist für die geliebten Eltern, Gatten, Kinder, Freunde, und die ihnen allen wohlthätige mit ihnen allen genau verbundene Gesellschaft — starben!

Aus diesem allen schließe ich: die Ehe ist, wegen ihrer besondern Natur, und wegen ihrer vorzüglichen Wichtigkeit allerdings mehr zu sanciren, als irgend ein anderer bürgerlicher Vertrag; und wenn auch sonst nirgends Sanktion durch Religion in dem gemeinen Wesen nöthig gefunden würde — wie es doch bei eidlichen Versicherungen geschiehet — so würde solche bei dieser noch immer höchst wichtig bleiben.

Zweitens: Weil nach der Meinung des Verf. die übrigen Gesetze des Staates nicht durch die Religion sancirt werden, und es doch gut wäre, wenn sie alle es würden; so soll auch das eine, welches bisher noch durch Religion sancirt ward, diese Sanktion verlieren. Diese Forderung kann beim

(514)

erſten Anblik nicht anders, als auffallend ſein, und
ſie iſt mir es auch bei einer näheren Unterſuchung
geblieben. Freilich würde der unaufgeklärte Bürger
ſich gewöhnen "das Ehebündniß anderen Verträgen
gleich, die andern ihm gleich zu denken; man würde
es nicht anſtößig finden, daß ein wichtiges Geſetz
ohne Begleitung der Geiſtlichkeit ſei"; aber man
würde eben deswegen auch weniger anſtehn, jenes
zu verletzen, wie der leichtſinnige Theil des Volks
dieſe verletzt, ſobald es geſchehen kann, ohne die
Ahndung der Obrigkeit zu beſorgen. Denn, anſtatt
es denkbar zu finden, daß auch ohne jene Begleitung
etwas heilig ſei; würde man nun lieber alles bloß
für Vorſchrift der Obrigkeit halten, die nur ſo lange
beobachtet werden dürfte, als man befürchten müßte,
im Uebertretungsfalle bürgerliche Strafen zu fühlen.
Denn die Obrigkeit mag thun was ſie will; der end-
liche Zügel, der das Gemüth des großen Haufen
lenkt — und ohne den auch oft genug die Tugend
des Aufgeklärteſten in Gefahr iſt — bleibt doch
die Ueberzeugung: daß ein Allwiſſender und Allmächtiger einen ewigen Unterſchied zwiſchen Recht und
Unrecht feſtgeſetzt hat. Viele der wichtigſten Gegenſtände des Lebens können und müſſen gar nicht Gegenſtände drr Geſetzgebung werden; und der Geſetzgeber kann nur Vergehungen ahnden, die ihm ſichtbar werden, und den Verbrecher ſtrafen, wenn er
ihn in ſeiner Gewalt hat. Die Religion wirkt dagegen, — wo ſie wirkt — auf alles und überall!

Einem

(515)

Einem so helldenkenden Kopfe, als sich der Verf.
jenes Vorschlaags zeigt, konnte dies ohnmöglich entgehen; daher wünscht er auch mit so vieler Wärme,
daß doch die Gesetze des Staates alle durch Religion
geheiligt werden möchten. Nur dünkt mich, sollte
er eben deswegen sich freuen, daß doch ein so höchst
wichtiges Verhältniß des Lebens als es das Ehebündniß ist, durch Religion geheiligt wird; und sollte
Vorschläge thun, wie auch die übrigen eine nähere
und unmittelbarere Sanction erhalten könnten.
Denn, wenn jetzt diesem einen noch die äußere Heiligkeit entzogen, und sie über lang oder kurz doch allen, folglich auch diesem einen, wiedergegeben werden sollte; so thäten wir ja doch durch die jetzige
Aufhebung der schon vorhandenen Sanktion — zum
mindesten eine vergebliche Arbeit. Soll das Volk
zu der Ueberzeugung gelangen: daß alle Staatsge-
setze durch die Religion geheiligt werden; so muß es
darauf geleitet werden, und wer es darauf leitet, ist
Religionslehrer, er mag Prediger heißen oder nicht;
— und wird denn nicht in der That eben dies sowohl auf der Kanzel, als in dem Privatunterrichte
der Jugend, von den Predigern gelehrt? und kann
denn der Prediger nicht bei diesem Unterrichte dem
schädlichen Schlusse, gegen den der Verf. so große
Vorkehrungen für nöthig findet, vorzubeugen bemühet sein?

Daß das Predigen und Lehren jetzt nicht viel
fruchtet, ist leider wahr; aber es ist auch ungegrün-

det,

(516)

det, daß, wie der Verfasser sagt, keine praktische,
fürs Menschenglük brauchbare, zum Menschenglük
wirksame, ty die menschliche Gesellschaft eingreifende
Religion da ist.   Ich weiß nicht, wo der Verf. lebt,
zu welcher Religion er sich bekennt, und auf welche
Thatsachen er seine Behauptungen stüzt.   Ich kenne Religionslehrer genug, die praktische, fürs Menschenglük brauchbare Religion predigen; und ich würde heute einen andern Stand wählen, wenn ich nicht
durch Thatsachen überzeugt wäre, daß nicht alles
Predigen, und vornehmlich nicht der Unterricht der
Jugend vergeblich ist.   Freilich ist indessen zu besorgen, daß durch beides in Zukunft noch immer wen-
ger wird ausgerichtet werden; wenn man ferner so
kräftige Maßregeln anwendet, die ersten Grundsätze
der Moralität wankend zu machen, den Werth der
Religion herabzusetzen, und unter dem Namen der
Aufklärung *) die Köpfe und Herzen der Menschen zu verwirren. —

    Wenn die Einmischung des Geistlichen bei den
Ehebündnissen den meisten lächerlich wäre, wie der
Verf. ebenfalls behauptet; so wäre es freilich desto
schlimmer für die menschliche Gesellschaft ; denn,
wem es lächerlich sein kann, bei einer Handlung,
                                                   von

---

*) Was ist Aufklärung? Diese Frage, die beinahe
   so wichtig ist, als: was ist Wahrheit, sollte doch
   wol beantwortet werden, ehe man aufzuklären anfinge! Und noch habe ich sie nirgends beantwortet
   gefunden!

(517)

von der das Glük und Unglük des ganzen Lebens abhängt, an Gott erinnert zu werden, mit dem müßte
man sich billig hüten, irgend ein ernsthaftes Geschäft
gemeinschaftlich zu betreiben. — Und manchem sollte
es sogar so anstößig sein, daß er lieber gar nicht in
den Ehestand tritt? — Ich zweifle, daß sich ein Fall
zum Beweise anführen ließe; hätte es aber wirklich
jemand gegeben, der schwach genug gewesen wäre,
sich deswegen nicht zu verehlichen, weil er sich müßte
trauen laßen; so würde hoffentlich jeder Vernünftige mit ihm Mitleid haben. Allgemeine Landessit-
ten, die an sich wenigstens nichts schändliches haben,
anstößig finden, und sich denselben entziehen, mag
Größe des Geistes dünken, wem es will, — es ist
doch nichts mehr und nichts weniger, als lächerliche
Pedanterei! Allein es gehört mit zu dem Charakter unserer Tage, etwas darin zu suchen, daß man
sich von andern auszeichnet.   Zöllner.

Ueber den Vorschlag die Geistlichen nicht mehr bei den Ehen zu bemühen.

(An Herrn Hofprediger Sack in Berlin.)

Sie forderten mich neulich auf, über den in der Berlinischen Monatsschrift (Sept. v. J.) eingerükten Aufsatz: "Vorschlag, die Geistlichen nicht "mehr bei Vollziehung der Ehen zu bemü= "hen" meine Gedanken anzusetzen. Sie glaub= ten, man würde über diese Sache am liebsten die Meinung eines Nichtgeistlichen hören. Es schien uns auch dieser Vorschlag noch einige schwache Sei= ten zu haben, welche Herr Pr. Zöllner in seiner Beantwortung (Dec. 5.) nicht berührt hatte; und so finde ich es auch bei genauerer Untersuchung. Ich erfülle also mein Versprechen.

Herr

(237)

Herr Z. hat hauptſächlich nur zeigen wollen:
daß 1) die religiöſe Sanktion der Ehe für die eheliche Verbindung ſelbſt, ſo wie für das Wohl der
ganzen bürgerlichen Geſellſchaft, von dem größeſten
Nutzen ſey, und 2) keinem andern Vertrage eine
größere Heiligkeit zuwachſen würde, wenn man dieſer Verbindung einen Theil der ihrigen entzöge;
und dieſes, dünkt mich, hat er auch hinlänglich
dargethan.   In der That iſt auch die Ehe ein Vertrag von einer ganz andern Beſchaffenheit, als andere bürgerliche Verträge.   Bei dieſen ſind Rechte
und Verbindlichkeiten größtentheils durchaus beſtimmt; bei jenem hingegen müſſen ſie faſt allein der
Gewiſſenhaftigkeit derer, die den Vertrag eingehen,
überlaſſen werden.   Wodurch kann aber dieſe Gewiſſenhaftigkeit ſicherer, als durch feierliche vor Gott
gethane Zuſagen bewirkt werden? Betrachtet man
die Trauungs-Ceremonie in dieſem Lichte, und ſieht,
mit welcher Wärme der Verfaſſer ſich über den
Werth gottesfürchtiger Geſinnungen erklärt; ſo
muß es wunderbar ſcheinen, wie er ſie ſo äußerſt
falſch habe beurtheilen können.   Doch der Aufſatz
ſelbſt giebt darüber Aufklärung.   Das Anſtößige
mancher Liturgien, und des Verfaſſers Meinung von
dem Urſprunge der prieſterlichen Einſegnung ſind
es ohne Zweifel, was ſie ihm in dieſes nachtheilige
Licht geſtellt hat.   Allein jenes iſt offenbar etwas
außererweſentliches, das ſchon unter uns zum Theil
verbeſſert iſt, und, wo es ſich noch findet, verbeſſert

                                       werden

(238)

werden kann; daß aber der Grundsatz der römischen
Kirche, die Ehe sei ein Sakrament, die Trauungs-
Ceremonie veranlaßt habe, ist der Geschichte entgegen. Die priesterliche Einsegnung ist älter als
jenes Dogma. Anfangs wurden die Verlobten
vor Schließung der Ehe priesterlich eingesegnet;
auch findet man Spuren, daß andre bürgerliche
Verträge, als Kauf, Schenkung auf solche Weise
geheiliget worden sind; ja, nachdem die Trauung
schon allgemein eingeführt worden war, hat die
Gültigkeit der Ehe, nach den allgemeinen Grundsätzen der römischen Kirche, nicht einmal von ihr
abgehangen; obgleich besondre Satzungen eines Or-
tes oder Landes hierin eine Aenderung gemacht haben können. Das Sakrament war nach diesen
Grundsatzen der einzige Grund der Unverletzlichkeit
des ehelichen Bundes; und hiezu war nichts weiter
erforderlich, als die wechselseitige Erklärung der
Verlobten, sich nunmehr zu Ehegatten anzunehmen. Wer die Lehre des kanonischen Rechtes von
den Sponsalibus de præsenti kennt, kann hieran nicht
zweifeln; und erst das tridentinische Koncilium fand
nöthig, die Gegenwart des Pfarrers und einiger
Zeugen, als eine nothwendige Solennität hinzuzu-
fügen; aber nur die bloße Gegenwart, nicht die
Einsegnung. Statt andrer Gewährsmänner führe
ich Ihnen unsre beiden großen Kanonisten an, den
ältern und jüngern Böhmer, ersteren im Jure ecclel.
Protest. Tit. de clandestina desponsatione, und letzteren

ren in seinen principiis juris canon. Tit. de contra=
kendo matrimonio.   Durch die Kirchengesetze wur=
den darauf, sowohl die Erklärung der Verlobten,
als die Trauung vorgeschrieben; allein nur der Man=
gel an jener zog die Ungültigkeit der Ehe, die Un=
terbleibung der letzteren aber nur eine Strafe nach
sich.   Aehnliche Fälle sind nicht selten, und unsre
eignen Gesetze geben uns einen an die Hand.   Ge=
wisse Kontrakte müssen schriftlich verfaßt, und ge=
stempelt werden; aber die Schrift allein giebt dem
Kontrakt seine Gültigkeit, der Stempel kann unbe=
schadet derselben fehlen; sein Mangel wird ersetzt,
und mit einer Geldstrafe belegt.

Es hat also die Trauung, die nunmehr fast in
allen protestantischen Ländern zur Gültigkeit der
Ehe erfordert wird, den abergläubischen Ursprung
gar nicht, den der V. ihr beilegt; und von allem
Anstößigen gereiniget, ist sie nichts, als eine feier=
liche Anrufung Gottes und Erwekkung religiöser
Empfindungen; und wer kann diese bei einer der
allerwichtigsten Handlungen des Lebens überflüßig
oder anstößig finden? — Der Verf. sagt selbst:
"es ist bekannt, daß Religion fast noch das
"Einzige ist, womit man den gemeinen Mann
"fassen kann, zumal bei dieser Erschlaffung,
"dieser Halbweisheit, dieser Ueppigkeit." —
Den gemeinen Mann?   Giebt es denn für ir=
gend jemand, da wo es auf Gewissenhaftigkeit
ankömmt, ein anderes, oder wenigstens ein festeres
                                        Band?

Band? Alle Gesetzgeber haben dies erkennt; und
nicht nur die Ehe, sondern auch andre wichtige Verbindungen und Handlungen sind mit Hülfe der Religion feierlicher und heiliger gemacht worden.
Denn was sind Eide? Was ist die Huldigung,
welche das Band zwischen Unterthanen und Regenten fester knüpfen soll, anders als feierliche Zusagen
vor Gott? und wollen wir diese auch abschaffen?
Es ist freilich nöthig solche Religionsgebräuche nicht
bei den täglichen Geschäften gleichsam zu verschwen-
den, da nach der Natur der Menschen die Gewohnheit auch die stärksten Eindrücke schwächt.

Der Verfasser jenes Aufsatzes wünschet, daß
die Religion noch mehr als jetzt mit der Gesetzgebung verbunden werde, und verspricht sich mit Recht
davon die glückseligsten Folgen. Man kann es ihm
gern verzeihen, wenn er diese schwere Aufgabe nicht
vollständig lösen kann; aber auffallend ist es, ihn,
statt aller Mittel zu diesem großen Zwekke, gerade
nur die Abschaffung einer gottesdienstlichen Feierlichkeit, und die Einführung des Konkubinats, das
ist der Ehe ohne Trauung, vorschlagen zu sehen.
Wird denn der Konkubinat, weil die Trauung ihm
fehlet, treuer gehalten werden, als heut zu Tage
die Ehe? Oder wird nicht Gewissenlosigkeit in dieser Verbindung nun noch weiter einreißen? —
Doch der V. läßet sich hierauf nicht ein; er behauptet nur: diese natürliche Ehe würde nicht mit so
großem Aufwande für den unbegüterten Mann

von

von Stande verknüpft sein, man würde sie aus
Furcht vor Nahrungssorgen nicht scheuen dürfen;
und so werde beides, Familienglük und Bevölkerung, befördert werden, und letztere besser, als durch
Aufnehmen fremder Kolonisten.

So wie die Sachen jetzt stehen, da das Gesetz
den Konkubinat nur duldet, nicht gut heißt, und
die Denkungsart der Bürger demselben eine Art
von Makel anhängt; gebe ich zu, daß der Aufwand
in demselben geringer sein könne, als er oft in der
Ehe sein muß, weil der Mann seine Konkubine
und deren Kinder nicht eben so halten und erziehen
darf, als wenn sie seines Standes wären und seinen Namen führten. So bald aber der Konkubinat für rechtmäßig erklärt wird, ändert sich alles.
Anfänglich zwar dürfte noch die ehemalige Geringschätzung auf demselben haften, ob ihn gleich das
Gesetz gut heißt. Allmählig aber wird er eingeführt, die Verachtung verliert sich; man lernt ihn
der Ehe gleich schätzen. Nicht so das Gesetz; dieß
begnügt sich, ihn wie einen andern Kontrakt gelten
zu lassen; es ignorirt, sagt der V. die Heirath,
und versagt ihm übrigens die Rechte der Ehe; die
Kinder und die Frau sollen den Stand und Namen des Mannes nicht haben, und erstere ihn nicht
gleich ehelichen Kindern beerben. Es entsteht also
ein Widerspruch zwischen Gesetz und Volksmeinung.
Aus Liebe zur Frau und zu den Kindern will der
Mann und Vater sie, die nach der natürlichen Em-

(242)

pfindung ihm gleich sind, an seinen Vorzügen, wenigstens bei seinem Leben, Theil nehmen laßen; und
den übrigen Gliedern seines Standes fehlt der Vorwand, diese rechtmäßig erzeugten Kinder und ihre
Mütter von ihrem Umgange auszuschließen. Was
ist die Folge? Es wird so viel auf den Unterhalt
der Konkubinen und ihrer Kinder gewendet werden,
als jetzt eine Ehegattin und eheliche Kinder kosten.
Am Ende kommen wir also wieder dahin, wo wir
jetzt stehen, ohne etwas gewonnen zu haben, als die
Freiheit, uns nicht von einem Geistlichen trauen zu
laßen, oder mit andern Worten, Gott bei unsrer
Zusage nicht auf eine feierliche Weise zum Zeugen
anrufen zu dürfen.

Der Verfasser stellt uns noch, um seinem Vorschlage mehrern Eingang zu verschaffen, das Beispiel der nachgebornen Söhne brittischer Lords vor,
welche nicht den Stand ihres Vaters erben. Aber
kaum hätte ein Beispiel unglüklicher gewählt werden können. Denn geschweige, daß diese nachgebornen Söhne Recht und Antheil an dem Adel des
väterlichen Geschlechts behalten: so kann ein solcher
Lord auch ohne peinliche Empfindung seine jüngern
Kinder in einem niedrigern Stande sehen. Dieser
niedrigere Stand darf den höheren nicht um seine
Vorzüge beneiden; er besitzt andern fast noch reel-
leren Einfluß in die Gesetzgebung, Mittel, zu Reich-
thümern zu gelangen, und die Aussicht, durch Glük
oder Verdienste sich ungehindert zu den höchsten
                                              Wür-

Würden aufschwingen zu können. Aber alles dieses
verhält sich nach unsrer Verfassung anders. — Uns
wird nicht sicherer geholfen werden, als wenn der
Ueppigkeit gesteuert, und der Aufwand eingeschränkt,
d. i. in ein richtiges Verhältniß mit den Erwerbs-
mitteln gebracht wird. Dann wird keiner die Ehe,
auch mit der Trauung scheuen, die Ehen werden
zunehmen; der Staat wird stärkere und bessere Bevölkerung aus sich selbst erhalten, und auch der Zulauf aus der Fremde wird einem Lande nicht fehlen,
wo man in jedem Stande sein Auskommen für sich
und die seinigen finden kann.

M. den 2ten Januar 1784.

Graf v. F—n.

(388)

Ueber den Unterschied einer chriſtlichen und bürgerlichen Ehe.

Vor Zeiten'gab es nur Eine Art von Ehen *); und man verſtund darunter eine ſolche Verbindung, die einer nach den Geſetzen der Kirche und des Staats, deſſen Mitglied er war, vollzogen hatte. Nachher aber hat man dem Vortrage zu gefallen, oder aus Mangel eines andern Ausdruks, dieſes Wort weitläuftiger gemacht, und nicht allein diejenige Verbindung, welche bloß nach den Geſetzen der Kirche und nicht nach den Geſetzen des Staats vollzogen war, eine Ehe genannt, ſondern auch in dem Rechte der Natur von Ehen geſprochen, und die beſondere Verbindung, worinn die Kinder bloß der Mutter Namen und Vermögen erben, oder wie unſre Vorfahren ſprachen, na der Morgan, (nach der Mutter gehen) woraus die Lateiner das Matrimonium ad Morganaticam gemacht haben, eine Ehe zur linken Hand genannt. Dieſe Vermiſchung rührt vornehmlich daher, daß der Staat alle diejenigen Ehen, welche unter gewiſſen Vorſchriften in der chriſt=

---

*) Das Wort Ehe kommt von dem altdeutſchen Worte Eh oder Ewa Geſetz, und faßt den Begrif der Geſetzmäßigkeit in ſich.

(389)

christlichen Kirche vollzogen werden, entweder ausdrüklich oder stillschweigend für bürgerlich gültig er-
kennet, und der Kürze halber dem dazu bestelleten
ordentlichen Pfarrer die Macht überlassen hat, zwo
Personen nicht allein kirchlich oder christlich, sondern
auch mit bürgerlicher Würkung zu verbinden.

Hieraus sind aber verschiedene Verwirrungen
entstanden, die wohl verdienen auseinander gesetzet
zu werden. Die kirchliche Ehe ist immer noch von
der bürgerlichen unterschieden; und jene führt bei
weitem nicht in allen Fällen alle die Folgen mit sich,
welche beide zusammen würken. Man wird solches
am besten aus folgenden Beispielen beurtheilen.

Wenn zwo Personen sich, wie es oft geschieht,
als Vagabunden oder pro vagis kopuliren lassen: so
sind sie unstreitig christlich verbunden, und leben in
einer kirchlich rechtmäßigen Ehe. Allein sie können
nun nicht aus dem Stande der Vagabunden, welchen sie erwählet haben, zurüktreten, ohne von irgend einer Landesobrigkeit als Unterthanen aufgenommen zu werden. Geschieht dieses, so erhält
dadurch die kirchliche Ehe das Siegel der bürgerlichen Gültigkeit. Geschieht es nicht: so bleiben sie
Wildfänge, der überlebende Theil kann sich so wenig auf ein kaiserliches Recht als auf ein Landrecht
beziehen; und die Kinder können ihre Eltern nicht
beerben. Die kirchliche Ehe ist folglich hier ohne alle
bürgerliche Wirkung.

            Eben

(390)

Eben so verhält es sich mit denen, die sich zwar
nicht als Vagabunden, aber doch auch nicht von dem
von der Obrigkeit dazu gesetzten Pfarrer, oder mit
dessen oder der Obrigkeit Erlaubniß von einem andern kopulirten lassen. Dem fremden Pfarrer hat
die Obrigkeit nie das Recht übergeben, zween Ehe-
leuten alle bürgerlichen Rechte mitzutheilen; und so
kann dieser ihnen nur die kirchlichen geben. Ihre
Beiwohnung ist Pflicht und ohne Sünde, ihre
Kinder sind kirchlich echt; aber in Ansehung des
Witthums und der Erbfolge kömmt ihnen weder
Land noch Stadtrecht zu statten, und wo sie nicht
irgendwo als Unterthanen aufgenommen werden,
leben sie im Stande der Verbiesterung. *) Die
Obrigkeit, worunter sie leben, kann sie als Wildfänge beerbtheilen.

Unsre Eigenbehörigen leben bis auf diese Stunde bloß in der kirchlichen und nicht in einer bürgerlichen Ehe. Ihre Kinder erben von ihnen nichts,
und

---

*) Verbiestern ist soviel als herrenlos werden, und
   sonach als ein bonum vacans dem Landesherrn heim-
   fallen Man sagt es von Menschen und von Vieh,
   wie auch von Deichen und Häusern, die der Eigenthümer verlassen hat. Ein verbiesterter Mensch ist
   daher zugleich ein Wildfang, albanus oder aubain.
   Der albanus unterscheidet sich von dem forbanus,
   forban, darinn: daß dieser des Bannes oder Schutzes
   verlustig erkläret ist, jener hingegen, des Schutzes zu
   dem Preise genießt, daß ihn die Landesherrschaft
   nach seinem Tode beerbt.

(391)

und die Leibzucht *) des Mannes oder der Frau ist
keine bürgerliche Würkung der Ehe, sondern der
dem Gutsherrn bezahlten Auffahrt. **) Die Freien,
welche in einer Hode ***) stehen, sind in gleichen
Umständen; ihr Recht hängt von dem durch die
Schußurkunde ****) abgelösten Sterbfall ab, und
man kann es nicht als eine bürgerliche Würkung ihrer Ehe ansehen, daß ihre Kinder von ihnen erben,
und ihre Witwen ein gewisses in jeder Hode bestimmtes Recht haben.   Sobald sie die Schußurkunde versäumen, würkt die kirchliche Ehe jenes
nicht.   Alle dergleichen bloß kirchlich oder christlich
verbundene Leute hinterlassen keine Witwen, sondern nur Relikten.   Denn um Witwe zu werden,
mußte man bei den Römern und bei den Deutschen in einer nach kirchlichem und bürgerlichem Rechte vollkommenen Ehe gelebt haben.   Wie aber das
Wort Ehe allgemeiner ward, hieß man ihre Relikten auch Witwen.   Aber nun nahm auch der Adel
den Titel von Douarieren an; und die Notarien er-
sanden christ adeliche Ehen, um damit das Wort
Ehe, welches zu weitläuftig geworden war, zu einer neuen Bestimmung zu stempeln.   Eben so hatte
er sich lange vorher echte Hausfrauen zugelegt,
                    Bb 4   weil

---

*) Leibzucht ufusfructus vitalitius.
**) Auffahrt landemium.
***) Hode, Hut, Obhut, oder Schuß: protectio vel ad-
     vocatia specialis.
****) Schußurkunde recognitio hujus protectionis.

(392)

weil es auch Hausfrauen gab, die nicht echt waren,
das heißt, die bloß in einer kirchlichen Ehe ohne bür=
gerliche Würkung lebten.

So deutlich hieraus hervorgeht, daß der Unter=
schied zwischen einer kirchlichen und bürgerlichen Ehe
sehr gegründet sei: so sehr ist es zu verwundern,
daß man in den Lehrbüchern hierauf fast gar nicht
mehr fußet, und immer die christliche Ehe mit der
bürgerlichen vermengt, da es doch klar vor Augen
liegt, daß der Gesetzgeber sich jenes Unterschiedes
nützlich bedienen, und damit den unerlaubten Ko=
pulationen ein ewiges Ziel setzen könnte. Denn die
Kirche mag dann immerhin ihr Recht, daß dasjeni=
ge, was sie einmal verbunden habe, auf ewig ver=
bunden sei, behaupten. Der Staat darf den kirch=
lich Verbundenen nur die bürgerliche Würkung der
Ehe weigern: so müssen diese entweder das Land
räumen und sich anderwärts als Unterthanen auf=
nehmen lassen, um die bürgerliche Würkung ihrer
Ehen zu erhalten, oder wo sie geduldet werden, als
Wildfänge, die von ihm beerbet werden, ihr Ver=
gehen büßen.

Unstreitig hat es auch in der Verfassung unsrer
Leibeigenschaft manchen Fehlschluß veranlasset, daß
wir die christlichen Ehen der Leibeignen als vollkom=
mene Ehen angesehen haben. Unter leibeignen El=
tern und Kindern ist zwar eine christliche Verwand=
schaft, aber keine bürgerliche, wenigstens hatten sie
vordem nicht den geringsten Vortheil von der letz=
ten;

(393)

ten; Eltern und Kinder, Schwestern und Brüder
beerbten sich im eigentlichen Verstande nicht. Sie
zeugen keine Genossen des Staats; und ihre Kinder sind Wildfänge, so bald sie frei gelassen sind,
und keinen neuen Schutz nehmen. Sie haben keine
Pflichttheile von ihren Eltern zu fordern, und der
Vater hat sie nicht als echter Hausvater in seiner
Gewalt. Wenn auch der alte leibeigne Leibzüchter
eine freie Person heirathet: so hat diese, was die
bürgerliche Würkung betrift, nichts mehr als eine
Konkubine zu fordern, und die aus dieser Ehe erzeugten Kinder sind den übrigen von ihrem Vater
bürgerlich unverwandt. Gleichwohl schließen wir
bei ihnen oft aus den Rechten, welche nur für
christ-bürgerliche Ehen eingeführet sind, und ver-
wechseln aus Menschenliebe den Menschen mit dem
Bürger; woraus denn nichts wie Ungewißheit der
Rechte entsteht.

Legten wir aber bei einer neuen Gesetzgebung
wegen der Ehen, jenen Unterschied zum Grunde:
so glaube ich, daß wir vielen Schwürigkeiten, welche bisher die Sache verwikkelt haben, ausweichen
könnten. Traurig ist es zu hören, daß es noch Ehe-
prozesse in der Welt giebt. Man sollte denken, diesen einzelnen Zweig hätten die vielen Bemühungen
der philosophischen Gesetzgeber doch endlich so weit
bringen müssen, daß garkein zweifelhafter Fall darinn mehr vorkommen könnte. Allein die Verlas-
sung jenes Unterschiedes, wodurch die Kirche unnö-

Bb 5　　　　　　　　　thiger

(394)

thtger Weise mit dem Staate in Kollision gebracht
wird, und die wenige Hoffnung, welche die weltliche Obrigkeit gehabt hat, hier eine Vereinigung zu
treffen, hat es in den mehrsten Staaten immer verhindert, die Ehegesetze vollständig zu machen. Läßt
sie aber der Kirche, was der Kirche ist, und geht
bloß auf die bürgerliche Würkung der Ehe: so ist es
allemal in ihrer Macht durch eine Nichtduldung
oder Landesverweisung diejenige Ordnung zu erhalten, welche das gemeine Beste erfordert.

Möser.

Von den Militärehen der Engländer.

Die Engländer dulden in ihren Armeen keine ledige Weibspersonen; dagegen aber können sich ihre
Soldaten ein Weib vor der Trommel geben lassen,
und sich auch so wieder von ihnen scheiden. Diese
besondre Art der Militärehen hat unstreitig sehr viel
gutes, in Vergleichung mit dem sonst gewöhnlichen
größern Uebel. Der Soldat schützt sein Weib, mit
der ihn der Tambour kopulirt hat, gegen jeden andern; und man hat weniger Beispiele von solchen
als von andern gebrochenen Ehen. Ja es haben
mich

mich mehrmals die englischen Offiziere versichert, daß
es hier mehr Eifersucht gebe, als in einer christlichen Ehe; vielleicht aus eben dem Grunde, warum
mancher die Untreue seiner Maitresse höher empfindet als die von seiner echten Frau.   Das englische
Soldatenweib kann mit ihres Mannes Kamera-
den in einem Zelte liegen, und keiner wagt es, ihr
etwas anzumuthen.   Der Mann macht sich ein eignes point d' honneur daraus, dieses durchaus nicht zu
gestatten; und wer es versuchen wollte, würde dafür seinen, oder wenn er klagte, des Hauptmanns
Zorn empfinden.

Wenn er ihrer müde ist: so verkauft er sie, jedoch mit ihrem guten Willen, einem andern; und
dieser schützt sie eben so wie der vorige, so daß sie
niemals verwildern kann, sondern immer ihren Vertheidiger hat.   Sobald sie niemand will, muß sie
die Armee verlassen.   Uebrigens ist der Engländer
gern Vater, und liebt sein Kind; daher es nicht leicht
geschieht, daß er ein schwangeres Weib von sich läßt,
oder für sein Kind nicht sorgt.

Ledige Weibspersonen, die sich einem jeden ohne Unterschied überlassen, sind vielfältig von der bösen Seuche angesteckt, und bringen manchen guten
Kerl ins Hospital.   Dieses hat man aber von jenen
Weibern, die von einer guten Hand in die andere
gehen, nicht so leicht zu besorgen; und dieses ist
wahrscheinlich der Grund, welcher die Engländer
gend,

(396)

genöthiget hat, diese Art der Ehen vor jedem andern Nothmittel vorzuziehen.

Vermuthlich sind sie bei ihren weiten Seereisen darauf verfallen, die echten Weiber der Soldaten mögten ihren Männern darauf nicht folgen, und diese auch dieselben allen Gefahren und allen Versuchungen nicht bloß stellen wollen. Andre Nationen haben hingegen mehr in ihrem Lande oder auf dessen Grenze gefochten, und sie kounten ihre Weiber eher mitnehmen; daher sie nicht wie der Engländer aus zween Uebeln zu wählen hatten. Mir ist es wenigstens nicht bekannt, daß irgend eine andre Nation dergleichen Militärehen öffentlich dulde, und wenn es erfordert wird, schütze. Sie sind aber allemal eine feinere Erfindung, als die öffentlichen Häuser, die in andern Ländern geduldet und geschützet werden.

Möser.

Sonderbares Gebet für verheira-
thete Frauen.

Ein angesehener Kaufmann in der Hauptstadt einer unsrer wichtigsten Provinzen lebte mit seiner gesunden und muntern Frau in einer solchen Ehe,
daß sie aus Mißvergnügen darüber endlich gericht-
lich auf eine Scheidung drang. Soviel er sich auch
ihren Gründen entgegen zu setzen bemühte, so konnte er dadurch doch bloß die Entscheidung eine Zeitlang
verzögern; und es ward zuletzt für die Gültigkeit
ihrer Klage und auf die Ehescheidung erkannt.
Aus ihrer dazwischen kommenden Schwangerschaft
entspann sich ein neuer Prozeß; der erst ganz kürzlich durch das hiesige Obertribunal in der letzten
Instanz entschieden worden. — Unter mehrern Beschwerden, welche die Frau im Ehescheidungspro-
zesse vorbrachte, war auch die: "daß ihr Mann ihr
ein Betformular gegeben (welches er ohne Zweifel
                                                selbst

(352)

selbst bloß für sie hätte aufgesetzt und drukken las=
sen), das sie jeden Abend in seiner Gegenwart her=
beten müßte; und wobei sie sich auf das Gefühl je=
der ehrlichen Ehefrau beriefe, ob die Hersagung ei=
nes solchen Gebetes ihr anders als kränkend und be=
leidigend sein könne.” Das Gebet ward hieher mit
bei den Akten eingeschikt; und es ist in der That
merkwürdig und sonderbar genug, um als Verir=
rung des menschlichen Verstandes, öffentlich zur
Schau gelegt zu werden. Es heißt, wörtlich ab=
geschrieben, wie folget:

”Andächtiges Gebet einer verehelichten
”Matron, so sie täglich bis an ihr Ende
”gesprochen.

”Allmächtiger Gott, der du das weibliche Ge=
”schlecht aus Adams Rippen, und folgends aus einem
”Beine erschaffen hast; verleihe mir gnädiglich dei=
”ne Hülfe, damit ich gegen meinen Mann und an=
”dere Personen nicht verbeinet, hartnäffig, eigen=
”sinnig, verstokt, und halsstarrig sei. Habe Ge=
”dult, liebster Gott, mit meinen weiblichen Schwach=
”heiten, Gebrechen und Blödigkeiten. Wende von
”mir ab den eingebohrnen Vorwitz, den eingewur=
”zelten üblen Argwohn, und alle eitle Einbildun=
”gen, hoffärtige Gedanken, Wankelmuth und Un=
”beständigkeiten; auch alle unordentliche Gelüsten
”und Verlangen. Nimm doch einmal von mir al=
”len närrischen Aufputz, damit ich doch nicht der
                                                      ”Welt

(353)

"Welt zum Gelächter werde. Und mache mich doch
"behutsam vor allen schändlichen Ehrabschneidun-
"gen; bewahre mich vor allem und jedem unnützen
"Geschwätz, sonderlich aber in der Kirchen; regiere
"meine Zung auf allen Orten und unnützen weibli-
"chen Zusammenkünften. Gieb mir deine Gnad,
"daß ich gegen einen jeden Menschen, absonderlich
"gegen meinen lieben Mann, welchen mir deine
"göttliche Vorsichtigkeit aus Gnaden beigelegt, nicht
"falsch, hinterlistig, tükkisch und mokkisch sei. Ver-
"schaffe mir auch deinen himmlischen Beistand, daß
"ich mich nicht mürrisch, verstokt und feindselig ge-
"gen obgemeldten meinen lieben Mann erzeige;
"seine Freunde und Freundinnen in aller Zufrieden-
"heit christlich bewillkomme; daß ich gegen ihn das
"Maul nicht hänge, poche, oder sonst wie ein Pol-
"tergeist im Haus mich aufführe; des Nachts Ruhe
"gebe; und, soviel möglich, alles Hauswesen mit
"Manier und aller Ehrbarkeit regiere, richte und
"schlichte. Gieb, daß ich jederzeit ganz ehrbar und
"nüchtern, sanft und mild, still und verschwiegen,
"treu und beständig, fromm und geduldig, emsig
"und häuslich, redlich und wahrhaftig, dankbar
"und erkenntlich sei. Nicht mein, o Gott, sondern
"dein, und nach deinem, auch meines Mannes Willen
"in allem und jedem geschehe! Letztlich verleihe mir
"auch, daß ich meinen Mann nicht zu meinem Un-
"tergebenen verlange. Lasse mich nicht auf diese
"teuflische Gedanken kommen, daß ich wohl um den

(354)

„Himmel einen beſſern Mann verdienet; ich bin
„einmal, o Herr, dieſes meines Mannes, den ich
„habe, nicht wehrt. Dieſes ſind nur hölliſche An-
„fechtungen, wovon du mich gnädiglich befreien
„wolleſt. Endlich gieb, o Herr, daß ich dieſen
„meinen Mann unter die beſten Dinge der Welt
„zähle, für mein koſtbarſtes Kleinod halte, ihn als
„meinen Herrn, ehre und verehre bis an mein En-
„de. Amen!"

Ich muß nur noch ſoviel zur Berichtigung anführ-
ren, daß die Vermuthung der Frau, als ſei ihr
Mann ſelbſt Verfaſſer des Gebets, nicht die Wahrheit trifft. Man ſieht ſchon aus dem Titel, daß es
ein älteres ſchon anderweitig gebrauchtes Werk ſei.
Und ſo iſt es auch. Ein Freund, der mehrere ſonderbare Auswüchſe des menſchlichen Geiſtes, beſonders in Religionsſachen, in den katholiſchen Ländern
geſammelt hat, zeigte mir ſchon vor einiger Zeit das
nehmliche Gebet in einem ältern Abdrukke auf 2 Ok-
tavblättern. (Das bei den Akten liegende Exemplar iſt
auf 2 Duodezblättern gedrukt.) Jene Ausgabe führt
dieſen vollſtändigen Titel:

Wahrer Auszug eines geiſtreichen Gebets aus
denen Werken des Wohlehrwürdigen, nunmeh-
ro in Gott verſchiedenen, weltberühmten Pa-
tris Abraham a Sancta Clara Auguſtiner
Barfüßer Ordens, mit vorläufiger Cenſur zweier
Theologorum approbiret von dem Hochehrwür-
digen

digen Herrn Patre Aegidio a Sancto Gre-
gorio, wohlbemeldten Ordens Provinciali.

Man erkennt auch sofort den oberdeutschen
Stil, z. B. gleich Anfangs: folgends statt folglich; Bein statt Knochen.   Noch mehr aber erkennt
man den katholischen Mönchssinn darin, der
die eine Hälfte des menschlichen Geschlechts herab-
würdigt, und kalt gegen die natürlichsten Empfindungen der Liebe und der Ehe ist, welche Gleichheit verlangen.   Um desto mehr muß man erstaunen, daß ein Protestant auf den tollen Einfall
kommen konnte, seine junge Frau mit solchem abgeschmakten Gebete theils abspeisen theils nieder-
schlagen zu wollen.   Wir hatten schon manchmal
über dies Gebet gelacht, aber nie vermuthet, daß
wir noch ein Exemplar davon hier zu Gesicht bekommen würden; und nun wird es sogar im hiesigen
Lande gebraucht, von Protestanten gebraucht, als
Aktenstük eingesandt, und als Nebengrund zu einer
Ehescheidungsklage angewandt!

Die Oktavausgabe liest übrigens noch: "Neh-
"me doch einmal von mir, und zwar jetzt in mei-
"nen alten Tagen, allen närrischen Aufbutz."
Diese Bestimmung mußte ausgelassen werden, damit dies auf einen besondern Fall gemachte Gebet
ja recht allgemein werden konnte.   Auch: "regiere
"meine Zung auf allen Waschplätzen"; oberdeutsch,
statt: Oertern wo geschwatzt wird, u. s. w.

                                        B.

                    Z 2

Ein Brief aus und über Bamberg.

(Aus den Briefen eines Reisenden.)

Bamberg, am — Mai 178—

Wir kamen heute noch einige Stunden vor Mittag in dieser Stadt an. Erst gestern fühlten wir auf dem Wege zwischen Koburg und Bamberg die alles durchdringende Frühlingsluft, die gleich dem Hauche der Gottheit die schlummernde Natur erwekt, und in jedes lebende und empfindende Wesen neue Triebe und Kräfte eingießt. Dieser warme Wind war es gewiß, der den ersten blühenden Pfirsichbaum, den wir dieses Jahr sahen, entfaltete, und der die Stimme der Nachtigall löste, die eben so muthig und entzükkend auf den nakten Aesten schlug, als wenn sie von jungem Laube, oder von duftenden Blüthen umschattet gewesen wäre.

Sonst

(347)

Sonst fanden wir auf dem ganzen Wege nichts merkwürdiges, als eine Prozeſſion von einigen hundert Perſonen beiderlei Geſchlechts, die nach einem ſechs Stunden von Bamberg gelegenen Orte wallfahrteten. O! mein Freund, hier hätte ich Thränen über Jeruſalem weinen mögen! In den Geſichtern der meiſten Pilgrimme ließen ſich nicht allein keine Spuren wahrer Andacht, ſondern vielmehr ſehr deutliche Merkmale der Sünden entdekken, die man durch dieſe Wallfahrt und durch das unaufhörliche laute Grüßen der gebenedeiten Jungfrau Maria zu tilgen glaubte. Ich fuhr nichts weniger, als uneingenommen in Bamberg ein, wurde aber zu meiner großen Freude bald von meinem Vorurtheile geheilt. Anſtatt einen dunkeln, ſchmuzigen, mit elenden und durch ihre Betſucht verarmten Einwohnern angefüllten Ort zu finden, ſahen wir eine offene mit breiten wohl gepflaſterten Straſſen durchſchnittene, und mit vielen ſchönen, ſelbſt prächtigen Gebäuden gezierte Stadt, in welcher ſich (es war eben Meſſe) alles regte, und alles ſich wohlzubefinden ſchien. Man würde zwar ſehr falſch ſchließen, wenn man Armuth und Mangel an Wohlſtand ſtets aus abergläubiſcher Dummheit ableiten wollte; allein man ſchließt gewiß immer richtig, wenn man annimmt, daß allgemeiner Wohlſtand mit abergläubiſcher Dummheit und drükkendem Prieſterregimente nicht beſtehen könne. Gleich nach Tiſch giengen wir in den Dom, um den berühm-

(348)

rühmten Schatz zu sehen, den ich aber nicht so reich
fand, als ich mir eingebildet hatte.   Er enthielt nur
wenige Heiligthümer von Gold und Silber, weil
die meisten weggenommen worden sind. Das kostbar-
ste Kleinod ist die goldene Einfassung eines Stükkes
aus dem heiligen Kreuze, das mit mehrern Reihen
großer Brillanten und anderer Edelsteine von ausser-
ordentlicher Größe eingefaßt ist.   Ich bin zwar
sonst ein eifriger Vertheidiger eines gewissen Luxus
der Andacht, und setze mich immer mit Vergnügen
in die Zeiten zurük, wo man edle Metalle und andere Kostbarkeiten nicht zu eitlem Putz und zur Ver-
zierung von Privathäusern, sondern zur Verherrli-
chung des Dienstes des allmächtigen Gottes, zur
Verschönerung seiner Tempel, und zur Erhebung
der Würde seiner Diener anwandte; allein es thut
mir doch weh, wenn ich Gold, Perlen und edle
Steine nicht an heilige Gefäße, sondern an verdächtige Reliquien verschwendet, und eben dadurch die
Ausrottung schädlicher Arten des Aberglaubens erschwert sehe.   Der Domkustos zeigte uns unter
manchen andern Reliquien auch ein Stük von einem Nagel, womit der Sage nach unser Erlöser
ans Kreuz geheftet worden ist.   Er nannte es ein
trostreiches Zeichen unserer Erlösung, und versicher-
te, daß es täglich wundervolle Wirkungen hervor-
bringe.   Selbst an dem Tage, als wir ankamen,
war es von einigen hundert Menschen geküßt worden,

ben; und man konnte deutlich merken, daß die häu-
figen Küsse den oberen Theil des Nagels abgeglät-
tet hatten.   Mit vieler Aufmerksamkeit betrachte-
ten wir die Kronen von Heinrich dem IIten und
der heiligen Kuntgunde, die Prachtkleider von beiden, und besonders ein Meßbuch des Kaisers, in
welchem Handschrift, Zeichnungen, und die grobe
Einfaßung der ungeschliffenen Edelsteine, womit es
besetzt war, für ein hohes Alterthum zeugten. Auch
an den Kronen waren die Edelgesteine gleichsam
nur in unpolirte Goldplatten hineingelegt, und mit
einigen groben, die Steine mit umfassenden Heften
befestiget.   Die eine Krone enthielt unter andern
auch zween geschnittene Steine, wovon der eine ein
Griechischer, der andere ein Römischer Kopf zu sein
schien.   Aus dem Gewölbe des Domschatzes führte uns unser Begleiter ungebeten, aber doch mit höherer Erlaubniß, auf die Dombibliothek; eine Gefälligkeit, die ich mit warmen Danke annahm, aber
nicht gleich so schätzte, als nachher, da ich hörte,
daß man sie einem berühmten deutschen Gelehrten
abgeschlagen, oder zu erweisen unter allerlei Vor-
wänden sich geweigert habe.   Die Bibliothek besteht
größtentheils aus Handschriften, und zwar aus den
kostbarsten Handschriften, die mehrere Liebhaber
viele Jahre lang beschäftigen könnten.   Hier sind
nicht bloß Manuskripte von Bibeln, oder Meßbü-
chern, oder vom Valerius Maximus, Boethius,
und andern unbedeutenden Autoren, die im Mittel-

alter

alter viel häufiger, als die Werke der größten Männer abgeschrieben wurden; sondern auch von fast allen Kirchenvätern, vom Livius, von einzelnen Stükken des Aristoteles, Cicero u. s. w. Als ich diesen
Schatz von 250 wichtigen Manuskripten um mich
her sah; fragte ich, ob noch kein Verzeichniß davon
gedrukt worden wäre, und man gab mir zur Antwort, daß dieses noch nicht geschehen sei. In der
Folge erfuhr ich, daß man dieses bisher bedenklich
gefunden, und daß man es sogar einem Gelehrten
sehr schwer gemacht habe, eine oder einige Bibeln
genau zu untersuchen, und zu beschreiben. Von der
Bibliothek giengen wir sogleich in das Benediktiner
Kloster auf dem Michaelsberge, an und um dessen
Fuß die Stadt Bamberg erbaut ist. Die Aussicht
von dem Garten des Klosters ist mehr weitläuftig,
als schön. Man erblikt zwar die Stadt Bamberg
zu seinen Füßen, und eine unermeßliche fruchtbare
Fläche um sich her; allein diese Fläche ist zu ein-
förmig, und hat zu wenig Ruhepunkte, auf welchen
das Auge mit einigem Vergnügen verweilen könnte.
Ich wenigstens ergötzte mich weit mehr am Garten
des Klosters, als an der Aussicht in die weiten Ge-
filde, mehr an dem, was mir nahe, als was in der
Ferne war. Fast der ganze Hügel, auf welchem
das Kloster liegt, ist in einen herrlichen Garten verwandelt worden, in welchem Blumen, Gemüse,
Reben und Bäume von allerlei Art, die eben in
voller Blüthe standen, in reizender Mannichfaltigkeit

(351)

keit mit einander abwechseln.   Mit innigem Ent-
zükken steigt das Auge von einer Terrasse zur andern
herab.   Die Anlage dieses Gartens hat aber das
Kloster in große Schulden gestürzt, weßwegen man
auch die sonst so kostbare Gastfreiheit wenigstens für
eine Zeitlang aufgehoben, und dem Schöpfer des
Gartens, dem jetzigen Prior, einen sparsamern Stell-
vertreter an die Seite gesetzt hat.   In einem der
schönen Gänge kamen wir mit einem helldenkenden
Pater in's Gespräch, der mich abermals zu der Bemerkung veranlaßte, daß nicht allenthalben Finsterniß sei, wo man in der Ferne kein Licht sieht. —
Ich bin u. s. w.

(180)

Falsche Toleranz einiger Märkischen und Pommerschen Städte in Ansehung der Einräumung der protestantischen Kirchen zum katholischen Gottesdienst.

Ich habe mich immer bestrebt, das was, meiner Meinung nach, aus den ächten Grundsätzen der Menschenliebe und aus richtigen Begriffen von Religion folgt, nemlich Toleranz, gegen die Bekenner aller Glaubenslehren, zu üben. Ich fühle, daß mein

Herz

(181)

Herz nicht so eng ist, um nicht alle meine Brüder
lieben zu können, wenn sie auch in Meinungen von
mir verschieden wären; und mein Verstand ist, hoffe
ich, wenigstens von solchen entehrenden Vorurtheilen frei, die mich bis zum Religionsverfolger erniedrigen könnten. Aber ich habe auch gern jede Sache von mehrern Seiten betrachtet, um mich nicht
sobald von dem blendenden Schein auch der gepriesensten Modetugend hinreißen zu lassen. Und so sei
es mir dann erlaubt, ein Wort über das helle Licht
der Aufklärung zu sagen, das unsern laut posaunenden Zeitungen zufolge, in einigen unsrer Provinzialstädte (Bernau, Pyriz, Greifenberg, Ruppin u. s. w.)
itzt so glanzvoll stralt, in denen nemlich, welche den
Ratholiken zur Feirung ihres Gottesdienstes
die lutherischen Stadtkirchen einräumten. Es
scheint hierüber fast ein Wetteifer unter den Städten entstanden zu sein. Wird doch itzt selbst darüber
unter ihnen Streit geführt, welche Stadt zuerst sich
auf dieser Stufe der Aufklärung zeigte; wie ehemals
griechische Städte sich um die Ehre der Geburt ihres Homers stritten. — Uebrigens scheinen sie aus
wahrer guter Meinung, und aus der unbefangenen
Gefälligkeit, die den Lutheranern eigen ist, hiebei
verfahren zu sein. Desto geneigter werden sie sein,
eines gleichfalls unbefangenen Mannes Gedanken
zu hören; der nur das, was sie ihm dabei nicht bedacht zu haben scheinen, ihnen zur Erinnerung, und
auch andern zum Aufmerken, angeben will. Wobei

M 3　　　　　　　ja

(182)

ja Jeder die Freiheit behält, die Sache nach seiner
Ueberzeugung zu entscheiden.

Toleranz heißt und ist — nichts anders als
Duldung. Um tolerant gegen eine Glaubensmei-
nung und deren Bekenner zu sein, muß man sie dulden; das heißt wohl, wenn man nicht mit dem
Worte spielen will: dieser Religionspartei verstatten, sich frei zu ihrem Glauben zu bekennen, ihre
Kinder darin zu erziehen, und auch Fremde, die zu
ihnen übertreten wollen, anzunehmen; durch Lehren
und Schriften, zur Erbauung und Bestärkung in
ihrem Glauben, ungehindert dessen Sätze vorzutragen; Geistliche, und öffentliche Versammlungsplätze
zu haben, um den Gottesdienst ungestört nach ihrer
Weise abwarten zu können; bei Taufen, Ehebündnissen und Begräbnissen den Vorschriften ihrer Religion zu folgen, und dabei ihre eigenen Prediger
zu gebrauchen; und was dergleichen mehr ist. Einer
solchen Toleranz genießen Gottlob in unsern aufgeklärten Preußischen Staaten unter andern auch die
Katholiken; nur daß man sie in einigen Neben-
dingen einschränkt, die das Wesentliche ihrer Religion nicht angehn, und offenbar zu allgemeiner Unruhe und ihrer eignen Beschädigung ausfallen könnten, z. B. daß sie keine Prozeßion bei uns halten
dürfen. — Sollte eine Religionspartei unglüklich genug sein, Sätze, die offenbar gegen die Moral oder
gegen die bürgerliche Gesellschaft stritten, zu ihren Glaubenssätzen zu rechnen; so könnte die aller-
willfäh-

(183)

willfährigste Toleranz doch hierinn nicht nachgeben.
Allein davon ist hier die Rede nicht, und es versteht
sich von selbst; ob ich es gleich beifügen wollte, um meine Gedanken von der Toleranz vollständig anzugeben.

Unser König gewährte den Katholiken die Hed-
wigskirche in Berlin. Kirchen und Klöster stehn für
sie auch noch in Menge in andern Provinzen, als
Schlesien, Westpreussen, Halberstadt, Westphalen,
u. s. w. Zu kleinern Gemeinen reisen, zu bestimmten
Zeiten, die Geistlichen aus größern Orten hin, damit
auch jene ihren Gottesdienst feiern können. Wer hätte auch nur den Gedanken eines Zweifels darüber,
daß solche Gemeinen nicht auch eigene Geistliche und
eigne Kirchen haben dürften, wenn sie nur vermö-
gend wären jene zu besolden, und diese zu erbauen?
Unsre besten Gesellschaften stehn für Katholiken so
offen, wie für unsre Glaubensbrüder. Und, ich
kann dreist fragen, wo ist, wenigstens in meiner vaterländischen Mark Brandenburg, wo ist selbst der
Pöbel, der einen Katholiken, als solchen, anfeindete,
und ihm in Absicht seiner Religionsübung etwas in
den Weg legte? — Wir wollen uns aber alles dessen,
meine lieben protestantischen Mitbürger, nicht rühmen; es ist die Pflicht unserer Vernunft, unsrer
Menschheit, unsers Glaubens.

Zwar erwiedern unsre katholischen Brüder in
Deutschland uns nicht immer diese Pflicht. Die traurigen Geschichten in Salzburg, in der Pfalz, u. s. w.
sind bekannt. Aber was in ältern Zeiten und unter

M 4   stren-

(184)

strengen Regierungen geschah, mag gerne ganz ver-
geſſen ſein. Noch izt aber, ſelbſt in den Ländern des
aufgeklärten Joſephs II. (obgleich, wie man denken
kann, ganz gegen ſeinen Willen) werden unſre Glau-
bensgenoſſen bedrükt. Die neueſten Stükke von
Schlözers Anzeigen erzählen erſtaunliche Dinge
davon, die wirklich unglaublich wären, wenn uns
nicht eben dieſe Staatsanzeigen genug belehrt hätten, um leider keine Art raſender Unmoralität in
Deutſchland mehr für unglaublich zu halten. Ich
will nur das, was er von Kärnten *) anführt, hier
kurz in einem Auszuge beibringen. Ehemals, d. h.
noch vor 20 Jahren, ſann man dort, wie in ganz Oeſterreich, auf nichts mehr, als alle Unterthanen entweder durch Gewalt oder durch Liſt zu katholiſchen
Chriſten zu machen. In Kärnten waren eigene
Miſſionen dazu angeſetzt, und ſind es noch; ihre
Unterhaltung betrug im J. 1780, 2855 Fl. Die ge-
ſcheutern unter den Miſſionarien ſchämten ſich, die
ehrlichen Bergleute im Leſen der Bibel zu ſtören, ließen ſie in Ruhe, und genoſſen dann auch in Ruhe ihr
Gehalt aus der Religionskaſſe. Aber andere darunter
waren geſchäftiger. Wegen ihrer Unwiſſenheit aber
konnten ſie keinen unter dem gemeinen Volke bekehren, weil alle klüger waren, als ſie. Um dieſe kätzeri-
ſche Klugheit zu erſtikken, ließ das Gericht und die
Miſſionare die Schulen verſperren, unter dem
Vorwand, es ſei nicht nöthig, daß Bauren leſen und
schreiben

*) Heft III, S. 355, f. VIII, 504, f. XX, 414, f. u. 433, f.

(185)

schreiben lernten. Noch itzt überlaufen die Geistlichen die Häuser dieser Leute, und wollen wenigstens
den Kindern vordogmatisiren; die sich aber, um
den Unsinn nicht zu hören, unter die Betten verstekken, oder aufs Feld laufen. Noch itzt hört man den
frechen Unsinn auf den Kanzeln, daß Geistliche in ihren Predigten ausrufen: "Gott mögte sie sogleich
"sterben lassen, wenn die katholische Religion nicht
"die allein seligmachende, und die lutherische nicht
"eine verfluchte kätzerische wäre. Sehet!" sprechen
sie dann, wenn sie nicht sogleich auf der Kanzel sterben: "sehet! ich lebe noch, Gott zeigt augenschein-
"lich, daß ich Recht habe." Ein anderer, um die Sache noch lebhafter zu machen, ruft aus: "Wenn die
"evangelische Religion die wahre ist, so soll mich gleich
"der Teufel holen! Freilich, meine Lieben, hat der Teu-
"fel an meinen Priesterkleidern keine Gewalt; aber ich
"will sie ablegen;" (er zieht sie dann wirklich aus);
"nun, Teufel komm, und hole mich!"— Das härte-
ste war noch vor wenig Jahren, daß jeder, bei dem
man die Bibel und evangelische geistliche Bücher fand,
theils am Leibe, theils am Vermögen, hart ge-
straft ward. Die Gerichtsdiener überfielen um Mit-
ternacht die sichern Bauern, um nach den verbotenen
Büchern zu suchen; und fanden oft welche, so sinnreich sie auch verheimlicht waren. — — Nun erschien
das gesegnete Toleranzedikt. Aber seine Kraft dauerte nur bis zum Neujahr 1783. Wer sich bis dahin
nicht gemeldet hatte, war und blieb ausgeschlossen.

M 5

Wer

(186)

Wer sich in dieser ihm wichtigen Sache nicht rasch
genug entschloß, wer aus Krankheit, wegen Abwesen-
heit, wegen Mangel an Zeit, wegen zu großer Entfer-
nung, wegen zu plötzlicher Citation, es verabsäumte
und verabsäumen mußte, sich bei den Pflegämtern
als Lutherisch anzugeben, wer oft nur nicht zu der bestimmten Stunde kam, der muß itzt Katholisch bleiben, trotz seiner Ueberzeugung, trotz seiner Erklärung, und trotz des Toleranzedikts. Nach Kärnten
kam der Befehl zu dieser Einschränkung den 17. Dezember 1782; man hielt ihn aber geheim. Wenn Leute sich noch am Ende des Jahrs meldeten, sagte man
ihnen: es sei itzt keine Zeit, sie mögten nach Neujahr wiederkommen. Kamen sie dann, so hieß es:
Nun sei es zu spät, das neue Edikt sei da. Viele melden sich noch immer; man merket sie an, und verbietet ihnen dann, bei harter Leibes- und Geldstrafe,
dem lutherischen Glaubensunterricht beizuwohnen.
Diese Leute sind sehr übel daran; von den Katholiken haben sie sich selbst getrennt, und man leidet sie
an manchen Orten auch nicht in deren Kirchen. Damit nun ja keiner, als der sich vor 1783 zur evangelischen Gemeinde gemeldet hat, deren Gottesdienst
besuche, gehn die Gerichtsdiener ins Bethaus, und
spazieren während der Andacht des versammelten
Volkes herum, um solche heimliche Ueberläufer zu
ertappen. Zu Spital, dem Wohnsitze des Fürsten
von Portia, seines Landgerichts, und des Dechanten,
hatte man, als ein protestantisches Leichenbegängniß

nach

nach Josephs Verordnungen geschehen sollte, die
Kirchhofsthüre verriegelt, und ein Loch durch die
Mauer gebrochen, wodurch die Evangelischen krie-
chen mußten; der andern, auch thätlichen Beschim-
pfungen dabei zu geschweigen. Zu Villach ward 1783,
im Angesicht des Kreisamtes, bei den letzten Fast-
nachtspossen D. Luther lächerlich vorgestellt, auf
einem Schubkarren durch die Stadt geführt, und
endlich mit vielem Pomp von der Brükke in den
Strom geworfen. — — Solche Beispiele können und
müssen keine andre Wirkung haben, als uns anzufeu-
ren, stets solche Menschen an edlem tolerantem Betragen so weit zu übertreffen, als wir sie sicherlich schon
am Verstande und an Aufklärung übertreffen.

Also Willfährigkeit, den Katholiken die öffentliche Ausübung ihres Gottesdienstes zu verstatten, so
weit es ihre Erbauung erfordert, und die Ruhe des
Staats nicht darunter leidet, ist Pflicht der wahren
Toleranz, und eine von uns gern geübte Pflicht.
Wo aber sollen sie ihren Gottesdienst üben? Natürlich da, wo sie irgend etwas anders, was ihnen beliebt, auch thun können, auf einem Platze, der ihnen
gehört, entweder eigenthümlich, oder gemiethet, oder
geschenkt; kurz, wo jeder Mensch und jede Religionspartei Geschäft und Gottesdienst übt. Warum
aber, frage ich dagegen, warum in einer fremden ihnen nur dazu geliehenen Kirche? Ich wünschte in
der That, die genauere Geschichte dieser ihnen ge-
statteten Erlaubniß zu wissen: ob die Katholiken an-

suchten,

suchten, oder die Protestanten anboten? Was jene für Gründe in ihren Bittschriften anführten, und was diese für Beweggründe (auch die geheimen nicht zu vergessen) hatten? Das Beispiel in Frankfurt an der Oder ist sehr löblich; da waren die Katholiken bescheidner, und die Protestanten vorsichtiger. Jene wünschten das Ballhaus daselbst zu kaufen; der König gestattete es, der Kauf ist itzt geschehen, und sie werden darin ihren Gottesdienst und Kinderunterricht abwarten. Giebt es denn in den andern Städten keinen Saal, kein großes Zimmer mehr, das von den Katholiken könnte gemiethet, oder von den andern Einwohnern oder dem Magistrat ihnen unentgeldlich überlassen werden? — Es wäre ein Zeichen höchst verkehrter Begriffe, wenn die Katholiken glaubten, Gott könne nur in einem Gebäude würdig angefleht werden, welches von Geistlichen zu dem Endzwek eingeweihet worden; glaubten, daß sonst nirgends die vereinte Andacht eines zur Gottesverehrung versammelten Haufens dem höchsten Wesen wohlgefällig und für die Gemüther der Betenden von heilsamen Einfluß sein könnte. Wahrlich, die Nachgebung gegen so verkehrte Begriffe ist keine Toleranz mehr zu nennen. Waren aber die Katholiken so übertrieben orthodox, daß sie nur in einem konsekrirten Gebäude Gott dienen wollten; wie konnten sie zugleich so heterodox sein, der Konsekrirung evangelischer Geistlichen solche Kraft zuzutrauen? Vielleicht soll ihr Verfahren hierin gar Toleranz gegen uns sein? Oder haben sie etwa dabei eine geheimere Absicht? In der That, die Sache hat noch eine Seite, von der sie verdient angesehn zu werden.

Nicht, weil die Katholiken in ihren Ländern fast immer hart und untolerant gegen uns verfahren; nicht, weil sie, von Religionseifer übernommen, leicht selbst in unsern Kirchen unsern Glauben lästern könnten,

teu; nicht darum rede ich gegen die Nachgiebigkeit
jener Städte. Nein, es giebt andre Gründe. Und,
wer den Geist der katholischen Religion kennt,
und den itzigen Weltlauf beobachtet, wird diese Gründe mit mir erkennen, und die Sache daher für gefährlich ansehn. Ich bin fest überzeugt, daß die aufgeklärtesten und freidenkendsten Theologen unserer
Hauptstadt darin übereinstimmen werden: daß man
mit Sicherheit eher Juden und Mohammedanern
und Naturalisten unsre Kirchen zum Gebrauch bei
ihren Religionsübungen einräumen könne, als den
Katholiken. Keine Glaubenspartei lehrt so offenbar den Satz, daß nur ihre Kirche die alleinseligmachende sei; und übt so heimlich alle Kunstgriffe, daß sie wenigstens hier auf Erden die alleinherrschende werde. Keine ist so überzeugt, daß
diese Alleinherrschaft nicht nur zum Besten der Welt
heilsam sei, sondern auch ihrer Kirche von Rechtswe-
gen vollkommen gehöre. Keine sieht so, wie sie es
thut, alle Einrichtungen der übrigen Parteien als gewaltthätig gegen sich, und den längsten fest begrün-
detesten Besitz als unrechtmäßig und null an. — Der
westphälische Friede, der nach Strömen von Blut unserm armen Vaterlande endlich die Ruhe, und was
mehr als Ruhe ist, Gewissensfreiheit wieder gab,
dieser wohlthätige Vertrag, den die Verzweiflung
und der Heldenmuth der Protestanten gegen den
tyrannischen Despotismus der Gegenpartei erkämpf-
te, ist feierlich von allen Fürsten Europas verbürgt,
nur nicht vom Papst und vom Großsultan. Aber
sicherlich gehört es nicht so sehr zur Politik des Di-
wans, der Erbfeind des Christenthums zu sein, wie
unsre Väter glaubten; als es ein Grundsatz des römischen Stuls ist, alle noch so theuer erkauften
Rechte der Protestanten für erschlichen und ungültig anzusehn. Noch immer heißen wir die Ungläu-
bigen,

(190)

bigen, so gut wie Heiden und Türken. Noch immer
hält man die längst und nach den öffentlichsten Verträgen unsern Fürsten anheim gefallnen Bisthümer
für Lehen des römischen Stuls, vergibt sie noch
immer, und ernennt von Rom aus Bischöfe von
Brandenburg und von Magdeburg, wie man sie
von Tiberias und von Karthago ernennt *). — Wer
steht dafür, daß die katholische Geistlichkeit sich, bei
ihrem Gottesdienst in lutherischen Kirchen, nicht
gleichsam auf einen Augenblik wieder in ihr vermeintes
altes Recht eingesetzt glaubt? und annimmt, daß solch
ein Augenblik wenigstens unsre Verjährung unter-
bricht, und ihnen aufs künftige längern Besitz verspricht? Wer steht dafür, zumal wenn kein Revers
darüber ausgestellt worden, daß sie nicht diese zu
große Gefälligkeit dereinst als eine der Observanz ge-
mäße Schuldigkeit fordert; sie dann auch, mit Vor-
schützung der Noth, öfter im Jahre fordert; und so
allmählich anfängt, die wahren Eigenthümer aus ihrem Besitz zu verdrängen?

Denn, mit welchen Mitteln sucht nicht diese Religion sich allgemein zu verbreiten! Sind es etwa
nur Unchristen, zu welchen sie Missionen schikt, wie
doch der Begriff, den wir diesem Worte beilegen, anzuzeigen scheint? Jeder katholische Geistliche in protestantischen Ländern, heißt ein Missionar. Das
Collegium de propaganda fide ist äußerst thätig, und
versteht unter fidem nicht den christlichen, sondern,
wie ja selbst Zeitungsnachrichten lehren, bloß den
katholischen Glauben. Es erstrekt seine Wirksamkeit ungemein weit, selbst nach Ländern hin, wo man
nichts davon weiß, und durch Anstalten, deren Existenz man in solchen Ländern oft nicht einmal kennt.
Es giebt katholische Stiftungen und Seminarien in
                                                      Ita-

---

*) Man f. auch, was Nikolai in feinen Reisen Th.
   I. S. 46 — 48) hierüber sagt.   Anm. d. Verf.

(191)

Italien, Frankreich, und Deutschland, wo junge,
vorzüglich adliche, Herren aus England, Schott-
land, Irland, Dännemark, Norwegen, Schweden in den Grundsätzen dieser herrschsüchtigen Religion erzogen werden, und dann in ihr Vaterland zurükkehren, wo sie, oft ohne sich öffentlich zu derselben
zu bekennen, zu deren weiterer Verbreitung eifrigst
helfen. Wer bürgt uns dafür, daß es nicht auch
ausdrüklich solche Anstalten für unser Vaterland
giebt? Denn wer kann alle geheimen Wege entdekken, und das Dunkel aller Verbindungen entschleiern?
So viel scheinen alle einsichtsvolle Männer izt einzusehen, daß die Exjesviten ihre mächtige äußerst wirksame, nur scheinbar aufgehobne, Gesellschaft nicht
nur immer fortsetzen, sondern mit sichern bald lang-
samen bald schnellen Schritten, um ein großes erweitern. Ihr Einfluß wirkt unter den verschiedensten
Gestalten, — und bringt die sonderbarsten Phänomene hervor. Sie wissen selbst das Herz der Fürsten
zu gewinnen; und man sieht mit Erstaunen, wie
schnell die katholische Religion hier und dort weiter
verbreitet. Toleranz ist ihnen ein Täuschungs-
wort, unter dessen Schutz sie immer festern Fuß zu
gewinnen trachten, bis sie endlich solches Schutzes
nicht mehr bedürfen. Religionsvereinigung ist
eine andre Art Lokspeise, die schon genug ehrliche Protestanten gefesselt hat. In Kleinigkeiten wollen sie
Anfangs nachgeben; ein Grundsatz, den auch alle
katholische Missionare bei den Heiden befolgten; um
nur recht viele Glieder in den Schooß der Mutterkirche zu lokken. Sie zeigen Philosophie, und Aufgeklärtheit, und Abschaffung mancher sonst wichtig
gehaltnen Punkte, und Toleranz, und so weiter; bis
auch wir von unserm Eigensinne abstehn, und uns
mit ihnen zu einer großen Heerde vereinigen, deren
Hirt unfehlbar ist, und dessen Lehren alleinselig-
ma-

machend ſind. Das iſt der Hauptbegriff des katholiſchen Glaubens, davon gehn ſelbſt ihre edelſten
Mitglieder nicht ab.   In mehrern Toleranzedikten
Joſephs II heißt es wörtlich: "Die Aufrechthaltung
"und Verbreitung der wahren und allein ſelig-
"machenden katholiſchen Religion iſt immer
"Unſre angelegenſte Sorgfalt geweſen."   Kann ſich
damit der Geiſt des Proteſtantismus vertragen, der
wahre Toleranz und freie Nachforſchung liebt, und
eigne Ueberzeugung geſtattet?   Läßt ſich auf die Art
eine Vereinigung gedenken, oder müßte nicht vielmehr eine Verwandlung und Transſubſtantiation
vorgehn? — Aber, wozu auch Vereinigung! Iſt es
nicht genug, wenn wir friedlich neben einander wohnen, jeder den andern Mitbürger auf ſeine Weiſe Gott
dienen läßt, und keiner ſich mehr Anhang zu machen
bemüht iſt?   Iſt es möglich, daß alle Menſchen
über einen Punkt gleichförmig denken? Iſt es nützlich, daß man ſich zu Einer Art darüber zu denken
vereinigt, die dann ſtete Richtſchnur werden würde,
und alles eigne Nachſinnen und alle Gewiſſensfrei-
heit verhinderte?

Männer, die ſich länger, als ich, mit Religion
und Philoſophie und Politik beſchäftiget haben, mögen dieſe Sache entſcheiden.   Mir iſt es genug, ſie
in Anregung gebracht zu haben. — So gern ich auch
jedem alle Religionsfreiheit gönne, und nichts dagegen haben würde, wenn ich alle meine Mitbürger
auf einmal, nur aus Ueberzeugung, Katholiken werden ſähe; ſo wollte ich doch nicht gern, daß ſie aus
unvorſichtiger Gutherzigkeit Schritte thäten, wozu
ſie künſtlich verleitet wären, und welche ſie in Zukunft aufs bitterſte gereuen könnten.

                                Akatholikus Tolerans.

(530)

Schreiben eines Schlesiers an den Akatholikus Tolerans.

(S. Febr. 1784. S. 180.)

Aeußerst auffallend war mir die Nachricht in den öffentlichen Blättern von den Provinzialstädten Bernau, Pyritz, Greifenhagen, Ruppin u. s. w., welche den Katholiken zur Feirung ihres Gottesdienstes die Lutherischen Stadtkirchen einräumten; um so mehr, da unter ihnen so gar ein Wetteifer zu entstehen schien: welche Stadt sich zuerst auf dieser vermeinten höhern Stufe der Aufklärung gezeigt habe? Nun, sagte ich scherzend, werden doch diese Kirchen nach zweihundert und mehr Jahren zum erstenmal wieder Rauchwerk und einen guten Geruch bekommen, und das Umherspritzen des Weihwassers wird dann manche Spinne aus dem sonst ruhigen Besitz ihres Gewebes verjagen.   Bewundernd wird das evangelischlutherische Volk die Zeremonien ansehen,

sehen, wird alles als neu anstaunen; aber so wenig als seine geist- und weltliche Vorsteher wissen,
daß sie die Einweihung der Kirche bedeuten, und
daß der katholische Geistliche die Kirche so koschert,
wie der Jude den Kessel aus der Küche eines Christen, ehe er sich Fische darin sieden kann. Wofern
keiner ist, der diesen gutherzigen Toleranten ihre
falschen Begriffe aufdekt: so muß die Zeit sie in die
Kur nehmen, die ihnen, oder ihren Nachkommen,
die Folgen dieser Unvorsichtigkeit empfindlich genug
machen kann.

Unerwartet, aber gewünscht, kömmt Ihr wichtiger Aufsatz über die falsche Toleranz einiger
Märkischen und Pommerischen Städte in Ansehung der Einräumung der protestantischen
Kirchen zum katholischen Gottesdienst, in
dieser Monatsschrift; zwar für diese Städte zu spät,
aber zum Glük doch für andere noch zu rechter Zeit,
die dadurch von ähnlichem Beginnen zurükgeschrekt
werden könnten, wofern nicht, wie ich vermuthe,
Einhalt von höherm Orte bereits geschehen ist. Dabei aber wünsche ich doch, daß alle denkende Einwohner der Mark und des Pommerlandes, besonders die Geistlichen, jenen Aufsatz lesen, und alles
darin so körnicht und bündig Vorgetragene beherzigen
möchten.

"Wer kann, sagen Sie S. 191. alle geheimen
"Wege entdekken, und das Dunkel aller Verbin-
"dungen entschleiern?" So dachte auch wenige Jahre

vor

vor dem ſiebenjährigen Kriege bei dem Hirtenbriefe
des Erzbiſchofs Trautſon in Wien, Doktor Weikhmann in Wittenberg, der davon Anlaß nahm, eine
gelehrte Diſputation zu ſchreiben von den feinern
Wegen der Römiſchkatholiſchen uns Proteſtanten zu hintergehen; und war gleichſam Pro-
phet von dem nachher erfolgten Kriege, der auf nichts
geringers, als auf den Umſturz der Freiheit und der
ganzen proteſtantiſchen Sache in Deutſchland, ab-
zielte. So bittere Kritiken auch Weikhmann anfangs über ſich ergehen laſſen mußte: ſo hat doch die
Zeit ſeine Einſichten und Warnungen gerechtfertiget.

Erlauben Sie mir, Ihre allgemeinen Sätze mit
ein Paar Beiſpielen zu erläutern, die, wenn die
Berliniſche Publicität und Preßfreiheit, wie ich
denke, es zuläßt, wohl der Aufmerkſamkeit des Publikums werth ſind, beſonders da vielleicht noch künftigen größern Uebeln vorgebeuget werden kann; —
und dabei zugleich die bedenklichen Folgen dieſer
übel angebrachten Toleranz zu ſchildern.

Zuerſt theile ich Ihnen ein Schreiben ſo unverändert mit, wie es mein Freund, ein gelehrter Land-
prediger, der M. L. zu R. in Schleſien den 11. März
1783 an mich geſchikt hat; und was er darin klagt,
das erfahren mehrere ſeiner Amtsbrüder, als Prediger an den alten evangeliſchen Kirchen, nämlich:
geheime Wege, in deren Dunkel hier die Fakkel der
Geſchichte gebracht wird; und könnens künftig auf
ähnliche Art die Städte erfahren, deren geiſt-
und

(533)

und weltliche Vorsteher durch eine übel angebrachte
Toleranzübung einen Ruhm gesucht haben, der sich
vielleicht bei ihren Nachkomen sehr verdunkeln möchte.

”Wir wurden, schreibt er, bei unsrer letzten Zu-
”sammenkunft in unsrer Unterredung wegen meines
”und der allhiesigen Kirche traurigen Schiksals ge-
”störet. Es schien Ihnen, theuerster Freund, un-
”glaublich zu sein, daß ich ein Amt ohne Brodt ha-
”ben könnte. Allein überlegen Sie, daß ich durch
”die Aufhebung des nexus parochialis *) noch über
”45 Scheffel an Getraide verlohren habe: so werden
”Sie leicht einsehen, daß ich dadurch meines ganzen
”Salarii verlustig gegangen bin. Ich würde mich
”nie haben entschließen können, zu heirathen, wenn
”ich geglaubt hätte, daß es ein möglicher Fall wäre,
”daß mir das, worüber ich die allerhöchste königli-
”che Konfirmation erhalten hatte, könnte abgenom-
”men werden. Die Gnade und Weisheit unsers
”allergnädigsten Landesvaters war mir zu bekannt,
”als daß ich nicht hätte denken sollen, ganz gewiß in
                  Ll 3   ”dem

_____

*) Die Sache besteht darinn: Ehemals mußten katho-
   lische Besitzer so gut zu den evangelischen Kirchen
   beitragen, als Evangelische zu Katholischen; weil
   das Onus auf dem fundo haftete, und schon beim
   Kauf in Anschlag gebracht, und vom Kaufpretio
   abgerechnet wurde. Das hieß nexus parochialis;
   und das ist nun aufgehoben. Durch was für Vorstellungen man das ausgewirkt, weiß ich nicht.
   Aber, was mein Freund erzählt, sind nun die traurigen Folgen für die Evangelischen, denen aber höhere Macht bald steuren kann.   Z.

(534)

"dem Besitze meines Brodts zu bleiben; zumahl da
"ja das Getraide, welches unser Salarium bei den
"alten Kirchen ist, und welches ich gern gegen 120
"Rthl., welches jedem Geistlichen bei den neuen
"Kirchen ist bewilliget worden, vertauschen wollte,
"in gar keiner Konnexion mit der Konfession stehet,
"sondern als ein Onus auf dem fundo haftet, wel-
"ches die ersten fundatores der Kirche aus freier eig-
"ner Bewegung über sich genommen haben, um den
"Lehrer der Gemeine und ihrer Unterthanen erhal-
"ten zu helfen.   Dieses Onus nun ist seit dem auf je-
"dem dominio, Bauergut, Häusern u. s. w. geblie-
"ben, und kein neuer Käufer hat es dürfen mitbe-
"zahlen, sondern muß ihm, als ein Onus, an dem
"Kaufpretio erlassen werden; wie jeder Anschlag bei
"jedem Dominio, und jeder Kaufbrief von jedem Hau-
"se, Bauergut u. s. w. ausweiset, in welchem die
"Dezimen, Hülfsdienste ꝛc. als eine Sache angeführ-
"ret werden, welche sie vertragsmäßig über sich neh-
"men müssen.   Ich habe also, so wie alle andere,
"durch die Aufhebung des nexus parochialis mein
"Brodt verlohren, und ist dem Kloster, dem es am
"Kaufpretio (es hat das Oberdominium, auf wel-
"chem das Lehn haftet, erst vor etwa 50 Jahren
"von dem Herrn von S. erkauft) bereits war erlas-
"sen worden, noch einmal geschenket worden. Die-
"ses sah ein hochpreisliches königliches Oberkonsisto-
"rium selbst ein, als das Kloster dem hiesigen Schul-
"meister, der die Kinder der evangelischen Unter-
                                                      "tha-

(535)

"thanen, so wie ich, jung und alte, unterrichten
"muß, das Brodtgetraide oder Dezem zurükbehielt;
"es ward sogleich allerhöchst befehliget, dasselbe dem
"Schulmeister sogleich wieder zu geben. Ich woll-
"te ja gerne auf den Namen des Dezem renuncii-
"ren, wenn ich nur Brodt hätte. — Allein noch
"auffallender und noch weit unbegreiflicher schien es
"Ihnen zu sein, als ich Ihnen sagte, daß ich mich
"nebst meinen noch übrigen wenigen evangelischen
"Kirchkindern allhier in dem empfindlichsten Druk
"befände, und die allhiesige evangelische Kirche in
"etlichen Jahren würde müssen wüste stehen bleiben.
"Indeß ist nichts so gewiß als dieses. Seit kurzer
"Zeit sind in der Gemeine von etwa vierzig Wir-
"then bereits neunzehn katholische Wirthe, vi, clam
"& precario, von dem Kloster in L. als erster Lehns-
"herrschaft, eingesetzet worden. Erst seit einem Jah-
"re sind drei Stellen durch Vorschuß des Klosters an
"Katholiken verkauft worden, und um zwo andere
"kaufen sie bereits wiederum. So fern ich auch von
"allem Religionshasse lebe, so offenbar ist es, daß
"ein Katholik weit mehr für eine Stelle (wenn auch
"kein opus operatum dabei gedacht wird) geben kann,
"als ein Evangelischer. Seit der Aufhebung des
"nexus parochialis ist der Katholik natürlicherweise
"bedacht, sich lieber an einem Orte anzukaufen, wo
"eine evangelische Parochie ist, um den katholischen
"auszuweichen. Warum? Zu einer katholischen
"müßte er durch Dezem, Fuhr- und Handarbeiten

"bei

(536)

"bei den Kirchgebäuden konkurriren; bei einer evan-
"gelischen aber ist er von allen dergleichen Auflagen
"frei, und kann also weit mehr geben, als ein Evan-
"gelischer, welcher alle diese Lasten tragen muß.
"Setzen Sie z. B. daß hier ein Bauerngut, wel-
"ches etwa vier Scheffel Dezem giebt, verkauft wird:
"so kann der Katholik gerne hundert auch 150 Rthl.
"mehr geben, weil ihm die Erlassung der Onerum
"reichlich die Interessen darauf wieder bringt. Jetzt
"gerade ereignet sich hier der nämliche Fall. Ein
"Dreschgärtner unter dem Kloster, welcher noch der
"einzige evangelische ist, will verkaufen, um dem
"heimlichen Druk zu entgehen. Er will gerne die
"Stelle einem evangelischen um siebenzig Reichstha-
"ler verkaufen; allein es fürchtet sich ein jeder. Hin-
"gegen sind viele Katholiken, welche ihm schon
"120 Rthl. geboten haben; welches die Stelle nicht
"werth ist, und kein Evangelischer geben kann.
"Dazu kömmt, daß jeder Evangelischer einsiehet,
"daß, wenn es so fortgeht, es endlich den immer we-
"nigern Evangelischen unmöglich fallen muß, die
"Dienste bei Pfarr- und Schulgebäuden zu bestrei-
"ten. Mithin wird die Last von Jahr zu Jahr für
"die Evangelischen größer, die Einnahme bei der
"Kirche zu ihrer Unterhältung fällt weg; und sie muß
"endlich, da sie sich doch in jenen gefährlichen Zei-
"ten immer in evangelischen Händen erhalten hat,
"wüste und verlassen stehen bleiben. Glauben Sie
"es also, daß wir Ursache haben, als solche, welche
"wider

(537)

”wider die allerhöchste Absicht unsers allergnädigsten
”Landesvaters heimlich zu Boden gedrükt werden,
”zu seufzen?”

Wer hätte das gedacht, daß die alten evangelischen Kirchen, die sich ehemahls mitten in dem Herzen der herrschenden katholischen Kirche glüklich erhalten haben, unter der Regierung des Preußischen
Monarchen, wo jene Herrschaft wegfällt, gewiß
aber bisher ohne Wissen und Willen desselben, von
den Evangelischen verlassen werden solten! Und das
geschähe gewiß, wenn nicht, wie man hoffen kann,
beizeiten ein Riegel vorgeschoben wird.

Nun einen Blik auf die Städte geworfen, welche den Katholiken ihre evangelischen Kirchen öfnen!
Ist denn nicht bekannt, daß katholische Bürger sich
eben so gut ansetzen können, als evangelische? Können diese nicht vermögender und zahlreicher als die
evangelischen werden? O! das geht eben so natürlich zu, als es jüdische Kaufleute in größern Städten
schon geworden sind; durch Unterstützung von ihren
Glaubensgenossen, und wenn auch die Hülfsgelder
dazu jenseit der Alpen und der Pyrenäen gesamm-
let werden sollten. Das steht alles in der Macht
solcher feinen Politiker, deren sich nicht wenige unter den katholischen Geistlichen befinden, und denen
es so sehr nicht verdacht werden kann, wenn sie sich
in ihrem alten so viele Jahrhundert hindurch be-
haupteten Besitze der Regierung der ganzen christlichen Welt, wo nicht völlig mehr, doch größtentheils

Ll 5   zu

(538)

zu erhalten suchen.   Wer verliert gern alte verjährte
Besitzungen? und wer sucht nicht das verlohrne wieder? Von den Katholiken haben wir doch alle alte Kirch-
und Klostergebäude, davon die letztern in Schulen
verwandelt sind.   Wie willkommen also die Gelegenheit, lutherische Kirchgebäude wieder als katholische
zu gebrauchen! — Wie aber? werden diese in der
gemeinschaftlichen Kirche nicht an Sonn- und Fest-
tagen predigen wollen? werden sie nicht ihre Maria-
und andre kleine Festtage darin feiern und Messen
lesen? Man hat ihnen ja einmahl den Gebrauch der
Kirche zur Haltung des Gottesdienstes nach ihrer
Art eingeräumt! In andern Städten, wo man
nicht so freigebig war, behalten doch die Evangelischen ihre Kirchgebäude zu ihrem Gebrauch allein,
wenn auch bei vermehrter Anzahl der Katholiken,
oder Juden, oder andrer Glaubensgenossen, die
Zahl der Lehrer an Kirchen und Schulen aus Mangel des Unterhalts vermindert werden müßte. Vermehrt sich die Zahl und das Vermögen der angesesse-
nen katholischen Bürger, und sie wollen sich eine
Kirche bauen: warum würde ihnen das in Pyritz
und Greifenhagen nicht eben so verstattet werden
können als in Berlin? Warum sollten ihnen, als
Christen, nicht so gut Kirchen erlaubt werden, als
den Juden Tempel oder Synagogen? Den Lutheranern kann das weiter nicht schaden, als daß ihre
Kirchen und Schulen dann wenigere Lehrer nöthig
haben; daß statt ihrer drei an einer Kirche oder
                                        Schu-

(539)

Schule zween, oder einer, alles verwalten und
doch sein gutes Auskommen haben könnte, wenn
dann, wie billig, die Salarien der mehrern einem
zufielen. Warum drei Predigten an einem Sonntage, wenn zwo, oder eine, eben dasselbe, und vielleicht noch mehr, ausrichten kann? und wozu mehr
als höchstens eine Wochenpredigt, wenn itzt schon
die meisten Bänke leer gelassen werden? ... Jedoch, das sind fromme Wünsche, deren Erfüllung
wohl noch nicht bei unserm Kirchenwesen zu erwarten ist, so lange die Erhaltung der Geistlichen an
Predigen und andere gottesdienstliche Verrichtungen
gebunden bleibet.

  Ich komme wieder auf das vorige zurük, und
von den Städten auf die Dörfer! So wie in kleinen
und größern Städten katholische Bürger, Kaufleute, Künstler und Handwerker sich künftig ansetzen
können: sollte dergleichen nicht auch auf dem Lande
statt finden? Wie? wenn ein reicher katholischer
Landwirth königlicher Amtmann, oder adlicher Gü-
terpächter würde? Wenn dieser entweder auf Vor-
werken oder neuen Dörfern, katholische Einwohner
unter evangelisch-lutherischen ansetzte? Wenn der
Amtmann für sich und seine Glaubensverwandte
zwar einen Priester halten, aber keine Kirche bauen
könnte oder wollte? Wenn nun der lutherische Geistliche um die Gemeinschaft der Kirche angesprochen
würde? und wenn dieser, oder seine Superioren,
solches verweigerten? wenn man sich dann auf das
                                                    Bei-

(540)

Beispiel der genannten Städte beriefe? — Denke
nun hier ein jeder, was ihm beliebet, indem er ei,
nen Blik auf die hier sehr mögliche Zukunft wirft!
— Bestehen kann und wird die menschliche Gesell
schaft immer, auch bei der größten Verschiedenheit der
Religion; bestehen kann und wird die Liebe und Ver
träglichkeit unter den verschiedenen Religionsver
wandten, wo sie so untereinander wie in Preußi
schen Staaten vertheilt leben; sie mögen heißen,
wie sie wollen, Naturalisten, Deisten, Katholiken,
Lutheraner, Reformirte, Herrenhuther, Juden;
sie glauben alle an einen Gott, den Schöpfer und
Erhalter; und befinden sich vielleicht besser dabei,
als bei der gleichsam erzwungenen Einigkeit der Leh
re und des Glaubens, oder vielmehr nicht vielleicht,
sondern gewiß, wie ich mir getraue aus der politi
schen und Religionsgeschichte genug zu erweisen.
Aber dazu ist gar nicht nöthig, daß eine Religions
partei der andern ihre Tempel zum gemeinen Ge
brauch überlasse; den Fall ausgenommen, wo Lu
theraner und Reformirte gemeine Kirchen, Kirch
höfe und Grabstätten haben. Disputen (ich will nicht
sagen, Trennung oder Haß) wegen Glaubensleh
ren zwischen diesen beiden, nur in äußerlichen Ver
fassungen verschiedenen, gereinigten Christen sind
schon lange nicht mehr erhört gewesen, würden auch
wahrlich eine Schande der letzten Hälfte dieses Jahr
hunderts sein. So lange aber noch beide jährlich
in Rom am grünen Donnerstage, nebst den ihrer
                                              Lehre

(541)

Lehre zugethanen Fürsten, verdammt werden; so
lange bei aller Toleranz, selbst in der österreichischen
Monarchie, die katholische Religion zwar nicht die
alleinherrschende, aber doch noch die alleinseligma=
chende, genannt wird; so lange, nach ihrer Lehre,
ehemahlige katholische, nun lutherische oder refor=
mirte Kirchen, entweihet sind, und neue Einwei=
hung, sie möge auch noch so geheim vorgenommen
werden, nöthig ist; so lange sie die nur unterbro=
chene Ausübung eines auf diese Tempel ihnen zukom=
menden, unverjährten Rechts lehren und glauben:
so lange verträgt sich mit ihrer Lehre nicht die Ge=
fälligkeit der Protestanten, ihnen die Kirchen zum
gemeinschaftlichen Gebrauch einzuräumen. Bisher
ist diese Lehre weder durch eine Bulle des Papstes,
noch durch den Schluß einer Kirchenversammlung,
aufgehoben.

Man pflegte ehemahls zu sagen, die römischka=
tholischen Missionarien disputirten und bekehrten
durch alle vier Modos der Syllogismen in der ersten
Figur: in Barbara, durch Heirathstiften; in Ce=
larent, durch Verhelung anstößiger Lehrsätze; Da=
rii, durch Geschenke, Gaben und Dienstleistung;
und endlich Ferio, durch Gewalt, Feuer und
Schwerdt. Der andre Modus kann und wird wohl
zu unsern Zeiten noch am meisten genutzt, besonders
auch gegen Protestanten, um sie in den Schlaf der
süßen Unionträume zu wiegen; doch auch hin und
wieder noch die dritte Art, wozu auch gehört, wenn
sie

ſie Ehrſüchtige zu Macht und höhern Ehrenſtellen
verhelfen.   Dieſe Methode thut auch ihre gute Dienſte in den Seminarien, deren Sie S. 190. 191.
als ein gründlicher Kenner des Geiſtes der Hierarchie erwähnen. *)   Nur ein Beiſpiel von mehrern
                                                 mir

*) Es iſt doch in der That faſt unbegreiflich, wie weit
   die Sache mit dieſen ſonderbaren Seminarien geht.
   Nicolai hat im zweiten Bande ſeiner Reiſen, S.
   510 von dem nordiſchen Stifte zu Linz, und bei
   der Gelegenheit von mehrern ſolchen Seminarien
   geredet.   Aber, daß auch zu Schwerin in Meklen-
   burg eine ſolche katholiſche Pflanzſchule ſchon ſeit
   50 Jahren iſt, die von Jeſuiten regiert wird, wo
   man junge Leute aus proteſtantiſchen Ländern, und
   ſoviel als möglich, Jünglinge aus vornehmen Häu-
   ſern, ganz in der Stille katholiſch erzieht: dieſe
   mitten in einem erzlutheriſchen Lande angelegte kleine Stiftung, die aber ſicherlich von weitausſehen-
   dem Endzwek iſt, dieſe kannte ich und wahrſcheinlich mancher meiner Leſer noch nicht.   Nicolai redet in ſeinem neulich erſchienenen dritten Bande davon, in den Zuſätzen S. LII. bis LVII.   Wer weiß,
   ob wir nicht bald auch von ähnlichen Einrichtungen
   im Brandenburgiſchen Nachricht bekommen?   Und
   dieſe Eroberungsſucht, dieſe Begierde, durch ver-
   dekte künſtliche Mittel immer mehr Eingang zu bekommen, immer mehr Gemüther zu gewinnen, immer mehr die alleinſeliomachende Kirche zu verbreiten, macht doch einen ſonderbaren Kontraſt mit dem
   ruhigen Verfahren der Proteſtanten, die alles der
   eignen Aufklärung, der beſſern Einſicht, und der
   Reiſe der Zeit überlaſſen.   Auch kann dieſe Erob-
   rungsſucht wohl ſchwerlich Zutrauen erwekken, kann
   ſchwerlich einſchläfern, wenn die andere Partei von
   gegenſeitigem Nachgeben und von einem Vereini-
   gungsbündniſſe ſpricht; — oder man müßte denn
   durchaus ſchlafen wollen.   B.

mir bekannten zu der merkwürdigen Stelle S. 191,
wo Sie sagen: "ihr (der Exjesuiten) Einfluß wirkt,
"unter den verschiedensten Gestalten — und bringt
"die sonderbarsten Phänomene hervor."

Ich, der ich in einem Lande der herrschenden
Römischkatholischen Kirche vor mehr als zwanzig
Jahren gelebt habe, und nun in einem andern lebe,
wo sie zwar zahlreich, aber nicht die herrschende mehr
ist, ich habe ehemahls ein solch sonderbares Phäno-
men in einer ziemlich großen, freien Handelsstadt
gekannt, die ich zwar nicht hier nenne, aber doch
das viele von den Einwohnern mir erzeigte Gute nie
verkennen werde. Der ansehnliche Magistrat dieser
Stadt, in welchem die Hälfte der Glieder Römisch-
katholische sein sollten, hatte damahls an seiner
Spitze einen Evangelischlutherischen, der dem Pabst
in den Schooß geschworen hatte, das heißt:
er war ein solcher, welcher heimlich gelobt hatte,
niemals gegen das Interesse der Katholiken, besonders aber der Jesuiten zu sein, die in derselben Stadt
ein Kollegium und eine zahlreiche Schule hatten, und wo das ehemahls berühmte Lutherische
Gymnasium ihnen ein Stein des Anstoßes war.
Dafür hatten sie ihn jung bald alle Stuffen der Ehren in seiner Vaterstadt hindurch bis zur höchsten
empor gehoben, und zwar durch mächtige Einflüsse
des die Stadt protegirenden Hofes. Dafür ver-
sprachen und leisteten sie ihm allen Beistand von
Seiten des Hofes und der Großen des Landes. Er
                                                war

(544)

war ein Mann von großen Talenten und Studien,
der unter den Jesuiten gewiß eine wichtige Rolle gespielt, und sich bald zum General empor geschwun-
gen haben würde, deren Ordensaufhebung er aber
noch mehrere Jahre überlebte; ein großer Geist, der
auch selbst die feinsten Köpfe der Jesuiten weit über-
sah, der sie zufrieden stellte, ohne ihre Wünsche
ganz zu befriedigen, und ohne Nachtheil des damahls noch blühenden Gewerbstandes; ein Redner,
wie ietzt Fox in London. Ich endige mit dem Schleier,
den ich über das ziehe, was er für die Gunst der
Jesuiten ihnen wiederum zu Gefallen gethan; alles
so fein und mit so scheinbaren Gründen, daß feinere
Nasen erfodert wurden davon Witterung zu haben,
als damals im Rathhause befindlich waren.

Sonst leben wir hier zu Lande, Katholiken, Lutheraner, Reformirte, Herrenhuther, verträglich
untereinander, und üben alle eigentlich guten Werke der Menschenliebe, selbst gegen die Klöster, aus.
Die Franziskaner und andre Bettelmönche bekennen selbst, daß sie von den Evangelischen mehr Gaben einsammlen, als von ihren Glaubensgenossen,
und freuen sich herzlich, daß sie unter Preußischem Zep-
ter vor den Verwandlungen ihrer Ordensverwand-
ten in Oesterreichischen Staaten sicher leben; und
ihre Lobesposaune dringt bis in die Ohren und Herzen der benachbarten Bewohner.

Geschr. d. 19. März 1784.

(545)

Anhang zu dem voranstehenden Schreiben.

Vielleicht ist es unsern Lesern nicht unangenehm, hier eine bloß historische aktenmäßige Nachricht von der nähern Veranlassung des in mehrern Märkischen und Pommerschen Städten den Katholiken verwilligten Mitgebrauchs der protestantischen Kirchen zu lesen. Die Sache kam überall durch die in diesen Städten in Garnison liegenden Regimenter in Anregung, unter denen sich zum Theil eine große Anzahl Katholiken befanden. (z. B. über 600 bei dem von Zitzewitzschen Regiment in Brandenburg) Diese haben keinen eignen Geistlichen, sondern die katholischen Geistlichen in Berlin bereisen die Regimenter, und verrichten wenigstens zweimal im Jahr den Gottesdienst bei ihren Glaubensverwandten. Dazu waren bisher in den meisten Städten Zimmer auf dem Rathhause, in einigen auch Zimmer in Privathäusern (wie zu Bernau in einem Gasthofe) gebraucht worden. Diese Einrichtung fanden die Geistlichen theils unbequem, theils anstößig, weil die öffentlichen Zimmer auf dem Rathhause bei andern Gelegenheiten privilegirten Komödianten, Gaukelspielern u. s. w. Preis gegeben würden. Auf ihre Vorstellung traten daher die Chefs der Garnisonen mit den Magisträten oder dem geistlichen Ministerium des Orts in Unterhandlung wegen der Verwilligung der lutherischen Kirchen. Die Magisträte waren überall geneigt dazu, sie fragten beim Ober-

(546)

konſiſtorium an, das ihnen überall nur unter der
Bedingung die Verwilligung ihrer Kirchen zum katholiſchen Gottesdienſt geſtatrete, wenn die Bürgerſchaft damit zufrieden wäre.   In den meiſten
Städten wurden den katholiſchen Geiſtlichen einige
Bedingungen vorgeſchrieben, beſonders die: daß die
Abwartung des proteſtantiſchen Gottesdienſtes auf
keine Weiſe gehindert würde, folglich der katholiſche
Gottesdienſt nur in ſolche Tage und Stunden fallen müßte, wo die Kirche nicht ſchon von den Proteſtanten zum Gottesdienſt oder zu Miniſterialhand-
lungen gebraucht würde.

     Die Stadt Ruppin war unter allen die erſte,
die dieſe Toleranz gegen die Katholiken übte.   Doch
theilte ſie mit ihnen keine ihrer Hauptkirchen, ſondern überließ ihnen bloß eine Hoſpitalkirche, in der
ohnedies nur alle Vierteljahr einmal Gottesdienſt
gehalten wird, und die auch ſchon oft zur Niederla-
ge von Mehl für die Garniſon gedient hatte.   Es
gereicht übrigens dieſer Stadt zur Ehre, daß dieß
anfänglich ohne vieles Geräuſch und ohne ſelbſtgefäl-
lige poſaunende Verkündigung in den Zeitungen ge-
ſchah; obwohl ſie doch nachher, da Bernau in den
Zeitungen als das erſte Muſter einer ſolchen Toleranz mit lautem Wiederhall geprieſen ward, auf dieſen angemaßten Ruhm eiferſüchtig ward, und ihre
Prioritätsrechte ebenfalls in öffentlichen Zeitungen
geltend machte.   Denn würklich hatte ſie bereits
am Ende des Jahrs 1781 die Bahn gebrochen.

                                         In

(547)

In Bernau kam die Sache erst im Julius 1783 in Anregung, nachdem der Herr Pater Bernhard Schornstein, zweiter katholischer Prediger in Berlin, den dasigen Herrn Archidiakonus Calov sondirt hatte, ob er tolerant genug sei, ihm zu erlauben, daß er seinen Gottesdienst in der lutherischen Kirche halten dürfe. Magistrat und Bürgerschaft ließen es sich, da ihre Geistlichkeit nichts dagegen hatte, ebenfalls gefallen. Aber warum mußte nun diese Toleranz unter Pauken- und Trompetenschall in den Zeitungen vor dem ganzen deutschen Publikum ausgerufen, und als Morgendämmerung von wer weiß was für herrlichen Zeiten verkündigt werden? Das schmetternde Lob hallte weit umher. Andre Städte horchten hoch auf, und wurden ebenfalls nach dem Lorbeer begierig, den Bernau davon getragen. Das Beispiel dieser Stadt würkte schnell wie ein elektrischer Schlag von Stadt zu Stadt, und nun ließ eine nach der andern in öffentlichen Blättern sich duftenden Weihrauch streuen.

Treuenbriezen, Gardelegen, Neustadt-Eberswalde, Brandenburg, Stendal, und in Pommern Pyriz, Greifenberg, Stargard u. s. w. folgten dem einmal gegebnen und mit so lautem Beifall aufgenommenen Exempel.

In Brandenburg fand die Sache anfänglich Schwierigkeiten. Wenigstens mußte man von dem anfänglichen Vorhaben, den Katholischen die Paulinerkirche in der Neustadt einzuräumen abstehen,

(548)

weil die auf Befehl des Oberkonſiſtoriums befragte
Bürgerſchaft dagegen aus dem allerdings triftigen
Grund proteſtirte: daß des Gottesdienſtes in dieſer
Kirche zuviel ſei, da ſie bereits für 3 Gemeinen, die
lutheriſche Stadt= und Garniſongemeine und auſ=
ſerdem für die Reformirten gebraucht werde; auch
daure der katholiſche Gottesdienſt immer drei Tage
hintereinander, und ſo lange ceſſire der proteſtanti=
ſche Gottesdienſt in dieſer Kirche nie. Es kam nach=
her die in der Altſtadt gelegne Johanniskirche in
Vorſchlag, und der Mitgebrauch derſelben ward
bewilligt.

 In Neuſtadt=Eberswalde wurden folgende Be=
dingungen feſtgeſetzt:

 1) Daß ſich der katholiſche Geiſtliche niemals
anmaße, einige Jura parochialia daſelbſt auszuüben.

 2) Daß von Seiten E. hochlöbl. Garniſon dem
jedesmaligen Inſpektor oder bei etwaniger Vakanz
dem deſſen Stelle vertretenden Geiſtlichen von der
Ankunft des katholiſchen Geiſtlichen, ſobald er ſol=
che meldet, Nachricht gegeben werde.

 3) Daß dieſer ſich alsdann gefallen laſſe, den
Gottesdienſt zu der Zeit anzuſetzen und zu halten,
welche der Inſpektor oder deſſen Vikarius beſtim=
men wird, damit mit den Lutheranern keine Kolli=
ſionen entſtehen.

 4) Noch beſonders, daß von dieſer den Katho=
liſchen verſtatteten Ausübung ihres Gottesdienſtes in
der lutheelſchen Kirche, nichts in öffentlichen
           Blät=

(549)

Blättern bekannt gemacht werde, wie es von einigen andern Orten geschehen. — Diese letzte Bedingung ist allerdings auffallend. War dieß ausdrükliche Verbot der öffentlichen Bekanntmachung, Bescheidenheit, oder war es Stolz, um nicht für bloße Nachahmer gehalten zu werden, oder vielleicht gar ein geheimes dunkles Gefühl, daß diese Toleranz vielleicht nicht ganz rechter Art sei?

In Stargard, wo den Katholiken die seit 30 Jahren nicht gebrauchte Jobst Kapelle gegen einen Kanon von 6 Rthl. jährlich eingeräumt worden, ist ausdrüklich festgesetzt: daß, wenn die Protestanten etwa wegen Anwachs der Gemeine für nöthig fänden, selbst in dieser Kapelle Gottesdienst zu halten, solche von den Katholiken sogleich zurükgegeben werden solle.

In Stendal wurden unter andern auch folgende Bedingungen festgesetzt:

1) "Es wird der katholischen Gemeine die Kirche (im St. Annenkloster) mit Ausnahme des Chors eingeräumet, und muß also weder itzt noch auf alle künftige Zeiten ein Anspruch an dies Chor gemacht werden.

2) Es wird erlaubt, von der Sakristei, Kanzel und Altar Gebrauch zu machen, jedoch ohne etwas zu ändern.

3) Der Gebrauch der Thurmglokke kann nicht bewilligt werden.

Mm 3   4) Es

(550)

4) Es wird kein andrer Eingang in die Kirche bewilligt, als die große Kirchenthüre u. s. w.

In dem bei dieser Gelegenheit auf die Anfrage des Stendalschen Generalsuperintendenten Silberschlag ergangenen Reskript des geistlichen Departements wird die Verstattung des Mitgebrauchs der Kirche nur "unter ausdrüklicher Ausschließung alles izt und künftig anmaßlichen Eigenthums an der Kirche" bewilligt, und dem Oberkonsistorium zugleich aufgetragen: "auf Vorbeugung aller etwa sich einschleichenden Misbräuche in diesem und ähnlichen Fällen genau zu invigiliren."

Die Weisheit und Nothwendigkeit eines solchen Reskripts wird niemand bezweifeln, der nur etwas mit dem Geist der katholischen Kirche bekannt ist, wenn er übrigens auch die Besorgnisse des Akatholikus Tolerans (im Febr.) und des Verfassers des voranstehenden Briefs zu ängstlich finden sollte.

G.

(94)

Nachtrag zur Geschichte des katholischen
Gottesdienstes in protestantischen
Kirchen.
(f. Febr. S. 180. und Jun. 530.)

In Greifenhagen, einem Städtchen in Hinterpommern, hatte der dasige Propst und erster Prediger Carmesin, ohne Vorwissen des Pommerschen Konsistoriums, dem Pater Schornstein verstattet, in
der dasigen Nikolaikirche den katholischen Gottesdienst

(95)

dienst zu halten. Das Pommersche Konsistorium
befahl daher dem Propst Carmesin sich zu verant-
worten. Die Art und Weise, wie der gutherzige
Mann zu einem solchen voreiligen Schritt verleitet
ward, ist merkwürdig genug, um hier erzählt zu
werden. Wenigstens ist es kein ganz unwichtiger
Beleg zu den Aeußerungen des Akatholikus Tolerans in dieser Monatsschrift (s. Febr. d. J.).
Ich erzähle mit den eignen Worten des Propsts
Carmesin in seinem Bericht an das Konsistorium.

"Der katholische Pater Schornstein hatte mir
"schon seit 2 Jahren, so oft er die katholischen Ge-
"meinen in hiesiger Gegend bereiset, welches ge-
"wöhnlich im Jahr zweimal geschieht, angelegen,
"zu erlauben, daß er seinen Gottesdienst in hiesiger
"Kirche hielte, weil er in dem Wirthshause keine
"Bequemlichkeit hätte. Ich hatte aber solches im-
"mer mit der Bedeutung abgelehnt, daß er dazu
"erst bei Ew. K. Maj. Pommerschen Consistorio
"Genehmigung suchen und mir solche vorzeigen müs-
"se, bevor ich darein willigen könnte. Bei seinem
"letzten Besuch drang er mehr als sonst in mich,
"zeigte mir eine Resolution des Königl. Oberconsisto-
"rii, nach welcher ihm nachgegeben war, in der lu-
"therischen Kirche zu Bernau seinen Gottesdienst
"zu halten; und sagte dabei, daß es Ew. Königl.
"Majestät höchster Person zu besonderm
"Wohlgefallen gereiche, wenn die Protestan-
"tischen Prediger in ihren Kirchen den Katho-
                                                "liken

(96)

"liken ihren Gottesdienst zu halten erlaub-
"ten, und daß dagegen die Prediger, welche
"solches aus Intoleranz nicht gestatten woll-
"ten, wenn es angezeigt würde, üble Folgen
"zu besorgen hätten. — Von Ew. Königl. Ma-
"jestät konnte ich mir wegen Kürze der Zeit kei-
"nen Befehl erbitten. Die Exempel waren da,
"daß der Pater auf seiner ganzen Tour von Berlin
"her, in Bernau, Neustadt-Eberswalde, Anger-
"münde und Schwedt seinen Gottesdienst in luthe-
"rischen Kirchen gehalten hatte. — Endlich mußte
"ich erwägen, daß, wenn ich mich widersetzte und
"solches Ew. Königl. Majestät höchster Person an-
"gezeigt würde, meine Widersetzlichkeit als In-
"toleranz angesehen und die Folgen für mich
"sehr traurig werden mögten. Alle diese Grün-
"de drangen mich, dem katholischen Pater, so ver-
"drießlich es mir auch war, nachzugeben."

Auf gleiche Art erhielt der katholische Geistliche auch zu Garz (einem Städtchen bei Stettin)
die nehmliche Erlaubniß ohne Vorwissen des Konsistoriums. — — Ich setze keine Reflexionen hinzu.
Wem der Kontrast zwischen schlauer Beredsamkeit
und leichtgläubiger Gutherzigkeit hier nicht von selbst
auffällt, für den wären doch alle meine Reflexionen
umsonst. Nur zwei Fragen erlaube man mir noch:
Läßt sich's denken, daß die Katholiken jemals in einem katholischen Lande so nachgiebig sein würden,
um den Protestanten den Mitgebrauch ihrer Kirchen
zu verstatten? Und: würden die Protestanten im
Fall der Verweigerung wohl jemals dreist genug
sein, über Intoleranz zu schreien?

G.

(19)

Ueber die Besorgnisse der Protestanten in Ansehung der Verbreitung des Katholicismus.

An Herrn Doktor Biester.

Sie haben mir einen unangenehmten Vorfall dadurch versüßt, daß Sie ihn zu einer Gelegenheit gebraucht haben, mir Ihre Freundschaft zu erkennen zu geben. Sie haben ein ohne mein Wissen und Willen von mir angeführtes Urtheil nicht eher öffentlich bekannt machen noch bestreiten wollen, bis Sie Nachrichten darüber eingezogen hatten, ob dasselbe mit meinen bekannten Gesinnungen übereinkäme. Meine Freunde haben Ihnen die lautere Wahrheit gesagt. Ich kann in dem Buche Des Erreurs &c. das nicht schätzen, was ich nicht verstehe; ich kann nicht anders als mißbilligen, daß dem ganzen Publikum ein unverständliches Buch vorgelegt wird, ohne ihm den Schlüssel dazu zu geben; ich muß unwillig werden, daß der Autor deutliche und sichere Aufschlüsse, welche uns von den größten Männern aller Jahrhunderte über die wichtigsten Gegenstände unsrer Kenntnisse gegeben worden, verachtet, indeß er an die Stelle derselben nichts als anscheinende Ungereimtheiten setzt. Dieses ist das Urtheil, welches ich im Grunde meines Herzens über dieses Buch, so weit

B 2

ich

ich es kenne, fälle. Habe ich daſſelbe, unter Perſonen, welche dafür eingenommen waren, und die
meine Achtung verdienten, auf eine mildere Art
ausgedrükt: ſo bin ich doch gewiß, daß ich es nie
ganz verleugnet habe.

Aber wenn ich Ihrem Urtheile über dieſes Buch
und über die Schädlichkeit der ſchwärmeriſchen
Ideen, welche dadurch verbreitet werden, ganz bei-
pflichte; ſo, geſtehe ich, kann ich mich von einer andern Meinung nicht überzeugen, der Sie ſcheinen
Ihren Beifall zu geben: daß ſich die Bekehrungsſucht der Katholiken unter dem Eifer dieſer Ein-
geweihten verberge, und daß er überhaupt jetzt auf
eine Art wirkſam ſei, welche Beſorgniſſe errege,
und Gegenanſtalten nothwendig mache. Sie führen gegen die Schwärmerei Krieg: hier wünſchte
ich an Ihrer Seite zu ſtehn, und mit eben ſo viel
Geſchik und mit eben ſo guten Waffen dagegen
fechten zu können. Sie führen aber auch gegen
die Jeſuiten und gegen die Emiſſarien des römiſchen Hofes Krieg: und bei dieſem Streite bin ich,
ich bekenne es aufrichtig, weit mehr zur Neutra-
lität geneigt. Ich halte die Gegner für gar nicht
ſo gefährlich; ich fürchte ſogar, gegen einen Schatten zu fechten. Iſt es meine Unwiſſenheit, iſt es
eine falſche Art die Sache zu betrachten, nach allen den Thatſachen, die Sie ſelbſt, oder Ihre
Freunde darüber beigebracht haben? Was es auch
                                                  ſei:

sei: ich will Ihnen meine Zweifel vorlegen. Belehren Sie mich, weisen Sie mich zurechte.

Zwar die Sache selbst, wenn jene Angriffe, womit wir, wie Sie glauben, bedrohet werden, wirklich sind, ist mir so wenig als Ihnen gleichgültig.
Auch ich wollte meine protestantische Freiheit zu
denken um alles in der Welt nicht aufgeben; auch
ich sehe es für einen wahren Verlust für die
Menschheit an, wenn irgend eine Seele, die von
dem Joch menschlicher Satzungen, und der Unter-
würfigkeit der Einsichten unter fremde Aussprüche
los geworden, sich wieder unter dasselbe beugt.
Aber wie in der politischen Welt, Verdacht und
Furcht vor einem Angriffe oft den Angrif veranlaßt: so fürchte ich, daß auch hier der Haß der
Parteien rege gemacht werden möchte, wenn ein
zu großes Mißtrauen unter ihnen von neuem Platz
gewinnen sollte. Dieses ist die Ursache, um welcher willen ich es für billig halte: zu untersuchen,
in wie fern dieses Mißtrauen von unsrer Seite gegründet ist, wie groß wenigstens die Gefahr sein
könne, die wir im schlimsten Falle zu besorgen haben. Meine Betrachtungen in dieser Art sind freilich bloß die Wirkungen meiner Empfindungen.
Ich kann nicht durch Thatsachen beweisen; ich
kann die nicht widerlegen, welche Sie angeführt
haben. Ich kann nur aus dem allgemeinen Zustande der Dinge Schlüsse ziehen; ich kann nur
dunkle Ideen, welche so zu sagen, die zurükge-

blieb-

bliebnen Spuren meiner sämtlichen Erfahrungen
sind, entwikkeln. Aber diese Betrachtungen haben
doch für mich einen hohen Grad von Evidenz;
und weil ich sie auch für nützlich halte, insofern sie
dienen, die Materie, welche bisher von Einer Seite
beleuchtet worden, von allen zu untersuchen, so
theile ich sie Ihnen mit. Finden Sie dieselben
werth, öffentlich bekannt gemacht zu werden: so
sind Sie Herr und Meister, damit als mit Ihrem
Eigenthume umzugehn.

Und zuerst finde ich, daß die Beweise, die Sie
eben in denjenigen Anmerkungen zu dem einge=
sandten Briefe, worin Sie sich meiner so freund=
schaftlich annehmen, von der Intoleranz, der Be=
kehrungssucht, der Herrschbegierde, und den An=
maßungen des römischen Hofes führen — so wie
überhaupt die Beweise, welche in diesem Streite
gegen die Katholiken gebraucht werden, — großen=
theils aus Begebenheiten und Schriften der vori=
gen Jahrhunderte genommen sind, aus welchen
nie jemand etwas anders erwarten wird. Daß
dies der Geist des Papstthums gewesen, daß es den
öffentlichen Bekenntnißschriften, und zum Theile
noch dem jetzigen Kurialstil des römischen Hofes
gemäß sei: das wird von jedermann anerkannt.
Aber folgt es daraus, daß dieser Geist unter den
Menschen, welche die Klerisei der römischen
Kirche, oder selbst den Hof des Papstes ausmachen,
noch eben so herrsche als ehedem? Folgt es, daß
                                                    diese

(23)

diese Grundsätze, wenn sie auch wirklich noch bei
denjenigen Personen in völliger Kraft wären,
welche durch Stand und Interesse gehindert werden, an dem allgemeinen Fortgange der Aufklärung theologischer und politischer Begriffe Antheil
zu nehmen; daß, sage ich, sie eben so viel Eingang
bei den Gemüthern der übrigen Menschen, eben
so viel Gewalt über den großen Haufen bekommen
könnten als ehedem? Um zu zeigen, daß dies möglich sei, ist es nicht genug, Beispiele von einzelnen
Kardinälen, Bischöfen, Lehrern, oder Mönchen
aus der katholischen Kirche anzuführen, die auch
jetzt noch so denken. Es kömmt auf den Geist der
Zeit, auf die herrschende Disposition der Gemüther,
auf den Hang und so zu sagen die Direktion der
Bahn an, welche der menschliche Geist, und besonders der Geist der Europäer eingeschlagen ist.
Und da, glaube ich nun, kann kein Mensch zweifeln, daß dieser Geist der Zeit den päpstlichen Lehrmeinungen und Grundsätzen schnurstraks zuwider,
und daß es durchaus unmöglich sei, daß jene alte
Meinungen (von Unfehlbarkeit des Papstes, von
seiner rechtmäßigen Autorität über die kirchlichen
Angelegenheiten in allen christlichen Ländern, von
der Pflicht die Kätzer zu verfolgen) sowohl durch
öffentliche als geheime Wege, je wieder zur Herrschaft unter den Menschen gelangen.

Herr Nicolai sowohl als Sie Th. F. führen
den Umstand, daß die katholische Kirche und der

(24)

Papst sich für unfehlbar hält, mehrmalen als
einen Grund an, warum man alle die Meinungen,
die irgend einmal von den Päpsten oder den Lehrern
der katholischen Kirche behauptet, alle die Mari-
men die je von ihnen befolget worden, auch noch
jetzt für die wahren Grundsätze dieser Partei, und
für die Richtschnur der Handlungen ihrer Vorsteher oder ihrer Vertheidiger halten müsse. Aber
in der That, wenn man nicht der katholischen
Kirche die Unfehlbarkeit, welche sie sich anmaßt,
wirklich zugestehen will: so sehe ich nicht ab, wie
man jene Schlußfolge kann für beweisend gelten
lassen. Nur mit der Unfehlbarkeit ist die Unver-
änderlichkeit verbunden. Und diese Unveränder-
lichkeit in den Meinungen wie in den Gewohnheiten, die sonst keinem Menschen, keiner Gesellschaft,
keiner Religionssekte je eigen gewesen ist, müßte
die katholische Kirche haben, wenn man aus den
Lehrbüchern, den richterlichen Entscheidungen, und
den Beispielen der vorigen Jahrhunderte, auf ihre
jetzige wahre Verfassung, auf die wirkliche Denkungsart ihrer Glieder, und auf die Absichten und
Maaßregeln ihrer Häupter sollte schließen können.
Mag sie sich doch also immerhin für die untrüg-
liche ausgeben: diese falsche Anmaßung hat die
Natur der Dinge nicht ändern, hat nicht verhindern können, daß ihr System, in so fern dasselbe
nicht in Büchern, sondern in den Köpfen und Herzen der Menschen seinen Sitz hat, nicht eben den
Revo-

(25)

Revolutionen der Zeit unterworfen gewesen sei,
welche alle Dinge und besonders die menschlichen
Begriffe erfahren.   Oft haben die, welche diese
Unfehlbarkeit gepredigt, und wörtlich alle Tradi-
tionen mit tiefster Verehrung nachgesprochen, doch
im Grunde ihre Väter Lügen gescholten, indem
sie bei denselben Worten andre Sachen gedacht,
oder bei denselben Behauptungen doch ganz anders
sich betragen haben. — Wenigstens ist doch schon
dieses eine sehr große Veränderung, daß eben die
Grundsätze, welche fast alle Päpste, Priester und
Gelehrte öffentlich vertheidigten, wovon die Bul-
len und Mandate, welche die erstern unmittelbar
an die Monarchen selbst schikten, oder unter ihren
Augen ausfertigten, und die Bücher, worüber die
letztern auf Universitäten lehrten, voll waren, jetzo
nur heimlich, und unter dem Schleier von Geheimnissen, durch sonderbare und versteckte Kunstgriffe, in die Welt gebracht oder in ihr fortgepflanzt
werden sollen.   Dieser Umstand allein ist doch ein
Beweis, daß die, welche jenem Systeme anhangen,
und es ihrem Eigennutze gemäß finden es auszubreiten, jetzo etwas zu fürchten haben, und ehedem
nichts zu fürchten hatten; daß sie ehedem stark und
jetzt ohnmächtig sind.

Die ehemalige Macht des Papstes ist sehr begreiflich.   Aber eben die Geschichte ihrer Entstehung beweißt, daß sie unmöglich durch die Bemühung, welche man seinen Anhängern zuschreibt
                    B 5   wie-

(26)

wieder empor kommen könne. Sie gründete sich
nämlich auf der bei den christlichen Völkern der lateinischen Kirche nach und nach Wurzel fassenden
Meinung, daß der Papst der Statthalter Christi,
und das von Gott bestimmte Oberhaupt der Christenheit sei. Diese Meinung war, als sie herrschte,
nicht durch heimliche Insinuationen hervorgebracht
worden, nicht durch künstliche Anstalten und Bemühungen des römischen Hofes selbst; sondern
durch den natürlichen, und uns jetzt ganz bekannten Gang der Begebenheiten in der Kirche und den
Staaten von Europa. Der Papst, so wie die ihm
Obedienz leistenden Nationen, wurden von demselben Strome der Dinge und der Meinungen fortgerissen. Einer wirkte nicht so mächtig auf den andern, als auf beide etwas höheres. Zu dieser Zeit
also hatten die Päpste zu ihrer Disposition die
Arme und die Waffen aller derer, welche wirklich
den Glauben an ihre göttliche Autorität mit der
Muttermilch eingesogen hatten. Dies war der
größere Theil: dieser konnte diejenigen zwingen,
welche anders dachten. Die Fürsten hatten dagegen, wenn es zum Streit zwischen der geistlichen
und weltlichen Macht kam, zu ihren Beschützern,
entweder die, welche, gegen alles was man damals
Religion nannte gleichgültig, ihnen für ihr Geld
gegen jeden dienten, mit dem sie Krieg führen wollten; oder diejenigen, welche an jenen Meinungen
in ihrem Herzen selbst zweifelten, und die Rechte
der

der Fürsten für heiliger, die Päpste hingegen für
fehlbar und der Ungerechtigkeit fähig hielten. Die
Anzahl der Vertheidiger von der ersten Art war ge=
ringe, da die Fürsten weder stehende Armeen noch
reiche Schatzkammern hatten; die Anzahl der an=
dern war noch eingeschränkter, da sie nur aus den
hellsten Köpfen jedes Zeitalters bestand.

Aber wie sehr haben sich gegenwärtig die Sachen
verändert! Die Fürsten haben so große und ihnen
so ganz unterworfne Heere, daß, wenn alle ihre
übrigen Unterthanen durch einen jetzt unmöglichen
Religions=Enthusiasmus aufgewiegelt, sich zu Auf=
rechthaltung einer fremden Macht vereinigten, sie
nichts ausrichten würden; und bei diesen Unter=
thanen ist im Ganzen die Disposition, welche zum
Enthusiasmus führt, so ganz erloschen, die An=
hänglichkeit an Meinungen und Lehrgebäude die
nicht auf die Erfahrung gegründet sind und nicht
Vortheile dieses Lebens versprechen, sind bei den
meisten so schwach; — selbst bei denen, welche
noch die Rechte eines kirchlichen Oberhaupts aner=
kennen, ist die Verehrung für ihn so kalt, so wenig
fähig, sie zu der geringsten Unternehmung, wobei
Gefahr ist, anzuspornen: daß das Uebergewicht der
weltlichen über die geistliche Macht, auch in katho=
lischen Reichen, auf das vollkommenste und wie ich
glaube auf immer, gegründet ist. Nie aber kann
die Herrschaft der Opinion gefährlich werden, als
wenn die Regierungen schwach sind.

Wohin

(28)

Wohin sollen nun also alle die heimlichen Machinationen der Jesuiten und der Emissarien des Papstes abzielen? Diesem, und mit ihm der Klerisei ihre
alte Herrschaft, und nach Verhältniß derselben auch
den alten Tribut von Einkünften und Ehrerbietung
zu verschaffen? Unmöglich können sie, wenn sie
nicht sehr schwach am Verstande, und eben deswegen zu Ausführung großer Pläne ganz unfähig sind,
dieses hoffen. Oder ist ihnen wirklich an der Ausbreitung der Lehre der katholischen Religion gelegen, weil sie sie für die seligmachende Wahrheit
halten? O diese wenigen, die uns aus Liebe zu uns,
aus Liebe zu unserm eignen ewigen Besten, nicht
ihres zeitlichen Bestens wegen, bekehren wollen;
diese können wir ganz gelassen ihre Bahn fortgehn
lassen. Es werden ihrer so wenige sein, und die
Hindernisse werden sie so bald abschrekken, daß es
kaum nöthig ist, auf diese Bewegungen einige Aufmerksamkeit zu wenden. Die Macht unsrer Regenten ist im Stande uns vor dem geistlichen Despotismus zu schützen, und ihr Eigennutz wird immer ein hinlängliches Motiv sein, daß sie uns auch
schützen wollen.

„Aber diese Emissarien, heißt es, suchen eben
„unsre Fürsten selbst zu bekehren.“ Auch um
diesen Satz zu bewähren, sind alte mit neuen Beispielen zusammengestellt worden: — ein Beweis,
daß von den letztern nicht eine hinlängliche Anzahl
vorhanden ist. Doch, daß es vielleicht noch einem
oder

(29)

oder dem andern proteſtantiſchen Fürſten einkommen kann, — es ſei aus Schwäche des Gemüths,
es ſei aus politiſchen Abſichten, — in den Schooß
der Mutterkirche zurükzukehren, das will ich gerne
zugeben. Daß der bloße Parteigeiſt und der Ehrgeitz Lehrer dieſer Gemeinde begierig machen kann,
zu einer ſolchen Bekehrung beizutragen, daran
zweifle ich auf keine Weiſe. Aber ich leugne, daß
auch der glüklichſte Succeß dieſer Art die Macht
des Papſtes, oder das Anſehn der Kirche beträchtlich ausbreiten werde. Hat nicht daſſelbe in den
neueſten Zeiten am meiſten von katholiſchen Fürſten
gelitten? Werden deswegen die Völker, ſo wie
ehedem, mit ihren Fürſten zugleich plötzlich ihre
Geſinnungen ändern, und anbeten, was ſie zuvor
verachtet haben? Gewiß nicht. Aber ſo bald die
Bekehrung der Regenten nicht ihre Unterthanen
mit ſich fortreißt, ſo bald iſt der Vortheil davon
für die Macht der Bekehrer geringe. In ihren
Hauptſtädten, an ihren Höfen, in dem kleinern
Wirkungskreiſe ihres perſönlichen Einfluſſes, können dieſe vornehmen Neubekehrte Veränderungen
zu Gunſten der Religion machen, zu welcher ſie
übergetreten ſind. Aber als Regenten, als Häupter
des Staates, ſtehen ſie, wenn ſie auch uneinge-
ſchränkt herrſchten, doch unter dem Einfluß ihrer
Nation, und werden von derſelben mehr geleitet,
als ſie dieſe leiten können. Was hat im Ganzen
der Uebergang der Kurfürſten von Sachſen zur
                                              römi-

(30)

römischen Kirche, der evangelischen Religion ge-
schadet? Sind die Einwohner des Landes weniger
eifrig protestantisch? Die Protestanten in der
Pfalz sind gedrükt worden, und werden noch gedrükt; aber sind sie ausgerottet? Werden sehr viele
bekehrt?

Der Gang aller Dinge und besonders der Meinungen der Menschen, geht, wenn man die Geschichte aller Zeiten zu Rathe zieht, immer ununterbrochen vorwärts. So wenig wie der Baum
zur Zeit der Früchte zu seiner Blüthe zurükkehrt,
es sei dann, daß er vorher ganz entlaubt und er-
storben ist: so, scheint es, kehrt der Mensch und
noch mehr, so kehren Nationen zu Meinungen und
Gesinnungen nicht zurük, die, nachdem sie ehedem
herrschend unter denselben waren, nach und nach
durch allgemein wirkende Ursachen und besonders
durch wachsende Einsichten zu erlöschen anfangen.

Als das heidnische Religionssystem seine öffentliche Autorität verlohren hatte, da es nicht mehr
grade zu, durch eigne Kraft, in seiner unverhüllten
Gestalt, und unterstützt durch die Gesetze, auf die
Menschen wirkte: da blieben doch noch eine Menge
Anhänger desselben übrig, die ebenfalls heimliche
und künstliche Mittel ergriffen, das sinkende Gebäude zu erhalten. Sie errichteten ebenfalls Verbindungen, sie erdichteten Wunder; sie nahmen die
Geisterwelt und die Magie zu Hülfe; sie suchten
durch künstliche Auslegungen die Lehren oder Ge-
schich-

schichten des Heidenthums, den Begriffen der christlichen Religion näher zu bringen. Es gelang ihnen
auch, einen Fürsten, welcher Herr des ganzen kul-
tivirten Europa, und durch seine persönlichen
Eigenschaften doppelt wichtig war, zu bekehren.
Aber was half alles dieses? Nichts.   Die natürlichen Ursachen, welche ehedem in den Menschen den Glauben an die Mythologie, wenigstens die Verehrung gegen die darauf gebauten
Ceremonien, hervorgebracht hatte, waren verschwunden, oder hatten in ihrer Wirksamkeit nach-
gelassen.   Kein von Menschen angelegter Plan,
keine künstliche Hülfsmittel konnten die Stelle derselben ersetzen.   Die Götter, ihre Verehrung, die
Ceremonien ihres Dienstes fielen immer mehr und
mehr, des Enthusiasmus und des Tiefsinns der neuplatonischen Schule ungeachtet. Und im kurzen
war kein Anhänger derselben, war kein Mensch
mehr vorhanden, der sich die geringste Mühe gegeben hätte, ihren sinkenden Kredit zu stützen.
Wer damals mehr auf den Geist der Zeit als auf
einzelne Begebenheiten Achtung gegeben hätte,
würde dies haben voraussehen und den Christen
zur Zeit Julians Muth einsprechen können.

Die Jesuiten sind es vornehmlich, welche Sie,
Th. F. und die, welche an diesem Streite mit den
Katholiken Theil nehmen, — wegen des Geistes,
der ihrem Orden eigenthümlich ist, und wegen der

gehei-

(32)

geheimen Verbindungen, die noch immer unter
ihnen fortdauern, für die gefährlichsten Werkzeuge
des römischen Despotismus ansehn.　Aber wie?
Diese Gesellschaft hat zu der Zeit, da sie nebst allen den Kunstgriffen, die ihr heut zu Tage noch offen stehn, auch noch ihre öffentlich bestätigte Macht
besaß, da sie unter einem anerkannten Oberhaupte
vereinigt war, und die Beistimmung, wenigstens
den Schutz der meisten katholischen Staaten und
Regenten genoß, sich doch nicht gegen Unfälle und
Feinde aufrecht erhalten, noch die Aufhebung ihrer
sichtbaren Existenz hintertreiben können: und jetzt,
da sie alle ihre äußre Macht verloren hat, da sie
sich bloß auf die innere Ergebenheit und den Her-
zenseifer ihrer Glieder verlassen muß; da der Zusammenhang dieser Glieder (die Quelle aller Macht
in einer Gesellschaft) wenigstens schon durch die
Heimlichkeit dieser Verbindungen sehr erschwert
werden muß; jetzt, da sie bloß auf einige, im Dunkeln, an einzelnen Orten angesponnene, und durch
keine Autorität unterstützte Intrigen eingeschränkt
ist: jetzt sollten wir anfangen sie zu fürchten? Sie
wird viel zu thun haben, ehe sie die Millionen von
Menschen, welche entweder ganz gleichgültig gegen
sie, ihre Schiksale, und ihre Absichten sind, oder
gar dem Geist, welchen sie ausbreiten will, wider-
streben, ehe sie diese gewinnen, und in ihr Garn
locken wird

Ich

(33)

Ich fürchte mich vor dem was so heimlich geschieht, gar nicht: *) so wie ich auch, ich gestehe es,
wenig davon hoffe. Nur die Gewalt ist es, die
ich fürchte; nur die Aufklärung, und die deutliche
jedermann offen dargelegte Wahrheit ist es, von
der ich etwas hoffe. Mögen Schwärmer und Abergläubische sich meinetwegen zusammenrotten; so
lange sie nur keine Soldaten zu ihrem Befehl haben: so lange bin ich ganz ruhig. Ihnen zu widerstehn, ist das beste Mittel, das Licht so viel möglich zu verbreiten. — Aber eben so wenig, besorge
ich, werden edle und verständige Menschen ausrichten,

*) Heimliche Unternehmungen können immer nur we-
nig Theilnehmer haben, oder sie scheitern bloß
schon durch die Größe der Partei, welche sich darauf einläßt. Ueberdieß, da die, welche in eine
solche geheime Verbindung treten, durch nichts bei
derselben festgehalten werden, als durch ihren innern Eifer: wie bald erkaltet dieser bei vielen!
und wie sehr veränderlich und hinfällig ist diejenige
Macht, die bloß auf dem gleichförmigen Urtheile
und den gleichen Neigungen Vieler, besonders in
Absicht dunkler und ungewisser Gegenstände, beruht! Selbst von den eigentlichen Staatsverschwö-
rungen sind die allerwenigsten gelungen; und doch
ist hier ein nahes und sinnliches Interesse, es sind
starke Leidenschaften, welche die Unternehmer entflammen. Aber von den moralischen Verschwörun-
gen, gegen die gesunde Vernunft, gegen die Tugend, gegen eine reine Religion, haben wir gewiß
gar nichts zu fürchten. Diejenigen, welche so was
unternehmen, sind weit mehr Thoren und Schwach-
sinnige als Boshafte.

ten, wenn ſie durch geheime Geſellſchaften Wahrheit und Glükſeligkeit verbreiten wollen. Was
nuzzen, und in einem großen Umfange in einem
hohen Grade nuzzen ſoll, muß offenbar geſchehn, oder
es muß doch wahrhaftig offenbar werden. Denn
das kann an keinem Menſchen verborgen bleiben,
ob er glüklicher und ob er weiſer geworden iſt als
zuvor, oder nicht. Deſſen muß er ſich vor allen
Dingen ſelbſt bewußt ſein, das müſſen ihm doch
auch Andre anmerken. Jede wahre Aenderung die
mit einem Menſchen vorgeht, iſt nothwendig ſichtbar. Wenn er neue Einſichten bekömmt, ſo redet
er klüger, zuſammenhängender, bündiger; wenn
er eine neue Quelle von Glükſeligkeit erhält, ſo
wird er ruhiger, heitrer, menſchenfreundlicher.
Und das alles ſoll eine Geſellſchaft; nicht nur unter ihren Gliedern, ſondern auch in der übrigen
Welt ausrichten und verbreiten: und doch ſoll
nichts davon bekannt werden? Das ſcheint mir unmöglich. — Doch ich unterfange mich nicht, das
Siegel der völligen Gewißheit auf dieſe Ideen zu
drükken: da ich mich ſelbſt weder für weiſe noch
für gut genug halte, um völlig einſehen zu können,
auf wie vielerlei Weiſe man das eine oder das andre
werden könne. Ich ſage nur, was mich jezt meine
Vernunft lehrt, und was meinen eingeſchränkten
Einſichten gemäß iſt. Selbſt die, welche anders
denken, werden, was in dieſen Behauptungen meiner Unwiſſenheit zuzuſchreiben iſt, verzeihen, und
                                                was

(35)

was von meinen redlichen Absichten zeigt, billigen.

Ich kehre zu meiner Materie zurück. — Nichts,
wie es mich dünkt, hat Sie, theuerster Freund,
und die Ihnen gleichdenkenden Männer, mehr gegen das System der katholischen Kirche aufgebracht,
nichts scheint ihnen eine so nothwendige Quelle von
Tyrannei über die Gewissen, von Verfolgung und
Intoleranz zu sein, als der Glaubensartikel, nach
welchem sie ihre Lehre für die alleinseligmachende
hält. Sie beweisen, daß sie dieses sich angemaßt
habe, beinahe zu umständlich. Denn wer kann
daran zweifeln? — Indeß diese Behauptung allein,
wenn nicht andre Ursachen von Religionseifer hin-
zukommen, könnte den vermeinten Rechtgläubigen
eben sowol mitleidig als verfolgend gegen die Ir-
renden machen. Denn die beiden Sachen können
doch wohl unmöglich bei einander bestehen, eigent-
licher Haß gegen andre, und die Begierde sie selig zu machen. Bedenken Sie dabei, daß dieses
ehedem allen christlichen Parteien gemein gewesen
ist. Es werden sich gewiß lutherische Predigt-
bücher, und theologische Kompendien finden, wo
es eben so gewiß behauptet wird, daß man in
der reformirten und katholischen Kirche nicht selig
werden könne. Es ist sogar dies noch jetzt die Meinung vieler Lehrer von beiden protestantischen Kirchen. Auch ist es in der That unmöglich, daß jemand den positiven Lehren der Partei, welcher er

C 2   zuge-

(36)

zugehört, einen entschiedenen Vorzug beilege, ohne
daß er zugleich glaube, die Annahme derselben trage
zur geistigen und folglich auch zur ewigen Glükseligkeit etwas bei, deſſen diejenigen entbehren,
welche dieſe Lehren verwerfen. Der Unterſchied
beſteht alſo nur in dem mehr oder weniger. Die
Ausſchließung der Andersdenkenden von derjenigen
Seligkeit, welche der Zwek der Religion iſt, iſt
jeder Partei um ſo viel mehr eigen, je einen gröſ-
ſern Werth ſie überhaupt auf ſpekulative Lehrſätze,
und alſo auf das Unterſcheidende ſetzt, — um deſto
weniger, je mehr ſie alle Glükseligkeit, zeitliche und
ewige, von Verbeſſerung des Verſtandes und Herzens erwartet.

Alles was Sie uns aus Geſchichtbüchern und
Kirchenlehrern, von dem Bannfluche, der über
die Kätzer am grünen Donnerſtage ausgeſprochen
wird, von dem heimlichen Proceſſe und von allen
Gräueln der Inquiſition, anführen, die Lobſprüche
welche die Päpſte der Pariſer Bluthochzeit ertheilt
haben, der Eid, den ſie ſich von den Biſchöfen lei-
ſten laſſen, alles dies giebt ein ſchrekliches Bild
von der ehemaligen Sklaverei der chriſtlichen Völker. Aber ob es gleich neuen Eindruk macht, wenn
Denkmäler davon in den Quellen aufgeſucht werden, ſo wird uns doch dadurch nichts unbekanntes gelehrt, nichts, was uns in Abſicht unſrer
jetzigen Lage einen größern Aufſchluß gebe. Das
ſagt ja die Geſchichte auf allen Blättern, daß der
Papſt

(37)

Papst ehedem wirklich der Herr der Welt hat sein
wollen, und gewissermaßen gewesen ist; obgleich
auch schon damals diese Herrschaft, so wie alle,
welche nicht auf großen Besitzungen, sondern bloß
auf der Meinung der Menschen beruht, schwan-
kend, und in kleinen Zeiträumen veränderlich war,
stieg und fiel, so wie die Regenten oder die Päpste
mehr oder weniger Geist, Muth und Glük hatten.
Aber folgt denn daraus, daß der Papst auch noch
jetzt dieser Herr sei, oder daß es möglich sei, daß
er es je wieder werden könne? Eher glaube ich,
wird irgend ein neuer Despot der Menschheit aufstehn. Aber dieser vom Thron gestoßene wird es
nie wieder werden.

Die Congregatio de propaganda fide mag in
der That mehr Reichthum und mehr Gelehrsamkeit zu ihrem Gebote haben, als irgend eine andre
Missionsanstalt; und ihr Geschäft, welches sie
auch auf keine Weise verbirgt noch verleugnet, geht
ohne Zweifel dahin, den Saamen des Katholicismus eben sowol in protestantischen Ländern, als
in Ländern der Muhammedaner und Heiden aus-
zustreuen. Aber war diese Congregatio überhaupt
zu der Zeit nöthig, oder würde sie sich damals mit
Kätzern abgegeben haben, als die Macht des Papstes noch bestand, als man diese letztern nicht bloß
für Ungläubige hielt die man bekehren, sondern
für Rebellen die man zum Gehorsam bringen müsse?
Ist nicht jene Missionsanstalt mehr eine Stütze,
um ein sinkendes Gebäude, wo möglich, aufrecht

(38)

zu erhalten, als ein Beweis, daß dieses Gebäude
noch feſt ſtehe oder daß es jemals auf feſten Pfei-
lern wieder werde aufgerichtet werden?

Herr Nikolai hat in Linz ein Nordiſches Stift
gefunden, beſtimmt zur Erziehung junger katholiſcher Schweden, Dänen, Norweger, die künftig
Miſſionarien in dieſen Ländern ſein ſollen. Ich
ſage katholiſcher; denn der Umſtand, daß auch zuweilen Kinder proteſtantiſcher Familien aus den
genannten Reichen, in dieſes Inſtitut gebracht
werden, iſt nach Hrn. Nikolais Ausdrükken ſelbſt,
keine bewieſene Thatſache. — Ich weiß nicht, ob
dieſe Anſtalt in jenen Reichen, von welcher ſie den
Namen hat, unbekannt ſein mag. Den meiſten
deutſchen proteſtantiſchen Leſern der Nikolaiſchen
Reiſen iſt ſie neu, und eben deswegen fähiger geweſen, Beſorgniſſe zu erregen. Aber was in Abſicht der katholiſchen Miſſionsanſtalten für die Nordiſchen Königreiche eine Entdekkung zu ſein ſcheint,
iſt in Abſicht der für die Großbritanniſchen eine
ſowol auf dieſen Inſeln als in ganz Europa bekannte Sache. Selbſt Herr Nikolai gedenkt der
Schottiſchen Kollegien und Klöſter in den Nieder-
landen und Deutſchland. Auch in Frankreich, und
ſo viel ich weiß in Spanien giebt es geiſtliche Stiftungen für Irrländer und Schotten beiderlei Geſchlechts. Ohne Zweifel mögen zu der Zeit, als
noch in Großbritannien ſelbſt viele eifrige und
reiche Katholiken mit den Miſſionarien gemein-
schaft-

(39)

schaftliche Sache machten, auch manche Bekehrungen in diesen Instituten oder durch Zöglinge derselben bewirkt worden sein. Ueberhaupt haben die
Päpste an der Wiedereroberung keines Landes so
eifrig gearbeitet, in keinem sind so viel heimliche
Intrigen, so viel offenbare Angriffe gegen die protestantische Religion gemacht worden als in Groß-
brittannien. Alles was die Geschiklichkeit, die List
und der Einfluß der Jesuiten vermochte, ist daselbst versucht worden. Aber ist dadurch etwas beträchtliches ausgerichtet, ist die Nation der Unter-
werfung unter den Papst um einen Schritt näher
gebracht worden? Und da dieses zu einer Zeit nicht
geschehen ist, da das Papsthum noch viel von seiner alten Stärke, und der Protestantismus noch
die Schwäche einer entstehenden Partei hatte: hat
wohl England, — hat der protestantische Norden
jetzo noch Ursache, sich im mindesten vor den Ueber-
resten jener alten Stiftungen und Bemühungen
zu fürchten? *)

C 4   Auch

*) Die Reisen des Herrn Nikolai sind mir sehr
   schätzbar wegen des mannichfaltigen Unterrichts,
   den ich besonders in den drei letzten Theilen daraus geschöpft habe; sie zeigen von einem Fleiße,
   von einem Untersuchungsgeiste, und auch von so
   vielfachen Kenntnissen des Verfassers, daß ihm die
   Achtung aller Unparteiischen dadurch zugezogen
   werden muß. Aber in dem was er von den Katholiken sagt, kann ich nicht allenthalben mit ihm
   gleich denken. Es kömmt mir vor, daß er, der
   von Jugend auf in einem ganz protestantischen
                                              Lan-

(40)

Auch mitten in protestantischen Ländern, sagt man, giebt es, von niemanden gekannte Seminarien katholischer Priester. Ich gestehe, ich habe Mühe mich davon zu überreden. Ich begreife nicht, wie es möglich sei, Sachen der Art lange Zeit verborgen zu halten. Aber gesetzt, es gebe solche Seminarien: wie fängt es denn nun diese katholische Predigerjugend an, um das Werk wozu sie erzogen ist, auszuführen? Als katholische Geistliche dürfen sie sich doch gewiß nicht an Protestanten

Lande gelebt hat, durch die Neuheit des katholischen Gottesdienstes, und der einem solchen Gottesdienste eignen Andacht, zu sehr frappirt worden sei. Diejenigen, die, wie ich, den größten Theil ihrer Lebenszeit in einer zwischen Protestanten und Katholiken getheilten Stadt zugebracht haben, werden freilich weit weniger zur Aufmerksamkeit auf die Besonderheiten des Gottesdienstes der letztern gereizet; wir werden weniger durch das Abstechende desselben von dem unsrigen beleidigt: aber wir lernen doch vielleicht durch den beständigen Umgang mit Katholiken besser den Einfluß kennen, den diese Andachtsübungen auf den Verstand und den Charakter der Personen haben, welche dieselben treiben. Und da werden wir gewahr, wenigstens ist es meiner Erfahrung gemäß, daß die Anmerkung Fergusons (Gesch. der röm. Republ. Deutsch. Ueb. Th. I. S. 243.) in Absicht der Religion der alten Römer auch bei der neurömischen Religion bestätigt wird, nämlich: je willkührlicher die Uebungen einer Religion sind, je mehr dieselbe in bloßen Gebräuchen besteht, desto weniger von ihr und ihrem Charakter auf die Menschen und die Beschaffenheiten der Menschen zu schließen sei, welche

(41)

ten in einem protestantischen Lande wenden. Wenigstens werden die Fälle äußerst selten sein, wo
sie Eingang finden. — „Aber es ist ihnen erlaubt,
„sich für Protestanten auszugeben, und unter die-
„ser Gestalt werden sie auf protestantische Lehr-
„stühle und Kanzeln berufen.“ Wenn dieser Fall
je statt gehabt hat, wovon doch die Beweise fehlen;
so ist es gewiß ein einziges Beispiel seiner Art,
welches durch eine Zusammenkunft wunderbarer

C 5   Um-

welche sie bekennen. Diese Gebräuche können für
uns etwas thöricht scheinendes haben: und die
Menschen können doch dabei viel Vernunft besitzen.
Jene Religionsübungen können uns scheinen von
der Moralität abzuführen: und die, welche sie vornehmen, können streng gewissenhafte Menschen sein.
Nur die, welchen es an aller Energie der Seele
fehlt, ganz sinnliche, ganz charakterlose Menschen,
werden von den bloßen Gebräuchen und Uebungen
der Religion, welcher sie anhängen, gebildet. Bei
den übrigen, ist eine solche Religion zwar unkräf-
tig zu ihrer Vervollkommnung, aber unschädlich.
Um dieser Erfahrung willen, gestehe ich, sind mir
die zu ausführlichen, oft mit etwas starken Farben
ausgemalten Schilderungen katholischer Andächti-
gen nicht ganz angenehm gewesen; um so mehr,
weil ich geglaubt habe, sie müßten katholischen Lesern wehe thun. Dieser erste allzu lebhafte, und
vielleicht auch allzuwidrige Eindruk der katholischen
Gebräuche, hat wie mich dünkt, den scharfsinnigen
Reisenden weiter geführt, auch allen Anstalten dieser Kirche, allen Schritten, welche ihre Geistlichen
thun, eine größere Wichtigkeit zu geben, und fürch-
terlichere Folgen daraus zu ziehen, als sie wirklich
haben oder veraulassen können.

(42)

Umſtände möglich gemacht worden, aber ſchwerlich
zu irgend einer Zeit wiederholet werden kann.

Daß die Bekehrungsſucht der Katholiken nach
den Lehrſätzen ihrer Dogmatik ſehr groß geweſen
iſt; daß ſie ſich zu dem Ende auch Gewaltthätigkeiten und Betrug erlaubt haben; daß der Eifer,
welcher auf dieſen Gegenſtand geht, auch noch jetzt
bei vielen ihrer Geiſtlichen größer iſt, als bei den
Lehrern andrer chriſtlichen Gemeinden: das alles
ſind Wahrheiten, welche von niemanden beſtritten
werden können. Aber iſt ihr Eifer, ihr Wunſch,
ſind auch einige Bemühungen, die ſie anwenden
mögen, uns zu bekehren, ſchon hinlänglich uns die
Furcht einzujagen, daß wir uns vielleicht, ehe wir
es uns verſehen, mitten im Katholicismus wieder
finden möchten? Auch zu der Zeit, wo die Ver-
ſuche dieſer Art viel zahlreicher, und weit kräftiger
unterſtützt waren, zu der Zeit, als der erſt neu er-
hobne Streit zwiſchen Proteſtanten und Katholiken noch beide Theile in einer Gährung erhielt, während welcher es leichter war, den Enthuſiaſmus bei
der alten, und Zweifel bei der neuen Partei zu erregen: auch zu dieſer Zeit iſt es doch den Jeſuiten
mit allen ihren Kunſtgriffen nicht immer gelungen.
Sie bekehrten freilich den König Johannes II. von
Schweden zum Papſtthum: aber Schweden wurde
deswegen nicht katholiſch. Die Nachkommen ihres
Proſelyten verloren das Königreich: und alle an-
gewandte Mühe war ohne Erfolg. Weder in England

land noch Rußland find die Versuche geglükt,
welche gemacht wurden, die katholische Religion
auf den Thron zu erheben. Einige deutsche Fürsten, größtentheils durch politische Gründe, und
durch Eigennutz, mehr als durch die Ueberredun-
gen oder die Insinuationen der Jesuiten bewogen,
find zu der katholischen Kirche übergetreten. Fälle
dieser Art können, wie ich gesagt habe, sehr wohl
wieder kommen. Aber wird dies wohl eine große
Aenderung in dem ganzen europäischen Religionssystem machen? Läßt es sich wohl denken, daß, indeß Spanien, ehedem der Sitz des blinden katholischen Eifers, des Verfolgungsgeistes und der Anhänglichkeit an den Papst, seine Grundsätze mil-
dert; da in Italien, in Frankreich, selbst in Portugal, ein großer Theil der Klerisei ungläubig und
freidenkerisch, ein andrer durch Philosophie und
Wissenschaft von dem unverständigen Religionseifer abgebracht, oder doch in demselben gestört
worden ist; läßt es sich denken, daß zu eben dieser
Zeit, in denjenigen Ländern, wo der Aberglaube
schon längst verbannt ist, wo Aufklärung und Freiheit zu denken schon einen festen Sitz gewonnen
haben, daß, sage ich, in solchen, große und wahre
Bekehrungen zu dem eigentlichen Papstthum geschehen sollten?

Alle Eiferer in der katholischen Kirche find von
zweierlei Art gewesen: erstlich solche, die wirklich
die Lehre ihrer Kirche von Herzen für wahr hielten
und

und von Bewegungsgründen einer zwar übelver=
standnen aber aufrichtigen Frömmigkeit getrieben,
Kätzereien auszurotten und Kätzer zu bekehren such=
ten, weil sie Gott dadurch einen Dienst zu thun,
und sich die Seligkeit zu erwerben glaubten.
Andre waren bloß in Sorgen für ihre Ehre, oder
für ihre Einkünfte, welche sie in Gefahr sahen,
wenn viele sich von der Kirche trennten, und daher
auch die Ergebenheit und die Verehrung gegen die
Vorsteher derselben verlören; welche sie hingegen
durch die Ausbreitung der Religion, und durch den
Eifer ihrer Bekenner vermehren zu können glaubten.
Ungeachtet es sehr wahrscheinlich ist, daß die mei=
sten von denjenigen, welche das Ruder des Schif=
fes der Kirche führten, zu der letzten Gattung ge=
hörten *): so ist doch gewiß, daß zu Ausführung
ihrer Entwürfe, zu Unterstützung des ganzen Sy=
stems, ohne welches jene Entwürfe umsonst ange=
legt wurden, die Eiferer der ersten Klasse durchaus
nothwendig waren. Eigennutz und Ehrbegierde
bringen doch keinen Enthusiasmus hervor. Es
sind immer nur kalte Leidenschaften. Nur die=
jenigen handeln blind herzhaft und sind zur Ueber=
windung großer Hindernisse standhaft genug, die
aus

---

*) Doch auch dies ist nicht allgemein wahr. Viele
   Päpste glaubten, so wie Hadrian VI. der ehema=
   lige Erzieher Karls V. bona fide, daß sie dem Be=
   fehle Gottes gehorchten und die Ehre Christi ver=
   theidigten, indem sie die Autorität des römischen
   Stuhls aufrecht zu erhalten bemüht wären.

(45)

aus Drang ihres Herzens, und um der Sache
selbst willen, die sie vorhaben, handeln. Nun
mag in der römischen Klerisei derjenige Religionseifer oder vielmehr derjenige Parteigeist, welcher
jene gemeinen Triebfedern menschlicher Handlungen, Interesse und Stolz, zum Grunde hat, noch
der alte sein: aber der Eifer, welcher aus Ueberzeugung entsteht, ist bei vielen erloschen, bei allen
kalt. Und ohne diesen, getraue ich mir zu behaupten, ist von keinem Menschen, von keiner
Gesellschaft je etwas großes und schweres ausgeführt worden. Die Maschine des Bekehrungs-
wesens, wenn ich es so nennen darf, ist in den
katholischen Ländern, vorzüglich in Rom noch im
Gange: aber es belebt sie nicht mehr der alte
Geist. Es sind bloß politische Absichten, welche
die dabei Mitwirkenden in Bewegung setzen: und
doch sollen diese Absichten, durch Lehren, Predigen, durch Ueberzeugung oder Ueberredung andrer
erreicht werden. Das wird schwerlich gelingen.
Was nicht aus dem Herzen kömmt, geht nicht
zu Herzen. Wenn man die Welt etwas glauben
machen will, was man selbst nicht mehr recht
fest glaubt: so muß man das Schwerdt zu Hülfe
nehmen; und Gottlob die Missionarien keiner
Kirche haben dieses mehr zu führen.

Ich sehe sehr wohl ein, daß alles dies nichts
als Räsonnement ist: und daß Thatsachen dadurch
nie widerlegt werden. Aber diese Thatsachen die
man

(46)

man dagegen anführt, sind doch auch nicht in
Menge, sie sind noch nicht nach allen Umständen
aufgeklärt, oder sie haben in diesen Umständen so etwas eigenthümliches, daß sie nur einzig in ihrer Art sein können. Und dann ist das
Fürchterliche, welches man dabei zu entdekken
glaubt, auch mehr daraus geschlossen, als es wirklich darin gesehen und wahrgenommen wird. —
„Ex ungue leonem, sagt man. Aus diesen Faktis,
„welche bekannt werden, kann man schließen, was
„unbekannt geschehn mag." Ich für mein Theil
lasse die Fakta unangefochten: aber gegen diesen
Schluß ziehe ich zu Felde. Ich glaube auch in diesem Fache, worin so viel Wunderbares vorkommt,
nicht mehr als was ich sehe. Und da, so weit mein
Gesichtskreis reicht, der Zustand der Dinge noch
unverändert ist, da ich gewahr werde, daß das Studium der Geschichte, der Sprachen, einer vernünftigen Bibelauslegung, und der Philosophie, noch
allenthalben im Gange ist, daß es sich auch in katholischen Ländern immer mehr ausbreitet: so ist
mir gar nicht bange, daß gegen diese offenbar und
gleichförmig fortwirkenden Ursachen, die dem Aberglauben entgegen arbeiten, die geheimen Intrigen
und Ränke seiner Vertheidiger, von denen ich nichts
gewahr werde, die ich aber gerne für historisch bewiesen will gelten lassen, obsiegen werden.

Unter allen den Geschichten, die das vermeinte
Bekehrungswerk der Katholiken beweisen sollen,
ist

(47)

ist keine auffallender, keine läßt feiner gelegte
Schlingen, oder weiter aussehende Absichten vermuthen, als die von dem protestantischen Diakonus,
welcher sich die Priesterweihe hat geben lassen. Ich
muß also auch darüber schon noch meine Gedanken
zur Prüfung vorlegen. — Ich gestehe, daß die
Auslegung die man von derselben machen, und die
Absicht, welche man den Urhebern dieses Auftritts
zuschreiben kann, noch immer zweideutig ist. Der
Verfasser der Nachricht erklärt sie so: daß katholische Emissarien sich der Schwärmerei, die in gewissen geheimen Gesellschaften herrscht, bedienen,
um Proselyten zu machen. Es ist aber noch eine
andre Art möglich, sich diese Begebenheit vorzustellen: und ich gestehe, daß diese mir als die wahr-
scheinlichste vorkömmt. Es kann sein, daß nicht
der Aberglaube sich der Schwärmerei, sondern daß
sich die Schwärmerei des Aberglaubens bedient
habe. Wenn in den Gemüthern die Liebe zum
Wunderbaren und der Glaube daran erregt worden; wenn man sich mit geheimen Künsten abgiebt
und durch seltsame Handlungen hoft, entweder
große Aufschlüsse über die Natur der Dinge, oder
große Kräfte zu Aenderung derselben zu erhalten:
so ist es ganz natürlich, daß man für alles was auch
dunkel, geheimnißvoll, und zugleich durch sein Alterthum ehrwürdig ist, eine Achtung bekömmt; daß
man sich leicht überredet, darin vielleicht neue Hülfsmittel zu seinem Vorhaben, oder eine neue Quelle

von

von Erleuchtung zu finden. Die Ceremonien des
katholischen Gottesdienstes, namentlich auch die
Priesterweihe, sind von der jetzt gedachten Art.
Sie sind Handlungen, die bei dem ersten Anblikke
wenig zu bedeuten, und ohne Wirkung zu sein scheinen, und die doch nach einer pünktlichen Genauig-
keit Jahrhunderte durch in der Christenheit beobachtet, und für unentbehrlich zur Vollgültigkeit
der den Priestern obliegenden geistlichen Handlungen gehalten worden. Diese Gebräuche selbst, der
Glaube von ihrer hohen Wichtigkeit sind so alt,
daß in der That der Ursprung von beiden mit dem
Ursprunge der christlichen Religion zusammen trift,
oder sich in der Dunkelheit der ersten Jahrhunderte
verliert. Was ist also leichter, als daß Leute, die
an die Kraft sinnlicher oder symbolischer Handlungen, zu Erhaltung eines Einflusses über die Geisterwelt, glauben, diese so alten, so lange in der
Christenheit fortdauernden, so lange verehrten Symbole und hieroglyphischen Gebräuche mit in ihr System ziehn, und sie mit denen, welche dem letzteren
eigenthümlich sind, zu verbinden suchen? Vielleicht
hatten sie auf dem Wege ihrer eignen selbst er-
fundnen Schwärmerei, weder das Licht noch die
Erhöhung ihrer Kräfte gefunden, welche sie davon
erwarteten. Einige der Mitglieder dieser Gesellschaft waren von der katholischen Kirche. Der Lehr-
satz von dem unverlöschlichen Charakter den die
Priesterweihe geben soll, oder mit andern Worten,
                                              von

(49)

von einer gewissen unsichtbaren aber großen und
dauerhaftn Veränderung, die mit der Person,
welcher sie ertheilt wird, vorgeht, dieser Glaubensartikel konnte den gedachten Mitgliedern ein
bedeutender Wink zu sein scheinen, der ihnen nach
dem Ziele wornach sie strebten, vielleicht eine neue
Bahn zeigte.   Es ist bekannt, daß Schwärmer
jede Aehnlichkeit, die sich zwischen ihren Ideen oder
ihren Gebräuchen und irgend einem alten Institut
findet, für hinlänglich halten, um anzunehmen,
daß beide im Wesentlichen einerlei sind.   Was ist
also natürlicher als daß einer oder der andre darauf verfalle, die Ceremonien dieser alten Institute
zu versuchen, um zu sehen, wie viel dadurch ausgerichtet werden könne?

Es wäre freilich nöthig, von den Umständen
des erzählten Falles weit genauer unterrichtet zu
sein, um mit einiger Gewißheit angeben zu können:
welches von beiden der Bewegungsgrund zu dieser
seltsamen Unternehmung gewesen; ob die Vorsteher durch die Priesterweihe eines Mitgliedes ihrer
geheimen Gesellschaft ehrlicher Weise die Absichten
derselben zu befördern hofften, oder ob sie diese Absichten bloß vorgaben, um jenen armen Prediger
zur Annahme der Priesterweihe zu bewegen, und
auf diese Weise einen katholischen Priester mehr zu
machen.   Ich gestehe zwar, daß das erste nicht ohne
Schwierigkeiten ist, aber das letzte scheint mir doch
noch in höherm Grade unwahrscheinlich.   Wenigstens ist das Unternehmen so thöricht, so ohne
Nutzen, und der schlechte Erfolg desselben, der am
Ende wirklich sich zeigte, war so leicht vorauszu-
sehn, daß, wenn alle Emissarien der römischen
Kirche so zweklos, so einfältig handeln, wir von
allem was sie in diesen finstern Zusammenkünften
der Schwärmerei vornehmen möchten, wenig wür-

(50)

den zu befürchten haben. — Erstlich glaube ich,
daß, wenn sie wahre Katholiken waren, sie unmöglich einem evangelischen Prediger, der bei dem Be-
kenntniße seiner Religion blieb, die Priesterweihe
geben konnten.   Das muß in den Augen aller
ächten Bekenner der katholischen Religion, ewig
ein Sakrilegium scheinen.   Denn daß der Papst
demjenigen, welcher im Herzen wirklich ein Katholik ist, wenigstens das Bekenntniß von den Glaubenslehren dieser Religion abgelegt hat, die Erlaubniß ertheilen kann, ein Protestant, vielleicht
sogar ein Unchrist zu scheinen, um unter dieser
Maske die Ausbreitung des katholischen Glaubens
besser zu befördern; das gebe ich zu, wenigstens
will ich es nicht bestreiten. Aber daß ein simpler
Bischof demjenigen, welcher nach seinem Glauben
wirklich ein Protestant, ein Kätzer, gar ein Unchrist ist, von welchem er dieses weiß, zum Priester
weihen, daß er ihm sogar ausdrüklich erlauben
könne, in seiner Kätzerei zu beharren, und derselben
gemäß zu denken und zu lehren; daß er gerade das
Widerspiel von dem thue, dessen der Papst zuvor
beschuldiget wurde, ich meine, daß er jemanden
zum Schein zum katholischen Priester mache, indem er ihn in der That einen Lutheraner sein läßt;
das, glaube ich, ist allen Grundsätzen, allen Gewohnheiten der römischen Kirche und Klerisei zuwider, und gewiß zu ihren Absichten nicht beförderlich. — Und wenn es ein katholischer Bischof
war, der diese Weihe verrichtet hat, (denn konnten nicht auch vielleicht boshafte und zügellose Leute
mit einem einfältigen Gutherzigen Spott treiben?)
so war es gewiß einer, der durch die größre Gewalt, welche diese neue Schwärmerei über sein
Gemüth bekommen, (wie es in solchem Falle oft
geschieht) gegen seine alten Grundsätze laulicht ge-
wor-

worden war, oder sie ganz verfälscht hatte, um sie
mit diesem neuen System in Uebereinstimmung zu
bringen.   Denn wenn es nun ein wahrer Prose-
lytenmacher war: was dachte er wohl, daß aus
seiner ganzen Unternehmung herauskommen sollte?
Ein protestantischer Geistlicher, durch keine Gründe
von der Wahrheit der römischen Unterscheidungslehren überzeugt, durch keine Zuredungen für sie
gewonnen, durch kein Versprechen verbunden, sie
heimlich oder öffentlich auszubreiten, kurz unverändert in seinen religiösen Grundsätzen, und in
seinen Verpflichtungen, hatte nun die Tonsur auf
dem Kopfe.   Glaubte der Bischof, daß wenn der
Diakonus einmal diese äußren Zeichen der geistlichen Würde einer andern Religionspartei an sich
trüge, er auch nach und nach Neigung gegen die
Lehren und die Gebote derselben erhalten, und daß
er endlich in seinem Herzen ein Katholik werden
würde, wie er es auf seiner Scheitel zu sein schien?
Und nun gesetzt, dies wäre der Erfolg gewesen,
wozu gar keine große Wahrscheinlichkeit vorhanden
war, wozu die Urheber dieser Scene gar keine Bemühungen angewandt hatten; gesetzt also, dieser
Neubekehrte hätte nun ferner gesucht, neue Proselyten unter seiner Gemeinde zu machen: was
würde anders als die Absetzung dieses Geistlichen
die Folge gewesen sein, so wie der Rektor Seyboth
in Oderberg abgesetzt wurde? Oder hätte er fort-
hin seine Religionsveränderung vor den Seinigen
und vor seiner Gemeinde so sorgfältig verbergen
sollen, als er ihnen seinen beschornen Kopf ver-
barg? Nun so wäre die Ausbreitung der katholischen Religion die einzige denkbare Absicht, dieser
Unternehmung, durch ihn nie befördert worden.
Man sieht, wie sehr seine Verwandten erschraken,
als sie in seiner Krankheit die Tonsur auf seinem

(52)

Köpfe gewahr wurden. Würden Sie weniger er-
schrekken sein, wenn sie ihn einmal von der Macht
des Papstes oder von der Anbetung der Heiligen
hätten predigen hören? — Mit einem Worte, ich
mag dieses Faktum betrachten, von welcher Seite
ich will, so scheint es mir mehr eine Verirrung der
Schwärmerei, als ein nach einem Plane gemach-
tes Unternehmen der Bigotterie zu sein. Unter
dem ersten Gesichtspunkte läßt es sich einigermas-
sen, wenn auch nicht völlig, begreifen: *) unter
dem andern ist es so unzusammenhängend, so ohne
alle Motive, daß man eher geneigt wird, an der
Wahrheit der ganzen Geschichte zu zweifeln, ehe
man sich dahin bringen kann, eine solche Erklärung
derselben anzunehmen.

Eine andre mehr öffentliche Thatsache ist die
Verbindung einer Gesellschaft in Deutschland, die
an der Wiedervereinigung der christlichen Parteien arbeitet. Noch vor kurzem haben wir in den
öffentlichen Blättern eine Bekanntmachung derselben gesehen, die in der That seltsam und auffallend

*) Man kann sagen: „der Bischof konnte nicht in
„der Unwissenheit sein, wie viel die Priesterweihe
„zur Beförderung jener gesellschaftlichen End-
„zwekke beitrüge: denn er hatte sie ja selbst.
„Warum mußte es gerade der protestantische Pre-
„diger sein, den er mit diesem Geschenke begün-
„stigen wollte? Warum theilte er es nicht andern
„Mitgliedern mit, deren vielleicht einige zu seiner
„Kirche gehörten aber keine Priester waren? Die
„von mir gegebne Erklärung hätte mehr Schein,
„wenn protestantische Schwärmer selbst darauf ge-
„fallen wären, einem aus ihrer Mitte die Weihe
„von einem katholischen Bischofe geben zu lassen,
„wenn anders ein solcher dazu zu bewegen gewesen
„wäre. Aber da Katholiken, da ein Bischof die-
„sen

(53)

lend genug war. Der Ton kündigte eine so große
Zuversicht der Unternehmer auf die baldige Vollendung ihres Werks an; sie schienen mit den großen
Titeln aller der Personen, die vorgeblich daran Antheil haben sollten, so prahlen zu wollen; und dies
alles war mit einem so geheimnißvollen Wesen verbunden, daß der Aufsatz nothwendig sehr verschiedne
Eindrükke bei den Lesern machen mußte, nachdem
jeder einen andern Gesichtspunkt davon ins Auge
faßte. Der Gesichtspunkt, in welchem die Sache
von denjenigen Personen angesehen wird, deren
Meinungen ich bisher bezweifelt habe, ist der: daß
katholische Bekehrer die ersten Urheber oder die
eifrigsten Beförderer dieses Vereinigungsplans
sind, daß sie sich der Schwäche einiger protestantischen Geistlichen oder angesehner Laien bedienen,
um sie unter dem Scheine einer gegenseitigen Nä-
herung, in der That zur Rükkehr in den Schooß
der römischen Kirche geneigt zu machen; und daß
sie endlich, indem sie eine Vereinigung mit den Protestanten betreiben, dabei nichts als die Bekehrung
derselben zur Absicht haben. — Von der Ge-

D 3   schich-

„sen Gedanken zuerst auf die Bahn brachte; da sie
„sich mit demselben nicht an alle, sondern gerade
„an dieses Individuum wandten: so mußten sie
„sich ganz andre Endzwekke vorsetzen, als die sie
„vorgaben." Diese Schwierigkeiten kann ich
freilich nicht heben. Aber jene Erzählung ist noch
bei weitem nicht umständlich, und das Faktum bei
weitem nicht aufgeklärt genug, um uns in den
Stand zu setzen, nach irgend einer Hypothese alle
Fragen der obigen Art zu beantworten. Nach dem
was man bis jetzt von der Sache weiß, wende man
sich auf eine Seite, auf welche man wolle: die
Bewegungsgründe und Absichten der handelnden
Personen, wenn sie ernsthafte Männer, nicht muth-
willige Spötter waren, sind nicht zu errathen.

(54)

schichte dieser Gesellschaft, ihrer Entstehung, der
Zahl ihrer Glieder, der Weite ihres Fortganges
weiß ich in der That zu wenig, um urtheilen zu
können, was ihre wahre Absicht sei. Aber dessen
bin ich aus der Natur der Sache gewiß, daß, welche
unter beiden sie auch sein mag: Einförmigkeit der
Religionsparteien durch gegenseitiges Nachgeben
aller, oder durch den Sieg der einen über die
übrigen hervorzubringen; sie doch keine von beiden
erreichen wird, wenn sie auch mit noch mehr Kaisern, Königen, Bischöfen und Gelehrten korrespon-
dirte, als jetzo in Europa oder auf der ganzen Erde
vorhanden sind. Ich wünschte nicht gerne irgend
einen guten frommen Mann, der vielleicht zu dieser Gesellschaft gehören mag, zu beleidigen. Aber
da ich einmal diese Materie berühre, so muß ich
meine Meinung frei heraus sagen. — Es ist unmöglich, daß der Gedanke zu einem dergleichen Unternehmen andern Leuten einkommen kann als solchen, die entweder nicht die Fähigkeiten haben die
Natur desselben zu beurtheilen, oder nicht die Zeit
darauf wenden, darüber nachzudenken. Denn, wie
kann eine völlige Gleichheit der Meinungen über
unsichtbare Gegenstände, über spekulative und geheimnißvolle Lehrsätze erhalten werden? Nicht anders, als indem die Menschen ganz aufhören darüber nachzudenken, und sich bloß begnügen Formu-
lare wörtlich, in Gedanken und mit ihrem Munde
zu wiederholen. Gesetzt dies geschähe: so wären
die Menschen eben dadurch erniedrigt, verschlech-
tert, indem sie sich bei den wichtigsten Sachen mit
Worten behülfen, indem sie ihrem edelsten Rechte,
dem Rechte über jeden Gegenstand der sie interessirt,
nachzudenken, entsagten. Aber daß es geschehe, ist
auch ganz unmöglich, da es eben so wenig in eines
Menschen oder einer Gesellschaft Gewalt steht, die,
                                              welche

(55)

welche unfähig zu unsinnlichen Begriffen sind, zum
Nachdenken über geistige und moralische Sachen
plötzlich zu bringen, als die welche jener Begriffe
fähig und nach denselben begierig sind, von diesem
Nachdenken abzuhalten. Gesetzt, daß in diesem
Augenblicke Gott den Menschen durch ein Wunder-
werk eine ganz gleiche Ueberzeugung von allen geheimnißvollen Lehren der Religion, und auch ganz
gleiche Begriffe von derselben gebe, aber sie von
diesem Augenblicke an dem Einflusse der natürlichen
Ursachen aufs neue überließe: so würde in einigen
Stunden darauf, diese Einheit des Glaubens schon
wieder gestört sein; weil in dieser kurzen Zeit, gewiß
jeder schon andre Empfindungen oder andre äußre
Erfahrungen gehabt hätte, durch welche er auf
eine andre Betrachtungsart jener Gegenstände gebracht oder zu derselben wenigstens vorbereitet
worden wäre. Selbst in Sachen, die der Untersuchung der Sinne unterworfen sind, bringt die
Ungleichheit in der Schärfe und Richtigkeit der
Organe, in den vorhergegangnen Uebungen, in der
Aufmerksamkeit, in den damit verbundnen allgemeinen Kenntnissen eine große Verschiedenheit der
Urtheile hervor. Diese wird noch größer da, wo —
zwar bloße gesunde Vernunft und moralische Empfindung, — aber doch über unsinnliche Gegenstände, über Handlung, Sitten, oder Werke des
Geschmaks entscheiden soll. Und nun will man,
daß die Menschen darüber gleichförmig und standhaft gleich denken sollen, wo sie von allen diesen
Hülfsmitteln am meisten verlassen, nur nach der
entferntesten Analogie und den feinsten Abstraktio-
nen urtheilen können? Oder will man diese Gleichheit bloß in dem öffentlichen Gottesdienste, in den
Gebräuchen, nicht in den Meinungen hervorbringen? Wer sieht nicht, daß Ceremonien mit den Mei-
                    D 4   nun-

(56)

nungen zusammenhängen? Welcher vernünftige
denkende Mensch wird wohl seine Religionsübungen
mit neuen Gebräuchen, welche er nicht von seinen
Vätern geerbt hat, überhäufen, wenn er dieselben
für unnütz und unbedeutend hält? Wenn also Eine
Religionspartei die Gebräuche einer andern annehmen soll, so muß sie dahin gebracht werden, zu glauben, daß sie ehrwürdig sind. Und wodurch werden sie ehrwürdig als entweder durch die Ueberzeugung, die man von ihrem göttlichen Ursprunge und
ihrer göttlichen Kraft hat, oder durch Alterthum
und durch die Gewohnheit? Handlungen, die nicht
bloße Symbole sein sollen, sondern eine übernatürliche Kraft haben, macht man nicht mit, wenn
man nicht ihnen diese übernatürliche Kraft zuge-
steht; Handlungen, die nichts als Symbole sein
sollen, sind einem aufgeklärten Manne nie wichtig
genug, um daß er noch neue zu denen hinzufügen
sollte, welche er in dem Gottesdienste seiner Gemeinde vorgefunden hat. Daher ist es weit leichter, Gebräuche abzuschaffen als neue einzuführen:
und wenn eine Veränderung dieser Art vorgehn
soll, so ist es weit wahrscheinlicher, daß, ohne Zuthun
irgend einer Gesellschaft, sich der römische Gottesdienst dem lutherischen, und der lutherische dem reformirten nähern werde, als daß letzte Parteien mehr
von der äußern Form der erstern annehmen sollten.

So viel also zur Beurtheilung dieses Unterneh-
mens selbst. — Es erhellt aber auch zugleich daraus meine Meinung in Absicht der obengedachten
Erklärung desselben, welche eigentlich allein zu der
hier behandelten Materie gehört. Nämlich, ich
habe Data genug, zu sehen, daß schwache und wenig aufgeklärte Personen von mehrern Parteien sich
zu Ausführung eines schimärischen Plans vereinigt
haben: aber ich habe nicht Data genug, woraus
                                            ich

ich schließen sollte, daß es nur Glieder der Einen,
der katholischen, Partei hauptsächlich wären, welche
dieses Unternehmen in Gang gebracht hätten, daß
diese ersten Urheber und Direktoren nicht schwach,
sondern listig und boshaft wären, und mit dem
schönen Namen der Religionsvereinigung nur blen-
deten, um die Projekte ihrer Herrschsucht auszuführen.   Noch haben wir unter denen, die sich von
dieser Gesellschaft genannt, keinen Namen gesehen,
der Aufmerksamkeit auf sich zöge; noch haben wir
unter den Sachen, die sie bekannt gemacht haben,
nichts gesehen, das von Einsicht, von Kraft zeigte,
oder auch nur heimliche List vermuthen ließe.
Es ist Spreu, die der Wind verwehn wird.

Es ist wahr, daß in jeder Religionspartei nur
zwei Arten von Lehrern im Ernst an die Arbeit einer
solchen Vereinigung denken können: erstlich die,
welche durch eine gewisse Art der Schwärmerei
Indifferentisten geworden sind (man weiß, daß die
Mystici es von jeher gewesen); oder diejenigen,
welche die Hofnung gefaßt haben, die von andern
Parteien zu bekehren, (weil nämlich jeder derselben seine Glaubenssätze für so evident hält, daß
wenn es einmal zur unparteiischen Untersuchung
käme, sie gar nicht von den Gegnern würden abge-
leugnet werden können.) Aber das begreife ich
nicht, warum es solche mystische Indifferentisten, oder solche fest überzeugte Orthodoxen nicht
eben sowohl unter Protestanten als Katholiken geben könne: warum nicht bei manchen Geistlichen
jener Gemeinden eben sowol die geheime Hofnung
zum Grunde liegen könne, in den zu haltenden
Konferenzen die Katholiken zu bekehren, als bei
den Katholiken, uns wieder zum Gehorsam des
altrömischen Glaubens zu bringen. — Von dieser Sache wird so lange gesprochen werden, als sie

D 5   noch

(58)

noch nicht angefangen ist. Sobald als man zum
Werke schreiten wird: sobald wird sie scheitern.
Dann werden sich die entgegengesetzten Prätensio-
nen derer, die sich jetzo mit der größten Leichtigkeit
des Erfolgs schmeicheln, zeigen. Und Glüks genug,
wenn sie nicht erbitterter auseinander gehen, als
sie waren, ehe sie den Entwurf zur völligen Aus-
söhnung machten.

Ich gestehe es, wenn ich sehe, daß verständige
Männer, bei allen den besondern Verbindungen
und Unternehmungen, die unser Jahrhundert aus-
zeichnen, immer die katholische Bekehrsucht, und
ihre vornehmsten Werkzeuge, die Jesuiten, im Spiele
glauben; so erstaune ich und gerathe in Verlegenheit, weil von der einen Seite die Autorität dieser
Männer viel Gewalt über mich hat, und, auf der
andern, doch ihre Gründe mich nicht überzeugen.
Und wenn ich alle diese Gründe für gültig annehme:
so scheint mir doch noch in den Folgerungen, die sie
daraus ziehn, und in den Besorgnissen, die sie deshalb erregen, etwas Uebertreibung zu sein. Doch
wenn dies auch nicht wäre, wenn wirklich alle geheime Gesellschaften, deren jetzt so viele, und unter so mancherlei Namen und Gestalten erscheinen;
wenn auch alle Pläne zur Wiedervereinigung der
Religionen, woran einige mit so großem Scheine
von Ernst arbeiten; wenn auch jede Begünstigung,
die dem Katholicismus oder den Jesuiten zugestanden wird; wenn alle diese Vorfälle, Räder einer
einzigen großen und mit der größten Kunst zusammengesetzten Maschine wären: ich würde doch,
um dieselbe zu zerstören, kein besseres Mittel wissen, als sie nur ihrer eignen innern Baufälligkeit
zu überlassen. Nichts kann jetzt die römische Kirche
so sehr reizen, lebhaft an der Ausbreitung ihrer
Grundsätze zu arbeiten, als der Parteigeist. Und
wos

wodurch kann der Parteigeiſt bei ihr mehr auf=
gefodert, belebt und befeſtigt werden, als
durch die Eiferſucht und das Mißtrauen, welches
wir von unſrer Seite zeigen, und das immer mit
einigem Haß verbunden zu ſein pflegt? Wenn ja in
unſrer Zeit die vorher eingeſchläferte Bekehrungs=
ſucht der Katholiken wieder erwacht iſt, woran ich
an meinem Theile noch ſehr zweifle: ſo ſind es doch
bloße vorübergehende Bewegungen, die entweder
von dem perſönlichen Charakter und der eignen Den=
kungsart gewiſſer Perſonen von Anſehn und Ge=
wicht in dem einen oder andern europäiſchen Reiche
abhängen, oder die aus der zufälligen Uebereinſtim=
mung einer andern Modethorheit unſers Jahrhun=
derts, mit einigen Stükken des alten Aberglau=
bens entſtehen: — Bewegungen, welche ſich von
ſelbſt legen werden, wenn man auch gar nicht da=
gegen kämpft. So lange dieſer letzte keine feſtere
und dauerhaftere Stütze hat als die Liſt einiger
wenigen, und die Sonderbarkeit einiger andern;
ſo lange die ſich immer mehr ausbreitenden Be=
griffe einer geſunden Philoſophie, der Staatskunſt,
und der Naturlehre, ſich dem Glauben an unbe=
wieſene, und durch keinen Einfluß auf das Glük
der Menſchen bewährte Lehrmeinungen widerſetzen;
ſo lange Macht und Reichthum nicht mehr an ſolche
Meinungen gebunden iſt: ſo lange läßt ſich gewiß
hoffen, daß im Ganzen nichts zum Vortheil des
Papſtthums ausgerichtet werden wird, wenn auch
die Congregatio de propaganda fide noch ſo emſig
arbeitet, und ihre Abgeſandten noch ſo viel Eifer
und Geſchiklichkeit beweiſen.

Man laſſe alſo die Jeſuiten in der ungeſtörten
Ausübung ihres alten Rechts, Ränke zu machen,
Miſſionarien auszuſchikten, die Perſonen der Für=
ſten unſichtbar zu belagern, und ſich in alle geheime
                                                              Geſell

(60)

Gesellschaften einzuschleichen, wofern es anders
wahr ist, daß alles dies geschieht: und dafür wollen
wir uns nur die Philosophie, gründliche Studien,
Sprachen, Geschichte und Naturwissenschaft zu
unsern Waffen behalten. Diese Gegenstände wollen wir mit allem Fleiße bearbeiten; die daraus
geschöpften Kenntnisse wollen wir auf alle Weise
bekannt zu machen suchen: und dann, unbekümmert um die kleinen und eingeschränkten Erobern-
gen, welche der Aberglaube im Verborgnen machen
mag, können wir gewiß sein, daß das Land, welches
wir durch unsere ganz offenen und jedermanns
Augen sichtbare Bemühungen gewinnen, weit größer und beträchtlicher sein wird: so daß wenn wir
am Ende gegen einander auftreten, und jeder mit
der Partei welche er sich zugezogen hat, fechten
sollten, wir unsers Sieges ganz gewiß sein könnten.

So wie es mir aber auf der einen Seite nicht
unnütz scheint, den Protestanten ungegründete Besorgnisse zu benehmen: so scheint es mir von der
andern auch sehr wichtig, ihnen einen Anlaß zum
Haß und zum Widerwillen wegzuräumen, den sie
gegen ihre ruhigen Mitbürger von der katholischen
Gemeinde, um jener Furcht willen, leicht fassen
könnten. Ich lebe in einem Lande, wo unter allen preussischen Staaten die Zahl der katholischen
Einwohner und die Reichthümer der katholischen
Klerisei am größten sind. Aber ich gestehe es, ich
bin so fest davon überzeugt als von meiner Existenz,
daß sie über alle diese Nachrichten, die sie von aus-
serordentlichen Machinationen und Bewegungen
ihrer Glaubensgenossen zur Ausbreitung ihrer Religion lesen, eben so erstaunen als ich, daß ihnen
jeder Gedanke davon eben so fremde und ich setze
hinzu, eben so unglaublich vorkömmt wie mir:
Und was kann alsdann der Eindruk solcher Schil-
derun-

(61)

derungen sein, wodurch sie als noch jetzt furchtbare,
als auf immer gefährliche Gegner der Protestanten
dargestellt werden, so groß auch die Aenderung ist,
die in unserm Jahrhundert, in Absicht ihrer öffentlichen Vorträge, und ihres sichtbaren Betragens
vorgegangen? Sie müssen entweder glauben, daß
in unserm Herzen Vorurtheile und Abneigung gegen sie zum Grunde liegen, welche uns so leichtgläubig gegen jeden Anschein ungerechter Unternehmungen von ihrer Seite, welche uns so geneigt
machen, von jedem sonderbaren Vorfall in der Religionsgeschichte unsrer Zeit, die Ursache in ihren
Anschlägen, in den Kunstgriffen ihrer Geistlichen
zu suchen; oder sie müssen selbst dadurch aufgefordert werden, zu dieser allgemeinen Verbindung
mit zu treten, und an dem Streite Theil zu nehmen,
welchen ihre Häupter und Lehrer, nach unserm eignen Vorgeben, gegen die alten Abtrünnigen er-
neuren. Die Imagination manches schwachen Katholiken kann dadurch erhitzt werden, sich eine
Möglichkeit von neuen Siegen, und bevorstehenden ihnen günstigen Revolutionen träumen zu lassen, woraus eben bei ihm erst die Leidenschaften
entstehen würden, deren Wirkung man fürchtet.

Ich bin allerdings ganz unwissend in Absicht dessen was jetzt in der Welt vorgeht: ich weiß das Untere der Karten von keiner Sache, weder in der
politischen noch der geistlichen, nicht einmal in der
litterarischen Welt: ich urtheile bloß nach dem, was
ich in meinem kleinen Kreise mit Augen sehe, und
was mich mein eignes Herz, wenn ich es befrage,
von den Bewegungsgründen andrer vermuthen
läßt. Aber ich hoffe, daß, ohne alles dieses zu wissen, ich gewiß sein kann: das Verständliche, Wahre
und Gute, wenn es einmal erkannt ist, wird über
die menschlichen Gemüther immer seine Kraft behalten.

(62)

halten. Wenn der weniger erleuchtete Theil der
katholischen Kirche wirklich Angriffe auf uns zu
machen nicht aufhört: so bin ich, ohne von der Na=
tur derselben genau unterrichtet zu sein, doch über=
zeugt, daß diesen Angriffen nicht dadurch am besten
widerstanden wird, indem wir am sorgfältigsten
auf unsrer Hut sind, indem wir unsre Toleranz ge=
gen sie nur auf die engsten Gränzen einschränken,
indem wir ihre Schritte aufs genaueste bewachen;
sondern indem wir die Religion immer mehr von
dunkeln Begriffen reinigen, und die deutlichen im=
mer mit mehr Kraft und Nachdruck vortragen; in=
dem wir alle brauchbaren soliden Kentnisse immer
vollkommner anbauen und weiter ausbreiten, und
indem wir endlich selbst unsre Liebe und Verträg=
lichkeit gegen sie immer höher steigen lassen.

Alle die Gründe, welche man angeführt hat, um
zu beweisen, daß die Vorsteher der protestantischen
Kirchen in den königlichen Landen sehr Unrecht ge=
than haben, diese Kirchen den Katholiken zu ihrem
Gottesdienste einzuräumen, haben mich nicht über=
zeugt. — „Die Katholiken, sagt man, halten sich
„noch immer für rechtmäßige Eigenthümer aller
„der Kirchen und geistlichen Stiftungen, welche
„jetzt in den Händen der Protestanten sind. Durch
„den darinn gefeierten Gottesdienst haben sie einen
„neuen Aktus des Eigenthumsrechts ausgeübt, sie
„haben der Verjährung vorgebeugt, welche sonst die
„Protestanten gegen sie würden anführen können.“--
Aber wird denn jemals der Prozeß zwischen Katho=
liken und Protestanten vor einem Gerichtshofe ge=
führt werden, bei welchem es bloß auf Rechts=
gründe und selbst auf die Beobachtung aller recht=
lichen Formalitäten ankommen wird, um zu be=
stimmen, welcher Partei ihre Forderungen zuge=
standen oder abgesprochen werden sollen? Müßte
es

(63)

es nicht immer das politische Uebergewicht der einen
oder der andern Partei, nebst den mehr oder weniger toleranten Gesinnungen der herrschenden
sein, welche diese entgegengesetzten Ansprüche ent-
schiede? Würden die Katholiken wieder Herren,
und dächten sie noch wie ehedem, daß sie alle Ketze-
rei auszurotten verbunden wären: würde es alsdann wohl etwas helfen, daß ihnen die Protestanten während der Zeit da diese regierten, die Kirchen
noch so sorgfältig verschlossen hätten? Würden wohl
jene wirklich das Verjährungsrecht zu Gunsten der
Protestanten gelten lassen, sobald diese anführen
könnten, daß sie seit mehrern Säkulis keinen katholischen Priester zu ihren Altären zugelassen? Würde nicht die Ungefälligkeit welche wir bewiesen, oder
die Grundsätze der Ausschließung, nach welchen
wir gehandelt, sie desto unerbittlicher und härter
in dem Gebrauche des Sieges machen? Auf der
andern Seite, wenn der Papst und die Klerisei
ihre Herrschaft in den Ländern, wo sie dieselbe ehedem ausgeübt, nicht wieder bekommen, oder wenn
sie sich damit begnügen lernen, ihren Gottesdienst
aufzurichten, ohne den andrer Gemeinden zu zerstören: was wird es uns alsdann schaden, daß wir
ihnen durch eine gutmüthige und, ich will es für
einen Augenblik zugeben, nicht genug überlegte Gefälligkeit, einen sehr geringen Schein eines An-
spruchs gegen uns gegeben haben? Mit einem
Worte, die Vorsicht, welche wir dadurch beweisen
würden, daß wir den Katholiken den Zutritt zu unsern Kanzeln und Altären verweigerten, wäre viel
zu wenig, wenn wieder einmal die Welt in Aberglauben und plötzliche Sklaverei verfiele, und ist
viel zu viel, wenn sie ihre Aufklärung behält.

　　Es ist, dünkt mich, weit wichtiger, daß wir
unsre protestantischen Grundsätze bewahren, und
　　　　　　　　　　　　　　　　　　　　　　　auf-

(64)

aufrecht zu erhalten suchen, als daß wir unsre
Kirchen verschanzen. Und jene Grundsätze bringen
es mit sich, daß jede zur Verehrung Gottes und
Besserung des Menschen abzielende Handlung,
sie geschehe mit oder ohne Ceremonien, auf eine
von uns gebilligte oder gemißbilligte Weise, doch
an sich etwas gutes sei; und daß unsre Gotteshäuser dadurch nicht entheiligt werden, wenn wir sie
denen von einer andern Partei, denen es an einem
Versammlungsort fehlt, zu ihrer Andacht einräumen. Unsre protestantischen Grundsätze lehren uns,
daß alles, was die Liebe die Einigkeit in den Herzen der Menschen, bei der übrigbleibenden Verschiedenheit ihrer Meinungen, befördert oder an den
Tag legt, eine Gott wohlgefällige, und also eine
wahrhaft religiöse und heilige Handluug sei. Wir
verfechten unsre Religion, und unsre Unterscheidungslehren, indem wir selbst den Katholiken mehr
einräumen, als sie uns zugestehen. Eben dadurch
zeigen wir, daß wir freier von Vorurtheilen, weniger ausschließend in der Anhänglichkeit an die
Form unsers Gottesdienstes, duldsamer und zu-
trauvoller sind als sie: Vorzüge, welche zu behaupten uns mehr werrh sein muß, als selbst das Eigenthum unserer Gotteshäuser vor künftigen
Schikanen in Sicherheit zu setzen. Doch auch diesen Vorzug werden die Katholiken uns nicht lange
mehr zugestehen, da auch in meinem Vaterlande
Fälle vorhanden sind, wo katholische Kirchen zur
Ausübung protestantischer Religionshandlungen
eingeräumt worden.

Es ist freilich wahr, der Papst hat seine harten
Verordnungen gegen die Protestanten nie wieder-
rufen; er hat nie den Ansprüchen, die er entweder
auf geistliche und weltliche Herrschaft, oder auf gewisse Reiche insbesondere gemacht hat, feierlich ent-
sagt:

ſagt; er behält noch zum Theil die alte Sprache
des Stolzes und der höchſten Autorität bei; er
nimmt nicht ſeine Proteſtation gegen den Weſt-
phäliſchen Frieden, ſeinen Widerſpruch gegen die
Preußiſche Königswürde zurük; er vergiebt noch
alle in Proteſtantiſchen Ländern ſäkulariſirte Stifter.   Alles dieſes wird in verſchiedenen Aufſätzen
der B. M.ſchr. (wovon der letzte noch in dem Monat
Mai erſchienen iſt) mit ſo viel hiſtoriſchen Beweiſen, geſchöpft aus den Quellen, dargethan, daß
wir den Verfaſſern eben ſo viel Dank für die Mühe wiſſen müſſen, die ſie auf dieſe Unterſuchungen
wenden, als die Belehrung ſelbſt, die ſie uns dadurch geben, angenehm und nützlich iſt.   Aber
wenn es nun zu den Folgerungen kömmt, die
daraus gezogen werden ſollen, ſowohl in Abſicht
der wirklichen Entwürfe und Erwartungen derer
welche jene Sprache führen, als noch mehr in Abſicht der Gefahr, die daraus entſtehen kann; ſo finde ich mich nicht ſo von dieſen Faktis gerührt,
wie die gelehrten Verfaſſer, welche ſie geſammelt
haben.   Denn erſtlich, wo iſt der Potentat, der
unaufgefordert alten Forderungen oder Anſprü-
chen feierlich und öffentlich entſagt hätte? Ich
will noch mehr ſagen: wo iſt der, in deſſen Titeln,
in deſſen Kurialſtil nicht noch die Namen oder die
Ausdrükke von ſolchen Gerechtſamen und Beſitzun-
gen fortdauerten, welche er völlig von ganzem Herzen
aufgegeben hat? Wird dem Könige von Frankreich wegen ſeines Königreichs bange, weil der
König von England noch immer das ganze Land
des erſtern unter ſeine Beſitzthümer zählt, um das
Andenken der ehemaligen Eroberungen ſeiner Vorfahren zu erhalten? Denkt ein deutſcher Kaiſer
wohl im Ernſt, daß er je Herr von Jeruſalem
werden könne, weil er ſich König davon nennt?

(66)

Ist der Kurialstil des kaiserlichen Hofes der wirk=
lichen jetzigen Verfassung des deutschen Reichs an=
gemessen? — Dem König von Preußen und sei=
nen Unterthanen kann es mit Recht lächerlich vor=
kommen, daß ihn der Papst in seinem Staatska=
lender Marchese nennen läßt: aber besorgt des=
halb zu sein, wem ist das möglich? — Denn
zweitens, wäre diese Macht reeller und größer,
als sie wirklich ist, so würde man nach der jetzigen
Stimmung der Gemüther, längst Traktaten des=
halb mit dem Papste gepflogen, und man würde
es längst von ihm erhalten haben, daß alle diese so
seltsamen, und mit dem wahren Zustande der Sa=
che so kontrastirenden Titel und Formeln wären ab=
geschaft worden. Aber eben weil die europäischen
Landesherrn jetzt weder die geistliche noch weltliche
Macht des Papstes fürchten; weil sie ihn für so
unbedeutend ansehn, daß es unter ihrer Würde ist,
sich darum zu bekümmern, wie er sie insgeheim
nennt, und welche Titel er seinen Prälaten giebt:
eben deswegen hat man keine Unterhandlung zur
Aenderung hievon gepflogen, noch selbst einmal
ein Verlangen darnach bezeugt. Daß die Namen
der Dinge länger fortdauren, in allen Sachen, am
meisten in Religions und politischen, als die Din=
ge selbst, oder als die Meinungen der Menschen
über dieselben: das ist bekannt. Am meisten aber
trifft dieses bei einer Regierung und bei einer
Kanzlei ein, wie die römische ist, wo alles von
der Tradition, von der Ehrwürdigkeit gewisser
Formeln, vom Alterthum abhängt. Wenn hier
nicht eine äußere Veranlassung zu einer Aenderung
gegeben wird, so bleibt sie in Form und Ausdrük=
ken bei den Vorschriften und den Mustern der ver=
gangnen Zeiten. Diese Form, diese Ausdrükke
bezeichnen zwar, was der römische Hof ehedem ge=
                                                    wesen

wesen ist, aber nicht das, was er jetzt noch zu sein
sich anmaßt. Aber gesetzt endlich, der Stolz dieser
Schreibart, die Anmaßungen dieser Titel wären
Zeichen von den wirklichen Gesinnungen und Wünschen der Personen, die jene brauchen oder diese
führen; wo ist denn der entfernteste Schein der
Möglichkeit, daß sie je den Zustand der Dinge werden herbeiführen können, wornach sie auf diese Weise
das Verlangen äußern? Wo ist die Macht die
solche Ansprüche unterstützte? Daß jemand in der
Welt sich einen Bischof von Havelberg nennt: das
zu wissen, ist der Gegenstand einer angenehmen
Neugier. Aber daß es dem italiänischen Prälaten,
der diesen Titel trägt, daß es dem Papst, wenn er
ihn vergiebt, wenn sie beide kluge Leute sind, einkommen kann, darauf Rechte oder Hofnungen zu
gründen: das ist unmöglich; — und daß wir also
auf jene Entdekungen oder auf ähnliche, Maaßregeln unsers Verhaltens gegen die Katholiken
gründen könnten, dazu scheinen sie nicht von genug-
samer Wichtigkeit zu sein.

Hier liebster Freund, haben Sie ungefähr die
Summe meiner Gedanken über diese Gegenstände.
Sie sind die eines Menschen, der sich an seine allgemeinen Grundsätze hält, wenn er mit den besondern Vorfällen nicht bekannt genug ist, oder mit
denselben nicht fertig werden kann. Jenen Grundsätzen werden Sie gewiß beipflichten: aber dieser
Vorfälle, wodurch jene eingeschränkt werden sollen, werden Sie ohne Zweifel mehrere und diese
gründlicher wissen. Unterrichten Sie mich also
wo ich unwissend bin, weisen Sie mich zurecht wo
ich irre: aber hören Sie nicht auf mich zu lieben,
und mit mir auch diejenigen, deren Fürsprecher ich
gewesen bin.   Garve in Breslau.

E 2   Ant-

(68)

Antwort an Herrn Professor Garve, über vorstehenden Aufsatz.

Mein herzlicher Dank gebührt Ihnen, theurer
Mann, daß Sie zugleich, indem Sie unsern Lesern
einen so lehrreichen Aufsatz geben, Ihre gütige
Freundschaft gegen mich in so warmen und starken
Ausdrükken äußern. Erlauben Sie, daß ich diesen Dank, und überhaupt meine große Hochachtung gegen Sie, dadurch zeige, daß ich itzt —
nachdem ich mit aller Aufmerksamkeit, deren ich
fähig bin, und die Ihr Aufsatz von so wichtigem
Inhalte verdient, denselben durchdacht, und die
von Ihnen ausgestreuten vielen Ideen weiter für
mich verfolgt habe — daß ich Ihnen itzt offenherzig das Resultat meines Nachdenkens vorlege.
Haben Sie mich doch selbst gütig dazu aufgefordert.

Im Ganzen haben Sie mich gestärkt, mein
th. Fr., in meinem Glauben an die zunehmende
Aufklärung unsers Zeitalters, die ein gänzliches
Zurüksinken in trägen Sklavensinn nicht gestatten
wird, an den immer freier sich erhebenden Geist
der gesunden Vernunft, welcher endlich alle Fesseln
ererbter Vorurtheile zerreißen wird; vorzüglich
aber in dem Glauben an die Vorsehung, welche
durch die itzt sichtbare Beförderung jener Vernunft-
rechte den stolzen Anmaßungen der sich über die
Vernunft erhebenden Menschen scheint ein Ziel
setzen zu wollen. Zwar verzweifelte ich nie ganz
an den Wirkungen der reinern Religionsbegriffe
und der freiern Philosophie, die ein Vorzug unserer Zeiten sind; aber so deutlich und bestimmt dachte
ich mir diese Wirkungen nicht, als ich es itzt Ihrer
Beleh-

(69)

Belehrung verdanke. — Indeß gestehe ich aufrichtig, hierin nicht völlig mit Ihnen gleich zu empfinden. Was bei Ihnen philosophische Ueberzeugung ist, ist bei mir mehr demüthiger Glaube an
die Vorsehung. Was Sie sich beweisen können,
kann ich nur wünschen und hoffen und glauben:
und so sehr ich auch fühle, daß Sie bei Ihrer Gewißheit glüklicher sind, so unmöglich ist es mir doch,
meiner Ueberzeugung entgegen zu denken.

Ich fürchte nemlich, daß Sie den Standpunkt
unserer itzigen Aufklärung zu hoch angeben. Dieses thun   wie ich finde, wie ich mir aber auch
zugleich wohl erklären kann — seit einigen Jahren
mehrere der vortreflichsten Männer, die durch ihre
Lage gehindert werden, die tausendfachen Modifikationen der Denkkraft unter verschiedenen Ständen und in verschiednen Ländern kennen zu lernen.
Sie glauben, daß die Aufklärung, welche sie haben
entstehen sehen, und wozu sie selbst so viel beigetragen haben, schon allgemein verbreitet sei. Ihr gewöhnlicher Umgang ist ein kleiner Zirkel ausgesuch-
ter Menschen, die theils wirklich edel, theils ver-
feinert genug sind, um sich nach dem Tone der Gesellschaft zu bilden, und den groben Aberglauben,
der vielleicht tief in ihrer Seele liegt, vor dem denkenden Philosophen zu verbergen. Ihre gewöhnliche Lektur sind die besten Produkte des Verstandes
und der Gelehrsamkeit, die einzeln in dem Oceane
des Unsinnes schwimmen. Hieraus bilden sie sich
einen Maaßstab, nach welchem sie nun menschen-
liebend alles übrige beurtheilen. Sie kennen die
wirkliche Welt nicht genug; und halten daher wahre
Beschreibungen derselben für übertrieben, und darauf gegründete Vermuthungen für Träumereien.
Der Gedanke würde sie zu mißmüthig machen, daß
das was in ihrem Kreise so allgemein anerkannt ist

E 3   oder

oder scheint, und was dem unverdorbnen Menschen-
sinne so einleuchtend sein muß, doch bei Millionen
noch gar keine Wirkung solle gethan haben. Es muß
sie davor ekeln, ganz von vorne wieder anzufangen,
die ersten Grundsätze, worüber jeder schon lange weg
sein sollte, noch zu beweisen, und Dinge zu widerlegen, woran, wie gescheidte Leute meinen sollten,
kein Mensch mehr glaubt. Sie mögten also lieber
gar nicht zugeben, daß es so viele von ihnen ganz
verschieden denkende Menschen giebt *).

Auch Sie, theurer Freund, glaube ich, sind so
etwas in diesem Fall. Sie sind zu sanft und zu
gut, um nicht die meisten Menschen Ihnen ähnlich
zu halten. Sie sind zu edel, um hinterlistige Absichten, und zu aufgeklärt, um plumpe Unwissenheit zu vermuthen; und Sie sind vielleicht ohne
hinlängliche Veranlassung in Ihrer philosophischen
Muße, um beides zu sehen. Sie sagen mit dem
Ekel, den ein rechtschaffner Mann vor niedrigen
Ränken und vor Anekdotenjägerei hat, daß Sie
das Untere der Karten von keiner Sache wissen;
aber ich glaube, daß man, ohne dies zu wissen, von
keiner Art Politik, selbst von keinem nur etwas
wichtigen Zeitungsartikel urtheilen kann, geschweige
von der feinsten Politik, welche eingestandnermas-
sen die Jesuiten immer zu üben verstanden. —
Es können, meiner Meinung nach, die psycholo-
gischen und moralischen Räsonnements eines Philosophen über den Menschen im Allgemeinen höchst
scharfsinnig sein; und dabei kann ihm doch in Absicht einzelner Menschen der Gang der Leidenschaften,

---

*) Ein treflicher Aufsatz über die noch lange nicht
   allgemeine Aufklärung in Deutschland, die mancher schon für allgemein hält, steht im deutschen
   Merkur, August und Sept. 1784.

(71)

ten, so wie er durch besondre Lagen bestimmt wird,
unaufgedekt bleiben. Er kann leicht Fehlschlüsse
machen, wenn er a priori bestimmen will, zu welcher Unvernunft ein Mensch verführbar oder nicht ist;
sobald ihm die Data fehlen um zu wissen, welche
Anlokkungen und Vorurtheile gerade in diesem Fall
die größte Kurzsichtigkeit bewirken. Wie, wenn
jemand behaupten wollte, ein Spieler von Pro-
fession werde beim Farotisch keine Pointeurs finden, weil der Vortheil gar zu offenbar für den der
Bank hält, ist; oder es würde kein Mensch mehr
ins Lottospiel setzen? Trotz aller Theorie und alles
Räsonnements werden Unternehmungen, wobei
wenge gewinnen und sehr viele verlieren, noch immer von sehr vielen unterstützt. Ich weiß wohl,
daß der Philosoph weder katholisch werden, noch
auf einen Pikbuben oder eine Quaterne 10 Louisd'or
setzen wird; aber ich weiß nicht minder, daß er
Unrecht hat, wenn er dies auch bei andern für unmöglich hält. — Aber die Aufklärung selbst, wenn
sie auch von keinen heftigen Leidenschaften verdunkelt wird, wie weit ist sie denn bei uns gediehen?
Ich will Sie nicht dazu verdammen, m. th. Fr.,
zehn Jahre lang Mitarbeiter an der A. D. Bibliothek im Fache der Theologie und der sogenannten
schönen Wissenschaften zu sein; nicht, die alchy-
mischen, theosophischen und kabbalistischen Bücher
durchzulesen, womit nur in einigen Messen Origi-
nalschriftsteller und Uebersetzer unser Vaterland
unterhalten; nicht, sich in ein paar der geheimen
Gesellschaften, womit wir itzt so reichlich gesegnet
sind, und deren Existenz nicht einmal bekannt sein
soll, aufnehmen zu lassen; nicht, sich genau um den
Zustand des Unterrichts an unsern Höfen, in unsern Städten, Flekken, Dörfern, und bei unsern
Armeen zu bekümmern; nicht, die Berichte von

den

den Prüfungen einiger Tausende, die sich zu Aemtern melden, zu durchblättern; nicht, die Krimi-
nalakten mehrerer Provinzen durchzusehn, um die
auf Aufklärung gegründete Moralität daselbst kennen zu lernen; nicht, den Religionsvortrag so vieler tausend angestellten Lehrer im christlichen
Deutschland, noch die Religionsbegriffe von Millionen ihrer Zuhörer zu untersuchen u. s. w. Auch
weiß ich, daß Ein Mann unmöglich unser großes
Vaterland von so verschiednen Seiten kann kennen
lernen.   Indeß, wenn man selbst in mehrern Verhältnissen lebt, wenn man dazu Männer abhört,
die von dem, was sie selbst untersucht haben, freimüthig urtheilen *); so findet sich am Ende, daß
zwar das Licht der Wahrheit immer etwas heler zu
glänzen anfängt, daß man aber warlich der guten
Sache keinen Dienst thun würde, wenn man schon
glaubte, gar viel gewonnen zu haben, und keiner
Aufmerksamkeit und Vorsicht mehr zu bedürfen.
Es findet sich, nach jenen angegebnen Datis: daß
es der Bigotterie, der Seichtigkeit, der methodischen Tollheit, des frechen Spottes über die ehrwürdige Vernunft und über alle gründliche Wissenschaften, der beschwornen Verbindungen gegen die
Aufklärung, der leichtsinnigen und selbst der boshaften Verderbung unsrer aufwachsenden Nachwelt, der gröbsten und dabei schamlosen Unwissenheit, der rohesten Brutalität, der gedankenlosesten
Gleichgültigkeit gegen alles wahrhaft Wichtige, des
plump-

*) Z. B. — um nur einige zu nennen — die Ver-
  fasser mancher Recensionen und brieflichen Nachrichten in der A. d. Bibliothek; Lichtenberg
  über die Schwärmerey der itzigen Zeiten an mehreren Orten des Götting. Magazins; Nicolai in
  seinen Reisen; u. a. m.

(73)

plumpsten und betrügerischsten Aberglaubens, und
der barbarischen Sklaverei in Annehmung jedes
Unverstandes, noch ganz unglaublich viel giebt:
und — um es mit einem Worte zu sagen — so
viel, daß die Jesuiten nicht Jesuiten sein müsten,
wenn sie von dieser Un-Aufklärung keinen Gebrauch für sich machen wollten.

Ja, th. Fr., das ist noch immer meine Meinung von dieser geheimnißvollen Gesellschaft, und
selbst Ihr scharfsinniges Räsonnement hat mich
nicht davon zurükbringen können. Vielmehr scheint
mir auch das bloße Räsonnement schon auf meiner
Seite zu sein. Denn man könnte ja fragen:
Warum sollten die Jesuiten, die immer so thätig
an ihrer Verbreitung arbeiteten, sich auch itzt nicht
Anhänger und dadurch Herrschaft zu verschaffen
suchen? Itzt, da sie es mehr, wie je bedürfen; da
sie sehr viel dabei gewinnen und schwerlich etwas
verlieren können? — Aber wichtiger ist die Frage:
Thun sie dieses wirklich? Ich denke, schon aus dem,
was ich darüber beigebracht habe, und was die von
mir angezogenen Schriftsteller sagen, erhelle dies
genugsam. Von Zeit zu Zeit wird die Monatsschrift noch mehr hieher gehörige Thatsachen liefern. Nur muß niemand verlangen, daß alles gesagt werde, so lange man noch in Verbindungen
lebt, welche Rüksicht verdienen. Niemand muß
verlangen, daß der ganze geheime Plan und alle
Machinationen zu dessen Ausführung vorgelegt
werden. Dies letzte kann nur der, welcher selbst
mit in dem Geheimniß, und vielleicht nur der,
welcher an der Spitze desselben ist. Es werden immer Lükken bleiben, und oft muß eine einzelne Erzählung unzusammenhängend scheinen; aber besser
ists, nur Bruchstükke von wahren Faktis zu liefern,
als sie durch Vermuthungen in ein System zu ordnen.

E 5

(74)

nen. Die Zusammennehmung und Vergleichung der Thatsachen unter einander, denke ich, muß doch schon vieles erläutern. — „Aber, sagen Sie, die „Jesuiten würden ohne alle Hofnung eines glük= „lichen Erfolgs arbeiten." Wohl bessere Men= schen unternehmen Dinge, die ihnen nicht gelingen. Indeß weil die Wahrscheinlichkeit dieses Gelingens unsre Vorsicht bestimmen muß, so erlauben Sie, daß ich Ihre Gründe dagegen etwas genauer prüfe.

„Das Studium der Geschichte, der Sprachen, „der vernünftigen Bibelauslegung, der Philoso= „phie, der Naturlehre; kurz die Verbreitung der „Aufklärung und der Freiheit zu denken, sagen Sie, „sei das wirksamste Mittel gegen alle solche Machina= „tionen." Vortreflich! Mögte nur jeder, der von Amt= und Standeswegen das Wohl der Menschen zu besorgen hat, dies, was Sie so meisterhaft aus= führen, bedenken, und sich nicht bethören lassen, dies sicherste Bollwerk gegen unsere Feinde selbst zu untergraben! „Und, fahren Sie fort, dies „Mittel sei itzt so allgemein vorhanden, daß jene „Feinde immer vergebens arbeiten müssen." Ich wiederhole mein Bekenntniß: daß ich von der itzigen allgemein seinsollenden Aufklärung mich nicht über= zeugen kann. Und ich setze hinzu: daß mir hierin die Jesuiten nach sehr richtigen, obgleich für uns höchst schädlichen, Grundsätzen zu verfahren schei= nen. Sie sind so konsequent, daß sie eben dies ihnen einzig nachtheilige Mittel, die Aufklärung, zu verdrängen suchen. Um nur ein Beispiel zu nennen, so bin ich überzeugt (worin mir auch viele einsichtsvolle Männer beipflichten), daß Jesuiten und Jesuiterfreunde mit dem Buche des Erreurs & de la Verité *), und mit ähnlichen Büchern und mit

*) Man s. die daraus angeführten Stellen im April der Monatsschrift, S. 386 — 389.

mit ganzen sich darauf gründenden Projekten zusam=
menhängen. Wo wird aber Vernunft und gründ=
liche Wissenschaft mehr heruntergesetzt, als hier?
Gegner, die so gut ihren Vortheil verstehn, sind
doch nicht ganz verächtlich. Und arbeiten sie hier
ohne Erfolg? Ein Buch, das vorzüglich von Phi=
losophie, Physik und Mathematik zu handeln ver=
spricht, und das der Philosoph Garve und der
Physiker und Mathematiker Lichtenberg (und
welcher Philosoph und Mathematiker nicht?) für
unverständlich und unverständig erklären, ein sol=
ches Buch von anderthalb Alphabet findet dennoch
tausend Leser, erhält bald eine zweite Auflage, er=
hält einen ähnlichen starken Nachtrag (Suite des
Erreurs &c.), erhält einen ähnlichen Kommentar
(le Diademe des Sages), und erhält eine deutsche
Uebersetzung. Ein solches Exempel, dünkt mich,
zeigt, wie groß die Unaufklärung noch sei, zeigt
aber auch, wie sie immer verbreitet wird. Sie se=
hen Selbst (April S. 328), daß protestantische
Schwärmer, die dieses Buch lieben, mit Lob und
Wohlgefallen von den wahren ursprünglichen
Begriffen der katholischen Kirche reden; und
ich versichere Sie, daß mehrere protestantische
Schwärmer, die Ihnen vielleicht näher sind als
Sie glauben, von der hohen Würde der wesent=
lichen katholischen Religion sprechen.

„Eine Nation, sagen Sie, kehrt nicht zurük;
„eher wird ein katholisches Land protestantisch wer=
„den, als umgekehrt.“ Mich dünkt, die Geschich=
te zeigt Beispiele vom Gegentheil. Frankreich,
Oesterreich, Ungarn, die Pfalz, waren, das eine
Land mehr, das andere weniger, fast ganz protestan=
tisch; was sind sie izt? Sie wählen ein Beispiel
zum Beweise Ihrer Behauptung, das mir mehr
wider als für Sie zu streiten scheint. „Julian,
„sagen

„sagen Sie, könnte die Verbreitung des Christen-
„thums nicht hindern." Aber welches Christenthums? Ich denke, die Geschichte sagt laut genug, daß das damalige Christenthum durch Unwissenheit und Betrug verunstaltet, durch elenden
Aberglauben entstellt, und selbst durch Grausamkeit
und Mordlust befleckt war. Es war vielleicht gegen
den reinen Deismus, den manche feine Köpfe sich
aus der altrömischen Religion abzuziehn strebten,
und die besten Menschen in vorigen Zeiten sich
wirklich abgezogen hatten, nur eine fanatische Sekte; aber eben dieser Fanatismus siegte, aus welchem erst mit Mühe nach einem Jahrtausend die
aufgeklärtesten unsrer Gottesgelehrten das Wahre
und Göttliche hervorgezogen haben. Noch deutlicher redet die Geschichte der Philosophie der damaligen Zeit. Welche Philosophie ward verdrängt?
War es nicht die edle reine, die ihrem Zeitalter
den Namen des Goldenen erwarb, und wovon Sie
uns einen der letzten und schönsten Zeugen (Cicero)
in einer so vortreflichen Uebersetzung geschenkt haben? Und welche Philosophie siegte dagegen?
Uebertraf der Unsinn der neuplatonischen Philosophie, welcher in den ersten Jahrhunderten unserer Zeitrechnung herrschte, und zu der Zeit von welcher wir hier reden, nicht minder die christliche als
die heidnische Religion ganz eingenommen hatte,
— nicht fast selbst alles, was gewisse neuere Mysterien lehren?

„Die katholische Religion, sagen Sie, konnte
„sich in den protestantischen Ländern bei der Gäh-
„rung der damals neuen Reformation nicht erhal-
„ten; wie wird sie dieselben itzt wieder erobern,
„nachdem daselbst die antikatholischen Gesinnungen
„fest gewurzelt sind?" Ich glaube, daß eben jene
Neuheit der Sache einen stärkern Reiz lieh, und die
                                                        dama-

damalige Gährung den Gemüthern eine größere
Kraft zum Widerstand gab; daß hingegen jetzt die
Ruhe, welcher die Bekenner der protestantischen
Religion seit lange genießen, ihnen nicht sowohl
eine Festigkeit in dieser, als vielmehr eine Gleichgültigkeit und Sorglosigkeit gegen alle Religion
gegeben hat.   Auch hört man ja allgemein die
Schriftsteller, welchen der Zustand der Moralität
und Religion ihrer Zeitgenossen wichtig ist *), über
diese Gleichgültigkeit klagen.   Und diese Gemüths-
beschaffenheit, glaube ich, ist gerade die vortheilhaf-
teste für diejenigen, welche unvermerkt eine andere
Art des öffentlichen Gottesdienstes unterzuschieben
suchen; denn die Gleichgültigen sind zu sorglos um
zu argwohnen, und zu unbekümmert, um bei einer
Sache, die sie gar nicht mehr interessirt, genau
nachzusehen.   Auch im Politischen war dies immer der Fall.   Nur die Staaten konnten der
Dauer ihrer Konstitution gewiß sein, wo die Parteien, welche Theil daran nahmen, gegen einander gespannt waren.   Wo aber, wie itzt beim Protestantismus, der eine Theil fanatisch schwärmt,
und der andere Theil sorglos schläft; da ist es dem
Feinde leicht, zu siegen.

Ein wichtiges Exempel wollen Sie von Großbritannien nehmen, wo trotz aller Machinationen
der Katholicismus nie wieder emporgekommen.
Allein die Machinationen beweisen für mich; und
das Nichtgelingen derselben nicht gegen mich.
Großbritannien hat mit der äußersten Vorsicht und
Schärfe — und wenn Sie wollen, so will ich es
gestehen — selbst Härte gegen die Katholiken verfahren:

*) Z. B. — um nur gleich einen der neuesten anzu-
führen — den Verf. der **Vertrauten Briefe über
die Religion.**

(78)

fahren: eine Härte, die aber Entschuldigung zu
verdienen scheint, da sie gegen eine so herrschsüch=
tige und so allein herrschen wollende Partei an=
gewandt ward. Nur Vorsicht empfehle ich ja auch,
und nicht einmal so weit getriebne als in Eng=
land; nur Vorsicht, welche Sie aber theils für zu
ängstlich theils für unnöthig erklären. Und den=
noch — wer kann behaupten, daß die Leute so ganz
unrecht haben, welche das Untere der Karte jenes
Landes kennen wollen, und es so ziemlich wahr=
scheinlich zu machen wissen, daß die heimliche Par=
tei der Katholiken in England itzt ungemein zahl=
reich und von ungemeinem Einflusse auf politische
Angelegenheiten sei?

   „Der alte unverfeinerte Katholicismus, sagen
„Sie noch, kann unmöglich itzt neue Anhänger
„finden.” Es kann sein; aber es beweiset nichts
gegen mich. Ich habe zugleich gesagt, wie die
Geschichte es lehrt, daß die Jesuiten immer ver=
standen haben, von den strengen Forderungen etwas
nachzugeben, um nur Eingang zu gewinnen. Sie
werden auch bei uns die Kunst verstehn, die sie in
Sina verstanden, und noch in Rußland zeigen; sie
werden wissen, was sie für das neue und was für
das alte, was sie für das wesentliche und was für
das außerwesentliche Papstthum auszugeben ha=
ben; werden wissen, in wie weit sie vom Katholi=
cismus ohne Papst oder mit einem Papst reden
können; sie werden — aber ich bin Gottlob kein
Jesuit, um es angeben zu können, wie sie etwas
machen, wovon ich nur einsehe, daß sie es thun.
Nur das weiß ich, daß, so leicht sie auch Anfangs
ihr Joch auflegen mögen, es doch bald unerträglich
schwer zu werden pflegt, und alle Selbstständigkeit
und Kraft und Freiheit unterdrückt. Eigentlich
ist auch in der Monatsschrift nie behauptet worden,
                                                     daß

(79)

daß der Katholicismus in seiner ganz alten und
plumpen Gestalt itzt den Protestanten annehmlich
sein könne, oder von den Jesuiten annehmlich ge=
macht werde. Alle alte Grundsätze desselben, die
als noch itzt bestehend im April angeführt und be=
wiesen sind, handeln nur von der Herrschsucht
desselben, die doch wahrlich noch unvermindert da
ist. Ich kann mich itzt hierauf und überhaupt auf
den Katholicismus nicht weiter einlassen. Die
Sache ist hier zu weitläuftig; mir aber zugleich zu
wichtig, um nicht öfter darauf zurükzukommen.
Ich glaube, durch Lektur, Bekanntschaften und
Korrespondenz darüber Ideen geschöpft zu haben,
welche mancher protestantische Gelehrte nicht hat.
Ich habe seit längerer Zeit die itzt gebräuchlichen
Unterrichtsbücher für die Katholiken in mehrern
preußischen Provinzen gesammelt, Anfangs nur,
um litterarische und pädagogische Jagd darin an=
zustellen; aber ich fand mit Erstaunen Dinge, die
auch psychologisch, moralisch, und politisch wichtig
sind. Ich werde, da ein Garve mich auffordert,
von Zeit zu Zeit Nachrichten davon vorlegen; und,
ich setze hinzu, da Garvens Beispiel mich auffor=
dert. Denn, man sieht, wie höchst nöthig es ist,
solche Dinge zu erörtern, da selbst ein Mann wie
Er die Lage der Sache nicht kennt, nicht kennt was
um uns vorgeht. — Ich behalte mir also vor,
über solche Punkte künftig zu reden: z. B. von den
itzigen Grundsätzen des Katholicismus, auch in den
Köpfen und Herzen seiner Bekenner, auch derer
welche mit Recht unter die Aufgeklärtesten gezählt
werden, und die keine Geistliche sind; von den itzi=
gen Anmaßungen des Papstthums und dem Geiste
desselben; von der wirklich geschehenen Erziehung
protestantischer Jünglinge in katholischen Semina=
rien; von der wirklichen Ordination heimlicher Je=
suiten

(80)

suiten oder andrer Geistlichen zu protestantischen
Kirchen= und Schullehrern; u. ſ. w.   Ich will die
undankbare Arbeit übernehmen, alle ſolche Punkte
ins Licht zu ſetzen.   Zwar weiß ich es wohl, und
auch Sie ſagen es mir, daß gutgeſinnte Katholiken
durch ſolche Aufſätze mißvergnügt gemacht werden:
Es thut mir leid, und ich erkenne es für ein wahres
Uebel; indeſſen halte ich es für ein viel größeres
Uebel, wenn wir durch die Machinationen der
nicht= gutgeſinnten Katholiken um das edle Kleinod
unſrer beſſern Religion ſollten gebracht werden;
und ich beſinne mich keinen Augenblik, um dem letz=
tern zu entgehen, jenes erſte freiwillig zu wählen.
Der Unwille dieſer letztern nicht= gutgeſinnten Ka=
tholiken und Proteſtanten aber wird nie bei mir
in Betrachtung kommen, ſo lange die Sache Recht
und Wahrheit gilt.

    Eben, weil Ihr Aufſatz ſo reichhaltig iſt, muß
ich manches davon ganz übergehen.   Nur zwei
Punkte will ich noch berühren, weil ſie mir ſehr
wichtig ſcheinen. — Sie geben, dünkt mich, den
Einfluß von geheimen Geſellſchaften nicht ſo groß
an, als er nach meiner Meinung iſt.   Ganz vor=
treflich zeigen Sie, daß Weisheit und Recht=
ſchaffenheit auf andre Art fortgepflanzt werden
muß, ja nur auf andre Art es kann.   Allein, ich
weiß nicht, ob das, was von dem Tage wahr iſt,
auch auf die Nacht angewandt werden kann; die
Komplotte, worin Unweisheit und Unrechtſchaf=
fenheit, unter dem Namen von Weisheit und
Rechtſchaffenheit fortgepflanzt werden, gedeihen
doch leider nur gar zu gut im geheimnißvollen
Dunkel.   Ich wünſchte, daß ein philoſophiſcher
Kopf, der aber praktiſch etwas von dieſen Myſteri=
tien wüßte, zeigte, woher ſie ſo wirkſam ſind.
Schon als Geſellſchaft müſſen ſolche Verbindun-
                                                          gen

(81)

gen eine beträchtliche Stärke haben. Das Ge=
heime dabei erschweret wohl nicht, wie Sie glau=
ben, den Zusammenhang der Glieder, sondern
giebt der Gesellschaft noch mehr Bindendes und
Angenehmes; es nahrt bei jedem den Stolz, mehr
zu wissen, als die, welche draußen sind; und jeder
Schwarmer ist stolz. Das Objekt der untern
Mitglieder selbst ist Schwärmerei; was Wunder,
daß sie es schwärmerisch verfolgen? Sind die
Oberhäupter unredlich, so giebt auch dies eine
größere Thätigkeit, denn sie erlauben sich alle Arten
von Mitteln. „Aber, sagen Sie, Eigennutz und
„Ehrbegierde sind kalte Leidenschaften, die keinen
„Enthusiasmus hervorbringen. Mich dünkt, die
Geschichte aller Eroberungen lehrt das Gegentheil.
Wer erstaunt nicht, daß es einem Cäsar möglich
war, bei allen ungeheuren Schwierigkeiten dennoch
so ganz und so schnell das Ziel seines Strebens zu
erreichen? Und dies Ziel war weder die Gründung
einer neuen Religion, noch der Besitz einer Liebe:
bloß der Wunsch: der erste im Staate zu sein.
Meiner Meinung nach, kann jede Leidenschaft bis
zur Schwärmerei entflammen. — Aber, ich gebe
zu, daß die Anführer oft nichts weniger als
Schwärmer sind; ich weiß aus der Geschichte, daß
die Päpste, gerade zu der Zeit als ihre Herrschaft
zum ausgebreitetsten wär, Irreligionisten, ja Atheis=
ten waren; und das kann der Fall bei manchen
itzigen Gesellschaften noch sein. Der wahre Kunst=
grif einer solchen Verbindung besteht aber eben
darin, daß die Obern sehr kalt sind, und bedächtlich
jeden Schritt leiten; daß sie aber zum Ausführen
gutmüthige Menschen hinschieben, deren innerstes
Herz sie durch geschmeichelte Leidenschaft, durch ge=
nährte Vorurtheile, durch falsche Vorspiegelungen

(82)

haben zu gewinnen gewußt, und die itzt mit dem
ganzen Enthusiasmus eines treuen Dieners und
eines auserwählten Werkzeugs die Aufträge ihrer
Obern auszuführen brennen. — Sie scheinen
freilich, th. Fr., gar keine der vielen geheimen Verbindungen zu kennen, die doch auch in Ihrer Gegend sein müssen, und bei deren einigen der gröbste
Mißbrauch nicht bloß möglich, sondern auch höchst
leicht ist. Ich will sie an ein anderes Beispiel erinnern: an die akademischen Orden auf Universitäten, die durch alle Befehle nicht zu dämpfen
sind. Hierbei ist eigentlich gar kein Enthusiasmus,
sondern bloßer Elsprit de Corps; dennoch ist die
Anhänglichkeit und das enge Zusammenhalten darin
ganz ungemein. Alle verbinden sich gegen Einen, und
daher ihre Stärke und Unzerstörtheit. Ja die Verbindung dauert oft noch fort, wenn die Universi-
tätsjahre lange vorbei sind. Ich weiß Beispiele,
wo Professoren das stärkere Einwirken der Regierung gegen einen Orden darum gehindert haben,
weil sie ehedem selbst Mitglieder desselben waren;
ja daß Gelehrte nicht haben zugeben wollen, daß
ein Schriftsteller getadelt ward, weil er einst ihr
Ordensbruder war. Was Wunder denn, daß unter Jünglingen diese Verbindung so mächtig ist, als
wir sie leider sehen? Ich bin überzeugt, daß nichts
den Universitäts-Orden ein Ende machen wird,
als die zunehmende Vernunft und Sittlichkeit der
Studenten, wodurch sie das Kindische und Schädliche dieser Verbindungen selbst einsehen werden;
und ich hoffe, daß dieser Zeitpunkt nicht mehr fern
ist. Ob es eben so wahrscheinlich ist, daß die geheimen Gesellschaften bald durch die bessere Einsicht der Mitglieder selbst fallen werden, getraue
ich

ich mir nicht zu entscheiden. — Eine solche kräftige Konsistenz nun, glaube ich, hat der Katholicismus schon an und für sich. Die Bekenner dieser Partei scheinen mir einiger, übereinstimmender,
und zusammenhängender als andere; dabei ist ihre
Religion in Deutschland genau mit der Politik angesehener Häuser und des mächtigsten Hofes ver-
wickelt. Die innere Kraft ihrer Orden ist sehr begreiflich; da die Mitglieder derselben von Jugend
auf allen Banden der menschlichen Natur und Gesellschaft entzogen sind, und nur durch und in dem
Orden existiren. Vorzüglich aber wirkten die Jesuiten immer sehr durch das Band ihrer Gesellschaft. Sie haben sich allenthalben emporgearbei-
tet, so sehr auch andere alte und angesehene Orden, die das Ding doch auch verstehen müssen, sich
ihnen widersetzten. Eigentlich, glaube ich, sind
die Jesuiten immer eine geheime Gesellschaft gewesen; denn sie spiegelten stets etwas anders vor, als
sie ausführen wollten. Wie nun itzt, da sie geheim
sein müssen? Wie itzt, da sie mit andern geheimen
Gesellschaften zusammenhängen?

Der zweite und letzte Punkt betrift die gesuchte
Bekehrung protestantischer Fürsten zum Katholicismus. Sie sagen dabei: „Auch um die-
„sen Satz zu bewähren, sind alte mit neuen Bei-
„spielen zusammengestellt worden: ein Beweis,
„daß von den letztern nicht eine hinlängliche An-
„zahl vorhanden ist.“ Indessen sind doch vier der
im April S. 365, 366, angeführten Fälle neu.
Wie aber, wenn es noch mehr Fälle gäbe, als ich
weiß? Wie, wenn selbst mir und andern mehr Fälle höchst wahrscheinlich sind, wo ausländische und
deutsche Regenten und Prinzen wenigstens der

F 2   Katho-

(84)

katholischen Religion geneigt gemacht sind? *)
Sie werden doch nicht im Ernst verlangen, daß ich
hierüber alles sagen soll. Zwar werde ich, so ge=
wiß ich jeden Besten unter den Vornehmen ehre,
doch nie auch den Vornehmsten dadurch zu gefallen su=
chen, daß ich wichtige Wahrheiten aufopfere. Indeß
weiß ich schon von selbst, daß es mir nicht ziemt,
laut über die Handlungen der Fürsten, wie etwa
über die Schriften der Gelehrten, zu urtheilen;
und Sie und alle Welt wissen, daß jeder Schrift=
steller in Deutschland unter Censur schreibt.   An
diesem Zuge Ihrer Schrift sehe ich, daß Sie wirk=
lich so ununterrichtet von den Welthändeln sind,
als Sie es sagen; denn ich weiß, Sie sind zu edel=
denkend, um Sich dadurch einen Vortheil über
mich zu erlauben, daß Sie mir Sachen entgegen
setzen, auf die ich nicht antworten darf. Sie
selbst reden z. B. itzt (S. 42) ganz unbefangen
von K. Johann in Schweden, der heimlich katho=
lisch war. Aber durfte man dies auch zu der Zeit
als er regierte, sagen? Die Jesuiten triumphiren
freilich darüber, daß sie heimlich Dinge thun,
welche ehrliche Männer theils nicht erfahren kön=
nen, theils nicht sagen dürfen. Aber wenn itzt
auch Philosophen sagen wollen: Ihr nennt nur 4
Fakta,

---

*) L'Electeur *a un grand penchant* pour la réligion
   catholique, schrieb dem Papste von einem Fürsten,
   der nie eigentlich katholisch ward , e n Jesuit,
   welcher heimlich an dessen Hofe lebte, um diesen
   ersten Schritt zu gewinnen, um dem Fürsten diese
   Geneigtheit beizubringen. Die Nachfolger thaten
   die folgenden Schritte, und traten öffentlich und
   feierlich zur katholischen Religion über. S. April
   S. 365.

(85)

Fakta, und Ihr solltet 10 nennen; so gerathe ich
freilich in Verlegenheit und erstaune, weil ich
glaubte, daß ein solches aus schändlichem Eigennutz betriebenes Faktum die Partei, welche es unternommen hat, brandmarken muß, da man der andern Partei kein einziges solches vorwerfen kann.
— Indeß nichts mehr hier von Faktis, nur bloß
von Möglichkeiten. Nur das wollen wir uns noch
aus der wirklichen Geschichte erinnern: daß die
Friedrich Wilhelme und die Friedriche immer
sehr einzeln in den Annalen von Europa glänzten;
und nun zu dem Räsonnement über mögliche Fürsten, welche keine Friedriche und Friedrich Wilhelme sind! Sie Selbst sagen: daß gründliche
Kenntniß und gebildete Vernunft hier zum Besten
widerstehn. Ist es nun nicht möglich, daß ein
Fürst von unedlen und unaufgeklärten Menschen
so erzogen wird, daß er jene Kenntniß und Bildung nicht bekömmt? Ist es nicht möglich, daß
seine Talente von Natur so schwach sind, daß auch
die beste Erziehung sie nicht stärkt? Ist es nicht
möglich, daß er die seichte Philosophie einiger
glänzenden Ausländer lieb gewinnt, worin weder
Gründlichkeit noch Kenntniß ist? — Sie werden
wissen, daß manche Privatpersonen sich in geheime
Gesellschaften begeben, und eifrig allen Schwärmereien derselben obliegen. Ist es nun nicht möglich, daß ein Fürst, um das Oberhaupt einer Gesellschaft zu sein, oder aus Pracht- und Ceremo-
nienliebe, oder aus andern Trieben, sich den bedenklichsten Verbindungen offenherzig anvertraut?
Ist es nicht möglich, daß ihm selbst die Grille der
Goldmacherei willkommen sein kann, weil er die
drükkende Last der Schulden oder auch nur die
Macht des Geldes kennt? oder die Grille der Un-

F 3   ver-

versalmedicin, weil er sich geschwächt fühlt und
gern unsterblich wäre? oder die Grille der Herrschaft über die Geister, weil sein Ehrgeiz und seine
Bequemlichkeit dieses wünschen? — Sie werden wissen, daß einige Landedelleute es für höchst politisch
halten, ihre Bauern nicht schreiben und lesen lernen zu lassen. Ist es nicht möglich, daß ein Fürst
so eigennützig und zugleich gegen seinen eignen
wahren Vortheil so kurzsichtig sein kann, daß er die
sich verbreitende Aufklärung und Denkfreiheit seines Volks für gefährlich hält, und ihm wohl gar
die drükkenderen Bande des Katholicismus wünscht?
Sie sagen freilich sehr gegründet, daß katholische
Fürsten selbst die Macht des Papstes geschwächt
haben. Allerdings, denn sie fühlten das Beschwerliche davon. Ist es aber nicht möglich, daß
protestantische Fürsten das Beschwerliche einer andern Art zu fühlen glauben, und dadurch Rettung
davon suchen, daß sie ihr Volk dem strengeren, sich
selbst aber dem freieren Katholicismus übergeben
wollen? Ist es nicht möglich, daß ihre Nachkommen dann selbst in die strengste Art desselben verfallen, und Sklaven der Päpste, oder Mönche,
oder Jesuiten, oder wenigstens ihrer Beichtväter
werden? — Wundern Sie sich nicht, daß ich soviel von Möglichkeiten rede; freilich ziehe ich
sonst die Welt der wirklichen Geschichte weit der
Welt der Imaginazion und der Ratiocinazion vor.
Aber ich rede ja zu einem Philosophen, der so gern
im Reiche der Möglichkeiten bleibt; und es ist in
diesem Reiche so sicher.

Ich erstaune darüber: daß die wirklich geschehenen Bekehrungen deutscher Fürsten nicht durch
Ueberredung und Insinuation katholischer Geistlichen geschehen sein sollen. Aus Studium der
Theo-

(87)

Theologie jener Partei entsprang die innere Ueber=
zeugung, nach Ihrer eigenen Angabe, nicht. Ge=
schah es aus politischen Gründen und aus Eigen=
nutz; so fragt sich: von welcher Partei wurden
diese Gründe und dies Interesse dem Fürsten vor=
gespiegelt? Wie aber, wenn man selbst die Ma=
chinationen, wozu eben nicht immer die edelsten
Mittelspersonen gebraucht wurden, kennt? —
Ich erstaune noch mehr zu hören: daß ein solcher
Uebertritt des Fürsten keinen Einfluß auf die
Nation haben soll. Wie? der Landesherr hat kei=
nen Einfluß mehr auf sein Land? Die untern
Stände richten sich nicht nach ihm? Sind denn
die Aufgeklärtesten unter diesen, und kurz die Ge=
lehrten, itzt so felsenfest gegen Hofluft, Fürsten=
gunst, Beförderungsaussicht, und Schmeichelei?
Ich fürchte, ich fürchte, daß selbst die Philoso=
phen nicht ganz widerstehen werden; und wenn
dieses Salz der Erde einst dumm wird, womit soll
man denn das übrige Land würzen? Den unglaub=
lichen Einfluß der Jesuiten auf die scharfsinnigsten
und erhabensten Denker lehrt mich das Beispiel
des großen Leibnitz kennen, der dahin vermocht
werden konnte, einen philosophischen Beweis für
die Transsubstantiation, oder, wie andere wollen,
gar eine Apologie der katholischen Religion zu
schreiben. Geschieht dies am grünen Holz —!
Ich habe immer geglaubt, das was wir so stolz
unsere itzige Aufklärung nennen, sei nur höchst pre=
kär, und es bedürfe nur der Regierung von ein
paar bigotten Monarchen hintereinander, um uns
ganz wieder zurükzusetzen; aber vollends katholi=
sche Monarchen, und mit dem Eifer eines Neube=
kehrten! — Sie sagen ein paarmal: die Macht
der Katholiken sei nur dann zu fürchten, wenn sie

(88)

die Soldaten auf ihre Seite bekämen.   Ich sehe
nicht ein, wie sie anders und wie sie besser die
Soldaten bekommen können, als wenn sie die
Fürsten bekommen. — Sie führen mit Grunde
Sachsen an, wo der katholische Hof die protestantische Religion der Unterthanen auf keine Art
schmälert. Ich bitte Sie aber zu bedenken, daß
daselbst mächtige Landstände waren (welches, wie
Sie wissen, nicht allenthalben der Fall ist), die
gleich zusammentraten, und starke gesetzliche Verabredungen mit den Fürsten trafen. Und doch nehmen sich auch in diesem erzprotestantischen Lande die
Katholiken unglaubliche Freiheiten heraus. Herr
Nicolai hat im VI B. seiner Reisen, S. 530. f.
ein Stük einer wütigen Intoleranzpredigt eines
Jesuiten in Dresden abdrukken lassen, welche eines Grubers würdig ist. Wäre nicht der dortige
Fürst ein so menschenliebender Herr, wären nicht
seine Minister so wachsame und treue Diener des
Staats und zugleich so aufgeklärte Männer; wohin könnten solche Aufhetzungen nicht führen? —
Das Gegentheil von Sachsen ist in diesem Punkte die
Pfalz, wo in der Regel kein Protestant eine Be-
dienung bekömmt. "Aber sagen Sie, die niedrigen protestantischen Unterthanen dort werden bloß
gedrükt, nicht bekehrt". Die Veranlassung solches Drukkes wünsche ich eben entfernt. Uebrigens habe ich nie geglaubt, daß es den Jesuiten
wirklich um die Bekehrung des Volks zu thun sei;
darum war es nur Jesus zu thun. Der klärte
die untern zahlreichen Stände der Menschen auf;
die Gesellschaft, die sich nach ihm nennt, scheint
es nur auf die Vornehmern angesehen zu haben,
und alle ihre Herrschsucht muß befriedigt sein, wenn
der Regent und jeder Mann in Aemtern von ihrer
                                                      Par-

(89)

Partei ist. — Ich erstaune, Sie ferner behaupten zu hören: die Vorsicht mit Reversen u. s. w. sei doch unnütz, wenn einst die Katholiken die Macht in Händen hätten; und es könne nie ein gerichtlicher Streit über die Rechte der Protestanten gegen die Katholiken entstehen. So tief, hoffe ich, kann mein Vaterland nie fallen, daß man alle Rechte mit Füßen tritt, und bei Gewaltthätigkeiten selbst nicht einmal einen Schein der Gerechtigkeit mehr sucht. Wird denn jeder neu katholische Fürst darum auch ein Tyrann? Wird nicht im ganzen heil. Römischen Reich nach dem annus normalis erkannt? Was anders als solche Reverse, sichert die protestantische Religion in Sachsen? Und wie, wenn itzt bei uns ein Streit entstünde, wenn es z. B. zweifelhaft wäre, ob in einer bestimmten Kirche, an einem bestimmten Tage H. Spalding oder P. Schorenstein das Recht zu predigen hätte; wornach sollte dann das hiesige Kammergericht anders sprechen, als nach den wohlhergebrachten Rechten einer Partei an diese Kirche? Wie, eine Schuldforderung von 50 Rtlr. braucht eine gerichtliche Verschreibung; und die freiwillige Abtretung unserer Kirchen soll durch keine Verschreibung vor möglichen Konsequenzen gesichert sein? Lesen Sie nach, sanfter und nur zu gut denkender Mann, wie schon itzt bei uns solche Konsequenzen gemacht wurden, und wie die Katholiken, da ihnen ein wenig zu rasch einige Kirchen eingeräumt worden, sich noch zwei Kirchen dazu, ohne Einwilligung ja ohne Anfrage bei der Obrigkeit, zu erschleichen und zu ertrotzen wußten. (Berl. Monatsch. B. IV, S. 94, f.)

Dies sind die Hauptpunkte Ihres Aufsatzes, rh. Fr., worüber ich verschieden von Ihnen denke.

F 5   Selbst

(90)

Selbst in diesen Punkten bewundere ich noch die
Scharfsinnigkeit Ihres Räsonnements; nur meine
ich, daß das Resultat desselben, bei schärferer
Beobachtung des Weltlaufs, und bei genauerer
Prüfung von historischen Datis, anders ausgefal-
len sein würde. Die Umstände und mein Studium haben mich zur Aufmerksamkeit in diesen
Fächern veranlaßt; und nur wegen einiger Kenntniß darin glaubte ich es wagen zu dürfen, einem
Philosophen in einer Sache zu antworten, die mit
jenen Fächern näher verwandt ist, und womit die
Philosophie eigentlich nichts zu thun haben kann,
als — darüber zu trauren, und Mittel zur Ab-
wendung anzuzeigen. Das letzte haben Sie, als
ein aufgeklärter Weiser und als ein edler Menschenfreund, gethan. Sie rathen dringend und
öfter an: die Religion immer mehr von dunklen
Begriffen zu reinigen, brauchbare solide Kenntnisse immer mehr anzubauen, die Wissenschaften,
die Aufklärung, und die Denkfreiheit immer
mehr zu befördern. — O daß jeder deutsche Pa-
triot, jeder Staatsmann, jeder Prinzenerzieher,
und jeder Geistliche Sie hörte und befolgte!

Biester.

(488)

Ueber die Besorgnisse der Protestanten
in Ansehung der Verbreitung des Katholicismus.

Zweiter Brief von Garven an Herrn D. Biester.

(s. Jul. 1785. S. 19. f.)

Hochzuverehrender Herr und Freund,

Sie haben meinen ersten Brief nicht ungütig aufgenommen; Sie haben mir Gründe entgegenge-
stellt, die Aufmerksamkeit und Untersuchung verdienen; Sie haben mir einige wirkliche Fehler gezeigt.
Es ist billig, daß ich Ihnen für alles dies danke;
daß ich gestehe, worin ich mich für überführt erkenne; anzeige, wo ich auf meiner alten Meinung
beharre, und, indem ich mich in Absicht einiger
Punkte rechtfertige oder verständlicher mache, vielleicht noch etwas zur Aufklärung des Gegenstandes selbst beitrage.   Ich werde Ihrem Briefe von
Punkt zu Punkt folgen, um mich kürzer fassen zu
können, indem ich voraus setze, daß der Leser Ihre
Vorstellungen unter Augen oder im Gedächtniß hat.
Ich werde aber einige Gedanken noch einschieben
oder zusetzen, die durch die zwei letzten Theile von
Herrn Nicolais Reise, und durch den Aufsatz über
die geheimen Gesellschaften im August Ihrer Monatsschrift veranlasset worden.
    Gleich im Anfange Ihres Briefes äußern Sie
eine Uebereinstimmung mit mir, die fast alle weitere

tere Erörterung unnöthig macht. Auch ich habe
durch meinen Aufsatz nichts anders, als den demü-
thigen Glauben an die Vorsehung erwekken oder
stärken wollen, von welchem Sie sagen, daß er der
Ihrige sei. Eine demonstrative Gewißheit, daß
die Welt nie wieder in Aberglauben und Finsterniß
versinken wird, habe ich nicht, und kann sie niemanden verschaffen. Ich kann eben so wenig beweisen, daß nicht einmal das ganze menschliche Geschlecht in allgemeinem Elende untergehen wird.
Aber die Anstalten, die ich zur Erhaltung, so wie
zur Aufklärung der Menschen in der Welt verbreitet sehe, sind groß genug, um auf der einen Seite
mir jene beiden Erfolge an sich als unwahrscheinlich
vorzustellen, und um auf der andern mich von dem
Dasein und der Regierung eines verständigen und
moralischen höchsten Wesens zu versichern, wodurch
dieselben mir völlig undenkbar werden.

Ich will gerne glauben, daß in meiner Vorstellung von der jetzigen Beschaffenheit der Welt viel
irriges ist. Aber so weit weicht doch dieselbe nicht
von der gesunden Vernunft, von der Erfahrung,
und auch von Ihren Ideen ab, daß ich nach derselben alle Menschen für Philosophen hielte. Ich
kenne nur einen kleinen Kreis von Menschen: und
ich muß von diesem Theile nach Analogien aufs
Ganze schliessen, wenn ich von den Menschen überhaupt urtheilen will. Aber auch nach dieser eingeschränkten Erfahrung, und diesen fehlerhaften
Schlüssen, ist meine Vorstellung keine andre, als
folgende. Der große Haufe der Menschen ist gegen alles, was allgemeine Wahrheiten und unsichtbare Gegenstände betrifft, gleichgültig: von ihm ist
Aberglaube und Schwärmerei ziemlich gleich weit
entfernt, weil er an nichts denkt, als was seine

Hh 5   Sinne

(490)

Sinne beschäftigt, und unmittelbar seinen Beruf,
seinen Nutzen und sein Vergnügen angeht. Von
dem kleinern Theile, der sich um religiöse und moralische Gegenstände ernstlich bekümmert, hält sich
wiederum die mehrere Anzahl lediglich an die in
der Jugend erlernten, und durch Gewohnheit und
Beispiel befestigten Begriffe   Nur einige wenige
haben zum eignen freien Nachdenken darüber zugleich Neigung und Fähigkeit; aber auch eben so
wenige sind derjenigen Erhitzung der Einbildungskraft, oder der weit getriebnen Sophistereien fähig, die zu großen Verirrungen führen.

So sieht es unter dem Cirkel von Menschen
aus, unter dem ich lebe, und den Sie so gütig
sind, ausgesucht zu nennen. Ich halte ihn auch
wirklich dafür: und eben deswegen weiß ich, daß
ich unter dem allgemeinen großen Publikum nicht
einmal dieselbe Proportion von Freunden und For-
schern der Wahrheit annehmen könne, welche ich
unter meinen Bekannten finde. Eben das Räsonnement, welches ich freilich immer zu Hülfe rufen
muß, wenn meine Erfahrung nicht weit genug
reicht, und welches mich oft trügen kann, lehrt mich
hier gewiß eine Wahrheit: daß nämlich unter der
unzähligen Menge von Menschen, die ich nicht
kenne, von welchen aber die meisten schlechter erzogen, in die Sinnlichkeit tiefer versunken, oder durch
grobe und mechanische Arbeiten zum Nachdenken
stumpfer gemacht sind, auch weit mehr Verkehrtheit der Begriffe herrsche, Thoren und Betrüger
eher Eingang finden, und überhaupt wahre Aufklärung weit weniger vorhanden sei.

Dies ist der Zustand des menschlichen Geschlechts
in Europa, in den kultivirtesten Reichen, und
noch jetzt. Aber kann man dieses nicht zugeben,
                                              und

und doch glauben, daß die Einwohner der Preußischen Staten aufgeklärter sind, als die der Otto-
mannischen; daß die Menschen im 18ten Jahrhunderte es mehr sind, als im 13ten? Kann man es
deswegen nicht für unwahrscheinlich halten: daß
sich die Menschen der jetzigen Zeit und in diesen
Ländern, in der Annahme und Vertheidigung alter Irthümer wieder vereinigen sollten, nachdem
viele derselben, eben so durch Autorität und Gewohnheit von jenen Irthümern abgezogen worden,
als ihre Vorfahren durch beides daran gefesselt
wurden?

Ich wollte, es wäre wahr, daß meine Unwissenheit, wie schlecht die Menschen sein können, davon
herkäme, daß ich selbst so gut bin. Aber ich sehe
wohl ein, daß ich einen Ausdruk Ihrer Höflichkeit,
durch welchen Sie das Unangenehme, was in dem
Vorwurfe der Unwissenheit liegt, versüßen wollten, nicht für eine wirkliche Rechtfertigung dieser
Unwissenheit halten müsse.

Sie sagen, man solle nicht über die Sachen urtheilen, wenn man nicht das Untere der Karten
kennt. Das ist sehr wahr. Aber, ob ich gleich
nicht die Geheimnisse der Kabinetter weiß: so kann
ich doch das Urtheil fällen, daß keine Universalmonarchie von Seiten der Holländer zu befürchten
ist. Ich kann unwissend sein in allen Intrigen,
die jetzt eben die Jesuiten an protestantischen Höfen unterhalten; und doch überzeugt sein, daß keine
Inquisition in Berlin errichtet werden wird.

„Ein Philosoph, sagen Sie ferner, kann den
Menschen im Allgemeinen sehr wohl kennen, und
den einzelnen Menschen sehr wenig.” (S. 70, 71.)
Das heißt, er kann die Eigenschaften, welche der
menschlichen Natur überhaupt eigen sind, kennen;
und

(492)

und er kann nicht genug von den zufälligen Ver=
schiedenheiten wissen, wodurch sich ein Mensch von
dem andern, ein Stand, ein Volk von dem andern
absondert.   Demungeachtet ist auch jene allgemeine
Kenntniß nicht ohne Beobachtung vieler Einzelnen
zu erlangen: es sei denn, daß man bloß die Be=
griffe, welche andre gefunden haben, nachspricht.
Sei dem aber, wie ihm wolle: so scheint es, daß,
wenn von allgemeinen Veränderungen, die dem
menschlichen Geschlechte oder großen Theilen dessel=
ben bevorstehen, und von der Wahrscheinlichkeit
solcher Veränderungen die Rede ist, auch die allge=
meine Kenntniß des Menschen darauf einigen Ein=
fluß habe.   Ich habe nicht behauptet, daß es un=
möglich wäre, viele einzelne Menschen zu irgend
einer Art von Aberglauben zu verführen: aber das
habe ich gesagt, daß es unmöglich sei, ganz Europa
wieder in die düstere Finsterniß des Papstthums
zurückzubringen.   Dies Urtheil hängt schon mehr
mit der Kenntniß des Menschen im Allgemeinen
zusammen.   Die Wahrscheinlichkeit einer Verän=
derung, die in den Gemüthern von Millionen
Menschen vorgehn soll, kann nicht nach einzelnen
Beispielen, aber sie kann wohl nach den Gese=
tzen der menschlichen Natur überhaupt beurtheilt
werden.

Es wäre freilich ungereimt, wenn jemand be=
haupten wollte, ein Farospieler würde keine Poin=
teurs finden, weil der Vortheil allzu sichtbar auf
der Seite dessen, der Bank macht, sei.   Aber der=
jenige würde ganz richtig urtheilen, welcher be=
hauptete, daß sich nie eine ganze Stadt durch
Pointiren zu Grunde richten wird.   Sogar von
jeder Art der Verschwendung kann der Philosoph
kühn den Ausspruch thun, daß sie allein nicht die
                                    Ursache

Ursache der allgemeinen Armuth sein könne, die er
an einem ihm sonst unbekannten Orte antrifft. Er
weiß nehmlich zuverlässig, daß, obgleich einzelne
Personen durch die klärste Berechnung des Scha=
dens nicht abgehalten werden können von dem, was
ihnen die Zeit vertreibt, doch bei dem größten Theil
der Nutzen über das Vergnügen die Oberhand hat;
und daß, mehr zu verthun als man einnimmt, und
viel zu wagen, wo die Gefahr zu verlieren groß
ist, nur die Thorheit Weniger sein könne. Der Phi=
losoph hält es nicht für unmöglicher, daß jemand
katholisch werde, als daß jemand pointirt; aber das
glaubt er leugnen zu können, daß unsre Länder je
werden durch Farospieler in Armuth und durch
Missionarien in Barbarei gestürzt werden.

Ich mag mir vielleicht die Dummheit und Un=
wissenheit, die noch unter den Menschen herrscht,
nicht groß genug vorstellen. Ich gestehe auch, selbst
nicht den Muth und die Geduld zu haben, mir alle
davon vorkommende Proben vollständig bekannt zu
machen. Indeß, wenn ich von der größern Auf=
klärung unsrer Tage redete, so war gewiß nicht meine
Meinung, daß alle Landpfarrer jetzt gute Prediger
wären, und alle Kandidaten in der Prüfung be=
stänten. Auf der andern Seite geben Sie doch
selbst zu, daß das Licht der Wahrheit anfange hel=
ler zu glänzen; nur Sie befürchten, daß eine zu
hohe Meinung von den schon gethanen Fortschrit=
ten die noch zu machenden verzögern könne. Es
kömmt also alles nur auf Maaß, Zahl und Ge=
wicht an, um daß wir uns über diesen Punkt der
Aufklärung vereinigen.

Mich dünkt: zu der Absicht, in welcher Sie und
ich jetzt denselben berühren, gehören zwei Erörte=
rungen. — Erstlich: in wiefern hängt die Frage,
wie

(494)

wie groß die jetzige Aufklärung sei, mit der Haupt-
frage, ob die Ausbreitung des Papstthums zu befürchten sei, zusammen? Zweitens: Nach welchen Merkmalen soll man den Grad der Aufklärung
untersuchen?

Erstlich. Die Menschen können Thoren bleiben, und doch nicht immer an derselben Thorheit
Geschmak finden. Und dies dünkt mich in der That
hier der Fall zu sein. Wenn in den finstern Jahrhunderten päpstlicher Bigotterie die Menschen tief
in Vorurtheilen stekten, so waren es doch nicht die
Ungereimtheiten der Mythologie. Wir wollen
nicht streiten, welche schlimmer waren (ob es mir
gleich scheint, daß man, ohne sich selbst blenden zu
wollen, den Unterschied unmöglich verkennen kann):
aber es waren doch andre. Die gegenwärtige Beschaffenheit der politischen und litterarischen Welt,
die Sitten, die herrschenden Leidenschaften, alles
scheint mir auf gleiche Weise unverträglich mit dem
Geiste des alten ächten Papstthums. Abwege werden deshalb dem menschlichen Geiste genug übrig
bleiben: und einige, die von Ihnen und Ihren
Mitarbeitern aufgedekt worden, sind ungeheuer.
Auch können in dieses neue System von Thorheiten viele Stükke des alten Aberglaubens aufgenommen werden; so wie viele Gebräuche des ausarten-
den Christenthums von den Heiden entlehnt waren. Aber im Ganzen sind es wirklich ganz andre
Sachen, die aus andern Quellen entstehen, eine
andre Stimmung der Gemüther voraussetzen, und
andre Folgen haben.

Indeß, meiner Meinung nach, zeigen die Annalen des Menschengeschlechts nicht bloß einen
Wechsel der Irrthümer. Es geht dasselbe, besonders in Europa, zwar nicht vom Irrthume zur
Wahr-

Wahrheit, und von Unwissenheit zu allgemeiner
Erleuchtung, — aber doch von gröbern zu geringern Irrthümern, und von einer größern zu einer
erträglichern und mehr eingeschränkten Unwissenheit fort. Eine absolute und allgemeine Aufklärung
ist nie gewesen, und wird nach aller Wahrscheinlichkeit nie statt finden. Aber ist sie jetzt nicht größer, und besonders allgemeiner als ehedem? Dies
ist die einzige Frage, die eine Untersuchung verdient. „Aber es giebt eine so große Menge Schwärmer." — Man berechne dagegen die Anzahl der
unschwärmerischen denkenden Leute. „Es kommen
so viel theosophische Schriften heraus und werden
in mehrern Ländern gelesen." — Dies zeigt, daß
bei den Krankheiten der Seele eine Ansteckung statt
finde, wie bei den Krankheiten des Körpers; oder
daß allgemeine Ursachen vorhanden sein müssen,
warum gerade diese, die theosophische Schwärmerei, so viele Köpfe verderbe. Aber es erscheinen
doch auch die vernünftigsten gründlichsten Bücher
in allen europäischen Sprachen, und werden ebenfalls gekauft und gelesen. Also ist wenigstens so
viel richtig: Vernunft und Unsinn haben, für jetzt
noch, jedes seine Partei. Es fragt sich nur: welche ist die mächtigere? Man muß aber auch hier
thun, was Cicero bei Beurtheilung der Parteien
in Republiken verlangte, — man muß nicht bloß
auf die Anzahl, sondern auch auf das Gewicht der
Anhänger einer jeden sehen.

Diese Vergleichung mag indeß angestellt werden, so sorgfältig sie wolle: so kann keiner von uns
die Rechnung mit vollkommner Zuverläßigkeit
schließen. Und die Frage, ob die Thorheit oder
die Vernunft das Uebergewicht im menschlichen
Geschlecht habe, wird eben so wie die, ob es mehr
                                        Glük-

(496)

Glükseligkeit oder mehr Elend auf Erden gebe, im=
mer zum Theil nach der subjektiven Empfindungs=
art eines jeden, und nach den Gelegenheiten, die
er in seiner Lage gehabt hat, mehr Beispiele von
dem einen oder dem andern zu sehen, bejahet oder
verneint werden. — Allgemeine Betrachtungen
müssen hier nothwendig den Erfahrungskenntnissen
zu Hülfe kommen. Die einzige, die ich noch hin=
zufügen will, ist diese. Es hat große Thoren, —
noch mehr, es hat epidemische Thorheiten in jedem
Jahrhunderte gegeben. Und doch ist mitten drun=
ter (wie Sie selbst gestehn,) das Licht um ein we=
niges fortgewachsen. Warum wollten wir dann an
unserm Zeitalter verzagen?

„Und weil nun, sagen Sie ferner (S. 73. des
Jul.) die Dummheit noch so groß, und die Aufklä=
rung so geringe ist: so ist es höchst wahrscheinlich
daß die Jesuiten davon Gebrauch machen werden.“
Dies ist doch auch nur ein Schluß aus allgemeinen
Gründen; und wie mich dünkt, nicht ein so star=
ker, daß er hätte gebraucht werden sollen, wo That=
sachen so laut reden.

Die Furcht, die wir vor den Katholiken zu he=
gen Ursache haben, reducirt sich, nach dem was
Sie selbst, was Ihr Korrespondent im August, und
was Herr Nicolai in seinen Reisen, sagen, fast
ganz auf die, welche die Jesuiten erregen. Ist
die Gefahr, die von diesem Orden noch jetzt der Auf=
klärung und der Freiheit zu denken, bevorsteht, so
groß, daß die Protestanten Ursache haben davor zu
zittern? Dazu scheint mir vor allen Dingen das
auszumachen zu sein, (wovon Herr Nicolai mit
voller Ueberzeugung spricht, aber ohne alle Gründe
dieser seiner Ueberzeugung zu entdekken): ob die Je=
suiten noch wirklich den allgemeinen Zusammenhang
                                                     unter

unter sich haben, durch welchen sie allein zu einem
moralischen Körper, und einer planmäßig fort=
dauernden Wirksamkeit fähig werden; — durch
welchen auch nur allein die Glieder den besondern
Charakter und das eigne Interesse bekommen kön=
nen, das sie als Jesuiten unterscheidet und gefähr=
lich macht. Haben sie noch immer ihre gemein=
schaftlichen Obern; ist die Korrespondenz aller Je=
suiterkollegien mit denselben noch immer so ununter=
brochen; sind die Glieder noch eben so zu einem
blinden Gehorsam gegen diese Obern gewöhnt? —
Personen der römischen Kirche, die in ihrer Lage
am geschiktesten sind, Nachricht davon einzuziehen,
und die, wofern nicht alles trügt, gewiß nicht jesui=
tisch denken, leugnen dieses alles. Es ist in der
That höchst unwahrscheinlich. Denn wo sollen noch
jetzt die Bewegungsgründe herkommen, so viele
tausend Menschen zu Aufopferungen zu bewegen,
die an und für sich jedem Menschen schmerzlich
sind? — Aus der Herrschbegierde? — Ich ant=
worte: so lange der Jesuiterorden eine sichtbare
Gesellschaft war, so nahmen an dem Ansehn der
Oberhäupter auch die Untergebnen Theil; sie wur=
den, als Jesuiten, mehr geehrt, wenn der ganze
Orden viel galt. Aber jetzt, da diese Gesellschaft,
wenn sie existirt, unsichtbar ist, empfinden die Un=
tergebnen von der Macht ihrer Obern nichts, als
die drükkende Last, und keine Vortheile. Laß es
auch sein, daß diese letztern die fähigern und ge=
schäftigern der Ordensglieder an sich heranziehen, in=
dem sie sie an ihren Anschlägen Theil nehmen las=
sen; immer aber werden zur Ausführung der Pläne,
welche die Oberhäupter entwarfen, und um welche
einige wenige Rathgeber mit wissen, eine große
Zahl blind gehorsamer Unterthanen nöthig sein,

(498)

die nur befolgen, was ihnen befohlen wird. Ich
frage: wo bekommen jene Direktoren, diese blinden Ausführer ihres Willens her? durch welche
Hofnungen schmeicheln sie ihnen? durch welche
Furcht halten sie sie zurük, wenn sie ihnen untreu
werden? wo finden sie Beistand, wenn ihnen Gehorsam versagt wird?

Ueberdies sind viele ganz gemeine und bekannte
Thatsachen vorhanden, die das Gegentheil von einer solchen Fortdauer der jesuitischen Staatsverfassung zu beweisen scheinen. So viele Ordensglieder an allen Orten sind so ganz damit beschäftigt,
ihr Privatglük, unabhängig von dem Orden, auf
die eine oder die andre Art zu suchen; viele haben
dazu Wege eingeschlagen, die von ihren ehemaligen
Obern und Mitbrüdern so sehr gemißbilliget worden; und sie haben dabei so wenig von dem Gehorsam bewiesen, zu dem sie ehemals verpflichtet waren, selbst nichts von der Achtung, welche die lange
Verbindung mit einer Gesellschaft den Mitgliedern
einflößen kann: daß man jene Bande entweder für
aufgelöst, oder doch für zu ohnmächtig halten muß,
diejenigen zu fesseln, die nicht durch Privatinteresse
zu einiger Anhänglichkeit an ihre ehemaligen Vorsteher bewogen werden.

Ich will gerne glauben, und ich habe auch selbst
Nachrichten davon gehört, daß einzelne Jesuiten,
vielleicht auch ganze Korporationen derselben, in
gewissen Provinzen, da sie ihre ehemalige Wichtigkeit, als Glieder eines mächtigen Ordens, verlohren hatten, sich auf andre Weise emporzuheben
suchten; und daß sie sich dazu des Hanges zur
Schwärmerei und zu geheimen Künsten bedienten,
der in ihren Gegenden, wie in vielen andern, ausgebreitet war. Vielleicht nutzten sie die Verbindungen,

dungen, in denen sie vorher, als Jesuiten, mit vielerlei Personen standen, dazu, die Häupter oder
doch die Seele der mysteriösen Gesellschaften zu werden, die sie schon errichtet fanden, oder die sie nach
dem Muster älterer errichteten. Vielleicht waren
sie auch wegen des Geistes, den ihnen die Erziehung
in ihrem Orden gegeben hatte, geschikt, auf dieser
neuen Laufbahn weiter zu kommen, als andre. Aber
immer ist es eine neue Laufbahn. Die Jesuiten
welche Pascal bestreitet, von welchen die Protestanten verfolgt, die Regenten regiert worden sind,
waren keine Geisterseher, keine Magi; sondern die
trokkensten Pedanten, steif und fest hängend an dem
Buchstaben der Tradition und der päpstlichen Sa-
zungen, und in nichts erfahren, als in der Metaphysik der Schulen.

Wenn die Jesuiten und Jesuiterfreunde mit
dem Buche, über Irrthümer und Wahrheit,
auf keine andre Weise zusammenhängen, als wie
uns Ihr Korrespondent im August durch den mitge-
theilten Schlüssel entdekt hat: so gestehe ich, daß
das genannte Buch mir noch weit mehr absurd als
gefährlich vorkommt. Gewiß diejenigen vernünftigen Männer, die mir als Verehrer desselben bekannt worden, werden zuerst es mit Verachtung
wegwerfen, sobald sie überzeugt sein werden, daß
dies der wahre Schlüssel desselben sei. — Freilich
begreife ich nicht, wie ein Buch, das so wenig lehr-
reiches in den Sachen, und so wenig anziehendes
im Vortrage hat, sich hat so viele Verehrer erwerben können. Aber ich erkläre mir diese Verehrung
so, wie ich mir überhaupt die Schwärmerei bei ge-
scheiten Leuten erkläre: dadurch, daß sie hoffen,
künftig Aufschlüsse zu finden, wo sie jezt noch nichts
verstehn; dadurch, daß ihnen jede Dunkelheit ein

(500)

Geheimniß zu enthalten scheint, dessen Entdekkung
ihnen bei weiterm Nachforschen vorbehalten ist.
Wie diese Hoffnungen erregt, unterhalten, und besonders so stark werden, daß sie gegen den Ekel
aushalten, den die lange Beschäftigung mit einer
unverständlichen Sache verursachen muß: das weiß
ich freilich nicht; und dies ist gerade das Geheimniß, welches bei der gegenwärtigen Ausbreitung
der mystischen theosophischen Gesellschaften meine
Neubegierde am meisten reizt. Aber das sehe ich,
daß die, welche jenes Buch hochhalten, so wie
Claudius, nicht behaupten, es jetzt schon zu verstehn, aber nur glauben, so viel davon zu wissen,
daß sie versichert sein können, wichtige Geheimnisse
künftig daraus zu lernen. Gewiß, wenn diese
Männer einsehen werden, daß es in diesem Buche, und in ähnlichen, keine Aufschlüsse giebt; wenn
sie glauben werden, daß durch hundert seltsame
Namen nur immer das Wort Jesuit ausgedrükt
werde, und daß alle die mysteriösen Sätze von
nichts, als von dem General der Jesuiten reden
(ohne doch etwas neues und erhebliches von demselben zu sagen): so werden sie, anstatt sich durch das
Buch zum Jesuitismus verführen zu lassen, die
Jesuiten um eines so abgeschmakten Buches willen,
verachten. Denn nach allem dem, was Ihr, wie
es scheint, so wohl unterrichteter Korrespondent
von dem Inhalt desselben entdekt, wird zwar darinn viel von den Jesuiten geredet; aber ich sehe
nicht ein, wie der Jesuitismus dadurch empfohlen,
beliebt gemacht, wie ihm Eingang verschafft wird.

Daß Schwärmer, die mir näher sind als ich
glaube, von der hohen Würde der wahren katholischen Religion reden: glaube ich gerne. Es gab
eine Zeit, wo die Lutheraner überhaupt so sprachen,
                                                    wenn

wenn sie sich den Reformirten entgegensetzten.
Wer von der Tradition viel erwartet, und das
Alterthum sehr hochschätzt, wird leicht der katholischen Religion eine Würde zuschreiben. Aber in
dem der, welcher so redet, sich erklären soll, was
er zur wesentlichen katholischen Religion rechnet,
wird er sie so verändern, daß er von ihren wahren
Anhängern für einen so argen Kätzer gehalten erden wird, als diejenigen, welche sie geradezu verwerfen.

Eine Nation, habe ich gesagt, kehrt nicht
zurük (S. S. 75). Sie haben Recht, mich über
diesen Satz anzugreifen. Er ist zu allgemein ausgedrükt. Wenn man die großen Revolutionen,
die in den Meinungen der Menschen vorgegangen
sind, übersieht, so ist er wahr: wenn man einzelne
Provinzen, und eingeschränkte Zeiträume in Betrachtung zieht, so leidet er Ausnahmen. Wenn
eine Nation, oder vielleicht nur ein kleiner Theil
von ihr, einen neuen richtigen Begrif, eine Verbesserung in Religion oder Sitten, die von andern
erfunden worden, plötzlich auffaßt, besonders ohne
dazu vorbereitet zu sein: so kann sie, durch ge-
waltsame Vernichtung aller Anstalten und Gelegenheiten, diesen Begrif weiter zu entwikkeln,
dieser Verbesserung nachzugehen, wieder in ihren
alten Zustand zurükgebracht werden. Ob gleich
auch alsdann ein Saame von richtig denkenden
übrig bleibt, von Leuten, welche die einmal erkannte Wahrheit im Verborgnen erhalten; daher
die Anhänger des verbesserten Systems, wie wir
jetzt in den österreichischen Staaten sehen, in un-
erwarteter Anzahl hervortreten, sobald dem gewaltthätig bekehrten Volke die Freiheit gegeben wird,
seine Einsichten und Meinungen an den Tag zu

It 3   legen.

(502)

legen. Wenn aber bei einer Nation eine Meinung
oder ein System von Meinungen, nicht durch die
Predigt eines Fremden, sondern durch ihre eigne
Aufklärung nach und nach gestört wird, indem das
Maaß ihrer Einsichten ihr nicht erlaubt, die Falsch-
heit dieser Meinung, und das Unzusammenhän-
gende dieses Systems länger zu verkennen; wenn
dann das neue System, welches an die Stelle des
alten getreten ist, sich schon durch mehrere Generationen fortgepflanzt und jenes alte so verdrängt
hat, daß es anfängt, in Vergessenheit zu gerathen:
dann kann man wohl mit Gewißheit annehmen,
daß eher ein neuer Irrthum, als jene alten bei dieser Nation Eingang finden werden.

Ist es nicht eine Behauptung, welche mehr in
dem Augenblicke des Streites von Ihnen aufgenommen, als Ihrer beständigen Ueberzeugung
gemäß ist, wenn Sie S. 76 das Heidenthum,
welches Julian auszubreiten suchte, als die reinere
Vernunftreligion, und das Christenthum, welches
er ausrotten wollte, für den verderblichen Aberglauben ansehen? Ich gestehe es, daß ich die damaligen Kirchenväter, z. B. den Augustinus, ob
ich gleich ihre Mängel erkenne, doch weit lieber zu
meinen Lehrern der Religion annehmen wollte,
als die, von welchen Julian die seinige gelernt
hatte. War die Philosophie desselben nicht die
Neuplatonische, deren Unsinn, wie Sie selbst sagen, den Unsinn gewisser neuern Mysterien noch
übertraf?

„Eben die jetzige Gleichgültigkeit und Sorglo-
„sigkeit der Protestanten gegen alle Religion,"
sagen Sie ferner (S. 76. 77), „macht es den Pa-
„pisten leichter, ihre Religion unvermerkt unter-
„zuschieben." Ich zweifle. Denn man kann wohl
durch

durch Fahrläßigkeit und Kaltsinn die Ueberzeugung,
welche man in Religionssachen gehabt hat, verlieren; aber neue Dogmata annehmen, sich neuen
Uebungen unterwerfen: das kann man unmöglich,
ohne darauf gewandte Aufmerksamkeit, und also ohne
sich mit Religion überhaupt lebhaft zu beschäftigen.

„Die Neuheit, sagen Sie, gab der durch die
Reformation entdeckten Wahrheit einen größern
Reiz, und die damalige Gährung gab den Gemüthern eine größre Kraft zum Widerstande." Aber
die Geschichte lehrt, daß es im Anfange den Reformatoren selbst noch zweifelhaft schien, wie weit sie
mit gutem Gewissen von der alten Lehrform und
dem alten Gottesdienste abweichen könnten. Viele
ihrer Zuhörer gaben nur mit Zittern dem Vortrage
Beifall, dessen Gründlichkeit ihnen einleuchtete,
weil sie, noch voll von Verehrung gegen den Glauben ihrer Väter, immer die Möglichkeit eines Irr-
thums bey den Neuerungen befürchteten. In diesem schwebenden Zustande der Gemüther waren oft
einige wenige dem alten Glauben günstige Umstände genug, das Uebergewicht desselben wieder
herzustellen. Aber um einen Gottesdienst anzunehmen, für den kein ererbtes Vorurtheil spricht, den
man kaum recht kennt, der doch so viel Eigenthüm-
lichkeiten hat, daß er nicht unvermerkt dem alten
untergeschoben werden kann: dazu müssen in den
Gemüthern der Menschen weit größre Veränderungen vorgehen, und also weit größre Kräfte in
Bewegung gesetzt werden.

Das Beispiel, welches Sie aus der Politik gegen mich anführen (S. 77.), scheint für mich zu
zeugen. Wie in den Staatsverfassungen der natürliche Fortgang von der Demokratie zur Monarchie ist: so ist in der Religion ein andrer solcher

(504)

Fortgang vom Vielglauben zum Wenigglauben.
Dazu gehört eine große Wachsamkeit eines Volks,
zu verhindern, daß seine Konstitution diesem Han-
ge nicht folge. Aber daß aus der Monarchie keine
Demokratie werde, dazu ist die bloße Gleichgültigkeit des Volks gegen seine Regierungsform genug.
Auf gleiche Weise kann der erkaltete Eifer der Protestanten sie zwar in Gefahr bringen, ihre Religion ganz zu verlieren, und in völligen Skepticis-
mus zu gerathen, (woraus einige sich durch die
Schwärmerei wieder herauszuhelfen suchen): aber
er ist hinlänglich, sie vor dem Katholicismus zu ver-
wahren, der, als ein viel zusammengesetzteres
System von Religionslehren und Pflichten, eine
größere Glaubenskraft, und einen größern Hang
zur Andacht, obgleich nur einer sinnlichen, fordert.
Wenn die Versuche, die seit einigen Jahren
im Englischen Parlamente gemacht worden, die
strengen Gesetze gegen die Katholiken aufzuheben
oder zu mildern, von dem heimlichen Einflusse der
Jesuiten herrühren: so haben wenigstens die Auf-
tritte, die darauf gefolgt sind, gewiesen, daß unter
dem Volke nicht Gleichgültigkeit gegen seine Religion, oder Neigung gegen das Papstthum, sondern der blindeste Eifer herrsche. Demungeachtet
ist jenes auch nicht mehr, als Vermuthung. Gewiß ist die Toleranz gegen die Papisten auch von
solchen Männern befördert worden, die von keinem
andern Bewegungsgrunde wußten, als daß sie
diese Toleranz billig und vernünftig, und Gesetze
unnütz fanden, die wegen ihrer Strenge selbst nie
ausgeübt werden. Dies letzte gesteht selbst Blakburne in der Schrift *), worinn er auf die Beibehaltung derselben dringt.　　　　　　　　　　Alle

---

*) *Blakburne's* Considerations on the present state of
　　　　　　　　　　　　　　　　　　　the

(505)

Alle Ihre Leser, und ich insbesondere, werden
Ihnen sehr verbunden sein, wenn Sie alles, was
Sie von dem jetzigen Geiste des Papſtthums oder
von den Bemühungen ſeiner Anhänger um Ausbreitung deſſelben wiſſen oder erfahren, bekannt
machen. Jeder Vernünftige wird in einer ſo er-
heblichen Sache gerne lernen, was er nicht weiß;
und ich insbeſondre werde mich gerne zurechtwei-
ſen laſſen, wo ich geirrt habe. Nur werden Sie,
wie ich glaube, die Fakta von den Schlüſſen noch
ſorgfältiger abſondern müſſen, wenn Sie nicht der
andern Partei Unrecht thun wollen. Insbeſondre,
ſo ſehr ich dagegen bin, im Allgemeinen und auf
eine unbegränzte Weiſe gegen irgend eine Partei
Verdacht zu erregen: ſo ſehr wünſche ich, daß jeder beſtimmte Fall, wo katholiſche Prieſter ſich der
Verſtellung und der Liſt bedienen, um Proſelyten
zu machen, ans Licht gezogen und bekannt gemacht
werde.   Betrug jeder Art verdient die Ahndung
der Regierung, und fordert die Wachſamkeit aller
Wahrheitsfreunde auf.   Selbſt die Glaubensge-
noſſen eines ſolchen unwürdigen Geiſtlichen werden demjenigen Dank wiſſen, der ihn der öffentlichen Mißbilligung Preis giebt.   Ich bin um deſto
begieriger, neue Fakta zu erfahren, weil nach denen, welche ich bisher in Ihren und Ihrer Freunde
Aufſätzen gefunden habe, ich noch nicht hinlänglich
unterrichtet bin, um vollſtändig über die Sache

Ji 5   ur-

the controverſy between the Proteſtants and Papiſts
of Great-Britain and Ireland.   Ein Buch, worin
aus wahren Thatſachen doch, wie mich dünkt, zu
viel gegen die Katholiken gefolgert wird, und zweideutige zu nachtheilig für ſie ausgelegt werden;
das Werk eines gutmeinenden Eiferers, nicht eines
unbefangenen Unterſuchers.

(506)

urtheilen zu können. Ich glaube, daß es unbillig
sein würde, zu bestimmen, wie große Aufschlüsse
Sie geben sollen. Aber Sie werden dagegen auch
denen, die, wie ich, selbst keine entscheidende Thatsachen sehen, und die, welche sie von andern erfahren, nicht deutlich genug finden, erlauben, daß
sie sich, bis die Nachrichten klärer werden, an die
allgemeinen Kenntnisse halten, die ihnen evident sind.

Ist es wahr, daß geheime Gesellschaften nur
Weisheit und Tugend auszubreiten ungeschikt,
aber Thorheit und Unredlichkeit fortzupflanzen geschikt sind? (S. S. 80. u. f.) „Die geringern Mitglieder“, sagen Sie, „sind betrogne Schwärmer,
und daher zu Erreichung der Absichten, wozu man
sie mißbraucht, eifrig. Die Obern sind Betrüger,
und daher alle Mittel zu gebrauchen fähig.“ Ich
weiß nicht, ob dies der reine Ausspruch der Erfahrung sein sollte. Die meinige reicht nicht weit,
da ich nie ein Mitglied solcher Gesellschaften gewesen bin. Aber wenn ich das wenige, was ich selbst
beobachtet habe, mit dem, was die Geschichte mich
lehrt, vergleiche; so finde ich: 1) daß der Abschnitt
zwischen Betrügern und Betrognen nicht so scharf
und so absolut sein kann, als er in dieser Betrachtung angenommen wird. Eine Gesellschaft, die
kein ander Band zwischen den Regierenden und
Gehorchenden hat, als die überwiegende Klugheit
der erstern, und die Dummheit der andern, wird
nicht lange bestehn, es müßten denn zwei verschiedne Menschengattungen sein, aus denen beide
Theile herstammten und sich ergänzten;

2) daß die geheimen Gesellschaften wenig über
ihren eignen Umkreis wirken können. Die, welche
nicht dazu gehören, sind immer auf gewisse Weise
ihre Gegner: entweder abgeneigt von denselben,
                                               weil

weil sie etwas böses bei ihnen vermuthen, oder
doch ohne Achtung dafür, weil sie ihre Geheimnisse
für leere Einbildungen halten; immer aber derge-
stalt abgesondert, daß weder Meinungen noch Sitten der profanen Welt durch diese Eingeweihte
verändert werden;

3) daß, wenn diese Gesellschaften dadurch ihren
Wirkungskreis erweitern wollen, daß sie sich
selbst, durch Aufnahme vieler Glieder, vergrößern,
sie ihren Geist verlieren, und weit unbedeutendere
Institute werden. Es geht ihnen nicht anders,
als den Religionssekten. So lange diese klein,
sehr in sich verbunden, und von dem großen Haufen abgesondert sind: so lange werden sie, (wie
die ersten christlichen — wie jetzt die Brüderge-
meinden) von einem großen Eifer zu dem Zwekke,
welcher sie vereiniget hat, belebt, und prägen ihren
Mitgliedern einen eigenthümlichen Charakter ein,
wodurch es auch geschieht, daß ihre Vorsteher un-
umschränkten Gehorsam finden. Während dieser
Zeit aber haben sie auf die, welche draußen sind,
wenig Einfluß. Sobald sie sich ausbreiten, und
dadurch für die Welt überhaupt wichtiger werden,
verlieren sie ihren Geist, weil zu viele desselben
unempfängliche Menschen dazu treten. So, denke
ich, wird es mit den schwärmerischen Gesellschaften auch gehen. Ihre Ausbreitung selbst, die jetzt
so ungeheuer scheint, wird ihnen ihren Untergang
bringen. Es wird bald Altar gegen Altar errichtet
werden (und dieser Zeitpunkt ist schon gekommen);
in ihrem Schooße selbst werden immer mehr Unzu-
friedne oder Freidenker aufstehen; mit einem Wort,
der allgemeine Charakter der Menschen wird die
Oberhand bekommen über die Denkungsart, welche
die Mitglieder dieser Gesellschaft, als solche, aus-
zeichnen sollte.   Ende

(508)

Endlich finde ich in den Jahrbüchern der Welt keine einzige große Revolution, es sei in dem politischen Zustande, in den Meinungen oder in den Sitten der Völker, die durch geheime Verbindungen hervorgebracht worden. Was haben die Mysterien der Alten gewirkt? Nichts, wovon man sagen kann, daß es in der Welt geblieben, oder durch seine Folgen merklich geworden sei. Die abergläubischen Gebräuche, die in den einen, die Gräuel, die in den andern ausgeübt wurden, die Lehren der Weisheit und einer vernünftigern Religion, die man in den dritten mittheilte, sind auf gleiche Weise in dem Dunkel geblieben, in welches sie sich eingehüllt hatten. Eben dadurch, daß diese Mysterien nie völlig offenbar worden, wird bewiesen, daß ihre Wirkungen nicht groß gewesen sein können. Die Veränderung, welche die Einführung des Christenthums hervorgebracht hat, die, welche von der Reformation herkam; selbst die, welche die Jesuiten bewirkten: alle diese kommen von Instituten, die vor den Augen der Welt errichtet wurden, und die, weit entfernt ihre Lehren unter Hieroglyphen zu verstekken, dieselben mitzutheilen und bekannt zu machen suchten, so viel sie konnten. Also unwirksam für die Welt im Ganzen scheinen mir Gesellschaften zu sein, die ihre Glieder zum Verschweigen desjenigen verpflichten, was sie darin lernen. Aber daß sie nothwendig schädlich, nur zum Gutesthun ohnmächtig, zum Schaden mächtig und wirksam wären: dies zu behaupten, finde ich nicht genugsame Gründe.

Eigennutz und Ehrgeitz sind kalte Leidenschaften. Dieser Satz, der in dem Zusammenhange, in welchem ich ihn dachte, eine Wahrheit enthält, ist doch, wie er den Worten nach lautet, zu allgemein

(509)

mein und falsch. Von dem Eigennutze, d. h. von
der Habsucht, ist das Prädikat kalt im eigentlichen
Verstande wahr. Enthusiasmus kann er selten hervorbringen; er giebt dem Menschen keine neue
Stärke; er läßt daher nach, und verschwindet leicht,
wenn er mit Leibes- und Lebens-Gefahr zu kämpfen hat. Aber Ehrgeiz kann die Imagination
entflammen, kann die Kräfte des Menschen erhöhn,
und ihn über Schmerz und Gefahr siegend machen.
Indeß, man bemerke, dies thut der Ehrgeiz da,
wo Ehre der offenbare und nächste Zwek ist. Hier
ist von einem verborgnen von einem abgeleiteten
Ehrgeiz die Rede. Ich frage: wird ein Mann,
der eine Religionslehre für wahr und für göttlich
hält, der glaubt daß es Gott befohlen habe, sie auszubreiten, der sich die Seligkeit davon verspricht,
wenn er in diesem Geschäfte zu Schaden oder ums
Leben käme: wird ein solcher nicht mit größrer Hitze
und Nachdruk dabei zu Werke gehn, als der welcher, indeß er selbst an der Wahrheit der Lehre, die
er predigt zweifelt, wenigstens gleichgültig dagegen
ist, andre nur deswegen zu ihrer Annahme zu be-
reden sucht, weil er sich dadurch Ansehn in der Welt
zu verschaffen hofft? Mit andern Worten: kann
ein Heuchler, der sein Werk nur durch Verstellung
treibt, mit eben der lebhaften Leidenschaft handeln,
als der, welcher es ernstlich und ehrlich meint, und
den Endzwek, den er vorgiebt, wirklich verfolgt? —
Dies also war der Sinn meines Satzes: wenn
Ehrgeiz und Eigennutz jemanden zu einem Unternehmen bewegen, an welchem er unmittelbar kein
Interesse hat, so wird er dasselbe nicht mit demselben Grade von Eifer und Standhaftigkeit betreiben, als wenn seine Begierde geradezu auf die Ausführung desselben gerichtet wäre. Und in diesem

Sinne,

Sinne, denke ich, wird die Erfahrung meiner Behauptung nicht widersprechen; ob es gleich auch hier
Ausnahmen geben kann.

Sie kommen noch einmal auf die geheimen Gesellschaften und auf meine Unwissenheit zurük:
(S. S. 82.) und ich mit Ihnen. Daß es jetzt deren viele Arten und an vielen Orten giebt, das
kann niemanden unbekannt sein, der nicht ganz
außer der menschlichen Gesellschaft gelebt hat. Ich
bin auch nicht ohne Aufmerksamkeit auf diese Verbindungen in meinem Vaterlande gewesen. Ich
weiß, daß sie auf ihrem eignen Wege weit fortgegangen sind; aber davon habe ich keine Spur, daß
sie mit dem Katholicismus einen Zusammenhang
haben. Was ich bemerkt habe, da es wenig und
unverdächtig ist, kann ich mittheilen. Viele Mitglieder dieser Gesellschaften, habe ich gefunden,
bleiben unverändert, was sie vorher waren. Diese
bekommen auch bald eine Gleichgültigkeit gegen ihren Orden, wenn sie sich auch nicht davon trennen.
Andre werden dadurch frömmer und religiöser, entfernen sich von der Welt, nähern sich in Ausdrükken und Betragen der Brüdergemeinde, und fan-
gen an, die geheimnißvollesten Lehren des Christenthums, so wie die Orthodoxen aller Parteien sie
vertheidigen, der Moral vorzuziehn. Diese wissen von Wundergaben, von Geheimnissen, vom
Geistersehen wenig; und scheinen selbst das Streben darnach nicht zu billigen. Noch andre bedienen sich der Religion nur als eines Mittels, um
in den Geheimnissen und Arbeiten des Ordens weiter zu kommen. So weit gehn meine Kenntnisse:
was drüber ist, ist Muthmaßung, oder eine dunkle
Spur, bei der man alle Augenblikke in Gefahr ist
zu irren. So viel ist wahr, daß von diesen Ge-
sell-

(511)

sellschaften in meinem Vaterlande mir mancherlei
bekannt geworden, was mir nicht vernünftig
scheint, nichts, was böse ist; daß ich nicht in die
Grundsätze der Besten unter ihren Mitgliedern
einstimmen kann, aber daß ich in ihrer Aufführung
nichts tadelhaftes gefunden, und einzelne gute
Handlungen von ihnen gesehen habe.

Gelehrte und Professoren, die an den Studen-
tenorden hängen, (S. 82.) sind wohl die schwäch-
sten und einfältigsten aller Sterblichen. Wenn ich
aus dieser von Ihnen selbst angestellten Vergleichung schließen sollte; so würde ich glauben, daß
ebenfalls keine andre, als sehr schwache Köpfe einem Orden, als Orden, so fest anhängen können,
daß sie sich von den Obern desselben gebieterisch beherrschen lassen, wie dieses in jenen von den Jesuiten gemißbrauchten Gesellschaften dem Vorgeben
nach geschieht. Aber mit schwachen Köpfen kann
ja unmöglich so gar etwas großes ausgerichtet werden. Ueberdies giebt es der Menschen, die sich
durch ungewöhnliche Schwäche des Geistes aus-
zeichnen, eben so wenig, als der starken und hell-
sehenden. Wo gemeiner Menschenverstand hinlänglich ist, das Nichtige oder das Täuschende einer Sache einzusehen, da wird der Anhang nicht
zahlreich genug sein, oder in seinem Eifer nicht
lange genug beharren, um gefährlich zu werden.

Ich bekenne meinen Fehler: es war nicht genug überlegt von mir, daß ich Sie aufforderte,
alles, was Sie von den Geschichten der Bekehrungen der Fürsten wissen, zu sagen. Aber Sie werden auch zugestehen, daß es schwer sei, Fakta, die
eine innere Unwahrscheinlichkeit haben zu glauben,
wenn man weder die Umstände noch die Gewährsmänner weiß. Ueberdies schien es mir, und

scheint

(512)

scheint es noch jetzt, daß so unvollständige Nachrichten in diesem Stükke von keinem Nutzen sind.
Ich bin überzeugt, daß von den Aeußerungen,
die Sie in Absicht der Neigung unsrer Fürsten zum
katholischen Glauben gethan haben, jeder ihrer Leser sich eine andre Auslegung gemacht haben wird.
Aber keiner, auch der am richtigsten die Sache getroffen hat, und der am stärksten dadurch ist gerührt
worden, wird einsehen, wie derselben abzuhelfen
sei, oder was er dabei zu thun habe.   Noch viel
weniger verlange ich, daß von Faktis dieser Art eine
gewisse Anzahl beigebracht werden soll.   Nur das
wünschte ich, daß es möglich wäre, von denen, die
angeführt werden, die Umstände und den Zusammenhang so weit zu enthüllen, daß der Leser wüßte,
wovon die Rede ist, und daß er von der Glaubwürdigkeit urtheilen könnte.   Doch ich bescheide mich,
daß auch dies in dem besondern Falle, wo Fürsten
mit ins Spiel kommen, sich nicht thun läßt.   Ich
will also auch diese ungewissen und dunklen Gerüchte
nicht von der Hand weisen, wenn sie von Männern kommen, die so viel Einsicht besitzen, daß bloß
ihre Ueberzeugung ein Gewicht bei andern haben
muß.   Ich will mich dadurch nur aufmuntern
(und dies ist der einzige Nutzen, den ich daraus zu
ziehen weiß), die Wahrheiten der gesunden Vernunft, die ich einsehe, mir selbst und andern noch
mehr ins Licht zu setzen, als ich bisher gethan habe:
in der Hoffnung, daß ich vielleicht so glüklich sein
könne, in irgend ein Gemüth, das den Verführungen der Schwärmerei oder des Aberglaubens offen
stand, einen Strahl der Erleuchtung zu bringen,
wodurch dasselbe zur guten Partei zurükgebracht
werde. — Sie erzählen alle die Umstände nach
der Reihe, welche sich bei einem protestantischen

Fürsten

(513)

Fürsten vereinigen können, ihn dem katholischen
Glauben geneigt, oder katholischen Missionarien
verführbarer zu machen. (S. S. 85, 86.) Diese
mögen nun aus wirklichen Beispielen, die Sie kennen, abgezogen, oder überhaupt aus der Kenntniß
der Fürsten geschöpft sein; immer sind sie hinlänglich, dasjenige zu beweisen, was ich sehr wohl zu-
gebe: daß nehmlich die Protestanten nicht sicher
sind, auch jetzt noch manchen ihrer Großen zu verlieren. Doch Sie haben sich auf die Erörterung dieser Möglichkeiten nur deswegen eingelassen, um sich
ihrem Gegner gleich zustellen: ob es mir gleich scheint,
daß Sie ihn hier verkennen, oder daß Sie ihm mit
Unrecht an andern Stellen so viel Achtung beweis-
sen. Der Philosoph, der in dem Reiche der Möglichkeiten so gern bleibt, ist ein für die wirkliche
Welt unbrauchbarer Mensch; und, wenn er sich auf
seine Sicherheit in jenem Reiche etwas zu Gute
thut, so ist er ein verächtlicher Pedant. *)

Wie

*) So ungern ich auch Herrn Prof. Garve unter-
breche, so muß ich es doch hier thun, weil ich es
nicht ertragen kann, auch nur einen Augenblik in
den Augen der Leser als ein Mensch zu erscheinen,
der Herrn Garve als einen verächtlichen Pedanten hätte darstellen wollen. Ich begreife in der
That nicht recht, wie Herr G. mich hat so miß-
verstehen können. Der ganze Fall ist dieser. —
Im April der Monatsschr. S. 363 bis 367 war die
Rede von den Kunstgriffen der Katholiken, vorzüglich der Jesuiten, protestantischen großen
Herren Neigung zum Katholicismus beizubringen, welches Herr T — y hatte leugnen wollen.
Ich nenne dagegen neun deutsche Fürstenhäuser,
wo diese Kunstgriffe nur zu sehr geglükt sind, und
erzähle mit Belegen umständlicher ein paar Fälle

(514)

Wie viel Einfluß ein Fürst haben könne, die
Religionsgrundsätze seiner Unterthanen zu ändern:

davon aus dem Ende des vorigen und aus dem itzigen Jahrhundert. Herr T — y schwieg, und nun
trat Herr Garve auf. Dieser sagte hiergegen
Jul. S. 28.: „Um den Satz, daß Emissarien un-
„sre Fürsten zu bekehren suchen, zu beweisen, sind
„gleichfalls alte mit neuen Beispielen zusammen-
„gestellt worden: ein Beweis, daß von den letzten
„nicht eine hinlängliche Anzahl vorhanden ist.‟
Ich muß gestehen, daß ich weder wußte, wie groß
eine Anzahl Beispiele sein muß, um hinlänglich zu
heißen, noch daß ich je vermuthet hätte, man
könne mein Nichtanführen mehrerer Fälle zu einem
Beweise der Nichtexistenz dieser Fälle machen.
Herr Büsching hingegen glaubte (in der Anzeige
des Julius der Monatsschr. in seinen wöchentl. Anzeigen) aus meinen Ausdrükken schließen zu können, daß ich mehr Fälle wüßte, als ich genannt
hätte. Dem sei wie ihm wolle; genug, ich sagte
in meiner Antwort an H. G. Jul. S. 83 — 86:
Jeder könne denken, daß ich aus der neuesten Geschichte hierüber nicht alles wissen könne, und
Jeder wisse, daß man hierüber nicht alles sagen
könne. Ich redete daher nur von den Möglichkeiten, wie deutsche protestantische Fürsten zum Katholicismus könnten gewonnen werden; und H.
G. scheint itzt selbst einzuräumen, daß diese Möglichkeiten möglich seien. Ich schloß die angeführte
Stelle mit den Worten (gleichsam zur Entschuldigung, daß ich, der ich sonst so sehr auf Fakta
dringe, hier so viel von Möglichkeiten redete):
„Ich rede ja zu einem Philosophen, der sogern
„im Reich: der Möglichkeiten bleibt; und es ist
„in diesem Reiche so sicher.‟ Ich hätte mir nicht
einfallen lassen, daß jemand die letzten Worte anders
als auf mich selbst deuten könne. Man darf, sage
ich

dern: (S. S. 87. 88.) diese Frage erfordert allerdings eine weitläuftigere Untersuchung, als die ich
angestellt habe. Zeit und Umstände verändern
hier viel. Gewiß vermag die Autorität und das
Beispiel des Fürsten in Religionssachen um desto
weniger, je vernünftiger und freier die Unterthanen, sowohl überhaupt, als insbesondre über die
Religion, denken.   Denn soll das Volk mit dem
Regenten zugleich bekehrt werden, so muß dies stupide Verehrung oder blinde Nachahmung thun.
Der Eigennuz kann nur bei Wenigen das Motiv
sein, die entweder der Person des Fürsten näher
sind, oder um ansehnliche Aemter werben. Unter
diesen kann es unstreitig auch Gelehrte und sogenannte Philosophen *) geben. Aber der Körper
der Nation besteht aus Menschen, die von ihrem
Fleiße leben. Diese erwarten vom Fürsten nichts,
als Schutz. Wenn das Licht einmal bis zu diesen
durchgedrungen ist: so kann es nicht so leicht unterdrükt werden, wenn es auch um den Thron
herum wieder finster wird. Selbst Bedrükkungen können auf diese Klasse nicht so stark wirken,

Kk 2   weil

ich vorher, hierüber aus der wirklichen Welt nicht
alles sagen; ich bleibe also nur, füge ich izt hinzu,
in der möglichen Welt, worin es sicherer ist. H. S.
scheint überhaupt mehr in derselben zu leben, und ich
flüchte mich, meiner Sicherheit wegen, izt zu ihm.
Das war meine Meinung; und ich erstaune, daß
jene angeführten Worte sie nicht deutlich genug
ausgedrükt haben.   B.

*) Sogenannte? Ich hatte doch Leibnizens Bei-
   spiel angeführt, dem die Jesuiten auch eine Neigung zum Katholicismus hatten beizubringen
   gewußt.   B.

(516)

weil sie am ersten ihren Wohnplatz verändern kann.
In Frankreich sind freilich die großen Familien
zur römischen Kirche zurükgekehrt.   Aber vom
Mittelstande leben noch Tausende in Frankreich
selbst, der protestantischen Religion treu.   Und
eine eben so große Anzahl von Familien ist zwar
für Frankreich, aber nicht für die Partei der Protestanten, verlohren gegangen.   Sie haben au den
Orten, wohin sie sich gewandt, die Abneigung gegen das Papstthum befestigt.   Würde denn in
Deutschland der Erfolg ganz anders sein, wenn irgendwo ein paar solcher bigotter Monarchen auf
einander folgten, als Ludwig XIII und XIV. waren?

Sie erstaunen von mir zu hören, die Vorsicht
mit Reversen u. s. w. sei unnütz. (S. 80.)   Und
ich erstaune, wenn Sie im Ernste behaupten, daß
der Besitz unsrer Kirchen dadurch uns sicherer wird,
wenn wir den Katholiken versagen, darin Gottesdienst zu halten.   Es sind nämlich nach meinem
Bedünken nur zwei Fälle möglich.   Entweder die
Katholiken, so intolerant gesinnt, als vor Jahrhunderten, bekommen wieder die Uebermacht: alsdann nehmen sie den Protestanten die Kirchen mit
Gewalt weg, ohne weitern Vorwand, als daß eine
falsche Religion keine Uebungsplätze braucht noch
haben darf.   Oder sie streiten einst mit uns über
unsre Kirchen, nach den Gesetzen des Eigenthums:
alsdann giebt ihnen die gutwillige Einräumung derselben zu einer einmaligen Uebung ihres Gottesdienstes auch nicht den Schein eines Rechts; so wenig jedes andre Eigenthum eines Menschen dadurch
verlohren gehn kann, wenn er es einem Freunde
aus Gutherzigkeit leihet.

Ich kann diese kurze Erklärung oder Rechtfertigung meiner Ideen nicht schliessen, ohne den merk-
würdi

würdigen Beitrag zur Geschichte geheimer Proselytenmacherey zu berühren, der im Monat August
Ihrer Monatsschrift vorkömmt. Er ist ohne Zweifel sehr wichtig und der Betrachtung werth für alle
Mitglieder des Ordens, dessen Mißbräuche der
Verfasser erzählt. Für andre, die nicht zu demselben gehören, giebt er nicht so wichtige Aufschlüsse.
Erstlich wissen diese nicht gewiß, von welchem Orden die Rede sei. Zum andern läßt er sie über einen Punkt in Unwissenheit, den man am meisten
wünscht aufgeklärt zu sehn: durch welche Kunstgriffe nämlich, vernünftige oder doch nicht ganz
blödsinnige Menschen dahin gebracht werden, unbekannten Obern blindlings zu gehorchen; und wie
von der einen Seite diese Obern mächtig und fürchterlich genug sein können, Gehorsam zu erzwin-
gen, und doch auf der andern es so wenig gefährlich ist, ihre Betrügereien öffentlich aufzudekken.
Der Verfasser scheint zu wohl unterrichtet zu sein,
als daß ich irgend einen von den Punkten, die er
seinen Ordensbrüdern zu bedenken giebt, bezweifeln sollte. Aber ich gestehe es, es beruhigt mich
über die schlimmen Folgen, die daraus entstehen
könnten, daß, nach seiner Darstellung der Sache, so
gar viel Albernheit auf der einen Seite mit der
Bosheit auf der andern verbunden ist. Und in der
That jene Einfalt ist noch sichtbarer, als diese
Bosheit.

Dieser Orden stammt aus katholischen Landen. Also doch nicht alle geheime Gesellschaften
stammen daher. Der Orden stützt sich unmittelbar auf Religion, und schärft die dunkeln
Religionslehren am meisten ein. Ich habe schon
gesagt, daß ich den festern oder lebendigern Glauben an diese Lehren bei Mitgliedern des Freimau-

(518)

rerordens gefunden habe, aber ohne die entfernteste
Annäherung an den Katholicismus zu bemerken.

Es giebt Priester der Natur in diesem Or=
den, es giebt ein Klerikat. Eine Ruthe Aarons
wird bei der Aufnahme gebraucht. Alles das
sind Namen und Symbole. Aber wo sind die
Sachen? Wo ist das, was diesem Spielwerke
Nachdruk, Einfluß auf die Gemüther, Wirksam=
keit auf Verstand und Herz giebt?

Blinder Gehorsam ist das erste Gesetz die=
ses Ordens. Aber wie wird er erhalten? Es
wird den Mitgliedern eingeschärft daß, wenn
sie irgend eines Vortheils ihrer Verbindung
theilhaftig werden wollen, sie nicht einen Au=
genblik daran zweifeln dürfen, daß ihre unbe=
kannten Obern Meister der ganzen Natur
sind. Großer Gott! werden denn die Menschen,
welchen man diese Predigt hält, zuvor ihres ge=
sunden Verstandes durch Zauberei beraubt? Aber
alsdann wäre ja diese Einschärfung nicht nöthig. —
Menschen, von denen ich nichts weiß, für Meister
und Herren der ganzen Natur zu halten: wie
wäre mir das möglich, wenn man es mir auch,
nicht bloß bei dem Verluste aller Ordensvortheile,
sondern bei Leib= und Lebensstrafe anbeföhle?

Es bleiben auch in der Erzählung einige Wi=
dersprüche zurük. Auf der einen Seite haben diese
unsichtbaren Mächte eine solche Gewalt über die
subalternen Obrigkeiten, daß diese die seltsamsten
Befehle, die an sie, nur muthmaßlich von jenen
Obern, im Grunde von Orten und Personen, die
ihnen selbst unbekannt sind, gelangen, pünktlich
befolgen: und auf der andern können sich die Zir=
keldirektoren dieser Unterthänigkeit wieder so leicht
entziehn, daß sie in ihrem Sprengel den Orden zu
                                                        ihren

ihren eignen Absichten mißbrauchen, und die Pro-
tokolle und Arbeiten, die vorgeblich an die Obern
eingesandt werden müssen, im nächsten Zimmer
verbrennen können.

Ich will nichts von dem leugnen, was der Verfasser sagt, der als Ordensbruder es wissen muß,
und zu Brüdern redet. Ich will nur sagen, daß
mir nicht alles deutlich, und daß dasjenige, was
ich verstehe, mir nicht schreklich ist; denn dahin
wird es doch mit dem menschlichen Geschlecht nie
kommen, daß es durchaus blödsinnig werden wird.

Indessen, wenn ich auch eine allgemeine Ausbreitung dieser Verirrungen für ganz unmöglich
halte: so ist es doch schon traurig, daß sie in dem
Grade vorhanden sind; und der, welcher sie den
Verirrten selbst aufdekt, verdient Dank und Beifall. Nur dieses alles hat, denke ich, mit der übrigen katholischen Welt wenig Zusammenhang, die
gewiß eben so wenig, als ich Protestant, davon
weiß; gewiß es eben so sehr mißbilligt, und diejenigen Zeloten verachtet oder verabscheuet, die
unter einer solchen Maske hoffen, ihre Religion
auszubreiten.

Da Hr. Nikolai in den beiden neuesten Theilen seiner Reisebeschreibung, durch die Schilderung
des gegenwärtigen Zustandes der katholischen Staaten alles das zu bestätigen sucht, was den Protestanten für die Zukunft Furcht einjagen kann: so
erlauben Sie mir, Ihnen noch einige Gedanken,
welche die Lesung dieser Theile bei mir veranlasset
hat, mitzutheilen.

Zuerst gestehe ich aufrichtig, daß ich über viele
der Nachrichten, welche Hr. Nikolai von dem Re-
ligionszustande und dem Gottesdienste in Oesterreich und Baiern giebt, lange nicht so erstaunt bin,

Kk 4   als

(520)

als er glaubt, daß seine protestantischen Leser erstaunen würden. Hat er etwas anders erwarten
können, als die Katholiken katholisch zu finden?
Niemand, denke ich, unter uns hat geglaubt, daß
die Reformation in Oesterreich weit genug ginge,
um aus den Einwohnern Protestanten zu machen.
Und doch müßte dieses geschehn sein, wenn Herr
Nikolai in ihren gottesdienstlichen Reden und
Handlungen nicht vieles von dem antreffen sollen,
was ihm so sehr auffiel. Man nehme die Lehre von
der Unfehlbarkeit der Kirche, vom Meßopfer,
von der Transsubstantiation, von Abbüßung der
Sünden, von der Anbetung der Heiligen hinweg:
so hört das Papstthum auf; so sind keine Katholiken in dem gemeinen Sinne des Worts vorhanden.

Andre in diesen Nachrichten am meisten auffallende Sachen sind in der That Mißbräuche; —
Auswüchse, die nicht zu dem Wesentlichen des katholischen Glaubens gehören. Aber ihre Entstehung läßt sich sehr natürlich erklären, und ihr Dasein läßt sich leicht vermuthen, wenn man bedenkt,
daß jene Unterscheidungslehren von Sophisten in
der Schule bis auf die entferntesten Konsequenzen
verfolgt, und von eingeschränkten sinnlichen Menschen, auf einzelne geringfügige Gegenstände im
täglichen Leben angewandt worden. Wenn die
Kraft des Gebets oder der Segnung auf leblose
Dinge übergehen, und in ihnen weiter auf die
Menschen fortwirken kann: (und dies muß derjenige glauben, der die Transsubstantiation glaubt):
so kann das leblose Ding, welches man dazu wählt,
eben so wohl Wasser, Oel, ein Skapulier, ein
Stük Papier, als Brod und Wein sein.

Um indeß zu wissen, ob man, wegen der Finsterniß, die der protestantische Reisende in katholi-
                                              schen

schen Ländern noch ausgebreitet findet, an der allgemeinen Aufklärung der Religionskenntniße in
Europa verzweifeln, oder selbst eine Verdunkelung
der schon erlangten befürchten dürfe, muß man
nicht bloß auf das sehn, was in katholischen Staaten noch jetzt ist, sondern man muß es mit dem,
was gewesen ist, vergleichen. Herr Nikolai äußert
an verschiedenen Orten selbst, daß die Sachen ehedem noch weit schlimmer gestanden haben. Er
giebt einige Reform zu: er klagt nur, daß sie nicht
so groß sei, als der gemeine Ruf sie macht; daß
sie noch nicht das Wesentliche der Religion betreffe.
Aber erstlich bin ich überzeugt, daß er auch diejenigen Verbesserungen, die ihm jetzt geringe scheinen, für erheblich, und für bewundernswürdig
halten würde, wenn er vor dreißig Jahren dieselbe
Reise gethan, und den damaligen Grad des Aberglaubens, die damalige Macht der Geistlichkeit
eben so durch den Augenschein kennen gelernt hätte,
wie er jetzt den gegenwärtigen kennt. Zum andern:
Es ist wahr, daß der Primat des Papstes und die
Hochachtung für die Mönche noch nicht die katholische Religion ausmachen. Aber es ist auch wahr,
daß sie noch vor kurzem, als sehr wesentliche Stükke
derselben, angesehn wurden, und daß sie sehr
wichtige Stützen des ganzen Systems sind, dessen
Verbesserung Hr. Nikolai mit allen Vernünftigen wünschet.

Wenn die Hierarchie und die Macht derselben,
wie er an so vielen Stellen seines Buchs wiederholet, die Quelle aller der Uebel ist, von welchen
die römisch-katholische Welt gedrükt wird; so ist es
ja schon eine sehr wichtige Veränderung, und sie
mußte, ehe sie geschah, äußerst schwer scheinen,
daß die monarchische Regierungsform dieses geist-

Kk 5.   lichen

(522)

lichen Staats in eine aristokratische verwandelt
wird. Wer kann läugnen, daß nicht Etwas für
die Freiheit zu denken gewonnen sei, wenn wenig=
stens nicht mehr einem Einzigen Menschen das
Recht zugestanden wird, die Meinungen und das
Gewissen aller andern zu beherrschen? Ueberdies
war es diese Vereinigung der Geistlichkeit aller ka=
tholischen Länder unter ein gemeinschaftliches Ober=
haupt, welche ihr diejenige Gewalt gab, wodurch
sie im Streite gegen die Kätzer, und selbst gegen
die weltliche Macht, so fürchterlich wurde. Um
Kriege zu führen, ist ein Anführer mit ungetheil=
tem Ansehn nöthig. Mögen doch also die Bischöfe
noch mehr weltliche Hoheit und Reichthümer be=
sitzen, als sie haben müßten, wenn sie wahre Leh=
rer des Volks sein sollten; mögen sie doch noch von
demselben Geiste der Herrschsucht angesteckt sein,
der ihre Vorgänger beseelte. Die Kraft, mit der
sie wirken, ist doch nur einzeln, getheilt, und also
von geringem Umfange, sobald nicht die Herrschaft
des Papstes über sie alle ihren Bemühungen einen
Vereinigungspunkt mehr giebt; sobald sie nicht
durch blinden Gehorsam gegen ein allgemeines
Oberhaupt in ihren Operationen gleichförmig ge=
leitet werden.

Die Aufhebung einiger Klöster ist freilich noch
keine Verbesserung der Glaubens= und Sittenleh=
re: aber sie setzt doch voraus, daß gewisse Grund=
irrthümer weniger Gewalt, als ehedem, haben,
weil sie politischen Betrachtungen weichen müssen.
Die Lehre, daß man durch Gebete und klösterliche
Kasteiungen Gott versöhnen könne, und daß, wer
sich mehr kasteiet, und mehr betet, als er zu Til=
gung seiner eignen Sünden braucht, den Ueberschuß
an andre abtreten könne: diese Lehre war, und ist,

nach

nach den öffentlichen Bekenntnißschriften, noch ein
Artikel des katholischen Glaubens.   Durch diese
Lehre sind so viele bewogen worden in Klöster zu
gehn; Andere, Klöster zu stiften oder zu bereichern.
Wenn jene Sätze noch mit völliger Ueberzeugung
geglaubt würden: so könnten der Klöster auch in
den Augen der heutigen Katholiken nicht zu viel
sein. Also muß man doch im Grunde des Herzens
die Werkheiligkeit, die in den Klöstern ihren Sitz
hat, nicht mehr für etwas so vortrefliches halten,
oder man muß glauben, daß Industrie, Bevölkerung und Reichthum wichtigere Gegenstände sind.
Mich dünkt, das sind große Breschen in den Ver-
schanzungen, mit welchen sonst die katholische Kirche alle Versuche zu einer Verbesserung abwehrte;
das sind große Eingriffe in ihre Anmaßungen von
Unfehlbarkeit.

Ich wiederhole es, die Reformen scheinen klein,
wenn man bedenkt, was zu thun übrig ist: aber
sie sind sehr beträchtlich, wenn man auf den Punkt
sieht, von wo sie ausgegangen sind, und auf die
Schwierigkeiten, die dabei zu überwinden waren.
Die Reformation hat in verschiednen Ländern verschiedne Wege genommen.   Es ist nicht vorauszu-
sehn, welchen sie in katholischen Ländern nehmen
wird.   Im protestantischen Deutschland fing sie
mit der Lehre vom Ablaß an.   Ist von der, welche
jetzt im katholischen Deutschland unternommen
wird, gar nichts zu hoffen, weil sie von Bestreitung des päpstlichen Primats und von Einschränkung der Mönchsorden ausgeht?

Die Reinigung der Meinungen und des Gottesdienstes in der katholischen Kirche kann nur allmählig und langsam geschehn.   Die Protestanten
würden intolerant werden, wenn sie eine zu schnelle
Re-

(5²4)

Reformation fordern wollten. Selbst das wäre
ungerecht, wenn wir ehrlichen Katholiken verweh-
ren wollten, andre zu ihrer Ueberzeugung zu bringen, wenn sie es durch Gründe thun können.
Denn welcher Mensch, der eine Sache für wahr,
und die Erkenntniß derselben für wichtig hält, bemüht sich nicht, es sei aus Ehrgeiz, es sei aus Menschenliebe, andre zur Einstimmung mit seinen Meinungen zu bringen? Aber die Bekehrungen durch
Gewalt und die durch List müssen auf einmal aufhören, wenn wir mit dieser Gemeinde in Friede
leben wollen.

Was die eigentliche Verfolgung betrifft, so
verdient die, welche auch in den finstersten katholischen Ländern die Protestanten jetzt leiden, kaum
den Namen, wenn sie mit derjenigen verglichen
wird, der sie noch im Anfange dieses Jahrhunderts
ausgesetzt waren. „Aber dafür, heißt es, sind ihre
geheimen Intrigen desto ausgebreiteter und desto
wirksamer. Sie bedienen sich der Toleranz selbst,
die sie jetzt einführen, dazu, die Protestanten an
sich zu lokken." Bestände die List, die sie anwen-
deten, bloß in einer vielleicht noch nicht ganz aufrichtigen Freundlichkeit: so wäre sie von einer weder sehr hassenswürdigen noch gefährlichen Natur.
Geht sie aber bis zu geheimen Verbindungen, bis
zu Verstellung ihrer wahren Meinung, bis zu falschen und betrügerischen Insinuationen: so verdient sie den Unwillen aller, die sie beobachten, und
erfordert Gegenanstalten protestantischer Obrigkeiten. Aber kann diese Art der List lange unent-
dekt bleiben? Und, wird sie entdekt, muß sie nicht
der Partei weit mehr neue Gegner erwekken, als
sie ihr Anhänger gewonnen hat?

Zwar

Zwar dasjenige, was Herr Nikolai von dem
Jesuiterorden mit so voller und inniger Ueberzeu=
gung sagt: von seiner alles umfassenden Gewalt,
von seiner unzertrennlichen Verbindung, von sei=
ner alles voraussehenden Gesetzgebung, von seinen
durch alles und in allem wirkenden Obern, erfüllt
die Imagination mit so großen so dunkeln und so
fürchterlichen Bildern, daß ich kaum selbst dem
Eindruk widerstehen kann, den sie auf mich ma=
chen. Aber wenn es sich mit diesem Orden wirk=
lich so verhält: so sind die Ansprüche, welche die
katholische Kirche auf Wunderkräfte macht, nicht
ungegründet. Es geht etwas übernatürliches bei
der Sache vor; und wer kann alsdann widerste=
hen? Nie hat es eine Konstitution und eine Ge=
setzgebung in der Welt gegeben, welche alle künf=
tige Begebenheiten vorausgesehen, und für dieselbe
Rath geschaft hätte. In der Konstitution des Je=
suiterordens ist selbst auf ihre jetzige Aufhebung
Rüksicht genommen, und es sind schon in sie die
Hülfsmittel hineingelegt worden, diesen schein=
baren Fall zu einem Mittel größerer Erhöhung zu
machen. — Nie sind Obern, gewählt von einer
Gesellschaft, unter der es so manche eingeschränkte
Köpfe giebt, immer Weise über alle Weisen gewe=
sen: der General und die Assistenten des Jesuiter=
ordens machen davon eine Ausnahme.

Zwar scheint mir dieses alles noch nicht völlig
bewiesen. Besonders, dünkt mich, haben die Je=
suiten die öffentliche Aufhebung ihres Ordens, wenn
sie sie auch, wie man sagt, unschädlich und selbst
vortheilhaft für sich zu machen wissen, nicht vorher=
gesehen, nicht gewollt; und doch trotz ihrer Macht
und List nicht verhindern können. Sie mag ihnen
jetzt zu Ausführung ihrer Pläne hinderlich sein

oder

(526)

oder nicht: so war sie doch gewiß nicht in ihrem
Plane; und sie sind also wenigstens nicht all-
mächtig.

Auch weiß ich so viel, daß an mich noch kein
Jesuit sich gemacht hat, um mich zu bekehren. Ich
begreife auch nicht, wie er es anfangen sollte. Eben
diese Unmöglichkeit sehe ich bei Ihnen, und bei
Tausenden, die so, wie wir, denken. — Denn
warum wollten wir uns für so gar erhaben über
unsre Zeitgenossen halten? Hier ist also noch ein
ansehnliches Heer, welches die Wahrheit beschützt.

Doch weil alles dieses nichts gegen Fakta beweist: wenn demohnerachtet sich der Jesuiterorden
unsrer Geistlichen bemächtigt, wenn der Katholicismus, von diesen Missionarien unterstützt, sich
täglich mehr unter den Protestanten ausbreitet,
wenn unsre Fürsten und ihre Minister von ihnen
gewonnen sind, und wenn der Einfluß der Fürsten
auf ihre Völker so groß ist; — wenn endlich weder die Wissenschaften noch die Philosophie hinlängliche Waffen gegen die Ausbreitung des Aberglaubens gewähren, weltliche Waffen aber nicht gefunden werden können, wenigstens von keinem derer, welche die Gefahr bekannt gemacht haben,
angegeben worden sind: nun, so ist keine Hülfe
noch Rettung mehr; der Katholicismus ist, wie
der Tod; man gewinnt nichts dabei, daß man oft
an ihn denkt, und ihn fürchterlich abmalt: man
kann ihm doch nicht entgehn.

Dürfte ich, wie Sokrates, einer innern Stimme
trauen, die mir bei allem, was ich in dieser Sache
bangemachendes höre und lese, Muth einspricht:
so würde ich in der That immer noch, entweder einige Uebertreibung in der Erzählung der Thatsachen, oder einigen Irthum in den daraus gezogenen

Schlüssen

Schlüssen vermuthen. Nur die künftige Zeit und
der Erfolg kann den Streit zwischen uns entscheiden. Es kömmt hier, wie mich dünkt, mehr auf
einen richtigen Blik in den ganzen Zusammenhang
der menschlichen Dinge, als auf die Kenntniß einzelner Vorfälle an. Ich wünschte allerdings, daß
ich in größern Verbindungen stünde, um auch von
solchen Vorfällen mehrere zu wissen; und um überhaupt noch mehrere Erfahrungen aller Art zu machen, welche, wie ich mit Ihnen vollkommen überzeugt bin, den Grund zu aller nützlichen Kenntniß
abgeben. Aber da ich durch Fleiß und eignes Bemühen dazu nicht gelangen kann: so muß ich die
Lage und die Verbindungen, in die mich die
Vorsehung gesetzt hat, nutzen, so gut ich kann.
Was mir nach derselben wahr scheint, ist für mich
Wahrheit. In Absicht des Punkts wovon wir reden, ist nun diese meine Wahrheit folgende. Es
mögen einzelne Protestanten, Geistliche oder Fürsten, sich zum katholischen Glauben wenden, und
selbst Jesuiten werden: so werden dafür tausend
Katholiken in allen Ländern vernünftiger, aufgeklärter, duldsamer. Es ist unmöglich, daß ein System, das in Jahrhunderten der Unwissenheit entstanden ist, in einem erleuchteten bestehe. Und
eben so gut werden die Zeiten des Faustrechts und
der Gottesurtheile wiederkommen, als die der päpstlichen Monarchie. Auch die jetzigen Schwärmereien,
die eine Modethorheit unsers Jahrhunderts sind,
werden einer andern Platz machen. Nichts bleibt
beständig, nichts geht seinen geraden Gang fort,
als die gesunde Vernunft. Diese wird, so lange
die höchste Vernunft herrscht, nicht unterliegen.

Noch muß ich zu Bestätigung einer Behauptung
in meinem ersten Briefe ein Wort hinzufügen. Ich
glaubte,

(528)

glaubte, daß die Formeln des päpstlichen Kurial-
stils, die Gebräuche der römischen Kirche, welche
noch dieselben alten Anmaßungen der Universalherr-
schaft anzuzeigen scheinen, denen sich die Protestanten mit so vielem Rechte widersetzt haben, daß,
sage ich, diese Formeln, diese Gebräuche nur deswegen so lange fortdauren, weil die protestantischen Mächte, überzeugt von der Ohnmacht des römischen Stuhls, und der Leerheit dieses Ceremo-
niels, sich nicht darum bemühen, Aenderungen zu
veranstalten. Ich habe seit der Zeit einen Beweis
in Händen gehabt, wie leicht solche Aenderungen
erhalten werden, sobald nur der geringste Schritt
geschieht sie zu suchen. In einem protestantischen
Lande wurde ein katholischer Weihbischof konsekrirt;
und das dabei gewöhnliche Ritual ohne alle Aenderung gebraucht. Protestantische obrigkeitliche Personen, und Männer von Range wurden zu Zuschauern der Feierlichkeit erbeten; und um sie in
den Stand zu setzen zu verstehen, was sie sähen,
wurde ihnen ein Auszug aus dem Ritual in die
Hände gegeben. So wenig Arges dachte man sich
bei dem, was man that und sagte, daß man diejenigen zu Zeugen davon machte, die Ankläger
oder Richter sein konnten. Und demohngeachtet waren die Ausdrükke und die Worte arg
genug. Der neue Bischof versprach, wie vor
Jahrhunderten die Formel lautete, die Kätzer
zu verfolgen, und dem Papst unbedingten Gehorsam zu leisten. Einige der Zuschauer wurden zwar darüber betroffen: aber die Sache
würde doch in ihrer alten Gestalt fortgedauert
haben, wenn nicht in einer Privatunterredung
des Fürsten selbst mit einigen Personen, die er
seines nähern Umgangs würdigt, das Gespräch
von

von ungefähr auf diesen Gegenstand gefallen wäre.
Einer von der Gesellschaft, selbst ein Geistlicher
dieser Kirche, ein Mann der über die Vorurtheile
seines Standes erhaben ist, bezeigte seine Verwunderung über die Unschiklichkeit, die seine Glaubensgenossen bei dieser Gelegenheit begangen, und
über die wenige Empfindlichkeit, welche die unsrigen dabei gezeigt hätten. Er sagte dem Fürsten,
daß es nur ein Wort am päpstlichen Hofe kosten
würde, um von dort aus selbst die Aenderung dieses anstößigen Rituals auf künftige Fälle zu bewirken. Der Fürst gab seine Einwilligung dazu, daß
ein solches Wort gesagt würde. Der Prälat schrieb
nach Rom, nur in seinem eignen Namen, und als
von einer Sache, die er zu Ehren des heiligen
Stuhls abgeändert zu sehen wünschte. Sogleich
folgte eine sehr huldreiche Antwort aus der päpstlichen Kanzelei an den Briefsteller selbst, worin
ihm für diesen Beweis seiner Ergebenheit gedankt
wurde, und ein Dekret an das bischöfliche Amt,
welches die Weglassung dieser ungelemenden Ausdrükke befahl. Dies können vielleicht Kleinigkeiten scheinen. Aber es beweist doch auch, daß von
denen, welche von der Macht und den Anmaßungen des Papstes Beweise führen, Kleinigkeiten zu
wichtigen Sachen gemacht werden.

    Diese Erörterung meiner schon im ersten Briefe
an Sie vorgetragenen Gründe habe ich nöthig befunden, weil einige derselben zu Mißdeutungen
Anlaß gaben. Weitere Untersuchung dieser Materien erwarte ich, mit Stillschweigen auf meiner
Seite, bloß von denen, die den Quellen näher
sind, um neue Aufschlüsse von Zeit zu Zeit geben zu
können. Leben Sie wohl.

    Breslau.   Garve.

(530)

Biesters Antwort an Herrn Professor Garve,

über den vorstehenden Brief.

Auch Ihr zweiter Brief, hochzuverehrender Herr Professor, enthält so vieles, daß ich mich in der That sehr einschränken muß, um nur das Nöthigste zu beantworten. In manchen Punkten, die mir nur Nebendinge zu betreffen scheinen, sind Sie so ausführlich, in einigen andern wiederholen Sie so ganz Ihr erstes Schreiben, ohne Rüksicht auf das, was dagegen vorgebracht worden; wiederum bei andern scheinen Sie mir aus genauer Sorgfalt, um ja nicht zu viel oder zu wenig zu sagen, soviel Bestimmungen und Einschränkungen hinzuzusetzen, daß Sie Ihre eigenen Behauptungen wieder zurük nehmen; — daß ich ein Buch, keinen Brief, schreiben müßte, um Ihnen in diesem allen zu folgen. Dabei wollen Sie noch immer Fakta, ja sogar bestätigte Fakta, und die keine innere Unwahrscheinlichkeit an sich haben, durch Räsonnement widerlegen. Ja, Sie äußern sogar (S. 493): daß Sie weder den Muth noch die Geduld haben, Sich alle zu dieser Sache gehörige vorkommende Beweise bekannt zu machen. Auf die Art ist es schwer, daß wir je zusammen treffen können. Mir scheint es anitzt, zur deutlichen Auseinandersetzung der Sache und zur Vermeidung aller Abwege, das Beste, die Hauptpunkte des Streites anzugeben, so wie sie in der Monatsschrift sind berühret worden; und zwar in chronologischer Ordnung.

I. An

(531)

I. Anfangs war bloß von der Einräumung protestantischer Kirchen zum katholischen Gottesdienste im Brandenburgischen die Rede. Einige Patrioten, und dabei wahrhaft tolerante und menschenfreundliche Männer (der Akatholikus Tolerans im Febr., Herr Z. im Jun., Herr G. im Jun. und Jul. 1784, Herr Zm im Jan. 1785) hielten die Sache für bedenklich. Vorzüglich ward darauf gedrungen (Febr. 1784, S. 190) daß die Katholiken wenigstens Reverse ausstellen müßten; und es ward erinnert: daß der Geist ihrer Kirche so anmaßend, so herrschsüchtig sei. — Dagegen machten Sie im Jul. 1785 S. 63 folgendes Dilemma, welches Sie itzt (S. 516) wiederholen: „Entweder bekommen die Katholiken einst „wieder die Uebermacht, und so helfen alle Reverse „nichts; oder sie bekommen sie nicht, und so sind „wir auch ohne Reverse sicher."

Ich muß gestehen, dieses Dilemma scheint mir bei weitem nicht alles zu erschöpfen. Es scheint mir noch allerdings bedenklich, wenn von Zeit zu Zeit neben dem ehrwürdigen und einfachen protestantischen Gottesdienste (an dessen immer größerer Vereinfachung unsere rechtschaffensten Geistlichen arbeiten) das prunkvollere Schauspiel des Ceremonienreichen katholischen Gottesdienstes in unsern Kirchen dem Volke soll gegeben werden. Hierdurch wird die Liebe zum Sinnlichen immer mehr befördert, und die Einführung einer gereinigtern Liturgie ungemein erschwert; da ja eben das Unzwekmäßige und Anstößige und Unlautere, was unsre Liturgie noch hat, papistischen Ursprungs ist. Es ist wohl kein Zweifel, daß, wenn an bestimmten Sonntagen eine Messe oder gar ein Hochamt in unsern Kirchen nebenher aufgeführt würde,

der

(532)

der Zulauf viel größer sein, und manche der laue=
sten Kirchengänger herangezogen würden.   Aber
ich frage jeden aufgeklärten protestantischen Seel=
sorger: ob ihm eine solche Veranstaltung von Sei=
ten der Obrigkeit lieb sein würde? Ich frage jeden
Menschenkenner: was für Wirkungen in den Ge=
müthern, vorzüglich der geringern Klasse, der häu=
figere und endlich ganz gewohnte Anblik solcher
Gegenstände hervorbringen muß? was der Ge=
danke wirken muß: daß die Obrigkeit und die Geist=
lichen selbst das Heiligste, was sie haben, ihre Kir=
chen, der andern Religionspartei erlaubt haben?
Sollte nicht grober Indifferentismus gegen die
Glaubenssätze dieser Partei, und großer Leichtsinn
im Uebergange zu derselben, davon die Folge sein?
Von der andern Seite würden wachsame prote=
stantische Geistliche glauben, sie müßten unmittel=
bar darauf in ihren Kanzelvorträgen die Unter=
scheidungslehren recht lebhaft vortragen, und das
Irrige jenes Systems aufdekken. Welches sicher=
lich nicht zur christlichen Erbauung und Besserung
gereicht; auch wohl wenig fruchten würde; indes=
sen, wie die Erfahrung zeigt, fast immer bei sol=
chem Simultaneum statt findet. — Vorzüglich
fürchte ich solche Folgen von einem erst neu einzu=
führenden Simultaneum; wo es schon länger be=
steht, ist es ohne Zweifel weniger schädlich....
Aber warum soll es auch eingeführt werden? Ge=
hört es zur Toleranz von unsrer Seite? Gehört
es zu einem Stükke der freien Religionsübung
von katholischer Seite? Ich weiß hierüber nichts
zu dem hinzuzusetzen, was der Akathol. Toleranz
im Febr. 1784 gesagt hat; und verweise so lange
darauf, bis ich die dort angebrachten Gründe wer=
de widerlegt finden.

Gesetzt

(533)

Gesetzt nun aber, ein solches Simultaneum sei
rathsam; gesetzt sogar, es sei schon vorhanden:
wie kann man es unrecht finden, wenn ein vorsichtiger Mann räth, den Vertrag darüber schriftlich
aufzusetzen? In geringen Sachen überläßt man
dem ungetreuen Gedächtnisse oder sterblichen Zeugen nicht gerne etwas; warum in einer so wichtigen Sache? Lassen Sie funfzig Jahre durch jährlich ein paarmal einen Mönch in den evangelischen
Kirchen zu Bernau, Piritz, Greifenberg, Ruppin,
Schwet, Angermünde, Neustadt-Eberswalde, und
wo sonst noch die Magisträte es erlaubt haben, die
Messe lesen, eine Predigt halten, und das Abendmahl austheilen; so entstehen alsdann Streitfragen, die nur durch schriftliches Zeugniß auszumitteln sind. Wer weiß es dann noch ganz genau,
ob es ein vollkommnes auf immer übertragnes Recht,
oder eine stets zurükzunehmende Güte war? ob man
Anfangs nur einen oder mehrere Tage im Jahre
dazu gestattete? ob selbst ein lutherischer Gottesdienst darum einzugehn pflegte, oder man sich anders einzurichten verabredete? — Aber nicht bloß
aus Vergessenheit können einst die Katholiken hierin zu viel verlangen. Es ist eine Art Sprichwort,
daß bei Forderungen der Kirche und Geistlichkeit
eine Gefälligkeit leicht zur Gerechtigkeit (Servitut) gemacht wird; ein Sprichwort, das, wie
mehreres, aus der katholischen Kirche in die unsrige
herüber gekommen ist. Herr G. erzählt aus den
Akten (Jul. 1784, S. 94.): daß izt schon in unserm Lande Beschwerden eingekommen sind, daß
die Katholiken sich in zwei Städten, ohne Vorwissen des Konsistoriums, und wider den guten
Willen der lutherischen Prediger, lutherische
Kirchen zur Haltung des katholischen Gottesdien

(534)

stes haben zu verschaffen gewußt. Ich nahm
mir die Freiheit, Sie schon im Jul. (S. 89.) an
dies Faktum zu erinnern. Aehnliche Zudringlich-
keiten von katholischer Seite, um lutherische Kirchen zu haben, meldet man mir aus Pommern und
aus Schlesien; und ich warte nur auf die ausführ-
lichern Nachrichten davon, um sie dem Publikum
vorzulegen. Fast zu gleicher Zeit erzählte Hofrath
Schlözer (Staatsanz. Heft 25, S. 54.) eine un-
gemeine Zudringlichkeit der Katholiken, in Nörd-
lingen ihren Gottesdienst zu halten. Alles dies
macht die Sache doch höchst bedenklich.

Ueberhaupt glaube ich also behaupten zu können: Nichts ist, wie jeder, der ein Eigenthum hat,
weiß, lästiger, als eine Servitut, wozu Sie uns
in Absicht unsrer Kirchen gegen die Katholiken rathen wollen. Völlig unerträglich ist sie aber, wenn
nicht jeder Punkt genau bestimmt, wenn etwas der
Willkühr oder Gutmüthigkeit der Parteien überlassen ist. Nichts ist ferner trauriger, als beständig
auf der Hut zu sein, um nichts von seinem Eigenthume oder Rechte zu verlieren. Wozu sind
Schlösser und Riegel, wozu sind gerichtliche Versicherungen, als zu unserer Ruhe? Auch kann eine
ängstliche Wachsamkeit, eine sichtbare Furcht vor
Eingriffen unsre Mitbürger erbittern; nicht aber
das Verschließen unserer Thüren, und das Anwenden der gesetzlichen Vorsichtsmittel. Wahre
Eintracht und Vertragsamkeit gewinnt nicht durch
die Unbestimmtheit der Gränzen; das sicherste Mittel dazu ist: das Recht und die Ansprüche eines Jeden deutlich auseinander zu setzen, und die Kolli-
sionen in der Ausübung der Rechte, so viel wie
möglich, zu entfernen. Communio est mater discordiarum, sagt der Jurist Paullus sehr wahr.

Alle

(535)

Alle diese Punkte treffen den Fall, wovon eigent=
lich die Rede war: nemlich die Einführung eines
Simultaneum in einem Staate, wo die katholische
Religion mit nichten die herrschende, sondern blos
die geduldete Partei ausmacht.

Wollen wir aber mit Ihnen schon im Voraus
an den Fall denken, wo sie die herrschende Partei
einst werden kann; so scheint mir auch ihre Ueber=
macht selbst, die Kraft solcher Reverse nicht so=
gleich zu schwächen.   Freylich ist es wahr genug,
daß die katholische Religion in Ländern, wo sie
herrschend war oder es wieder ward, ungerecht
und grausam genug gewesen, um kein Eigenthum,
kein Heiligthum der protestantischen Religion zu
schonen; wie, um nur ein Beispiel anzuführen, die
Geschichte von dem, was unter den Ferdinanden
in Oestreich geschah, bezeugt.   Eben solche bekannte
Beispiele machten mich und meine Freunde furcht=
sam;   Sie aber behaupten ja, der Papst selbst und
die ganze römische Klerisei und der Geist ihrer Kir=
che habe sich geändert und gemildert.   Wenigstens
muß eine offenbare Ungerechtigkeit doch jedem Men=
schen, selbst dem herrschsüchtigsten Priester, schwe=
rer zu begehen werden, als die Verstoßung gegen
eine Billigkeitspflicht, deren erster Ursprung viel=
leicht gar schon vergessen ist.   Gesetzt — denn ich
muß mich wohl etwas weiter auf Ihr Räsonne=
ment einlassen — gesetzt, bei einem künftigen,
freilich möglichen Uebergewicht der katholischen
Partei, wären die meisten Bürger des Staats
katholisch, nur der oberste Verwalter der Gerech=
tigkeit nicht von ihrer Partei (welches Sie so aus=
zudrükken pflegen: die Katholiken hätten noch die
Soldaten nicht auf ihrer Seite); so wird ihnen
wohl schwerlich der verstattete Nebengebrauch

Ll 4   einer

einer Kirche das Eigenthum derselben verschaffen
können: vorausgesetzt nemlich, die schwächere protestantische Partei könne beweisen, es sei nur ver-
statteter Nebengebrauch.   Aber selbst bei dem
Uebertritte des Fürsten haben bisher die rechtschaffensten Patrioten und größten Staatsmän-
ner die Kraft der Reverse für wichtig gehalten.
Als das Kurhaus Sachsen, als Würtemberg-
Stuttgard, als der itztverstorbene Landgraf
Friedrich II. von Hessen = Kassel (noch als Erbprinz) zur katholischen Religion übertraten; stell-
ten sie Reversalien aus, um theils ihre protest.
Unterthanen, theils ihre protest. Mitstände, in Absicht aller zu befürchtenden Eingriffe in deren Religion, sicher zu stellen.   Bedrükkungen der angebor-
nen Unterthanen sind ohnedas von keinem Fürsten
zu vermuthen.   Aber dies natürliche und schöne
Band der Zuneigung hält doch wahrlich keinen
Mönch oder Jesuiten oder ein andekes Mitglied
der nur zu oft herrschsüchtigen römischen Klerisei.
Gerne ertheilten die edlen deutschen Fürsten die Reverse, um die Furcht und Gewissensbesorgniß ihrer
guten Bürger zu beruhigen; und sie hielten und
halten sie mit der Wahrheit, die einem Fürsten-
worte zukömmt.   Aber gesetzt, einer derselben ließe
sich durch boshafte Vorstellungen seiner Hofgeistli-
chen verleiten, einen Revers, der auch nur die
kleinste Kirche eines Dorfes der protest. Partei zu-
sichert, zu verletzen; würden die auf diesem Revers
sich gründenden Klagen bei des Fürsten eigenen
Landesgerichten, bei den Reichsgerichten, oder bei
den andern deutschen Fürsten, vergebens sein? —
Es wäre schändlich, wenn katholische Geistliche sich
durch etwas beleidigt glaubten, was man von Fürsten fordern kann.   Es wäre abscheulich, obgleich
nicht

nicht unwahrscheinlich, wenn (wie Sie Jul. S. 63
sagen) „die Klerisei durch diese unsre Ungefäl-
„ligkeit“ (daß wir ihr nicht ohne Reverse trau-
ten) „nur desto unerbittlicher und härter im Gebrauche ihres Sieges gemacht werden würde.“ Der
Gedanke an so abscheuliche Grundsätze muß jedes
Gemüth empören; und man kann nicht genug
Maaßregeln ersinnen, um sie im Zaum zu halten.
Denn im Ernst jeden offenen ehrlichen tadellosen
Widerstand — nicht einmal Widerstand! nur Vorsicht! — darum aufzugeben, weil der Gegenpart,
wenn er einst die Oberhand bekäme, durch diesen Widerstand, durch diese Vorsicht, leicht zu tyrannischer
Härte könnte erbittert werden; und sich also lieber
ihm selbst auf Großmuth übergeben: scheint mir
so feige, daß man es unsrer Nation nicht anrathen darf.

In Ländern wo die katholische Religion am
stärksten herrscht, sind Reverse noch immer für die
wenigen protestantisch gebliebenen Einwohner von
Wichtigkeit gewesen.   Immer läßt sich noch viel
von der Gerechtigkeitsliebe des Fürsten, und von
der gesetzlichen Heiligkeit der Verträge hoffen. In
Deutschland hat man wenigstens die Rechte der protestantischen Unterthanen dadurch zu sichern gesucht.
Ich erinnerte Sie schon im Jul. S. 89. an das Nor-
maljahr, welches der Westphälische Friede *) fest-
Ll 5
gesetzt

---

*) Die Worte sind so bündig und stark, daß ich, da
   Sie auf meine allgemeine Anführung nicht zu
   achten geschienen, sie hersetzen muß. Instr. Pac.
   Osn. Art. 5. §. 31. Statuum Catholicorum Land-
   sassii, Vasalli, *et subditi cujuscumque generis*, qui
   sive publicum *sive privatum* Augustanæ Confessionis
   exercitium Ao. 1624 — habuerunt, *retineant id
   etiam in posterum una cum annexis.* — Cujusmodi
   annexa

(538)

gesetzt hat.   Läßt sich dies so ganz ohne Einwendung der andern Fürsten brechen? Läßt es sich nicht
durch andere Verträge noch mehr sichern? — Der
Religionsdruk der Protestanten in der Pfalz, den
Sie anführen, kömmt nicht sowohl daher, daß
keine Reversalen gehalten werden, als daß keine
da sind. (Jul. S. 88.) Und dennoch haben Reichs-
verwandte protestantische Fürsten sich oft der armen
Unterthanen angenommen; aber viel nachdrüklicher
und wirksamer hätten sie es thun können, wären
jenen die Rechte der ungekränkten Religionsübung
durch Reverse gesichert worden.   Verwandte sich
der große Kurfürst doch selbst bei einem ausländ-
dischen Fürsten, K Ludwig XIV. von Frankreich,
für dessen protest. Unterthanen! Aber endlich, müssen die gedrükten Gläubigen auch auswandern; so
hält doch das Gefühl des gekränkten Rechtes, und
der unschuldig erlittenen Beleidigung sie empor;
sie sind nicht von ihren Vorfahren, nicht von sich
selbst hingegeben; sie konnten nicht nach und nach
überrumpelt, sie mußten zugleich mit den Gesetzen
gekränkt

annexa habentur institutio Consistoriorum, Ministerio-
rum, jus patronatus, aliaque similia jura; nec mi-
nus maneant *in possessione omnium* dicto tempore in
potestate eorundem constitutorum *templorum* &c.
Et hæc omnia *semper et ubique observentur* eo usque,
donec de religione Christiana vel universaliter, vel
inter status immediatos eorumque subditos *mutuo
consensu* aliter erit conventum, *ne quisquam a quo-
cunque ulla ratione aut via turbetur.*   Ist es denn
itzt so weit in Deutschland gekommen, daß man
solche bestimmte Fürstenverträge ungültig nennen
kann? oder daß man überhaupt Reverse in Religionssachen als unwirksam vorzustellen hätte?

(539)

gekränkt werden: ſie haben Anſprüche, die ſie vor
jedem Richterſtuhle beweiſen können. — Gottlob,
ſo weit iſt es nicht bei uns gekommen, und wird
wahrſcheinlich auch nie ſo weit kommen. Nur, um
Ihnen zu antworten, mußte ich mich auf dies alles einlaſſen; ſo gerne ich ſonſt auch mich immer
an dem vorliegenden Fall halte. Die Frage iſt
Gottlob bei uns nur: Iſt es gut, daß wir den Katholiken freiwillig einige Kirchen zum Mitgebrauche
eingeräumt haben? Und, wenn dies gut iſt: wodurch verhindert man denn ihr Eindringen in die
verweigerten Kirchen zu Greifenhagen und
Garz? wodurch verhütet man ihr Weiterdringen
im Gebrauch der eingeräumten Kirchen zu Bernau
und Piritz? ... Meine Bedenklichkeiten hat der
Leſer nun vor ſich; die Thatſachen vom Eindringen
der Katholiken hat er vor ſich; Ihr Dilemma dagegen habe ich ihm auch vorgetragen. Er mag entſcheiden.

II. Es war natürlich, daß bei dieſer Gelegenheit auch etwas von den Grundſätzen der Katholiſchen Religion ſelbſt vorkam. Nicht, um ſie zu
beſtreiten, und die Bekenner derſelben zu unſerer
Partei herüber zu ziehn; unſere Monatsſchrift iſt
kein ſcholaſtiſch-theologiſcher Kampfplatz, und ihre
Verfaſſer ſind keine Proſelytenmacher. Aber
Wahrheit muß man allenthalben ſagen dürfen;
und wenn unſtreitige Fakta zu Beweiſen dienen
können, ſo iſt es erlaubt, ſie anzuführen. Solche
Fakta brachte ich im April S. 348. f. aus den Quellen bei, um den Geiſt des römiſchen Hofes und
der Kleriſei zu zeigen; um aufmerkſam zu machen:
wie herrſchſüchtig, und wie hart und unduld-
ſam in ihrer Herrſchaft, ſich dieſe Kirche bis itzt
bewieſen hat. — Sie verſichern uns dagegen
aus

(540)

aus Gründen a priori, daß diese Kirche izt ihren
Geist geändert habe.. Und über jene Fakta sagen
Sie (Jul. S. 36): daß „ihre Aufstellung zwar
neuen Eindruk mache, daß uns aber dadurch nichts
unbekanntes gelehrt werde, nichts, was uns in
Absicht unsrer izigen Lage einen größern Aufschluß
gebe.“ Ich sollte dies doch glauben. Wenn
Privatpersonen und Fürsten (nehmen Sie nur den
hochsel. Landgrafen von Hessenkassel) in unsern
Tagen theils feierlich zur katholischen Religion
übertreten, theils ihr geneigt gemacht werden;
wenn Philosophen uns rathen, statt diese Religion
zu dulden, sie mit herrschen zu lassen, statt ihr
eigene Kirchen zu erlauben, ihr die unsrigen
zum Mitgebrauch abzutreten: so ist es doch wohl
wichtig und lehrreich für unsre izige Lage, nachzusehn, wie denn die eigentlichen Grundsätze dieser
sich ausbreitenden Religionspartei beschaffen sind.
Man muß doch den Fremdling erst genau kennen,
ehe man ihn als Gastfreund ins Haus aufnimmt.
Man kann doch anrathen, und beitragen, Lehren
im ganzen Zusammenhange zu betrachten, ehe sich
Jemand für sie erklären will. Denn in der That
nicht Jeder kennt die wahre Beschaffenheit der
Sache. Sehr viele protestantische Leser haben sich
gewundert, daß die römische Kirche dergleichen je
behauptet und gethan habe; vorzüglich aber, daß
sie (nach ihrem vielen Rühmen von Aufgeklärtheit
und Verbesserung, und nach ihrem Herabwürdi-
gen von Luthers Reformation) doch noch izt dergleichen behauptet und thut *). Ich will mich auf
das

---

*) Als, daß der Papst noch izt alle Jahre uns Lu-
   theraner öffentlich verdammt (April, S. 349);
                          daß

das, was Sie über H. Nikolais Reisen sagen,
nicht einlassen; theils führt es mich zu weit, theils
wäre es unschiklich, ihm vorzugreifen. Nur dünkt
mich, kann man doch das nicht verkennen: daß er
mit einer Mühe und Geduld, die nur Wenige
besitzen, den itzigen Zustand der katholischen Religion in den Ländern Deutschlands, wo die Reform zum lautesten gewesen ist, aus Büchern,
aus Predigten und aus den Handlungen der
Menschen untersucht hat; und daß er mit einer
Deutlichkeit und Bestimmtheit, die auch nur
das Antheil weniger Schriftsteller ist, seinen Lesern
vorträgt, was er untersucht und gefunden hat, damit nun jeder selbst sehen und selbst urtheilen könne.

Sie führen (S. 520) die Hauptlehren des katholischen Systems an: „Unfehlbarkeit der Kirche,
Meßopfer, Transsubstantiation, Abbüßung der
Sünden, Anbetung der Heiligen.“ Wie kömmt
es, daß Sie hier eine der auffallendsten Lehren vergessen, die gerade zu unserer Sache gehört, da sie
immer die größte Quelle der Intoleranz und
Herrschsucht war? Die Behauptung: daß jeder
Nichtkatholik ewig verdammt werde. Ich
habe gezeigt, daß dies ein Hauptgrundsatz des ganzen katholischen Systems ist (April, S. 349, f.),
daß es noch in den Katechismen gelehrt wird
(Mai, S. 448, f.), und daß die sanftmüthigsten
Menschen es noch behaupten (April, a. a. O.).
Dies wußte wahrlich nicht jeder Protestant. Ein
                                                   from-

daß ein päpstlicher Staatskalender noch 1782 von
keinem Herzog und König von Preussen, und
von keinem Kurfürsten von Brandenburg weiß
(Mai, S. 455); u. s. w.

(542)

frommer und braver katholische Geistliche, der
lange hier bei uns lebte, dessen Wißbegierde und
Gutmüthigkeit und Aufgeklärtheit hier ihre wahre
Würdigung bei Personen aller Stände fand, war
bei aller seiner Sanftmuth aufs festeste hiervon
überzeugt, und erschrekte durch solche Behauptungen nicht wenige derer, die ihn lange gekannt und
geliebt hatten. Er ging vertraut und freundschaftlich mit mir um, und wir sprachen oft von Religionssachen. Einst fragte ich ihn: Glauben Sie
denn, lieber Abt, daß ich bei der protestantischen
Religion nothwendig verdammt werden muß? Er
erwiederte: „Das fragte mich auch einst der ver-
storbene Sulzer, und ich antwortete ihm: ei nun!
ich hoffe, Sie kommen noch einst zu uns. Dasselbe antworte ich Ihnen.‟ Ich sagte: Sulzer
ist nicht zu Ihnen gekommen; und meine Bekehrung zu Ihrem Glauben mögte leicht eben so unmöglich sein; also, wenn wir bleiben was wir sind,
müssen wir verdammt werden? Muß es Sie nicht
schmerzen, das von Ihren Freunden zu sagen?
„Ich wollte es gerne nicht sagen, erwiederte er,
wenn es die heil. Väter nicht sagten.‟ Welch
ein Satz! und zu welchen Abscheulichkeiten kann
er bei minder vortreflichen Gemüthern führen! —
Ich weiß aus sehr naher Erfahrung den Fall, daß
eine sanfte und gutmüthige Ehefrau, die ihren
Mann übrigens so liebt und schätzt, wie er es verdient, (sie ist katholisch, und er lutherisch) durch
diese abscheuliche Vorstellung, die ihr Beichtvater
noch immer mehr bei ihr unterhält, sich selbst unglüklich macht, und ihren Mann quält, und alles
Glük ihres gemeinschaftlichen Ehestandes und Lebens verbittert. Ich führe Ihnen diese Beispiele
darum an, weil Sie (Jul. S. 24) darauf dringen:

gen: das katholische System habe, wenn auch nicht
insoferne es in Büchern, doch insoferne es in den
Köpfen und Herzen der Menschen seinen Sitz hat,
sich verändert. Diese Fakta betreffen doch, dünkt
mich, Kopf und Herz. Sie sagen ferner (eben-
das. S. 35): daß auch lutherische Theologen behauptet hätten, man könne in der reformirten und
katholischen Kirche nicht selig werden. Habe ich
denn je übernommen, aller lutherischer Theologen
Thorheiten — die, wenn wir aufrichtig sein wollen, doch nur von der päpstlichen Kirche mit herüber gebracht waren — zu vertheidigen? Es mag
auch noch einen oder den andern Hunnius unter
uns geben; aber wohl schwerlich irgend einen denkenden Theologen in unserm Staat und noch weniger einen Menschen von untheologischem Stande,
der dergleichen behauptete. Dem sei aber, wie
ihm wolle. Der Unterschied ist unverkennbar:
bei den Katholiken ist dies Hauptgrundsatz ihres
Glaubens, bei uns war es die fanatische Grille
eines herrschsüchtigen Predigers, der gerne auch
ein Papst gewesen wäre. Unsere besseren Geistlichen haben diese Grille höchst glüklich vertrieben:
wer nicht mehr an ihr klebt, ist nicht bloß doch
noch ein Lutheraner, ist ein um so ächterer Lutheraner. Ist das bei den Katholiken der nehmliche
Fall?

Sie behaupten zwar (S. 498) von Katholiken
zu wissen, daß die Jesuiten keinen Zusammenhang
mehr unter sich hätten. Aber ich zweifle, ob ein
angesehener und wohl unterrichteter kathol. Geistliche sich erdreisten wird, dies öffentlich zu bestätigen. Eine Menge rechtschaffener Katholiken
klagt laut genug über diesen noch immer fortdaurenden Zusammenhang, und die dadurch bewirkten
bösen

(544)

böſen Folgen.　Die bekannteſten Bücher der guten
Schriftſteller unter ihnen (Fauſtin, die Reiſen
eines Franzoſen, u. ſ. w. u. ſ. w.) ſind voll davon.　Wer ſieht, was in Oeſterreich und Baiern
geſchieht, kann Ihnen wohl nicht beiſtimmen.
Wer auch nur die von mir (wohl zu merken: aus
eignen Jeſuiter=Schriften) gelieferten Nachrichten aus Rußland (April, S. 379, f. und Nov.
S. 418, f.) lieſt *), kann Ihnen wohl nicht beiſtimmen. Ein Exjeſuit aber, wie Vater Steiner,
kann, wenn er zu verſtehen geben will: „daß kein
Haar mehr von den Jeſuiten da ſei **)“, wohl
ſchwerlich gehört werden.

Bei

---

*) Man ſ. auch: Merkwürdige Nachrichten von den
　 Jeſuiten in Weißreußen. Frkft. u. Leipz. 1785. 8.

**) Schleſiſche Provinzialblätter, Sept. 1785, S. 238.
　 Daſelbſt ſteht ein Schreiben des H. Steiner wi-
　 der mich an H. Pr. Garve. Ich werde von dieſem
　 Manne noch unten reden müſſen. — Bei dieſer
　 Gelegenheit will ich doch noch einen ſeltſamen
　 Schriftſteller anführen, der über den nehmlichen
　 Gegenſtand wider mich geſchrieben hat. Es iſt
　 dies der Herausgeber der neuen Auflage von P.
　 Abraham von St. Klara Etwas für Alle (Halle,
　 1785, 8.), welcher in ſeinen Noten zu dieſem ver-
　 alteten Buche auf eine ekelhaft witzelnde Art bei
　 jeder Gelegenheit auf die Proteſtanten ſchimpft
　 und die Jeſuiten lobt. Von den mich betreffenden
　 Anmerkungen will ich nur eine herſetzen.　S. 558.
　 ſagt P. Abraham von gewiſſen Betrügern: „dar-
　 „um ihnen auch Gott einmal wird ziemlich den
　 „Kopf waſchen.“ Dazu ſetzt der Notenſchreiber
　 die Erklärung: „d. i. ſie zur Rede ſtellen, wie
　 „der Herr T—y den Hrn. D. B.“ — Nun,
　 wenn H. T—y gar mit Gott verglichen wird,
　 　　　　　　　　　　　　　　　　　　　　dann

Bei den bewiesenen Thatsachen von den Anz
maſſungen des Papstes fragen Sie (Jul. S. 37):
„Aber folgt denn daraus, daß der Papst auch noch
izt dieſer Herr ſei? oder daß es möglich ſei, daß
er es je wieder werden könne?" Das erſte frei=
lich, Gottlob! nicht vollkommen mehr. Das an=
dere weiß ich nicht, und vermuthlich kein Menſch.
Aber wie wenn es ein drittes gäbe, wornach Sie
nicht fragen, und das dennoch wahr wäre, ſo wie
es, eben aus jenen Thatsachen, höchſt wahrſchein=
lich iſt: nemlich daß er dieſer allgemeine Herr wie=
der werden will und ſich ſehr darum bemüht!
Von ſolchen gemeinſchädlichen Anſchlägen darf man
doch reden. — Indeſſen, Sie fügen zu Ihren
Gründen a priori (S. 528 f.) auch ein Faktum. Es
iſt merkwürdig; aber es würde noch lehrreicher ſein,
wenn man das Nähere davon genauer wüßte. Izt
beweiſt es nur, daß auch der römiſche Hof eine
weltkluge Nachgiebigkeit kennt, die wohl nie iſt ge=
leugnet worden, wobei aber die größten Anmaßun=
gen der Eitelkeit und der Herrſchſucht Statt haben
können. Noch dazu erfahren wir nicht, was der
röm. Hof eigentlich nachgegeben hat; denn wir
wiſſen nicht, wie die anſtößigen Ausdrükke ſind
verändert worden. Es wäre nicht das erſtemal,
daß die Politik einen Ausdruk änderte, ohne
ſich dadurch etwas zu vergeben; noch, daß je=
ſuitiſche Kaſuiſtik es erlaubt hielt, ihre Anſprü=
                                              che

dann izts freilich weit gekommen. Ueberhaupt
ſind bis izt höchſt ſonderbare Männer zur Ver=
theidigung der Jeſuiten und der Proſelytenmache=
rei aufgetreten. Es thut ordentlich weh, zu ſehn,
daß ein Mann, wie H. Garve, ſich zu ihnen geſellt!

(546)

che hinter einem dunkeln Worte zu verbergen.
Sie erinnern Sich nemlich, daß von dem Hofe die
Rede ist, welcher die listigsten reservationes men-
tales ersann, und das System davon in der Politik und Moral einführte.

III. Genug davon! Wir haben nicht zur Bestreitung der kathol. Religion, noch weniger zur
Verunglimpfung ihrer Bekenner geschrieben. Aber
freilich ist seitdem zur Aufdeckung der Verbreitung
des Katholicismus manches in der Monatsschr.
beigebracht worden. Es ist an bekannte Fakta erinnert, es sind neue Fakta erzählet worden; wir
haben noch mehr dergleichen zuverlässige Nachrichten in Händen, und andere sind uns versprochen.
Einige der bestätigten Fakta bezweifeln Sie auf
eine Art, welche wahrscheinlich macht, daß Sie die
Beweise dafür nicht nachgesehen haben. Sie sagen
(Jul. S. 40.) „Sie könnten nicht glauben noch
begreifen, daß kathol. Seminarien in protestantischen Ländern verborgen sein könnten.“ Wer
kannte denn aber das (Jun. 1784, S. 542, in der
Note genannte) kathol. Seminar zu Schwerin,
wenn auch gleich die kathol. Kapelle dort bekannt
genug war? Dies Faktum und die dabei angeführte
Stelle aus dem 3. Bande von Nikolais Reisen
verdient doch Aufmerksamkeit. Sie sagen (Jul.
S. 38): „Der Umstand, daß protestantische
Kinder in kathol. Seminarien zu heimlichen
Katholiken erzogen worden, sei keine bewiesene
Thatsache.“ Ich hatte doch die deutlichen Worte
eines Jesuiten darüber im Original abdrukken lassen (April, 1785. S. 362, Note,) der ein desto
gültigerer Zeuge von der Verfassung solcher Institute ist, da alle Seminarien den Jesuiten übertragen waren. Ich werde diese Worte übersetzt ein-

                                              andern

andermal beibringen, und verweiſe hier nur darauf. Sie ſagen (Jul. S. 41): „Wenn der Fall
je Statt gehabt, daß heimliche Katholiken ſich
zu proteſtantiſchen Predigern ordiniren ließen,
wovon doch die Beweiſe fehlen, ſo iſt es gewiß ein
einziges Beiſpiel ſeiner Art.“ Ich hatte doch (April,
S. 368, erſte Note) einen glaubwürdigen Hiſtori-
ker, Pontoppidan, genannt, bei dem nicht bloß
ein, ſondern mehrere Fälle dieſer Art vorkommen,
die durch gerichtliche Unterſuchungen beſtätigt ſind.
Auch deſſen Worte werde ich ein andermal ganz herſetzen. Wer hiſtoriſche Fakta ableugnet, mit dem
iſt ſchwerlich weiter zu diſputiren. Wer aber ſogar ſagt: dieſe Fakta ſeien nicht bewieſen, da ſie
es doch ſind; iſt in der That ungerecht. Er will
nicht, daß eine Sache, die exiſtirt, exiſtiren ſoll,
weil er ſich wegen ſeiner Theorie die Welt anders
vorſtellt, als ſie wirklich iſt.

Aber nicht bloß durch Bezweifeln unſtreitiger
Thatſachen, auch durch allgemeines Räſonnement wollen Sie dieſe Verbreitung des Katholicismus für ungegründet erklären. Sie faſſen dies
Ihr Räſonnement ſo allgemein, daß Sie Selbſt
(S. 492) ſagen: Sie redeten nicht von dem, was
bei vielen einzelnen Menſchen geſchehen könne,
ſondern was für ganz Europa möglich oder unmöglich ſei. Ich muß geſtehen, mein Geſichtskreis
in dieſer Sache hat ſich nie ſo weit ausgedehnt; ich
dachte bei Einräumung der Kirchen bloß an Brandenburg und hernach auch wohl an das proteſtantiſche Deutſchland; mir war es immer nur um die
vielen Einzelnen zu thun, mit ganz Europa habe
ich nichts zu ſchaffen. — Iſt denn aber wirklich Italien, Spanien, Portugal, Ungarn, Polen, u. ſ. w.
etwa ſeit kurzem vom Joche des Papſthums frei geworden?

(548)

Ihre allgemeinen Betrachtungen sind ohne
Zweifel richtig; nur scheinen sie auf die in der Mo=
natsschrift beigebrachten Fälle nicht recht anwend=
bar, oder wenigstens nicht recht angewandt. Es
mag z. B. wahr sein, worauf Sie öfter dringen:
daß (obgleich im Ganzen immer so ziemlich das
nehmliche Spiel gespielet wird) schwerlich je genau
dieselbe allgemeine Thorheit das ganze Menschen=
geschlecht wieder besitzen werde, welche einst herrschte,
und von der durch die Krisis mehrerer Jahrhun=
derte die Welt sich loswand. Nur dünkt mich, pas=
set dieses zu unserer Streitfrage nicht. Denn 1) hat
das Papstthum noch nie aufgehört; es dauert im=
mer noch fort, und kann sich noch sehr ausbreiten,
ehe es vielleicht einst — vielleicht auch nie — auf=
hört. Jener allgemeine Satz spricht nur, wenn
er wahr sein soll, von ganz verschwundenen Sy=
stemen, von gänzlich durch die vereinigte Kraft
des gesammten denkenden Menschengeschlechts aus=
gerotteten Irrthümern und Thorheiten. Frei=
lich könnten Sie sagen: die päpstliche Tyrannei,
so wie sie unter Hildebrand war, hat sich verloren.
Aber nicht bloß von dieser, sondern vom Papst=
thum überhaupt war die Rede. Es ist doch nicht
gleichgültig, ob unsere protestantischen Staaten
auch nur das Papstthum annehmen, welches noch
izt in — das gelindeste zu nennen — in Oestreich
und Toskana herrscht. Und daß izt wirklich ein=
zelne Staaten und Fürsten zum Papstthum zurükkeh=
ren, habe ich im April nach der Reihe aufgezählt.
2) Freilich gehört wohl ein anderer Hildebrandis=
mus dazu, um wieder so allgemein zu herrschen.
Aber was ist viel dabei gewonnen? Jeder, auch
der noch so veränderte, auch der gemilderte, ist ab=
scheulich; jede Hierarchie, sie sei von Päpsten, oder
                                                        Jesuiten,

Jesuiten, oder G. und K. C., oder lutherischen Hun=
niussen, oder Religionsvereinigern, oder Herren=
huthern, schadet dem edelsten Eigenthum der Men=
schen, der Freiheit zu denken. Ob Alexander oder
Dschingiskan eine Universalmonarchie stiften; jede
drükt die Menschheit darnieder, obgleich die eine
sehr verschieden von der andern ist. Sieht man also
irgend eine Art Alleinherrschaft im Glauben
und Denken, irgend eine Versperrung des natür=
lichsten und eigenthümlichsten Rechtes der vernünf=
tigen Geschöpfe, des Rechtes der eignen freien
Untersuchung, sieht man diese aufkommen: so
hat man Recht, seine Zeitgenossen zu warnen, ohne
nachzusehn, ob diese Thorheit schon einmal da ge=
wesen ist, oder nicht. — Und wie, wenn die itzi=
gen Fesseln für den Menschenverstand zwar eine
ganz andere Gestalt als die ehemaligen haben,
aber von eben denselben Cyklopen geschmiedet wer=
den, die schon seit Jahrhunderten in ihren dunkeln
Hölen Ketten zu arbeiten verstanden, an denen
ganze Nationen noch itzt liegen! Man muß völ=
lig unbekannt mit der Geschichte der Jesuiten
sein, wenn man läugnen will, daß sie im Akkom=
modiren und Verändern immer Meister waren,
daß sie selbst die anscheinend wichtigsten Sätze ih=
res Systems, selbst Haupttheile der von ihnen
verbreiteten christlichen Religion, aufgaben, um
nur ihre Herrschsucht zu befriedigen.

Es ist ohne Zweifel wahr, und ein schöner Trost
für den, welcher den Weltlauf im Ganzen über=
schauen will: daß die allweise und allgütige Vorse=
hung nie eine gänzliche Barbarei zugeben wird.
Aber bei diesem allgemeinen Gange der Vorsehung,
kann an einzelnen Orten noch der Barbarei sehr
viel sein. Und, ich wiederhole es, ich rede nicht

(550)

von der Welt, nicht vom gesammten und etwa gar
künftigen Zustande des Menschengeschlechts; ich
schränke mich auf den Kreis ein, den ich durch
Nachrichten, nicht durch Theorie und allgemeines
Räsonnement, kenne. — Sie gebrauchen S. 527
das passende Gleichniß vom Faustrechte. Allerdings stehn die gesitteten Staaten izt auf einer
Stufe der Kultur und Aufklärung, welche eine allgemeine Einführung des Faustrechts unmöglich zu
machen scheint; und die für den Menschen sorgende
Gottheit wird Maaßregeln zu treffen wissen, sie im
Ganzen immer auf dieser Stufe zu erhalten. Aber,
wie wenn nun Züge aus den Sitten und Zeiten des
Faustrechts in einzelnen Ländern dennoch erscheinen? Vielleicht eben, als Winke der warnenden
Vorsehung, zur Schätzung und Aufrechthaltung
unsers bürgerlich-gesitteten Zustandes. Wenn, wie
Schlözer erzählt (Staatsanzeig. 28, S. 497), ein
Officier zu Stralsund auf öffentlicher Heerstraße
eine gewaltthätige Entführung verübt; wenn,
wie man erzählt, zu B.....g ein Domherr auf den
Straßen der Stadt seinen gewesenen Sekretär
durch seine Bedienten ermorden läßt; wenn mehr
dergleichen Unthaten leider izt in Deutschland vorgehen; soll man denn nicht sagen: dies ist Faust-
rechtsmäßig? Soll man nicht durch öffentliche
Rügung diesem Unwesen zu steuren suchen? Soll
man sich durch den wahrlich etwas unpassenden
Zuspruch beruhigen lassen: „Seid unbekümmert,
lieben Freunde! denn, es ist ja unmöglich, daß die
Barbarei des Faustrechts je allgemein werde!“ —
Man kann, dünkt mich, jedes andere Uebel, jedes
andere Unglük, eben so gut zum Beispiel anführen.
Wahrscheinlich wird, vor dem jüngsten Gericht,
Europa nicht allgemein durch Brand verheert wer-
den:

(551)

den; aber soll man darum nicht Feuer rufen, wenn
Gera brennt, wenn auch nur eine Straße, nur
ein Haus in Flammen steht? — So ists mit
allem übrigen: mit Unmoralität, mit Hazard-
spiel, mit Schwärmerei und Aberglauben, mit
Mißbräuchen geheimer Gesellschaften, mit Proselytenmacherei, mit Anmaßungen hierarchischer Gewalt, und besonders mit dem Joche des Papstthums.

Ich weiß überhaupt nicht, woher Sie darauf
kommen, als hätten ich und meine Freunde immer
von einer allgemeinen Verblendung des ganzen
Menschengeschlechts durch Jesuiten und Katholiken
gesprochen. Noch weniger weiß ich, warum Sie
die Sache so vorstellen, als hätten wir dies Unglük
(so nennen Sie es Selbst) für schlechterdings
unvermeidlich ausgegeben; über welchen Punkt
Sie S. 525 u. 526, ich weiß nicht recht, ob
scherzen oder spotten wollen. Bei einer so ernsthaf-
ten Sache wäre der Scherz etwas unziemend, und
der Spott wäre in der That gar zu ungerecht. Wir
glauben eine Gefahr zu sehn; wir zeigen sie an,
wir warnen davor. Aber „Mittel, sagen Sie S. 526,
werden nicht dagegen gefunden, wenigstens keine
angegeben." Gesetzt, wir wüßten keine, wär' es
unsere Schuld? Dürsten wir darum den nahenden
Feind dem schlafenden Heere nicht anzeigen, weil
wir ihn nicht zu schlagen wüßten? Ist es denn kein
Verdienst mehr, ist es sogar tadelnswerth, bei
wichtigen Dingen das Publikum aufmerksam,
achtsam zu machen? bei großen Gefahren jeden
Mann von Gewicht und Ansehn aufzufordern?
Ich gestehe, ich vermisse hier ganz Ihren philosophischen Geist, wenn Sie Freimüthigkeit in Anzeigung von Mißbräuchen so mißdeuten können. —

(552)

Allerdings giebt es auch noch Waffen gegen diese
Verirrung des Menschenverstandes, wie gegen
jede andere; und Sie Selbst nannten im Jul. die
wichtigsten derselben: „das Studium der Geschichte, der Sprachen, der vernünftigen Bibelauslegung, der Philosophie, der Naturlehre; die Verbreitung der Aufklärung und der Freiheit zu denken." Habe ich damals nicht laut in Ihren Zuruf
eingestimmt? nicht S. 74 und 90 alles was Kraft
hätte, aufgefordert, diese von Ihnen angegebnen
Waffen zu führen? Woher denn diese unverdiente
Beschuldigung! Und woher Ihr Widerspruch mit
Sich selbst! Sie sagen S. 512 oben: „keiner wird,
bei den Nachrichten von der verbreiteten Neigung
zum Katholicismus, die vielleicht selbst schon einzelne protestantische Fürsten gewonnen hat, keiner
wird einsehen, was er dabei zu thun habe." Und
auf der nehmlichen Seite, weiter unten, sagen Sie
doch: „Sie wollten Sich dadurch aufmuntern lassen, die Wahrheiten der gesunden Vernunft immer
mehr ins Licht zu setzen, in Hofnung, in irgend
ein Gemüth einen Stral der Erleuchtung zu bringen." So giebt es ja etwas dagegen zu thun! So
sehn ja verständige Männer ein, welches Mittel
das einzige und wahre ist! So geben Sie ja Selbst
einen vortreflichen Rath bei dieser von uns angezeigten Gefahr!

Erlauben Sie mir aber auch noch dies hinzuzusetzen. Schon vor Ihrem angeführten Rathe hat
die Berl. Monatsschrift denselben befolgt; denn
sie hat es, seit ihrer Existenz, gethan. Publicität ist ihr Hauptaugenmerk gewesen; Freimüthigkeit war immer ihr Charakter; Verbreitung der
Denkfreiheit, Empfehlung gereinigter und deutlich
gemach-

gemachter Begriffe, Bestreitung der dunkeln Gefühlsphilosophie, war ihr Zwek: Entbindung von
allen Fesseln der Unvernunft, Rettung des Rechtes der eigenen Untersuchung und des eignen Nachdenkens ist, unter mancherlei Einkleidung, oft ihr
Gegenstand gewesen. Hundert Schriften solcher
Art können gründlicher, witziger, besser, sein; an
Eifer in Bestreitung des Aberglaubens, an Eifer
in Anwendung der rechten Mittel dazu, läßt sie
keine vor sich. Erlauben Sie mir, eben das von
meinem Freunde Nikolai zu sagen. So lange
Deutschland seine Schriften liest, kennt es ihn als
den wärmsten Vertheidiger der Denkfreiheit. Und
vorzüglich itzt, wenn er von der Verbreitung der
päpstlichen Religion und Hierarchie spricht: wie
dringt er auf jeder Seite, auf freie Untersuchung,
auf den Geist der eignen Prüfung! So alle, welche diese Materie berühren. Der mühsame Untersucher der Normalschulschriften (in der Allg. D.
Bibl.) setzte das Schlechte dieser Schriften mit einer bewundernswürdigen Sorgfalt auseinander.
Er wußte wohl, wenigstens hoffte er, daß dies einigen Eindruk verursachen würde, daß der schlechte
Unterricht in dem wichtigsten deutschkatholischen
Lande nicht so unumschränkt mehr herrschen, und
die Hingebung der Gemüther so gar leicht mehr
machen würde. Meine Korrespondenten über die
Geheimen Gesellschaften vermutheten sehr richtig,
daß ihre Briefe eine Menge Menschen aufmerksam, und vorzüglich ihre eigenen Brüder vorsichtiger machen würden; und daß die durch diesen Stral
des Lichts in ihrem Dunkel gestörten Obern nun
nicht so ganz sicheres und bequemes Spiel mehr
haben würden. Darum machten sie ihre Nachrichten bekannt; und übten so, selbst nur bei und in

Mm 5   Anzei-

(554)

Anzeigung der Gefahr, schon zugleich die stärkste
Gegenwehr dagegen. Aber, kränkend ist es, wenn
die erst aufkeimende Freimüthigkeit in so delikaten
Dingen, sogleich durch scheinbares Räsonnement,
durch wichtige Autorität, und durch nachtheilige
Vorstellungen soll niedergeschlagen werden. Und
doppelt kränkend ist es, zu sehen, daß ein von so
vielen Seiten hochachtungswürdiger und vortreffli-
cher Mann, wie Garve, dazu seine Autorität
leiht. — Keiner meiner Freunde verzagt am Zeitalter (S. 496), noch weniger an der Vorsehung;
nur jeder bittet um Aufmerksamkeit, um Vorsicht. Wir wollen nur nicht, daß man die Hände
in den Schooß lege, als sei nichts mehr zu thun,
und sich mit Träumen von Aufklärung auf unsrer,
und von Ohnmacht oder Freundschaft auf der andern Seite, wiege.

Ich breche ab: theils weil ich fühle, daß ich
warm werde, theils um nicht zu lange zu reden,
und andern Aufsätzen den Platz zu rauben. Noch
ist der Punkt von geheimen Gesellschaften übrig;
und dann werd' ich ein paar Worte zur Rechtfertigung der Monatsschrift beibringen, welcher sie
itzt zu bedürfen scheint, besonders bei dem neuesten
unerwarteten Angrif eines angesehnen Mannes in
Berlin. Im Jänner werde ich beides den Lesern
vorlegen.

(Die Fortsetzung folgt.)

Biester.

(30)

Beschluß von Biesters Antwort an Herrn Professor Garve.

(S. December 1785, S. 530.)

Da ich vor kurzem veranlaßt ward, den Brief
des heil. Hieronymus an Pammachius und Oce-
anus (ep. 65. Opp. edit. Plantin. 1579 fol. t. II, p. 228.
seq.) zu lesen; so fielen mir einige zu der vorliegenden Streitfrage gehörige Stellen ungemein
auf, und man wird erlauben, daß ich sie hersetze.
Sollte man sich wundern, daß ich gegen einen
Mann, wie Herr Garve, den ich in so vieler
Rüksicht so sehr achte und schätze, in denen Punkten, wo er meiner Meinung nach irrt, schreibe;
so antworte ich mit Hieronymus: Nec bonis ad-
versarionem, si honestum quid habuerint, detra-
hendum est, *nec amicorum laudanda sunt vitia*;
et unumquodque *non personarum*, sed *rerum pondere*
judicandum est. (Cap. 1.)   Freilich komme ich durch
diesen Streit mit einem sonst immer gegen mich
freundschaftlichen Manne in eine Art Verlegenheit;
allein, die Wahrheit muß wichtiger sein, als jede
andre Rüksicht.   Hoc mihi praestiterunt *amici mei*,
ut, si tacuero, reus, si respondero, *inimicus* judicer.
Dura utraque conditio ; sed e duobus eligam, quod
levius est. *Simultas* redintegrari potest ; *blasphemia*
(jede Aufgebung wichtiger, auf Religion und Menschenwohlfahrt einfließender Wahrheit) veniam non

mere-

(31)

meretur. (cap. 4.) Und endlich glaube ich, freilich nicht in meinem Namen, aber doch im Namen
der Monatsschrift und unsrer ungenannten Korrespondenten, über den Punkt, welchen ich gleich
berühren werde, noch die folgenden Worte des Heiligen hersetzen zu dürfen : Faciam, quod solum cavent:
ut *sacra eorum atque mysteria in publicum proferam*,
et omnis eorum *prudentia, qua nos simplices ludunt*,
in propatulo sit (cap. 1.) Ich komme nemlich itzt
(S. Dec. S. 554.)

VI. Auf die Geheimen Gesellschaften; ein
Punkt, von dem Sie, hochzuverehrender Herr
Professor, unbeschadet irgend einer der treflichen Eigenschaften Ihres Geistes und Herzens, sehr leicht noch weniger wissen mögen, als
der ununterrichtetste Zeitungsleser von der itzigen politischen Schwäche der Holländer (Dec. S. 491)
weiß. Nach meinem Gefühl, welches durch das
übereinstimmende Urtheil mehrerer rechtschaffenen
und aufgeklärten Männer bestätigt wird, ist es ein
vorzügliches Verdienst der B. Monatsschrift, diesen
wichtigen Punkt in Deutschland zuerst in Anregung
gebracht zu haben. Man kennt doch nun die Existenz
und etwas von der innern Einrichtung dieser sonst
so sehr im Dunkeln gehaltnen Sache; die Aufmerksamkeit und Vorsicht ist bei verständigen Männern erregt; und vielleicht wird künftig noch immer mehr davon aufgedekt. Von allem diesen kann
ich mir kein Verdienst zuschreiben; nur als Sie im
Allge-

(32)

Allgemeinen über die geheimen Gesellschaften redeten, sagte ich, gleichfalls im Allgemeinen, etwas
darüber (Jul. 1785, S. 80, 81), das ich die Leser
nachzusehn bitten muß, weil es, meiner Meinung
nach, dem wahren Punkt der Sache trift. Ihr
jetziges Räsonnement dagegen kann mich nicht überzeugen. Sie wundern Sich (Dec. S. 506, 508):
daß die geheimen Gesellschaften ungeschikt sein sollen,
Weisheit und Tugend auszubreiten, aber doch geschikt, Thorheit und Unredlichkeit fortzupflanzen.
Ich wundre mich hingegen, wie Sie vergessen
konnten, daß die erste Hälfte des Satzes Ihnen
Selbst gehört *); nur die andere Hälfte ist mein
und diese habe ich durch Beispiele bewiesen, so wie
die tägliche Erfahrung sie auch hinlänglich bestätigt.
Ich muß gestehn, daß mich Ihr damaliges Raison-
nement von der itzigen mindern Wirksamkeit der
geheimen Verbindungen zur Verbreitung der Tugend überzeugt hat. In ältern Zeiten, wo Religion
und

---

*) Im Jul. S. 33 sagte Herr Garve: „Ich hoffe von
„dem, was heimlich geschieht, wenig. Nur die
„Aufklärung, und die deutliche jedermann offen
„dargelegte Wahrheit ist es, von der ich etwas
„hoffe. — Ich besorge, edle und verständige
„Menschen werden wenig ausrichten, wenn sie
„durch geheime Gesellschaften Wahrheit und
„Glückseligkeit verbreiten wollen. Was nutzen
„und in einem großen Umfange, in einem hohen
„Grade nutzen soll, muß offenbar geschehen, u. s. w.‟

und Moral nicht so lauter durfte gelehrt werden,
war der Fall vielleicht anders. Und doch ist es noch
nicht entschieden, ob nicht bei diesen Verbindungen
politische Absichten zum Grunde lagen, die ihrer
Natur nach geheim sein mußten. Itzt kann eine
enge Verbindung von rechtschaffenen Männern
allerdings viel Vergnügen, und auch Nutzen, gewähren; wer wollte das leugnen? Nur die Frage
ist: ob die Erhebung des Menschengeschlechts zu einer
höhern Stufe der Aufklärung itzt noch das Werk
einer völlig geheimen Gesellschaft sein kann? Es
scheint, als hätten Sie seitdem Ursachen gehabt, Ihre
Meinung hierüber zu ändern. Sie nehmen Sich
der Orden in so weit an (Dec. S. 517), daß Sie
die Beschuldigung des Katholicismus nicht auf alle
wollen kommen lassen; wie sie denn auch nie
auf alle ist ausgedehnet worden. Sie nennen sogar namentlich einen Orden, von dem doch wahrlich die Rede bei dieser Sache nicht war. Sie
vertheidigen (S. 510) die geheimen Gesellschaften
in Ihrem Vaterlande. Alles sehr schön und gut! Nur
bedenken Sie, daß nicht von allen Orden in der Welt,
noch weniger von dem von Ihnen S. 517 genannten Orden die Rede war *); sondern von einem solchen,

---

*) Es scheint mein Schiksal, daß Herr Garve in die-
sem Streit mich oft in Verlegenheit setzt, wobei
ich entweder schweigen, oder anstoßen muß. So ist
es mir unbegreiflich, wie er darauf kömmt, hier den

chen, der so völlig unbekannt sein will, daß man
nicht einmal seinen Namen und seine Existenz
wissen soll, dessen eigentliche innere Einrichtung
den Mitgliedern selbst verborgen ist, ja dessen letzte
gebietende Obern sogar den dirigirenden Häuptern
selbst unbekannt sind und bleiben. Können Sie
auch diese verdächtige Heimlichkeit zum Guten deuten, so sind Sie freilich mein Meister.

Ich habe den Abschnitt zwischen Betrügern
und Betrognen nicht so scharf angenommen, wie
Sie Dec. S. 506 sagen. Bei dem Gegensatz, woher
Schwärmer und Thoren sich leichter Anhang erwerben können, als gescheidte Leute, sagte ich nur (Jul.
S. 80): wenn diese Schwärmer unredlich sind,
so erlauben sie sich alle Mittel, welches rechtschaffene Menschen nie thun werden. Ich pflege in
der That nicht, in schneidenden Dilemmen zu
reden. Ich weiß, daß sehr achtungswürdige Männer, die wahrlich weder Einfältige, noch schwache
Köpfe (S. 511) sind, in dem Punkte von geheimen Gesellschaften aufs plumpste können betro-
gen

Freimaurerorden zu nennen. Indessen brauche ich
nur die Leser auf mein ehrenvolles Glaubensbekennt-
niß von diesem Orden (April 1785, S. 375 zu verwei-
sen, und die dort und öfter gegebene Versicherung
zu wiederholen: daß beide Herausgeber der Berl.
Monatsschrift zu viel Achtung für diesen Orden
hegen, um je Verunglimpfungen oder Angriffe auf
denselben, sich zu Schulden kommen zu lassen.

(35)

gen werden; auch, daß Männer, die sonst nicht
betrügerisch zu handeln pflegen, hierin zu zweideutigen und selbst unredlichen Schritten können
verleitet werden.   Die Sache hängt wohl etwas
feiner zusammen, als daß man gleich von Klugheit
und Dummheit, und von den durch diesen Unterschied bestimmten zwei verschiednen Menschengattungen (S. 506) reden könnte.

   Sie geben itzt doch zu (S. 508, f.): daß Ehrgeiz bei den Oberhäuptern solcher Gesellschaften
eine heftige, thätige Leidenschaft sein könne; nur
„Habsucht soll immer kalt sein.”   „Sie giebt dem
„Menschen keine neue Stärke; sie läßt daher nach,
„und verschwindet leicht, wenn sie mit Leibes- und
„Lebensgefahr zu kämpfen hat.”   Auch hier scheint
mir die Erfahrung, so wie der Ausspruch mancher
Weisen, zu widersprechen.   Alle Dichter, die den
Menschen kannten, vor und nach Horaz, schildern den
habsüchtigen Kaufmann oder Schiffer, wie er aus
Geldgierde jeder Gefahr trotzt.   Und kein Beispiel
ist hiervon wohl auffallender, als die Geschichte
der spanischen Eroberung von Südamerika unter
den Pizarros.   Man erstaunt über die gefahrvolle
Unternehmung in einem völlig unbekannten Lande,
wo diese Abenteurer mit jeder Beschwerlichkeit des
weiten Weges, der nie bestiegnen Gebirge, der
undurchdringlichen Wälder, des morastigen Bodens,
der brennenden Sonnenhitze nebst zahllosen Schaaren Insekten, dann wieder einer scharfen Kälte,

und endlich des äußersten Mangels und Elends,
zu kämpfen hatten; noch mehr aber erstaunt man,
daß ihre Habsucht groß genug, ihr Goldhunger
heiß genug war, um hartnäckig bei dieser Unternehmung zu beharren, und sie endlich glüklich zu
vollbringen. Ich wiederhole meine auf Geschichte
gegründete Behauptung: daß jede Leidenschaft bis
zur Schwärmerei entflammen kann.

Ihren theoretischen Satz: daß geheime Verbindungen wenig wirken können, wollen Sie auch dadurch bestätigen, daß Sie (S. 508) „in den Jahrbüchern der Welt keine große Revolution finden,
die dadurch hervorgebracht worden.” War die Ursache oder das Hülfsmittel zu einer Revolution eine
geheime Verbindung; so ist ja, eben weil die Verbindung geheim war, begreiflich genüg, warum
die gewöhnlichen Geschichtsbücher nichts davon erwähnen. Mehrere Zeitgenossen wußten freilich wohl
den eigentlichen Zusammenhang der Sache; nur
keiner schrieb ihn, wenigstens nicht deutlich genug,
auf. Es ist doch sonst sogar unbekannt nicht, daß
auch in unsern Zeiten eine bekannte politische Revolution der Bewirkung einer geheimen Gesellschaft
zugeschrieben worden. Zeichnet aber, wie wahrscheinlich ist, Niemand die Nachricht davon auf;
so geht sie freilich für die Nachwelt verloren.

Sie sagen noch (S. 507): „den schwärmerischen
„Gesellschaften werde ihre Ausbreitung selbst ihren
„Untergang bringen; es werde schon Altar gegen
„Altar

(37)

„Altar errichtet.“ Das letzte ist allerdings richtig; aber dies hindert eben die sonst natürliche Wirkung der zu großen Ausbreitung, nemlich die Lauigkeit der Gemüther. Nun entflammt sich jeder noch eifriger für sein System; nun kömmt, zu allen andern Banden, die ihn an seine Schwärmerei fesseln, noch Stolz und Rechthaberei und Proselyten-geist und die Anspannung beim Streite. Gewinnt oder verliert die Schwärmerei bei solchem innerlichen Kriege? Aber, werden Sie sagen, die eine Partei, gesetzt es sei die jesuitische, muß doch verlieren. Mit nichten! Mancher Leser, der mehrere Orden kennt, als den einen, welchen Sie S. 517 nennen, wird wissen: daß die hohen Obern mehr als einmal ein System, das sich neben dem ihrigen erhoben hatte, mit dem ihrigen gekämpft, und ihm manche Bekenner geraubt hatte, — späterhin selbst einführten und anbefahlen, und ihr ehemals errichtetes System als falsch verwarfen. Sollten sie das erste Emporkommen und das Steigen jenes neuen Systems nicht selbst begünstigt haben? Sollte ihnen wohl überhaupt so viel an irgend einem System liegen, und nicht vielmehr jedes nur Form sein, wobei sie bloß im Materiellen, in der eigentlichen Hauptsache zu gewinnen suchen: im Herrschen? Wahrlich, ihre prudentia, qua nos simplices ludunt, ist sehr groß.

Das wichtigste, was bis jetzt über die höchst seltsamen, in Deutschland so zahlreichen, und nach

(38)

Ihrem eigenen Ausdruk (S. 507.) so ungeheuer
verbreiteten, geheimen Gesellschaften bekannt ge=
worden, ist unstreitig der im gemäßigten und ed=
len Wahrheitstone geschriebene ausführliche Brief
im August 1785 über den G. und R. C. Orden.
Ich erstaune über Ihre philosophische Gemüthsfas=
sung und Ruhe, mit welcher Sie (wie ein ächter
Stoiker, in se ipso totus teres atque rotundus,
Externi ne quid valeat per laeve morari) von diesem
so charakteristisch wahren Briefe, der so merkwür=
dige und man möchte fast sagen unglaubliche Nach=
richten vorlegt, sagen können (Dec. S. 517): „er
sei für die Mitglieder des Ordens ohne Zweifel
sehr wichtig und der Betrachtung werth; für an=
dere gebe er aber nicht so wichtige Aufschlüsse.
Man wisse erstlich nicht gewiß, von welchem Or=
den die Rede sei, u. s. w." Wie? die Nachricht
von einem Orden, dessen Mitglieder sich an 8000
belaufen (August S. 145), unter denen viele recht=
schaffene, fromme, biedere, christliche Leute (S. 131),
unter denen sehr vortrefliche, edle und verehrungs=
würdige Männer, von allen Ständen, vom höch=
sten bis zum niedrigsten, sind (S. 121), und wel=
cher Orden ganz von unbekannten Obern ab=
hängt und regiert wird (S. 122, folg. S. 143),
die Befehle erlassen, Gelder einfordern, u. s. w.
ohne sich zu erkennen zu geben; die simple Er=
zählung eines solchen wirklich existirenden Ordens
sollte nicht für jeden Patrioten und Menschenfreund

(39)

freund höchst wichtig sein? Dies will ein Mann,
wie Garve leugnen! Die Nachricht von einem
Orden, der durch blinden Gehorsam (Aug. S. 129)
das freie Nachdenken und den gesunden Menschenverstand zu lähmen sucht, um die Herrschaft un-
bekannter Leute besser zu befördern; der katholische Gaukeleien zur Begünstigung dieses blinden Gehorsams und zum Nachtheil der protestantischen Religion einführt (Januar und August); der
höchst wahrscheinlich von Jesuiten erfunden ist, und
einen unschuldigen aber unvorsichtigen protestant.
Geistlichen zur Annahme der kathol. Priesterweihe vermochte (Januar 1785, S. 68, f.), und
einem andern protest. Geistlichen, der sehr wohl
zu wissen scheint was er thut, das Klerikat, die
Tonsur, und das Amt eines Ordensgesandten
gab (August, S. 150, vergl. mit Dec. S. 569, f.);
die Nachricht von einem solchen Orden sollte nicht
auf jeden Protestanten, der seine Religion liebt,
auf jeden, dem das Wohl des Menschengeschlechts
und die Erhaltung des Menschenverstandes wichtig
ist, einen höchstbefremdenden Eindruk machen?
Und ein Mann, wie Garve, sucht diesen Eindruk
zu schwächen! Ich muß gestehn, mir ist in diesem
ganzen Streit nicht leicht etwas auffallender gewesen, als diese Ihre Aeusserung. Eine große Anzahl rechtschaffener Menschen, die sich um den Gang
des menschlichen Verstandes und um den itzigen Zustand ihrer Mitbrüder bekümmern, und darunter

C 4   auch)

auch Männer, welche an tiefer Kenntniß der theoretischen Philosophie mit Ihnen dürfen verglichen
werden, haben mir theils mündlich, theils schriftlich bezeugt, wie höchst interessant ihnen diese
Aufdekkung eines bisher so unbekannten Ordens
gewesen ist.

Sie beruhigen Sich bei Ihrem Gleichmuth
über diese Sachen auch dadurch, daß „sogar viel
Albernheit, so sichtbare Einfalt damit verbunden ist‟ (Dec. S. 517); ja Sie erklären es S. 518
für „unmöglich, daß Menschen, die nicht zuvor
ihres gesunden Verstandes durch Zauberei beraubt worden, blinden Gehorsam und übertrie-
bene Verehrung gegen unbekannte Leute hegen
könnten.‟ Das sind schneidende — Worte, die
gegen Thatsachen nichts beweisen. Freilich ver-
stößt der blinde Gehorsam, den die unbekannten
Obern fordern, und die Einfalt, mit welcher die
Untern gehorchen, und bei oft getäuschter Hofnung
dennoch das blindeste Zutrauen behalten, etwas
stark gegen den gesunden Menschenverstand; aber
das ist ja ohne Zweifel auch nur die Ursache, warum unsere Korrespondenten sich verbunden halten,
die Sache aufzudekken. Wäre nichts Albernes und
Einfältiges dabei, wäre keine Gefahr für gesunde
Vernunft und richtige Begriffe zu besorgen; so
verdiente es ja keiner Erwähnung, und so hätten
jene brave Männer auch wohl schwerlich die Feder
darum angesetzt. Soll aber Ihr Argument etwa
                                              gar

(41)

gar beweisen: die Sache sei, wegen der unterlau=
senden fast unglaublichen Ungereimtheit, wirklich
unmöglich, und folglich nicht wahr? So gnade
Gott der Geschichte, wenn solches theoretisches
Vernünfteln gegen Thatsachen gelten soll! Wer
würde nicht, wenn es auf bloße Räsonnements an.
käme, es für unglaublich, und geradezu für un=
möglich erklären, daß Millionen Menschen Jahr=
hunderte hindurch die Ungereimtheit geglaubt hät=
ten: es lebe ein Mensch, der unfehlbar sei!
oder, daß sie den Satz im Ernste angenommen hät=
ten: ein gewisses System sei vor Gott allein selig=
machend, und Er werde und müsse alle, alle ewig
unglüklich machen, die dies System auch nur in
einem einzigen Punkte nicht glaubten, auch die,
welche nie davon hörten noch hören konnten, auch
die, welche noch eher als dies System, in der Welt
waren! oder den Satz: ein Stüklein Brodt könne
millionenmal in Gott verwandelt werden! oder:
ein Mensch in Rom könne einen Menschen ge=
gen die Gebühr zum Heiligen machen, welcher
nun angebetet werden müsse! und wie die vielen
christkatholischen Sätze weiter heißen, welche mit
den Sätzen der gesunden Vernunft so mächtig auf=
brausen, daß man ihre Verträglichkeit in Einem
Kopfe schlechterdings für unmöglich halten sollte!
Aber Gewohnheit, Vorurtheil, Trägheit, Leiden=
schaft, u. s. w. können bewirken, daß sehr brave
und übrigens auch sehr verständige Menschen solche

C 5   Un=

Ungereimtheiten annehmen, und daß mehrere ſich
geradezu widerſprechende Sätze ganz ruhig in Einem Gehirne beiſammen ſchlafen. Ich glaube,
man muß, um ſich genau auszudrükken, nur ſagen:
dieſer oder jener Satz iſt ungereimt und abſurd;
nicht aber: der Menſch, welcher ſolchen Satz annimmt, iſt es. Ich möchte nicht ſo viel, wie Sie,
von blödſinnigen Menſchen (S. 519), von
ſchwachen und einfältigen Sterblichen (S. 511),
u. ſ. w. reden. Hierdurch wird der rechte Geſichts-
punkt verſchoben, und mancher glaubt nun den
Schluß machen zu dürfen: da derjenige Mann,
welcher der bewußten ſchwärmeriſchen Grille nach-
hängt, bekanntlich kein Schwachkopf und kein
Blödſinniger iſt, ſo kann folglich dieſe Grille nicht
ungereimt ſein. Ein höchſt falſcher Schluß, den
Ihr Räſonnement aber begünſtiget. Denken
Sie nur daran, daß Lavater für einen gescheid-
ten Mann gehalten wird, und ſich auch oft
ſo zeigt; und daß doch eben dieſer Lavater allen
Magiern und Theurgen nachläuft, daß er einer
Viehmagd eine Eſpece von Allwiſſenheit zu-
ſchrieb, daß er glaubte, ein Bauer könne Wunder thun, daß er die Krämpfe ſeiner Frau für
Desorganiſirung und Weiſſagung ausgeben
wollte, daß er Caglioſtro, dieſen verdorbnen
Operntänzer und betrügeriſchen Abenteurer, für
einen auſſerordentlichen Menſchen voll Wunderkraft (wie nicht wenige Perſonen wiſſen) hielt;
ja

(43)

ja daß er über die höchst einfältigen magischen Träumereien eines deutschen Grafen, welchem die Emissarien der Jesuiten eine lange Geistererscheinung
von Gablidon und Masson und Rechner einbil-
deten, und ihm von den vermeinten Geistern ganz
unsinnige Prophezeihungen diktiren ließen, um sich
seiner zu ihren Absichten zu bedienen, daß, sage
ich, Lavater hierüber einen umständlichen hand-
schriftlichen Bericht herumgehen ließ (den ich selbst
in Abschriften gesehen habe). Wollen Sie etwa
auch hierüber sagen: es ist sogar viel Albernheit,
so sichtbare Einfalt bei diesen Geschichten; es ist
unmöglich, daß ein Mann wie Lavater sich solches albernen Zeuges nicht schämen sollte? Wollen
Sie sagen: Lavater müßte seines gesunden Verstandes durch Zauberei beraubt worden sein,
wenn er die tölpischen Betrügereien des Cagliostro
für Magie, und die Fratze, daß Rechner oder
Gablidon einen Geist hinter dem Schirm auf
Papier gemalt haben, für eine wichtige Thatsache halten konnte? Und dennoch ist dieses alles die
strengste Wahrheit, und wird durch kein theoretisches Vernünfteln unwahr werden.

Sie nehmen Sich freilich, wie Sie Selbst
etwas unerwartet (Dec. S. 493) sagen: „weder
„die Geduld noch die Mühe, Sich die vorkom-
„menden Proben von den höchst seltsamen itzt ge-
„glaubten Behauptungen bekannt zu machen.“
Indeß, da Sie doch von Ordenssachen reden wol-

len, mögte ich Sie bitten, nur ein paar neulich
darüber herausgekommene Schriften anzusehn.
Wie gefällt Ihnen folgende Kosmogonie? „Gott
„erschuf erstlich aus seinem kräftigen Worte den
„Geist. Hierauf ließ der Allmächtige diesen von
„sich ausgehenden Geist den Mittelpunkt des Welt-
„gebäudes suchen, sich daselbst setzen, und zusam-
„menziehen, in welchem Mittelpunkte er noch
„mehrere Wesen aus ihm gebähren, und sodann
„aus diesem Mittelpunkte seiner Herrschaft sich
„in eine gehörige cirkumsphärische Weite ausdeh-
„nen könnte. Diese Centralzusammenziehung
„war allerdings nöthig; denn wir sehen es mit
„Augen, daß ohne Zusammenziehung noch
„itzt keine Sache, weder Thier, noch Kraut,
„noch Metalle werden können, und folglich wäre
„auch dieses Weltgebäude nicht an das Licht ge-
„kommen. Ein einfacher dünner Geist hätte
„aber doch die Vielheit und Mannigfaltigkeit die-
„ses Weltgebäudes nicht ausmachen können;
„darum machte der Geist durch die Centralzu-
„sammenziehung eine zweite Art seines Wesens,
„welche wir Seele nennen. In der zusammenzie-
„henden Bewegung nahm der Geist durch den
„Zusammendruk seines Wesens, einen Theil seines
„Wesens sich selbst ab, und zog es mithin etwas
„dichter zusammen, als sein Wesen selbst war.
„Die so entstandne Seele hatte freilich ein dich-
„teres Wesen, als der Geist an sich, empfangen;
                                        „war

„war aber doch noch gar zu geiſtig, unſichtbar,
„und einfach. *)“ Und ſolche unverſtändliche ſelt=
ſame Worte, die für Erklärung ausgegeben wer=
den, bringt man in feierlicher Andacht, nach und
vor der Anrufung Gottes um Beiſtand zu
ſolchen Arbeiten, und um Weisheit, vor. —
Wie gefällt Ihnen der Orden, der immer von ſich
behauptet: „Jeſus ſtehe an der Spitze deſſelben,
der ganze Orden ſei auf Jeſus allein gebaut, es
ſei ein Jeſusorden, und die Mitglieder ſeien
kleine Jeſus; Chriſtus wohne in dem Kreis=
direktor, u. ſ. w.“ Alle, die nicht zu dieſer Ver=
brüderung gehören, kommen ſchlecht weg; denn
es heißt: „Außer demjenigen, was der ächte Ver=
„brüderungsgeiſt in und durch uns wirket,
„hat ſchlechterdings ganz und gar nichts den
„allergeringſten Werth in den Augen Gottes,
„wenn es ſchon die Werke eines Engels wären.
„Dieſes iſt die größte aller Lebenswahrheiten;
„nur können wir ſie euch noch nicht beweiſen.
„Denn wie ſolltet ihr ſo ſtarke Speiſe vertragen
„können, ihr, die ihr noch kaum die Milch der
„innern Wahrheitslehre zu verdauen gelernt
„habt?“ Die Zweifler kommen gleichfalls übel
fort. „Wir wiſſen es freilich wohl, lieben Brüder,
„daß es von jeher Leute gegeben, welche verwegen
„genug geweſen, u. ſ. w. Dieſen haben wir nichts
„zu ſagen, als daß wir ſie bedauern, und den
„Er=

*) Die theoretiſchen Brüder (Athen, 1785, 8) S. 83
    bis 86.

„Erbarmer flehentlich bitten: er möchte diese
taumelnden Witzlinge doch einst an ihr eigenes
Kreuz anheften u. f. w." *) — Und meinen
Sie etwa, daß nicht zu den Behauptungen dieser
Schriften sich eine große Anzahl, und darunter
viele unbescholtene und gescheidte Männer, bekennen? Fragen Sie nur bei den geheimen Gesellschaften in Ihrem Vaterlande nach, die Sie ja,
wie Sie sagen, kennen.

Ein Mann von ausgebreiteter Gelehrsamkeit,
und in einem der angesehensten Civilämter in
unserer Hauptstadt, nimmt so fest die Wirklichkeit der Geister= und Gespenstererscheinun-
gen an, daß er behauptet: „die Anzeige, welche
ein Angeber auf eine solche ihm allein geschehene
Gespenstserscheinung gründet, könne in peinlichen Fällen eine glaubwürdige Anzeige abgeben,
worauf der Richter zu verfahren habe." Derselbe angesehene Mann sagt in demselben Buche
(welches sonst manche schätzbare Aufsätze enthält),
mit dürren Worten folgendes, indem er gegen
die B. Monatsschrift streitet: „Z. B. die Frage:
„Müssen einige Kräuter an gewissen Tagen und
„Stunden, in welchen sie aus astralischen Ein-
                                    „flüssen

---

*) „Hirtenbrief an die" (sich sehr anmaßend so nen-
    nenden) „wahren und ächten Freimaurer alten
    Systems, 5785, 8." (In Breslau bei Löwe verlegt.)
    S. 6, 7, 21, 22, 61, 131, 179, 183.

(47)

„müssen unter der oder jener Konstellation ihre
„beste und eigenthümlichste Kraft haben, gesucht
„werden, wenn sie auf Krankheiten zwekmäßig
„wirken sollen? Ich beantworte dies mit einem
„troknen und deutlichen Ja. Schweigt davon
„die heutige Botanik und Materia medika; das
„ist noch kein Beweis des Gegentheils. Dagegen
„sind genug Zeugnisse berühmter Aerzte vorhan-
„den, als: Thurneiser von der siderischen In-
„fluenz, Fludd, u. s. w." *) — Was sagen Sie
dazu? Und, wenn sie darüber erstaunen; so
lassen Sie uns den Schluß machen, daß nicht jeder
Satz, der uns ungereimt scheint, darum auch gleich
von aller Welt, wenigstens von allen vernünftigen
Leuten, verworfen werde. Lassen Se uns vielmehr
jede Thorheit, die wir als solche erkennen, und die
wir unter unsern Mitbürgern finden, bestreiten,
ohne uns auf das schwache und der Erfahrung zuwider laufende Räsonnement zu verlassen: eine
Thorheit könne keine hartnäkkige Vertheidiger finden, und müsse bald von selbst fallen!

Eben so argumentiren Sie gegen den Zusammenhang der Jesuiten mit dem Buche des Erreurs &c.
(Dec. S. 499.): „Wenn die Sache so beschaffen
„sei, so sei es doch gar absurd, so müsse man das
„abge=

---

*) Beiträge zu der juristischen Litteratur in den
preußischen Staaten, Band III, S. 70; Band VII,
S. 295; Band VIII, S. 226.

„abgeschmakte Buch und die Jesuiten selbst ver=
„achten, und so werde Claudius dies zuerst thun.‟
Alles ganz recht; aber was beweiset das gegen un=
sere Korrespondenten? Ich glaube allerdings, daß,
wenn man dem ersten Ursprunge einer von herrsch=
süchtigen Menschen hingeworfenen fanatischen
Grille nachforscht, man am Ende auf eine Ab=
surdität stößt; ich bin überzeugt, daß wenn die
heimlichen Kunstgriffe der Jesuiten aufgedekt wer=
den, diese heiligen Väter zuletzt sehr verächtlich
erscheinen müssen. Ich wundre mich nur, wenn
Sie nicht eben so denken. Haben Sie denn etwa
geglaubt, solche Aufdekkungen müßten am Ende auf
Weisheit des Systems und auf Rechtschaffenheit
der unbekannten Stifter desselben führen? Aller=
dings wird Claudius, und ihm ähnliche wakkere
Männer, eine Sache verachten, wenn er einsieht,
die verächtliche Seite sei ihre wahre Gestalt, und
die lokkende Einkleidung nur schändlicher Trug.
Wer zweifelt daran? Eben wegen dieser zu ver=
muthenden Wirkung bei braven Menschen, gesche=
hen ja nur solche Aufdekkungen. — Ueberhaupt
scheint mir der Schluß nicht nur falsch, sondern
auch für den gesunden Menschenverstand höchst nach=
theilig: daß die Ungereimtheit des Entdekten ge=
gen die Wahrheit der Entdekkung zeugen soll.
Dadurch eben werden die betrognen Mitglieder
schädlicher geheimer Gesellschaften in einer Art
von Ehrfurcht hingehalten: sie zweifeln, daß eine
Ab=

(49)

surdität, die sie mit Händen greifen, wirklich ab=
surd sei; sie vermuthen noch stets wichtige Auf=
schlüsse: — eine Gemüthsstimmung, wie sie die
unbekannten Obern nicht besser wünschen können.
Wenn Madame Lavater bei dem Buche, welches
ihr ihr Mann vorhielt, ein wenig mit den Augen
blinzte, wie Marcard in seinem treflichen Briefe
annimmt (Nov. S. 444); so fällt freilich alles Di=
vinationsvermögen weg, so ist es kein Faktum
mehr, vor dem die Weltweisheit den Finger auf
den Mund legen muß; sondern eine bloße Arm=
seligkeit, vor welcher Lavaters Vernunft lieber hätte
den Finger auf den Mund legen sollen, statt sie wie
ein Wunder zu verkündigen.　Aber, ungeachtet der
dann erscheinenden Armseligkeit, wird diese Erklä=
rungsart doch wohl die richtige sein.　So haben
sich ja bis itzt noch alle Gespenster=Besitzungs= und
Wundergeschichten aufgelöset.　Die Einfalt glaubte,
daß wichtige Dinge dahinter steckten, aber die Philoso=
phie zeigte das Ungereimte der Einbildungen, und
das Lächerliche wodurch sie waren veranlaßt wor=
den.　Will die Philosophie itzt anders handeln,
und den Trieb zur Untersuchung und Aufdekkung
ungereimter Dinge, unter dem Vorwande, sie
wären gar zu ungereimt, unterdrükken? Wenn
wirklich im innersten Heiligthum eines indischen
Tempels, dem sich nur die Höchsten der Hohenprie=
ster nähern dürfen, nichts als ein häßlicher alter
Affe sitzt; wenn wirklich eine wunderthätige Reli=
quie nichts als der vom Richtplatz geraubte Kno=
chen eines Verbrechers ist; soll man dies nicht sa=
gen dürfen? oder kann ein solches Faktum durch
die Betrachtung umgestoßen werden: der Betrug
sei doch gar zu plump, und der Glaube gar zu ein=
fältig?

B.Monatsschr.VII.B.1.St.　　　D　　　　Wenn

Wenn Sie mit so starken Ausdrükken (S. 518)
zu verstehen geben wollen: das Band des Gehorsams gegen unsichtbare und unbekannte Obern
könne, wegen der unbegreiflichen Ungereimtheit
der Sache, nicht Statt haben; so bitte ich, Sich
doch dessen zu erinnern, was Sie Selbst S. 499, s.
sehr naiv sagen: „Sie begriffen nicht, wie ein in
„sich ungereimtes Buch, des Erreurs &c. sich so
„viele Verehrer hätte erwerben können; noch wie
„bei verständigen Menschen die Hofnung von zukünf-
„tigen Aufschlüssen gegen den Ekel einer solchen
„langweiligen Lektur aushalten könnte; dies sei
„gerade das Geheimniß, welches Ihre Neu-
„gierde am meisten reize." Dies glaube ich sehr
wohl. Sie gestehen indessen doch dieses Faktum
ein, obgleich Ihnen zu dessen Erklärung die Data
fehlen. Kann man aber, aus Begierde nach Geheimnissen, seinem Verstande erst so weit entsagen,
daß man sich eine Hauptbeschäftigung aus einem
an sich unverständlichen und ungereimten Buche macht; so kann man auch unverständliche
Ceremonien mitmachen, so kann man unvor-
sichtigerweise in unbekannte Gesellschaften treten,
so kann man unbekannten Obern gehorchen. Dies
letzte ist wohl eine unstreitige Thatsache. Jeder
Menschenfreund sollte freilich wünschen, daß sie
könnte geleugnet werden; aber kann sie es?
    Sie gestehen Selbst öfter, daß Sie von gehei-
men Gesellschaften wenig wissen; und dennoch sagen Sie (S. 510) mit einer Bestimmtheit, die in
der That befremden muß, von diesen Verbindungen in Ihrem Vaterlande: „Ich weiß, daß sie auf
„ihrem eigenen Wege weit fortgegangen sind;
„aber davon habe ich keine Spur, daß sie mit
„dem Katholicismus einen Zusammenhang
                                              „ha-

(51)

„haben." Ich gestehe, hierin mehr dem erfahrnen Ordensbruder im August zu trauen, der mich
belehrt hat, daß manche, die viele Jahre lang im
Orden gewesen, dies nicht einmal wissen noch wissen können. Sie schließen Ihre Beschreibung dieser Sie näher angehenden Verbindungen mit den
Worten: „Mir ist mancherlei von diesen geheimen
„Gesellschaften bekannt geworden, was mir nicht
„vernünftig scheint; nichts, was böse ist." Diese
entschuldigende Antithese ist mir von einem gründ-
lichen Weltweisen in der That sehr aufgefallen.
Wenn die Ordensbrüder etwas unvernünftiges
thaten, so glaubten sie doch wohl, es sei vernünftig? so thaten sie es doch wohl in Folge der für
heilsam ausgegebnen Ordensregeln, oder der
Befehle ihrer weise und wohlthätig genannten,
aber doch unbekannten, Ordensobern? Wie,
dergleichen ist nicht böse? Die gleichgültige Ge-
wöhnung an Unvernunft, dünkt mich, ist schon
böse genug; wie viel mehr, wenn die Unvernunft
für wichtig, für heilig gehalten wird? Was
kann denn mehr den gesunden Verstand lähmen,
als solche ernsthafte Beschäftigung mit Ungereimtheiten? Was kann eher zum blinden Gehorsam führen, oder vielmehr was ist schon eine
deutlichere Aeußerung davon, als vernunftmäßig
scheinende Handhabung einer unvernünftigen an-
befohlnen Sache, bloß darum weil sie anbefohlen ist?

    V. Sie nehmen, mit einer Entschuldigung,
Ihre Aufforderung in Absicht der Fürsten zurük
(S. 511); aber Sie rügen dagegen (S. 502), daß
ich Julians Heidenthum dem Christenthum hätte
vorziehen wollen. Ich habe in der That hierüber
lächeln müssen. Fast mögte es sicherer sein, den

(52)

Fürsten, als den Theologen in die Hände zu fallen. Aber, Gott sei Dank, beide sind in unsern Tagen, wenigstens in unsern Ländern, zu aufgeklärt, um ohne Anhörung von Gründen zuzufahren. — Was die Fürsten betrift, so wiederhole ich meine Behauptung: daß ihr Uebertritt zur kathol. Religion allerdings von wichtigen Folgen für das ganze Land ist; und wiederhole mein Erstaunen darüber: daß ein denkender Mann diese Sache als gleichgültig kann vorstellen wollen. Ich habe in der ersten Hälfte meiner Antwort den Hochsel. Landgraf Friedrich II. von Hessenkassel genannt, der noch als Erbprinz sich zum Katholicismus bekannte (Dec. S. 536). Lassen Sie mich noch dies hinzusetzen. Er trat 1749 *), und zwar heimlich, zur katholischen Religion; er bekam Dispensation, seine neue Religion zu verbergen, und in lutherische Kirchen, nicht nur zur Anhörung des Gottesdienstes, sondern selbst zum Abendmahle, zu gehen. Nur 1754, da er noch Prinz war, ward seine Religionsveränderung zufällig bekannt; nun drang man in ihn, und er stellte den 28. Oktober des genannten Jahres die bekannten Reverse aus. **) Dies merkwürdige Faktum, welches Ihnen vielleicht

---

*) Diese schon sonst bekannte Jahrzahl ist unter andern auch in der, von Ihm Selbst genehmigten, Lebensbeschreibung in dem Militarischen Kalender (Berlin, 1784, 12.) angegeben.

**) Herr von Moser schrieb damals: Gesetzmäßigkeit der Religionsversicherung, welche des H. Erbprinzen Friedrich zu Hessenkassel Hochfürstl. Durchlaucht nach Dero Uebertritt zu der römischen Kirche von sich gestellt, 1755, fol.

(53)

leicht nicht so ganz bekannt war, zeigt doch 1) wie
willig die römische Kirche in Absicht solcher Dispen=
sationen ist: ein Punkt, der schon öfter in der
Monatsschr. zur Sprache gekommen, und den man
hat ableugnen wollen. 2) wie sehr man heimli=
chen Uebertritt protestantischer Fürsten zu begün=
stigen sucht: ein Umstand, der um desto gefährli=
cher, ja fast verrätherisch ist, da die Ausstellung
der Reverse davon abhängt. Denn wer kann
leugnen, daß die Sachen eine etwas andere Ge=
stalt würden gewonnen haben, wenn der genannte
Fürst bis 1760, da er zur Regierung kam, seinen Ueber=
tritt zur kath. Religion hätte verbergen können, dann
ihn plötzlich erklärt, und nun, ohne durch Reverse
Sich selbst gebunden zu haben, verfahren hätte?

Allgemein bekannte und bestätigte Fakta darf
man von regierenden Herren sagen; und auch
muthmaßliche Schlüsse, in so weit sie nicht der
schuldigen Achtung gegen irgend einen Fürsten zu
nahe treten, kann ein deutscher Schriftsteller äus=
sern. Ich hoffe, daß jeder, der die Herausgeber
der B. Monatsschrift kennt, welche beide das Glük
haben, von Fürsten persönlich gekannt zu werden,
ihnen den Kitzel nicht beilegen wird, durch unan=
ständige Neckereien gegen hohe Häupter Aufsehn zu
machen. Indessen, da eine Beschuldigung darüber
laut geworden ist, so erlauben Sie, daß ich eine
Vertheidigung für uns hier einschalte. Der oben=
genannte Schriftsteller, oder mit einem Wort, der
hiesige Herr Geheime Justiz= und Kammergerichts=
Rath Hymmen hat nicht genug daran, daß er
sich Schröpfers gegen die Monatsschrift an=
nimmt, daß er uns, die wir das Zwang= und
Herrschaftsrecht eines Systems bezweifeln, Po=
lizeilieutnante des allgemeinen Glaubens in
einer

D 3

(54)

einer Reſidenz nennt, daß er uns, die wir ſo glüklich ſind, die Aufſätze der Ramler, Möſer, Rante,
Moſes, Engel, Eberharde und ſo vieler andern
berühmten und vortreflichen, theils genannten
theils ungenannten, Schriftſteller dem Publikum
vorlegen zu können, zu Diktatoren macht, denen
nur die Gewalt fehlt, um Autos da ſe anzuſtel-
len; er miſcht auch ernſtlichere Beſchuldigungen
ein. *) Fürs erſte ſtellt er die Sache ſo vor, als
ob, bei dem Streite über Magie und Wunderkraft,
nur Schimpfworte von Seiten der Monatsſchrift, und lauter Gründe von Seiten der Wun-
derglaubenden vorgebracht worden. Ich kann freilich nicht alles, was in Deutſchland geſchrieben
wird, leſen; aber bis itzt habe ich noch nirgend
wirkliche Gründe für die Magie und den Einfluß
der Geiſter auf die Menſchen oder eigentlich der
Menſchen auf die Geiſter gefunden. In der Monatsſchrift iſt dies Kapitel wohl zum weitläuftig-
ſten im April 1785 abgehandelt worden; ein Pröb-
chen von des Herrn T—y Gründen, welche man
ſonſt gewöhnlich Schimpfwörter zu nennen pflegt,
ſteht daſelbſt S. 343, 344. Ich fordere den Herrn
G. R. Hymmen öffentlich auf, zu zeigen, wo ich
in meiner Antwort geſchimpft habe. Bei andern
Stellen bitte ich nur zu bedenken, daß wenn man
eine Thorheit eine Thorheit neant, man nicht
ſchimpft. — Die wärmſte Deklamation über dieſen Punkt ſteht wohl Jan. 1785, S. 11, folg. Allein, wenn ein Schriftſteller mit Wärme, und ich
will es zugeben, ſelbſt mit Heftigkeit ſich gegen offenbare

*) Beiträge zur juriſtiſchen Litteratur, Bd. VIII,
    in der S. 118 anfangenden und durch ein paar Bo-
    gen fortlaufenden Note.

fenbare Gotteslästerungen erklärt (denn eine
klare Gotteslästerung ist der dort getadelte Lob-
spruch auf den Wunderthäter Saintgermain); so
sollte wenigstens ein Mann, der sich der Religion
scheint annehmen zu wollen, diese Wärme nicht in
ein so nachtheiliges Licht stellen. Ich muß wenigstens bekennen, daß die großen Wahrheiten der
göttlichen Religion mir zu heilig sind, als daß ich
gleichgültig von deren Herabsetzung reden könnte,
und als daß irgend eine Rüksicht auf den Anhang
der Wundergläubigen mich zu höflichern Ausdrükken vermöchte, wenn ich sehe, daß man öffentlich
einen Abentewer durch eine Blasphemie zu einem
wunderthätigen Gottmenschen erheben will. Zwar
kenne ich die modische Toleranz gegen Unvernunft und Schwärmerei in unserm Zeitalter sehr
wohl. Ich weiß, daß wer Magie und Theurgie
treibt, mit Aufmerksamkeit angehört, mit Scho-
nung beurtheilt, und mit einer Art von Halbglau-
ben wenigstens nicht abgewiesen wird; indeß man
die Aussprüche der reinen Vernunft für hart und
beleidigend erklärt. Ich weiß, um durch Beispiele
zu reden, daß wenn Lavater die ungereimtesten
Träumereien von iziger Wunderkraft mit Vorbe-
dacht übt und verkündigt, man die Ungereimtheit
doch nicht ungereimt nennen soll; wenn aber Lessing sich einmal ein leicht zu mißdeutendes Wort
entfallen läßt, man nicht bald genug über den Un-
gläubigen herfahren kann. Indeß da mir, bei dieser allerneuesten Toleranz, die Vernunft und die
Wahrheit eben nicht zu gewinnen scheinen; so will
ich doch lieber — sollte ich auch beschuldigt werden,
daß ich schimpfe — eine Desorganisation Krämpfe, eine Schröpfersche Magie Gaukelei, und die
Jesuiten — Jesuiten nennen. — — Ferner wirft

D 4   Herr

(56)

Herr Hymmen der Monatsschrift Persönlichkeiten vor, mit dem bittern Zusatze: „daß dies ein
noch schwärzerer Zug an ihr sei.“ Wenn die
Darstellung solcher schlechten Menschen, wie Rosenfeld, der Monddoktor, der Planetenleser,
Mortezinni, u. s. w. eine Persönlichkeit heissen
soll, so gebraucht Herr H. das Wort in einem etwas ungewöhnlichen Sinne, wo es aber weiter
keine Schande bringt.   Denn so ist die Entlarvung einer wichtigen Büberei, ja nur bloß die Erzählung schändlicher Handlungen eine Persönlichkeit.   So hat man Niemanden dergleichen mehr
vorzuwerfen, als allen guten Geschichtschreibern.
So läßt sich Herr H. selbst in seinen juristischen
Beit ägen Persönlichkeiten zu Schulden kommen,
indem er eine Menge Kriminalverbrecher in den
preußischen Staaten mit Vor= und Zunamen nennt.
Sonst heißt aber Persönlichkeit wohl nur, wenn
man, indem man mit Jemand über eine Sache aus
Gründen streiten soll, Züge (welche gar nicht zur
Streitfrage gehören) aus dem Leben, dem Charakter und den persönlichen Umständen seines
Gegners einmischt, um ihn lächerlich, oder verächtlich, oder wenigstens verlegen zu machen.   Die
Monatsschrift hat, dem Himmel sei Dank, noch
wenig Streit geführt; that sie es aber je, so that
sie es wahrlich ohne Persönlichkeit.   Auch hierüber fordere ich Herrn Hymmen auf, das Gegentheil zu beweisen.

  Endlich sagt er: „Ausdrükke vom durchlauch-
„tigen Pöbel, bis zum Eckel wiederholt, was
„verrathen die?“   Es ist wahr, die zwei angeführten Worte finden sich leider in der Monatsschrift.   Aber, darf ich auf ähnliche Art fragen, so
sage ich: Eine so gehässige Beschuldigung, bei einem

nem Punkte, wo sie gar nicht hingehört, was verräth die? *) Eine solche grobe Unwahrheit, daß
die angeführten Worte sich mehr als einmal finden,
daß sie je wiederholt, und vollends bis zum Ekel
wiederholt worden, was verräth die? — Jene
unglüklichen Worte aber selbst, was verrathen sie
denn? Doch weiter nichts, als eine übermäßige
Freimüthigkeit des Verfassers der sie schrieb, und
eine große Unvorsichtigkeit der Herausgeber, die
sie abdrukken ließen! Schlimm genug freilich,
und es thut uns herzlich leid, daß sie da stehn;
aber Tugend und Religion ist dadurch noch nicht
gefährdet. Das Recht, über jeden andern Punkt
Gründe anzuführen, ist dadurch für die Monatsschrift doch nicht verloren gegangen; und durch diesen unsern Fehltritt sind die Sätze: daß man einen
Verstorbenen über seinen Todtschläger abhören
kann (Beiträge Bd. I, S. 70), daß man unsichtbare geistige Wesen sichtbar kann erscheinen
machen (Bd. VIII. S. 220), daß die Konstellation
zu der Kraft der an gewissen Stunden gepflükten
Kräuter beiträgt (S. 226), doch noch nicht bewiesen. — — Ich wiederhole in meinem und meines Mitherausgebers Namen, die Versicherung:
daß wir jene mit Recht anstößige Stelle herzlich
wegwünschen, und unserer itzigen Erklärung die
Kraft wünschen mögten (die sie leider nicht hat)
dieselbe zu vertilgen. Es war damals das erste-
und das einzigemal *), daß ein hohes Departement
                           D 5   uns

*) Sollte hier nicht eher die Definition einer Per-
    sönlichkeit passen?

*) Hieraus allein ergiebt sich schon die Unwahrheit
    des Vorgebens; als seien jene Ausdrükke öfter
                                               wie-

(58)

uns Sein Mißfallen über ein in der Monatsschrift
abgedruktes Wort zu erkennen gegeben. Indeß,
damit man uns nicht schuldiger glaube, als wir
wicklich sind, sei es uns erlaubt, folgendes anzuführen. Jene Worte finden sich (December 1783, S.
543) in den Briefen eines Fremden über Berlin,
welche eine Zeitlang in der Monatsschrift eingerükt waren. Ungeachtet manches freimüthigen
Tadels dieses Fremden, werden die Leser sich doch
erinnern, daß er im Ganzen sehr für Berlin eingenommen war. Oft brauchte er sogar nur den
Tadel, um das mit einem Aber anfangende nach-
folgende Lob desto stärker zu heben. Dies ist vorzüglich der Fall in dem ganzen vierten Briefe,
welcher fast nichts wie Tadel enthält. Daher en-
digt er denselben auch (a. a. O. S. 548): „Ich bin
„boshaft genug, für heute meinen Brief mit die-
„sem der Ankündigung ganz widersprechenden
„Gemälde zu schließen.“ Und der gleich dahinter
abgedrukte fünfte Brief fängt mit folgenden Worten an: „Was sagen Sie zu meinem vorigen Briefe,
„lieber R*? Ich schüttete mit Fleiß den ganzen
„Sak mit allem mühsam genug gesammelten
„Vorrathe aus, damit Sie sähen, daß ich auch
„die Rükseite des Gemäldes kenne, und damit
„Sie nicht irre werden, wenn Ihnen ein Anti-
„preuße dergleichen Nachrichten als Heimlichkei-
„ten ins Ohr raunen will.“ Dieser fünfte und
die folgenden Briefe enthalten hierauf die Wider-
legung des vierten. In jenem vierten Briefe nun,
der mit Fleiß, aber augenscheinlich nicht in böser Absicht,

wiederholt. Eine solche Unwahrheit in einer öffentlichen Beschuldigung, eine Unwahrheit zu
nennen; soll doch wohl nicht auch geschimpft
heissen?

(59)

sicht tadelsüchtig und anklagend geschrieben war, steht
auch jene Stelle: „daß es auch in Berlin Aberglauben unter dem Pöbel gäbe, und zwar unter dem
Pöbel aller Stände." Wie gesagt, die folgenden
Briefe enthalten so viel Lob Berlins, daß diese
mühsam gesammelten Tadelanekdoten, diese sogenannten Antipreußischen Nachrichten völlig
dadurch widerlegt werden. Und sollte Jemand
unverschämt genug sein, diese Stelle im December 1783 deuten zu wollen; der schlage auch
den gleich folgenden Januar 1784 auf, wo der
nehmliche Verfasser (S. 55) nicht nur den hiesigen Prinzen überhaupt, sondern auch bestimmt
zwei von ihm namentlich genannten Fürsten, das
wahre und allgemein anerkannte und (wenn nicht
alle Physiognomik des Stils trügt) ihm aus dem
Herzen strömende Lob beilegt, welches Sie so ganz
verdienen. — So sind die Umstände beschaffen,
deren Wahrheit jeder Leser durch Nachschlagen finden kann. Wir läugnen nicht ab, daß wir Unrecht
gethan; wir erkennen den Verweis des für die
Staatscensur sorgenden Departements für gerecht.
Aber wir hätten nicht geglaubt, daß einer unserer
Mitbürger uns diesen Fehler öffentlich vorwerfen würde; nicht geglaubt, daß ein Gelehrter in
einem philosophischen Streite, wo es nur auf
Gründe ankommen kann, und wo es ihm lieb sein
müßte, alle Gründe zu hören, und die Untersuchung auf keine Weise zu stören, suchen würde,
uns durch die auf solche Art erregte Verlegenheit
beschämt und stumm zu machen; endlich nicht geglaubt, daß ein Mann in einer Landesbedienung
unbedachtsam genug sein könnte, aus Rechthaberei
seine Mitbürger auch nur dem Schein der Gefahr
auszusetzen, daß sie ihrer Landesherrschaft ver-
                                              däch-

(60)

dächtig gemacht, und daß diese gegen sie aufgebracht würde: — eine Gefahr, die freilich Gottlob
in unsern Staaten auch nicht einmal einen Schein
hat, da unsere Fürsten gleich milde, aufgeklärt,
und gerecht sind.

Ich komme auf den Punkt der Religion. Ich
glaubte, daß — so wie, nach der scharfsinnigen Bemerkung eines Weltweisen, das edelste Ding in seiner
Verderbung am schlechtesten wird *) — so auch die
Religion, welche den wahren Gott kennen lehrt,
in ihrer Verderbtheit am scheußlichsten sei. Das
entartete Christenthum hat sich immer in einer so
abscheulichen Gestalt gezeigt, daß man eine Art
standhaften Muthes bedarf, um die Greuel, welche
es ausübte, sich in der Geschichte vortragen zu
lassen. Es erniedrigte die gesunde Menschenvernunft auf eine unglaubliche Weise, und lehrte Laster, vor denen rohe Barbaren sich entsetzen mögten.
So war es, wie die Geschichte lehrt, auch an Kon-
stantins Hofe, wo es sich bald in niederträchtiger
Henchelei, bald in tyrannischer Herrschsucht, bald in
grausamer Mordlust zeigte. So sah es Julian **):
und

*) Berl. Monatsschr. Sept. 1784. S. 199: „ Je edler
„ ein Ding in seiner Vollkommenheit, desto gräß-
„ licher in seiner Verwesung. Ein verfaultes
„ Holz ist so scheußlich nicht, als eine verwesete
„ Blume; diese nicht so ekelhaft, als ein verfaul-
„ tes Thier; und dieses so gäßlich nicht, als der
„ Mensch in seiner Verwesung. So auch Kultur
„ und Aufklärung: je edler in ihrer Blüte, desto
„ abscheulicher in ihrer Verwesung und Ver-
„ derbtheit. “

**) Unter die Kirchenväter, die gleichzeitig mit
Julian lebten, ist Augustin wohl nicht zu setzen,
wie

und lernte es verabscheuen. — Ich glaubte ferner,
daß die vernünftigen und edel denkenden Menschen
unter den Griechen und Römern nicht blinde Heiden, sondern vielmehr Erkenner des wahren Gottes (soviel die schwache Vernunft denselben erkennen
kann) gewesen wären. Ihre Mythologie, wußte ich,
gab ohne das keine Glaubenslehre für den Verstand,
und keine Richtschnur für die Handlungen ab: sie war
bloß für die Phantasie der Dichter und Künstler,
und bildete Allegorien, die jeder anders erklärte.
Ich glaubte also, Julian einen Deisten nennen zu
können, und glaubte, den Deismus eines gescheid-
ten Mannes dem damaligen entarteten Christenthum vorziehen zu müssen. Wie man sich einen
Jupiter vorstellt, daran, scheint mir, ist weniger
gelegen; das Unwesen eines solchen Phantoms ist
leicht zu erweisen und über den Haufen zu werfen.
Wenn aber dem einzig wahren, dem unleugbaren
Gotte entehrende Eigenschaften zugeschrieben werden, als Rachgier, Blutdurst, Menschenhaß, u.s.w.;
dann ist wohl größere Gefahr für Religion und
Tugend und Vernunft zu besorgen. So dachte
ich damals, und hätte nicht geglaubt, daß ein Philosoph das entartete Christenthum dem Heidenthum eines Julians *) — das war nach meiner aus-
drük-

    wie Herr Garve (Dec. S. 502) thut. Augustin
    ward erst 9 Jahre vor Julians Tode geboren, und
    an 30 Jahren nach demselben von Ambrosius getauft.
*) Ich rede nicht vom alten Heidenthume überhaupt,
    da wir dessen eigentliche Dogmen und deren Ein-
    fluß auf die Moral so wenig kennen. Ich rede
    von der Religion eines vernünftigen Mannes,
    welche sich ein vernünftiger Mann, der im Heiden-
    thum lebte, und das wahre Christenthum nicht
    kannte,

drüklichen Erklärung, der Vernunftreligion, hätte
vorziehen können. Indeß Sie haben es gethan;
und ich will über diesen Punkt um so weniger mit
Ihnen streiten, da Ihre itzige Behauptung mir
einen so großen Vortheil in dieser Streitfrage
über Sie gewahrt. Ist es nemlich wahr, daß ein
so kluger Fürst, ein so tapferer Krieger, ein so wiz-
ziger Gelehrter, als Julian war, ja daß ein so großer
Staatsmann und milder sanfter Weltweise auf dem
Throne, — wofür Sie Selbst gewiß Julian erkennen werden — von der bessern Religion durch die
geheimen Gesellschaften seiner Zeit zu Unsinn und
Unvernunft konnte fortgerissen werden; o so ist ja
die Furcht vor solchen mystischen Verbindungen
wohl gegründet genug, so sinket ja der menschliche
Verstand, wenn er sich zu einer beträchtlichen Höhe
empor gearbeitet hat, dennoch zuweilen wieder zurük.
Wo bleiben denn die zuversichtlichen Behauptungen,
daß in aufgeklärtern Zeiten, wenn das Licht der Vernunft und wahren Religion einmal helle geglänzt
hat, solche Rükfälle nicht geschehn; daß gute vernünftige Menschen, wie z. B. nur ich einer bin,
unverführbar sind (Dec. S. 526)! Wahrlich, ich
finde keinen Punkt, worin ich dem Kaiser Julian
nicht nachsehen sollte; nur darin bin ich ohne Zweifel

kannte, aus dem ersteren abzog, und in Leben und
Schriften zeigte. — Ich rede ferner nicht von Julians Hang zur Theurgie und Thaumaturgie. Hatte
er diesen Hang, so hatte er ihn nicht als Deist; und
so brauchte er sicherlich darum nicht die damalige
christliche Religion auszurotten, in der er ihn vielmehr nach Herzenslust hätte nähren und befriedigen
können. Man s. Meiners Gesch. der neuplaton.
Philosophie, und jede gute Kirchengeschichte.

fel glüklicher, daß ich zu unbedeutend bin, um mystische Proselytenjäger zur Mühe des Verführens
oder Bekehrens gegen mich zu reizen.

Indeß hoffe ich itzt, meinen Ausdruk im Jul.
(S. 76) so gerechtfertigt zu haben, daß Niemand
die schuldige Achtung für das Christenthum
darin vermissen wird. Nur, eben aus Achtung
dafür, werde ich stets Verachtung für das
entartete, für das fälschlich sich so nennende
Christenthum bezeigen, welches den reinsten Begriffen von Gott und der Moralität und der Menschenliebe Eintrag thut. — Es sollte mir leid
thun, wenn man andere Gesinnungen in allen bis
itzt erschienenen Bänden der Monatsschrift finden
könnte. Zwar weiß ich es wohl, daß man auch
von dieser Seite nicht unterlassen hat, uns zu ver-
unglimpfen. Aber wer kann auftreten und zeigen,
daß die unstreitigen, zur Menschenwohlfahrt nothwendigen, ewig heilsamen Wahrheiten unserer heiligen Religion je in der Monatsschrift wären angegriffen worden! Ueber einige Punkte derselben
aber mit vernünftiger Freimüthigkeit reden, ist wohl
ein Beweis, daß einem die Religion wichtig ist;
ehrt dieselbe wohl mehr, als knechtischer Köhler-
glaube; und ist ja eben die glükliche Freiheit, welche Luther uns erkämpft hat, und welche der Protestantismus uns gewährt. Eine Freiheit der
Vernunft und des eignen Nachdenkens! ein seliges
Geschenk, welches uns wieder in die ursprünglichen
Menschenrechte eingesetzt hat! ein Geschenk und
ein Recht, dessen diese protestantische Monatsschrift
sich noch oft, zur Verbreitung der Denkfreiheit, bedienen wird; und dessen (meiner Meinung nach)
jeder sich unwerth macht, wenn er es nicht gebraucht, um die wichtige Angelegenheit seines Lebens

bens, die Religion, nach dem Maaß eigner Kräfte
zu unterſuchen.

Es iſt ein bekannter elender, aber itzt auch ſchon
allgemein verachteter, Kunſtgrif: ſeinen Gegner,
mit dem man über andere Materien zu ſtreiten
hat, in den Ruf der Irreligion bringen zu wollen.
Niemand hat denſelben aber leicht lächerlicher gebraucht, als der Pater und Prof. Steiner *), der
in

---

*) Ich habe ſchon (Dec. S. 544) ſein Schreiben wi-
der mich an H. Pr. Garve, welches im Septemb.
der ſchleſiſchen Provinzialblätter ſteht, erwähnt.
Hier ſind die vorzüglichſten Stellen daraus. Er
verſichert S. 232, daß er „Männer von Talenten
von jeder Partei ſchätze, bis ihn (wie fromm!)
ihr Benehmen durchaus zwinge, die Güte ihres
Herzens in Zweifel zu ziehen. So hätte er auch
mich und die Monatsſchrift geſchätzt, bis auf den
Punkt der Religion, und beſonders den, der Katholicismus und Katholiken trift." — Ueber das
von mir angeführte Faktum: daß eifrige Theilnehmer an gewiſſen geheimen Geſellſchaften unter
den Proteſtanten ſchon laut anfingen, die Würde
der weſentlichen kathol. Religion zu erheben, welches gewiß bei jedem rechtſchaffenen Patrioten
Nachdenken und Unwillen erregen muß, ſagt er
S. 237 ſehr naiv: „Ich möchte wohl gerne wiſſen,
„ob das Betragen dieſer Leute wirklich ſo gar übel,
„ſo ſehr unrecht und aufklärungswidrig iſt?" Wer
das noch erſt zu fragen hat, kann wohl bei dieſer
Unterſuchung nicht gehört werden. — Er meint
S. 238, ſehr ſinnreich: „die Monatsſchr. habe die
Jeſuiten ſo klug beſchrieben, daß ihnen dadurch
eher Bewunderer und Freunde als Gegner zuwachſen würden;" und räth deshalb wohlmeinend ab,
es nicht mehr ſo zu machen. Argliſtig und ver-
ſchmitzt, vorzüglich gegen unbeſorgte ehrliche Menſchen

in feinen Anklagen wider mich immer Chriften=
thum und Katholicismus durch einander wirft,
mich in dem Punkt der Religion und befonders
des Katholicismus anftößig findet, und auf Ehre
ver=

fchan, ift bei uns nicht einerlei mit klug. — S. 240
bittet er Herrn Garve, mir zu fagen: „daß, wie
„er (P. Steiner) auf Ehre verfichern könne, kei=
„nem geringen Theile meiner Lefer mein Chriften=
„thum und meine Religion verdächtig zu werden
„anfange, weil ich es zu fehr merken laffe, daß
„mich die Wefenheit der kathol. Religion ärgere,
„die doch mit mir einen wahren Gott, den wahren
„Chriftus, und feine göttliche Offenbarung be=
„kenne.” Ich wiederhole es, ich denke über Gott,
Chriftus, und Offenbarung ganz verfchieden von je=
dem Menfchen, der die Unfehlbarkeit der römifchen
Kirche glaubt, und werde ewig verfchieden darüber
denken.   Will er aber liftig die Grundfätze der
chriftlichen Religion ftatt Grundfätze der katholi=
fchen Religion unterfchieben: fo ift dies ein fo gro=
bes Falfum, als nur irgend durch Vertaufchung
oder Verfälfchung wichtiger Dokumente gefchehen
kann. Und dann frage ich: wo ift, bei der Aufdek=
kung der Profelytenmacherei und der Mißbräuche
der geheimen Gefellfchaften, je von den Grund=
fätzen des Chriftenthums die Rede gewefen; wo
hat die Rede davon fein können? wo ift alfo,
oder wo konnte etwas dagegen gefagt werden? —
Daß er mich als einen Friedensftörer vorftellen
will, der (nach S. 239) den Schlefiern Mißtrauen
gegen ihre Mitbürger einflößen wolle, und (nach
S. 442) gar den dortigen von der Regierung be=
ftätigten Religionsfrieden zu verdrängen fuche:
ift nicht bloß abgefchmakt, fondern fchändlich
und verächtlich.

versichert, daß ihm mein Christenthum darum,
weil mich die katholische Religion ärgere, verdächtig zu werden anfange. Ein Mensch, der nach seinen Begriffen alle rechtschaffene und edle Seelen,
die nicht die Unfehlbarkeit der römischen Kirche
annehmen, verdammen muß, ist nicht im Stande,
von meiner Religion zu urtheilen; und ist unverschämt zudringlich, wenn er über Religionsunter-
suchungen entscheiden will, die er nicht mit anstellen
darf, und die von Männern geführt werden, welche
Gottlob frei denken dürfen. In Absicht der katholischen Religion aber will ich Gott bitten, meine
Gesinnungen so zu erhalten, daß sie einem Pater
Steiner und seines Gleichen immer verdächtig
bleiben mögen.

Ich wende mich, hochzuverehrender Herr Professor, am Schlusse meines Briefes wieder an Sie;
und bitte um Verzeihung, daß ich die Apologie der
Monatsschrift gegen einige andere Bestreiter mit
in diesen Brief an Sie eingemischt habe. Der
Zusammenhang war zu natürlich, und die Vertheidigung schien mir zu nothwendig, als daß ich
diese Gelegenheit nicht hätte nutzen sollen. Uebrigens sind Sie von jenen andern Bestreitern immer
aufs sorgfältigste unterschieden, und niemand wird
Sie mit denselben vermengen können, so nah sich
auch der P. Steiner an Sie zu drängen sucht. —
Wegen des Tones meiner Antwort an Sie Selbst,
der immer freimüthig sein sollte, und vielleicht oft
warm und lebhaft ist, bitte ich nicht um Verzeihung.
Mich dünkt, er ist so, wie er, unbeschadet meiner
gebührenden Hochachtung gegen Sie, nach der Lage
der Sachen, nach der Wichtigkeit des Gegenstandes,
und selbst nach der Beschaffenheit der von Ihnen
vorgetragenen Gründe, sein konnte. Leben Sie wohl!

Berlin, den 22. Decemb. 1785.   Biester.

Einräumung einer katholischen Kirche zum Gottesdienste der Protestanten.

An Hrn. D. Biester.

In der Monatsschrift (März dies. J. S. 265) wird gegen die vom Hrn. Prof. Garve (Jul. vor. J. S. 64) vorgetragene Behauptung: „Auch in „meinem Vaterland sind Fälle vorhanden, wo „Katholische Kirchen zur Ausübung protes- „stantischer Religionshandlungen eingeräumt „werden," die an sich ganz billige Einwendung gemacht, daß Hr. Garve keinen dieser Fälle genau oder bestimmt angegeben habe; und es wird dabei mit Recht bemerkt: „Um über Fakta zu urtheilen, „müssen dieselbe wahrlich ganz genau, und mit „allen Umständen vorgelegt werden." Zugleich werden dabei zwei dokumentirte Fälle vom Gegen- theil erzählt, woraus hervorgeht, daß das apo- stolische Vikariatamt zu Breslau bei zwei ver- schiedenen Gelegenheiten die gebetene Einräumung einer katholischen Kirche zur Abwartung des protes- stantischen Gottesdienstes geradezu abgeschlagen hat. Aus der sonst bekannten vortreflichen, und hier ganz rühmlich geschilderten Denkungsart der Glieder dieses ansehnlichen Kollegiums wird nun der nicht undeutliche Schluß gezogen: als sei jene

Wei-

Weigerung wohl nicht so ganz freiwillig, nicht die
Folge der eigenen inneren Ueberzeugung dieser
Männer gewesen. Denn, heißt es ausdrüklich:
„das Verfahren dieser Männer ist gewiß bloß,
„wie auf der einen Seite nach Klugheit, so auf
„der andern nach den Vorschriften der Gesetze
„abgemessen. Sie erkennen, was edel, bil-
„lig und menschenfreundlich ist; — Sie thun
„hierin gewiß gern, so viel sie thun dür-
„fen, und schlagen nur ab, was sie abschlagen
„müssen.”

Bey dieser Aeußerung wird also nothwendig
vorausgesetzt: daß entweder die allgemeinen
Grundsätze der katholischen Kirche eine solche den
Protestanten zu erweisende Gefälligkeit schlechterdings nicht erlauben; oder, daß besondere Verordnungen des Papstes (denn eine andere geistliche Obrigkeit wird doch das apostol. Vikariatamt
nicht anerkennen) so was ausdrüklich verbieten.
Eine dritte Ursache, warum das genannte Kollegium die gebetene Gefälligkeit hätte verweigern
müssen, — sie nicht bewilligen dürfen: läßt
sich in dem gegebenen Fall nicht gedenken; es sei
denn diese, daß zwischen diesem und andern ähnlichen Kollegien, Bischöfen, u. s. w. gewisse geheime Verabredungen über diesen Punkt zum
Grunde liegen, welches sich aber gleichfalls mit
der so sehr gerühmten, aufgeklärten, edlen Denkungsart der Glieder des ap. Vikariatamts nicht
                                               wohl

wohl reimen läßt. Daß aber überhaupt keine von
allen diesen Ursachen Platz haben könne, ist wohl
offenbar, so bald es ausgemacht ist, daß obige
Behauptung des Hrn. Garve ihre völlige Richtigkeit habe. *) Erlauben Sie mir also, Hoch-
geehrtester Herr Doktor, Ihnen in dieser Absicht
gleichfalls ein ganz eigentlich hieher gehöriges,
mit allen Dokumenten belegtes, auch noch im-
merfort bestehendes Faktum vorzulegen: ein
Faktum, welches nicht nur jener Behauptung des
Hrn. Garve zum vollständigsten Beleg dienet, **)
sondern auch unwidersprechlich beweiset: daß weder allgemeine Grundsätze der katholischen Kirche,
noch besondere päpstliche Verordnungen, noch
auch geheime Verabredungen der Bischöfe, die Einräumung einer katholischen Kirche an Protestanten
zur Abwartung ihres Gottesdienstes verbieten. ***)

Das

*) Um jenen offenbaren Satz folgern zu können, wäre
es also wünschenswerth, diese streitige Behauptung
ausgemacht zu sehen. Wenn doch also Hr. Garve
so dokumentirt von Schlesien (wie hier der Herr
Einsender von Westphalen) ein Faktum beibringen wollte, woraus die von der obern katholischen Geistlichkeit geschehene Einräumung einer
Kirche erhellte! B.
**) Aber Hrn. Garvens Behauptung geht ja aus-
drüklich nur auf Schlesien. B.
***) Dieses höchst gegründet scheinende Räsonnement
macht um so neugieriger: zu erfahren, welche Ursachen denn das angesehene apostol. Vikariatamt zu
Breslau vermocht haben, jene zwei so äußerst
mäßige, und nach den Umständen so billige Bitten
geradezu abzuschlagen. B.

B. Monatsschr. VII. B. 6. St.   K k

Das Faktum, von dem ich rede, ist zwar nicht
aus dem Vaterland des Hrn. Garve, sondern aus
hiesiger Gegend, und also aus — dem, hin und
wieder wenigstens, noch sehr verkannten — West=
phalen.   Allein das ändert in der Hauptsache
nichts; und übrigens wird die Begebenheit selbst
dadurch um so viel merkwürdiger, so daß, wenn
sie auch nicht eine so genaue Beziehung auf einen
der Hauptgegenstände Ihres mit Hrn. Garve ge=
führten Briefwechsels hätte, sie doch schon um ihrer
selbst willen eine nähere Bekanntmachung verdient,
da sie zugleich einen Beweis enthält, wie man in
hiesigen Gegenden über Religionsverträglichkeit
denkt, und auch handelt.   Auch in dieser Rüksicht,
da Sie mit so vieler theilnehmenden Aufmerksam=
keit den Fortschritten so wohl, als den Hinderniß=
sen der Religionsverträglichkeit zwischen Katholiken
und Protestanten, und besonders dem Gang der
herrschenden Gesinnungen jener gegen diese nach=
zuforschen bemüht sind; auch in dieser Rüksicht
glaube ich mir schmeicheln zu dürfen, Ihnen hiemit
einen nicht ganz unwichtigen Beitrag zu liefern. —
Jedoch zur Sache!

Schon seit dem Julius des vorigen Jahrs habe
ich selbst in einer, meiner (reformirten) Gemeine
freiwillig eingeräumten, katholischen Kirche unaus=
gesetzt gepredigt, und alle gottesdienstliche Hand=
lungen, so wie wir es in unsrer eigenen Kirche ge=
wohnt sind, ohne die mindeste Einschränkung vor=
genom=

genommen. Die Vergünstigung dazu ist uns von
einem gleichfals angesehenen geistlichen katholischen
Kollegium ertheilt, und von einem katholischen
Erzbischof, der gewiß eben so unabhängig ist als
das apostolische Vikariatamt zu Breslau, bestätigt,
ja selbst nachdrüklichst empfohlen worden. Dies
ist das Faktum; doch es ist nicht genug, dasselbe
bloß zu nennen: es muß auch, nach der oben angeführten ganz billigen Forderung, ganz genau,
und mit allen Umständen vorgelegt werden. Auch
hiezu sehe ich mich im Stande; und hier sind die
pünktlichsten Abschriften der vornehmsten hierher gehörigen Urkunden, wovon Sie nach Ihrem eigenen
Gutbefinden, ausführlich oder abgekürzt, den be-
liebigsten Gebrauch machen können. *)

Kk 2   I. An.

*) Der Herr Prediger Triesch vermehrt, durch diese
seine genaue Pünktlichkeit, noch unsere Verpflichtung
zum Dank, der ihm wegen der Einsendung seiner
wichtigen Geschichtserzählung gebühret, welche
wir hier, zu unserm eigenen großen Vergnügen
und gewiß zum Vergnügen aller Leser, liefern.
Nur habe ich, seiner verstatteten Erlaubniß zufolge, bloß die wichtigsten Urkunden über die Sache
aufgenommen. B.

(516)

I.

An das Hochwürdige Archidiakonat-Stift zu St. Viktor hieselbst.

Xanten, d. 15. Jun. 1785.

T. T.

Durch eine vorzügliche Gnade unsers Königs *) sehen wir uns in den Stand gesetzt, die längst beschlossene Reparation unsrer äußerst verfallenen Kirche anzufangen. Nur finden wir uns noch dabei durch den einen Umstand gehindert, daß uns ein schiklicher Ort fehlet, wo wir die Zeit über, die jener Bau währen möchte, unsern Gottesdienst halten können.

Wir haben, wie bekannt, nur die eine Kirche. Da nun für die katholischen Glaubensgenossen hieselbst, außer der Hauptkirche, noch so viele andere dergleichen Gebäude vorhanden sind, wovon verschiedene nur wenig, und manche des Sonntags gar nicht gebraucht werden; so wenden wir uns in unsrer dermaligen Verlegenheit an Ew. Hochwürden und Hochehrwürden, mit der gehorsamst

---

*) Auf eine unmittelbar an Se. Königl. Maj. von dem hiesigen reformirten Konsistorium am 7. Mai vorigen Jahrs erlassene Bittschrift, hat der König, laut einer Kabinetsorder vom 13. desselben, der hiesigen Gemeine zur Reparatur ihrer Kirche eine bei dem Kapitel hieselbst erledigt gewordene Kanonikatpräbende allergnädigst konferirt. T.

(517)

samst ergebensten Bitte: uns zu jenem Zwek, bloß
die kurze Zeit über, die zu jenem Bau erfordert
wird, eines von jenen kirchlichen Gebäuden, wozu
wir namentlich die St. Michaelis= oder die Gast=
haus=Kapelle in Vorschlag bringen, gütigst ein=
zuräumen.

Wir schmeicheln uns 2c.

Prediger und Konsistoriales
der evangel. reformirten Ge=
meine hieselbst.

II.

An ein Wohlehrwürdiges reformirtes Konsistorium hieselbst.

(Antwort vom selbigen Datum.)

T. T.

Ein Hochwürdiges Kapitel hieselbst ist nicht ab=
geneigt, der hiesigen reformirten Gemeine zu ver=
gönnen, daß sie, so lange die Reparation ihrer
verfallenen Kirche währet, ihren Gottesdienst in
der Gasthaus=Kapelle verrichte. Da aber über
die Zulässigkeit einer solchen Sache verschiedent=
lich *) geurtheilt wird, wenigstens in den kanoni=

Kk 3   schen

*) Das hiesige ansehnliche Kapitel besteht, außer dem
    Dechant, Scholaster, Portarius und Official, aus
    40 Kanonicis. Es war also ganz natürlich, daß
    unter so vielen Köpfen die Meinungen über eine
    sol=

(518)

schen Rechten darüber nichts entschieden ist; so wird das Kapitel, um allem Anstoß vorzubeugen, vorher, jedoch ohne Verzug, hierüber ein Erzbischöfliches Gutachten *) einhohlen, und es zweifelt nicht, daß die Sache werde genehmigt werden.

III.

An das Kapitel zu Xanten.

Bonn d. 23 Jun. 1785.

Maximilian Franz, von Gottes Gnaden Erzbischof zu Kölln, u. s. w.

Ehrbare, Liebe, Andächtige! Aus Eurem Schreiben vom 16ten dieses haben Wir gnädigst wohl-

solche Sache sehr getheilt sein mußen. Desto mehr gereicht es aber diesem Kollegium zur Ehre, daß das Gesuch des Konsistoriums nicht gleich und geradezu abgeschlagen wurde. T.

*) In zweifelhaften Fällen, zumal wenn dieselbe, wie auch hier der Fall war, als Gewissenssache angesehen werden, pflegt das Kapitel, wie auch jetzt geschah, an den benachbarten Erzbischof von Kölln, jedoch mit vorausgesetzter Bewilligung der klevischen Landesregierung, sich zu wenden. T. — Der Herr Einsender wird mir folgenden Zusatz erlauben. Es ist Rechtens: daß der Herzog von Kleve, schon seit den Zeiten vor der Reformation, keine fremde geistliche Gerichtsbarkeit (also auch die des Erzbischofs von Kölln nicht) in seinem Lande erkennt; aber in bloß geistlichen Sachen (die keine Jurisdiktion betreffen) ist der kathol. Geistlichkeit verstattet, Konsilia und Responsa von fremden Geistlichen einzuholen. B.

(519)

wohlgefällig ersehen, daß Ihr nach den wahren
Grundsäzen der chriſtlichen Duldung bereit ſeid,
eine Eurer Kapellen den dortigen Reformirten ſo
lange zu überlaſſen, bis dieſe ihre zuſammengefal-
lene Kirche wieder hergeſtellt haben. Die wech-
ſelſeitige Liebe und Verträglichkeit iſt dem Geiſt
des Chriſtenthums vollkommen angemeſſen; Wir
erlaubens Euch daher mit Vergnügen, daß Ihr
den dortigen Reformirten den nachgeſuchten Gebrauch der St. Michaelis- oder Gaſthaus-Kapelle
auf 3 bis 4 Monate freundſchaftlich geſtattet. Wir
verbleiben Euch übrigens mit Gnaden gewogen.

　　　　Max. Franz, Kurfürſt. mpp.
　Vt Frhl. von Gymnich.

───────

Auf dieſen in aller Abſicht ſo merkwürdigen
Erzbiſchöflichen Beſcheid, wurde von dem Kapitel
dem Konſiſtorium ſo gleich die hieſige Gaſthaus-
kapelle zum Gebrauch angewieſen. Allein bei
näherer Beſichtigung ward ſie, in Anſehung ihres
engen inneren Raums, viel zu klein, mithin ganz un-
brauchbar befunden. Das Konſiſtorium hielt nun
um die Einräumung der weit größeren und beque-
mern Michaeliskapelle an. *) Hier thaten ſich
aber große Schwürigkeiten hervor. Dieſe Kapelle
liegt auf der ſo genannten Immunität des Kapitels,
und ziemlich nahe bei der großen oder Kapitular-

　　　　　　　Kk 4　　　　　　　kir-

───────
*) Um welche man ſchon in dem erſten Geſuche
　(ſ. Nr. I.) alternative gebeten hatte. B.

(520)

kirche. Wegen dieser Nähe fürchtete man also die
Möglichkeit einer gegenseitigen Stöhrung im Gottesdienst. Noch mehr: Nach der Fundation dieser
Kapelle soll vor dem Altar derselben bei Strafe einer Todsünde wöchentlich eine Messe gelesen werden; diese Messe mußte also für die Zeit verlegt
werden; u. s. w.

Das Konsistorium schrieb itzt an den Hrn. Burgermeister Ueberhorst, und bat: den zur Königl.
Renthei hieselbst gehörigen Kornboden auf 4 Monate zur Haltung des Gottesdienstes, wenn er dazu geschikt wäre, einzuräumen. Auch dankte es,
in einem Schreiben an den Kurfürsten von Köln,
Demselben für seine Erzbischöfliche Erlaubniß in
Absicht der Einräumung der Gasthauskapelle; welche jedoch, unter den itzigen Umständen, der Gemeine nicht zu Statten kommen könne. Der Herr
Burgermeister erklärte in seinem Antwortsschreiben
zwar jenen Kornboden für schlechterdings unbrauch-
bar; allein er bot aus freien Stücken der Gemeine,
im Namen des Magistrats, eine Stube auf dem
Rathhause zur Haltung des Gottesdienstes an.

Doch ehe wir noch von diesem Anerbieten Gebrauch machen konnten, wurde unsre Verlegenheit
nun auf einmal durch die (d. 21. Jul.) von dem
hiesigen Kapitel von selbst ertheilte, vorher mit so
vielen Schwürigkeiten verbunden gewesene, gänzliche Einwilligung zum Gebrauch der Michaeliskapelle glüklich geendigt. Mit welcher ge-
neigten

neigten und selbst freudigen Willfährigkeit dieselbe
ertheilt ward, davon zeugen zwei Handbillette,
die der förmlichen Bekanntmachung voran gingen,
und mir noch während der Kapitularversammlung
eingehändigt wurden. Die unter dem genanten
Datum im Namen des Kapitels ausgefertige förm=
liche Bekantmachung an das Konsistorium enthält
zugleich eine nähere Bestimmung: über die zum
reformirten Gottesdienst am süglichsten festzu=
setzenden Stunden, zur Vermeidung aller möglichen
wegen der Nachbarschaft der Michaelis Kapelle
mit der großen Kirche etwa zu besorgenden gegen=
seitigen Störung im Gottesdienst.

An dem gleich folgenden Sonntag den 24 Jul.
hielt ich nun in mehrbesagter katholischen Kapelle
die erste Predigt, und zwar über die Pflicht der
gegenseitigen Vertragsamkeit, wozu ich zum Text
die Worte 1 Mose XIII, 8 gewählt hatte. Auf
meine dem Hrn. Dechanten und den übrigen
Vorstehern des Kapitels zugefertigte förmliche
Einladung wohnten auch zwei der leztgenannten
dieser Predigt bei; und ausserdem, wie es in
dergleichen Fällen gewöhnlich geschieht, eine
außerordentliche Menge so wohl katholischer als
protestantischer Zuhörer, wobei aber — welches
in dergleichen Fällen nicht gewöhnlich ist — von
Anfang bis zu Ende des Gottesdienstes die größte
und feierlichste Stille beobachtet wurde.

Kk 5   Zun=

(522)

Zum Beschluß merke ich noch an: daß, obgleich die anfänglich zu unserm Kirchenbau hinreichend geglaubten 4 Monate längst verflossen sind, die Vollendung des Baues selbst aber durch schlimme Witterung und andere nicht vorher zu sehende Umstände verzögert worden ist, dennoch, auf eine abermalige Vorstellung des Konsistoriums vom 8ten März dieses Jahres, der uns zugestandene Gebrauch der Michaeliskapelle noch bis nächste Pfingsten verlängert worden ist.

Xanten
im Herzogthum Kleve   Triesch,
d. 5 April 1786.   evangelisch‑reformirter
                              Prediger.

Der Affe.
Ein Fabelchen.

Ein Affe steks' einst einen Hain
Von Zedern Nachts in Brand,
Und freute sich dann ungemein,
Als er's so helle fand.
„Kommt Brüder, seht, was ich vermag;
„Ich, — ich verwandle Nacht in Tag!

Die Brüder kamen groß und klein,
Bewunderten den Glanz
Und alle fingen an zu schrein:
Hoch lebe Bruder Hans!
„Hans Affe ist des Nachruhms werth,
„Er hat die Gegend aufgeklärt.

Z

(155)

4.

Ueber die mit Stein, Stok und Blut zusammengesetzten Wörter.

Man hört oft, im gemeinen Leben, die Wörter, steinalt, steinreich, stokdumm, stokfinster, blutjung u. dergl. m., und es ist wol der Mühe werth, den Ursprung und die wahre Bedeutung derselben zu untersuchen, weil sonst, in manchen dieser Zusammensetzungen, etwas ungereimtes zu sein scheinet.

Zu sagen, die Wörter Stein, Stok, Blut, sind hier ein Zeichen der Intension, ist etwas leichtes, worauf jedermann sogleich verfällt; aber es kläret die Ursache nicht auf, warum unsere Alten diesen Wörtern, in einigen Fällen, die intensive Bedeutung beigelegt haben, die sie doch für sich niemals haben können; denn wenn sie für sich intensiv wären, so müßte man eben so gut sagen können: steinarm als steinreich, stokhell als stokdunkel, so wie man sagt, sehr arm und sehr reich, sehr hell und sehr dunkel. Ich glaube daher, es sei nicht genug, daß man sage, steinalt, heißt so viel als sehr alt, stokfinster, sehr finster, blutjung, sehr jung, sondern man müsse auch die Ursache anzeigen, warum diesen Wörtern diese dem ersten Anschein nach sonderbare Bedeutung beigelegt worden.

Meinem

(156)

Meinem Erachten nach, lieget in allen diesen
Zusammensetzungen eine Vergleichung zum Grunde,
welche sich entweder auf die eigentliche, oder figür-
liche, oder auf eine veraltete Bedeutung der Wörter, Stein, Stok, Blut beziehet. Denn eben wie
in den Zusammensetzungen kohlschwarz, rosen-
roth, goldgelb, Goldkind, eine Vergleichung
zum Grunde liegt, und sie so viel heißen, als:
schwarz wie eine Kohle, roth wie eine Rose, gelb
wie Gold, Goldkind, ein Kind, welches so lieb
und werth ist, wie Gold, ohne daß diese Wörter
für sich, ein Zeichen der Intension sind, so ist auch
bei den mit Stein, Stok und Blut zusammengesetzten Wörtern allemal besonders auf die Vergleichung zu sehen, weil eben auf dieser die Intension
oder Verstärkung beruht.

Steinalt heißt sehr alt, eigentlich, so alt wie
ein Stein, weil man das Alter des Menschen, mit
dem Alter eines Steines vergleicht, der schon seit
undenklichen Jahren sein Dasein gehabt hat.

Steinhart heißt so hart wie ein Stein. Man
vergleicht dabei die Härte einer Sache mit der
Härte eines Steines, und ohne solche Vergleichung
könnte das Wort Stein, für sich, keine Intension
machen.

Steinreich, kann für sich, ohne Beziehung auf
eine gewisse Vergleichung, keine Intension sein;
denn sonst müßte man auch sagen können, steinklug
für sehr klug, steingroß für sehr groß und dergl.

Man

Man muß also auch hiebei nothwendig auf eine Vergleichung, oder auf dasjenige sehen, wodurch eigentlich die Intension verursacht wird. Frisch erkläret
es durch: reich an Edelsteinen, Gemmis dives, und
es ist gewiß, daß das einfache Wort Stein oft für
Edelstein gebraucht wird; allein es könnte wol heissen: Der so viel Geld hat, als Steine gefunden
werden, oder bei dem das Geld wie die Steine auf
einander gehäuft ist. So stehet 2 Chron. 9. 27;
von Salomo: Er machte des Silbers so viel wie die
Steine, und vielleicht hat eben diese biblische Vergleichung auch zur Bildung des Wortes steinreich
Gelegenheit gegeben.

Eben so ist es mit dem Worte Stok beschaffen:
es kann für sich keine Intension machen, sondern
die Intension entstehet aus der Vergleichung.
Stokksteif heißt daher: so steif und unbeweglich als
ein Stok. Man sagt: Aus Bestürzung blieb er
stokksteif vor mir stehen. Vielleicht hat man hiebei
noch besonders auf einen Almosenstok, oder den
Stok eines Baumes gesehen, der ganz unbeweglich
ist. Stokstille ist so viel als: stille wie ein Stok.
Bei allem, was ich ihn fragte, schwieg er stokstille,
das ist, er redete so wenig als ein Stok reden kann.
Auf eine ähnliche Weise sagt man auch wol im gemeinen Leben, indem man mit den Fingern auf einen
Stok zeigt: Antwortete der Stok, so antwortete er
auch. Stokdumm, heißt so dumm als ein Stok,
denn man nennet figürlich einen dummen Menschen,

einen

(158)

einen Stok oder Klotz. Frisch sagt: „Stok, ein
„Mensch, der ungeschikter als ein Stok ist. Homo
„stupidus intractabilis.“ Und auch im Lateinischen
heißt ein dummer Mensch: stipes, truncus Daher
nennet man auch Stokböhmen, einen solchen, der
in der größten Dummheit aufgewachsen ist, weil
diese Leute gemeiniglich in der Leibeigenschaft stehen
und aus Mangel aller Kenntnisse, dumm und störrig
sind. Stokdürre, so dürre als ein Stok, der ganz
ausgetroknet und verdorret ist.

In den Wörtern stokfinster, stokblind, Stok=
narr, fällt die Vergleichung nur nicht sogleich in
die Augen, aber es muß doch wirklich eine da sein,
indem das bloße Wort Stok, für sich, keine Inten=
sion machen kann, und die Alten es gewiß nicht
ohne Ursache mit diesen Wörtern verbunden haben.
Es würde freilich ungereimt und unschiklich sein, bei
dem Worte stokfinster an einen Stok, Stab oder
Klotz zu denken. Allein Stok heißt auch ein Ge=
fängniß. Weil man die Gefangenen, in dem Ge=
fängnisse, oft an einen Stok oder Klotz zu schließen
pflegt, so hat man das Wort Stok hernach für
Gefängniß überhaupt gebraucht. Jemand in den
Stok legen, heißt, ihn ins Gefängniß legen, und
Frisch führt aus Tom. III. Script. Brunsvic. die Re=
densart an: Einen zu Stok führen, in carcerem
conjicere. Daher kömmt auch Stokhaus für
Gefängniß, Stokmeister für Kerkermeister, und
dergl. Hieraus nun, läßt sich leicht die wahre
                                        Bedeu=

Bedeutung des Wortes ſtokfinſter erklären; es
heißt nehmlich, wie es Friſch ſchon erkläret hat, ſo
finſter, als es in dem tiefſten Gefängniſſe zu ſein pfle-
get. Bei den Alten waren die Gefängniſſe gemeiniglich in dunkeln Gewölben, oft tief unter der
Erde, und zuweilen wol ſo gebaut, daß gar kein
Tageslicht hinein fallen konnte. Es war alſo ganz
natürlich, für äußerſt finſter, oder im höchſten Grade finſter, ſtokfinſter zu ſagen, das iſt, ſo finſter
wie es in einem ſolchen Gefängniſſe iſt.

Wenn in ſtokblind die Vergleichung zu hart
ſcheint, ſo blind als ein Stok, ſo kann man es
aus eben dieſer Bedeutung des Wortes Stok erklären. Es würde alſo heißen, ſo blind, wie einer, der in
dem Stokke oder finſterem Gefängniſſe lieget, und
gar nicht ſehen kann. Auch ſtokfremd könnte hei-
ſen, ſo fremd, wie einem Menſchen, welcher der
Freiheit gewohnt iſt, das Gefängniß oder der Stok
vorkommen muß.

Man ſagt auch an einigen Orten ſtichfinſter
und im Niederſächſiſchen ſtikkenduſter. Dieſe Wör-
ter aber kommen nicht von Stok her, ſondern von
Stich, in der Bedeutung, nach welcher dieſes
Wort ſo viel heißt als ein Punkt. Man ſagt:
Nicht einen Stich ſehen können, das iſt, nicht einen
Punkt, und alſo nichts ſehen, und ſtichfinſter
würde daher heißen, ſo finſter, daß man nicht einen
Punkt ſehen kann.

Stoknarr, hat, nach Frischens Meinung, seinen Ursprung vom Stok mit einem Narrenbilde,
den die Narren vor diesem getragen. Ueberhaupt
pflegten die öffentlichen Narren gemeiniglich einen
Stok, Pritsche oder Narrenkolben zu führen, daher
hat es leicht geschehen können, daß man sie Stok-
narren geheißen, und hernach diese Benennung
auch wol denen beigelegt hat, welche sich ihnen
gleich gestellt, und sich beflissen haben, durch allerlei
Possen und Narrheiten andre zu belustigen.

Man sagt auch im Niedersächsischen stoktodt,
stoknakkend, und diese Wörter würden ganz unschiklich zusammengesetzet sein, und überall keinen
vernünftigen Sinn geben, wenn darin nicht irgend
eine Bedeutung des Wortes Stok, und eine Vergleichung damit, zum Grunde läge. Erinnert man
sich aber, daß das Wort Stok auch den unter-
sten, stehen gebliebenen Stumpf eines abgehauenen
Baums bedeutet, wie Dan. 4 v 11. (Lasset den
Stok mit seinen Wurzeln in der Erde bleiben) so wird, in dieser Rüksicht, die eigentliche Bedeutung des Wortes stoktod gleich verständlich, und
es hat einen besondern Nachdruk. Denn es heißt, so
tod wie der Stok eines abgehauenen oder ausgerisse-
nen Baumes, der keinen Saft noch Leben mehr
hat, und niemals wieder grünen wird. Stoknakkend heißt so nakkend, als ein Stok, der abgeschä-
let und von seiner Rinde entblößet ist, so daß er gar
keine Bedekkung mehr hat.

Das

Das Wort Blut bedeutet ebenfalls in einigen Zusammensetzungen des gemeinen Lebens so viel als sehr, blutarm, blutjung, blutsauer, blutfremd. Allein wir müssen auch nach den Ursachen forschen, warum die Alten ihm solche Bedeutung beigelegt haben, wenn wir den eigentlichen Nachdruk und den wahren Verstand dieser Wörter wollen kennen lernen. Dann werden wir finden, daß sie allemal durch eine gewisse Vergleichung dazu sind veranlaßset worden, welche diesen Wörtern noch einen Nebenbegrif beilegt, wodurch sie einen Nachdruk bekommen, den ihnen das bloße Intensivum sehr nicht hätte geben können.

So heißt blutarm noch etwas mehr als sehr arm; es führt den Begrif einer solchen Armuth mit sich, in welcher man gar nichts eigenes besitzt als sein Blut, oder sein Leben; denn Blut wird oft für Leben gebraucht. Man sagt: Ich will mein Blut für ihn lassen, d. i. mein Leben; Er hat es mit seinem Blut bezahlen müssen, d. i. mit seinem Leben; So auch mit Gut und Blut dienen, und dergl. Er ist blutarm, heißt also, er ist arm bis aufs Blut, oder so arm, daß er weiter nichts hat, als was ihm zur Erhaltung seines Lebens unumgänglich von nöthen ist.

Auf gleiche Weise sagt man auch blutwenig. Ich frage einen Armen: Wie viel hast du bekommen? Und er antwortet: Ach! blutwenig, das

ist

ist, für mein Leben wenig; so wenig, daß ich kaum
mein Leben erhalten kann.

Blutfremd muß aus der Bedeutung des Wortes
Blut erkläret werden, in welcher es so viel heißt, als
Verwandtschaft, Geschlecht, Herkunft. Man
nennet Blutfreund, denjenigen, der aus einem
Blute mit uns abstammet, oder einerlei Herkunft
hat. Blutfremd heißt daher, so fremd, daß das
ganze Geschlecht und die Herkunft eines Menschen
unbekannt ist. Dieser Mensch ist mir blutfremd,
das ist, ich kenne so gar niemand von seinem Blute
oder Geschlechte, von seiner Verwandtschaft. Ich
bin an diesem Orte blutfremd, will so viel sagen:
Ich bin hier so fremd, daß man so gar niemand von
meinem Blute oder Geschlechte kennet, daß meine
ganze Verwandtschaft unbekannt ist.

Blutsauer kömmt vermuthlich von der Redensart her, da Schweiß und Blut so viel heißt,
als mühsame, saure und schwere Arbeit. Es ist
mein Schweiß und Blut, d. i. Ich habe es durch
meine saure und beschwerliche Arbeit erworben.
So sagt man auch: Ich muß arbeiten, daß ich dabei Blut schwitzen möchte. Desgleichen: Er soll
arbeiten, daß ihm das Blut aus den Fingern sprin-
ge. Blutsauer würde also heißen, so sauer, daß
man dabei Blut schwitzen möchte, oder bis zum
Blutvergießen sauer.

In dem Worte blutjung scheinet mir blut aus
Blüthe entstanden zu sein. Denn beides hatte bei

den

den Alten einerlei Laut, und ward auch auf einerlei Weise geschrieben. Bluat oder Bluot, hieß beides,
Blut sowol, als Blüthe, wie aus Schilters Glossarium zu ersehen ist, und von den hiesigen Schwei-
zer-Kolonisten höret man es noch, daß sie in ihrer
Mundart sagen, das Bluat für sanguis, und die
Bluat für flos.   Blutjung würde daher so viel
heißen, als jung wie eine Blüthe; ein blutjunger
Mensch ist ein solcher, der nur erst in der Blüthe
seines Lebens ist. In dieser Meinung werde ich dadurch bestärkt, weil ich mich nicht erinnere, es jemals gehört zu haben, daß das Wort blutjung von
kleinen Kindern gebraucht würde.   Von einem Kinde, welches erst gebohren, oder einige Wochen alt
ist, wird man nicht sagen, ein blutjunges Kind,
sondern man bedient sich dieses Wortes nur von
solchen Personen beiderlei Geschlechts, welche schon
über die Kinderjahre hinweg sind, und in der Blüthe ihres Alters stehen; die noch in den blühenden
Jahren sind.   Ein blutjunger Mensch, blutjunger Kerl, blutjunges Mädchen.   Sogar
mit den Wörtern Mann und Frau pflegt man es
nicht zu verbinden, wenn man gleich von solchen
redet, welche sich wirklich noch in den blühenden
Jahren befinden.   Vermuthlich deswegen, weil
diese Wörter an sich schon gemeiniglich den Begrif eines reiferen Alters mit sich führen, und den
blühenden Jünglingsjahren entgegen gesetzt werden.
So sagten die Alten von den Stufen des menschli-

L 3   chen

chen Alters: Zwanzig Jahr, ein Jüngling; dreißig
Jahr, ein Mann.

In dem uneigentlichen Verstande kann eben diese Ableitung ganz füglich Statt finden. Unsere Be-
kanntschaft ist noch blutjung, das heißt, sie ist
gleichsam noch erst in der Blüthe.

Die Niedersachsen haben noch mehrere Zusammensetzungen mit dem Worte Blut gemacht, welche bei ihnen im gemeinen Leben gewöhnlich sind,
aber kaum einen verständlichen Sinn geben, und
gar keinen Nachdruk haben würden, wenn man das
Wort Blut als eine bloße Intension ansehen wollte, die weiter nichts bedeutete als sehr; und es
würde dieses der Natur der niedersächsischen Sprache zuwider sein, welche überhaupt sehr naiv, und
in ihren Zusammensetzungen sehr nachdrüklich ist.
Daher glaube ich, man müsse diese Wörter aus der
figürlichen Bedeutung des Wortes Blut erklären,
in welcher es das Temperament des Menschen, seine sinnlichen Triebe und Neigungen bedeutet. Man
sagt: Er hat ein hitziges, feuriges Blut, das ist,
er ist von einem hitzigen, feurigen Temperamente.
Es stekt ihm schon im Blute, das ist, er ist, vermöge seines Temperamentes, schon dazu geneigt. Ein
Blutjunge, würde also einen solchen bedeuten,
dem die Leichtfertigkeiten und Jugendstreiche schon
im Blute stekken; Ein Blutschelm, der vermöge
seines Temperamentes zu allerlei Schelmereien geneigt ist; So auch eine Bluthure, der es schon
im Blute stekt, die nach ihrem ganzen Temperament

ment dazu geneigt ist. Auf solche Weise haben diese
Wörter wirklich einen weit stärkern Nachdruk.

Es sind noch mehr dergleichen Wörter im gemeinen Leben gebräuchlich, welche eine Intension
anzeigen, wobei man aber allezeit auf irgend eine
Bedeutung derselben, und auf die Vergleichung sehen muß, weil sie sonst gar keinen Nachdruk haben
würden. Z. B. Blindvoll, das ist, nach Frischens
Erklärung, so voll, daß man gleichsam blind ist,
und nicht mehr sehen kann, wo man hingehet.
Haarklein, so klein wie ein Haar, und figürlich:
sehr genau, mit den kleinsten Umständen. Haar-
scharf, nicht von Haar, capillus, sondern von dem
niedersächsischen Worte haaren, acuere, welches
von den Sensen gebraucht wird, wenn sie mit dem
Hammer auf einem Amboß dünne geschlagen, und
so geschärft werden. Sonst heißt es auch dengeln.
Splitternakkend, so nakkend, daß auch nicht ein
Splitter etwas von dem Leibe bedekket, u. a. m.

Es ist gar nicht zu glauben, daß die Alten, bei
allen solchen Zusammensetzungen, an weiter nichts,
als eine bloße Intension sollten gedacht haben, denn
dazu konnten ihnen diese Wörter für sich keinen Anlaß geben; aber gewisse Bedeutungen und Verglei-
chungen derselben, konnten sie bewegen, diese Wörter mit einigen andern zu verbinden, welchen sie
dadurch eine Intension beilegten, die zugleich gewisse besondere Nebenbegriffe mit sich führte, wodurch sie einen desto stärkern Nachdruk bekam.

S. J. E. Stosch.

(50)

Heutige deutsche Philosophie.

Wie kömmts, mein Vaterland, daß du den strengen
                                    Ernst,
Vordem dein Eigenthum, muthwillig itzt verlernst?
Hat jener Geist, der sonst zum Denken schien gebohren,
Aus deinem Aftervolk sich allgemach verlohren?
Ein Volk, das minder stets geschimmert als genützt,
Greift nach dem Schellenwerk geschmükter Possen itzt?
Und seiner Ahnen Stolz, des deutschen Tiefsinns Mine,
Erscheint nur noch, zum Spott, auf unsers Witzes
                                    Bühne?
O, daß nicht diese Kunst die Vorwelt schon verstand,
Die nur auf ödem Fels mühsame Lorbeern fand,
Bis sich ihr Dornenweg zu jenem Brunnen lenkte,
In den ein hart Gesetz die Wahrheit einst versenkte!
Es boten ja, wie uns, dafern sie durstig war,
Auf Blumenpfaden ihr sich tausend Bäche dar.
Die Wahrheit suchte sie? O daß nicht die Bethörte,
Die Wahrheit sei ein Nichts, *) von klügern Enkeln
                                    hörte!

                                    „Ich

*) Aus mehreren ein Exempel ist das Taschenbuch
   der Philosophie 1783, wo die Weisheit das Panier trägt: Was weiß ich? Voltär der Abgott ist,
                                    der

(51)

„Ich bin; ob mich ein Gott in dieses Daseins Reich,

„Ob mich ein Zufall rief: ist meiner Ruhe gleich;

„Und wenns zu wissen auch des Menschen Wunsch ver-
                                diente,

„Ein Thor — wer je darnach zu forschen sich erkühnte!

„Wer zeigt mir diesen Gott? von welchen fernen Höhn

„Kann ich des Höchsten Thron herunterschimmern sehn?

„Dann wollt' ich ihn durch Blut auf rauchenden Al-
                                tären

„Und durch des Feldes Frucht in Opfern ihn verehren.

„Doch sieht ihn nicht mein Aug' und hört mein Ohr
                            ihn nicht,

„So häufet Schluß auf Schluß — mir bleibt er ein
                            Gedicht.“

So schallt's. Und nicht allein den ungelehrten Pöbel

Der großen Welt umhüllt der irren Weisheit Nebel; *)

Er steigt, dringt unters Dach, wo ein Gelehrter sitzt,

                    D 2   Den

der alle Staaten gebildet haben soll, und im Phi-
losophenmond sich eben so wenig für Moses Mendelssohn als im Dichtermond für Klopstok ein
Plätzchen hat finden wollen. Auf dem Titelkupfer
kränzen die Grazien Beaumarchais Büste außerhalb
dem dort abgebildeten Tempel, zum Lohn dafür,
daß er Voltären den Tempel erbaut hat. Vermuthlich soll doch nun auch der, welcher die Grazien
um jene Büste versammelte, wieder einen Lohn dafür haben. Und welchen werden die Deutschfran-
zosen unter unsern Philosophen ihm zuerkennen?
*) Insaniens sapientia Horat. Od. I, 34, 2.

Den nicht die reinre Luft des hohen Erkers schützt!

„Von aller dieser Jagd, die über Stein' und Hekken

„Uns keichend trieb, die Spur der Wahrheit zu ent-
     dekken,

 „Ist dis der ganze Raub: was Ohr und Aug und
      Hand

 „Und Zunge fühlt, das ist; — sonst alles, alles —
      Tand.

„Des Unsichtbaren Kraft, des Untheilbaren Wesen,

„Mag nur ein Swedenborg aus Zauberformeln lesen.

„Verachtung lohne dem, der in des Tiefsinns Schacht

„Hinabfährt, über Gott und sich die Ruh verwacht!

„Treibt solcher Hummeln Brut (die faulen Bäuche schwellen

„Von unserm Fleiße sich) aus arbeitsamen Zellen!

„Nur jenen Weisen ehrt, der neue Bahnen spürt,

„Durch die ein Krämer Gold in unsre Häfen führt;

„Der eine Kunst ersinnt, wie, hungernd, der gepreßte

„Verarmte Pflüger noch den Schatz mit Steuern mäste!

„Ja, hätte sein Verstand ein Mittel ausgespäht,

„Durch das ein Teppich nur der Motten Zahn' ent-
     geht —

„Heil ihm und Seegen ihm! Die spätesten Geschlechte

„Bewundern diesen Fund von ihm durchwachter Nächte,

„Wenn lang' im Strom der Zeit deß Name schon
     verrann,

        „Der

(53)

„Der von der besten Welt das Hirngespinnst ersann!" *)
So ströme dann, mein Lied, von edlem Unmuth über:
Unwürdiges Geschlecht, du Zunft gelehrter Bieber,
Die du, — für thierische Bedürfnisse nur schlau,
Erfindrisch und voll Geist allein zu deinem Bau, —
Die heilige Vernunft an eine Kunst verschwendest!
Die du als Bieber auch, und besser noch, verständest,
Warum, wenn es umsonst zum fremden Himmel schaut,
Deckt dein Gesicht kein Fell, statt dieser schönen Haut?
Warum gesellte doch ein Funk' ätherscher Flamme,
Vom Himmel fallend, sich zu deines Wesens Schlamme?
Wenn er in dir doch nie zu jenem Feuer wird,
Das unsichtbarer Hauch in edlern Busen schürt,
Nein, ewig ausgelöscht vom Schlamm' und übermodert,
Nie wiederum empor zu seinem Urlicht lodert?
Weh, wehe dir! wenn du mit träger Ruhe siehst,
Wie dir des Körpers Zaun der Geister Welt verschließt,
Und schon die Mühe scheust, nur auf gereckten Zähen
Ein wenig über ihn in jene Welt zu sehen;
Ein wiederkäuend Thier an deinem Zaune liegst,
Und mit dem Grase dich, das vor dir wächst, begnügst!
Ist alles denn erschöpft, wornach sich Menschen sehnen,

D 3   Wenn

---

*) Siehe Moses Mendelssohn's Philosophischer
   Schriften ersten Theil S. 36. — 41, eine Stelle,
   die von keiner wohldenkenden Seele ohne Erhebung
   gelesen werden kann.

(54)

Wenn Scheuern vollgehäuft, nach wohlbewährten
　　　　　　　　　　Plänen
Der Staaten Gleichgewicht, der Kriegesheere Macht,
Und Steuern, diese zu ernähren, ausgedacht;
　Wenn stete Sicherheit des ruhigen Besitzes,
　Vereitlung der Gewalt des flammensprühnden Blitzes,
　Wenn Mittel, wie das Gold in mehr Mäandern rinnt,
Und höher zollende Gewerb' ersonnen sind?
Vom fernsten Meer, auf dem noch keine Cooke schiften,
Aus unersteiglicher Gebirge tiefsten Klüften,
Führ' Ueberfluß und Flor, durch müdelosen Fleiß,
In deine Königsstadt; und ungestört, geneuß,
Was alle Künste dir aus allen Zonen brachten, —
Doch wird, ohn' andre Kost, der Geist in dir ver-
　　　　　　　　　　schmachten!
Und du verschmähst, o Thor, was du nicht missen
　　　　　　　　　　kannst?
Beredest dich, der Mensch sei nichts als Gaum und Wanst?
Und lächelst, wagt sich ja zu Leibniz' steilen Wegen
Ein Weiser noch hinauf, ihm dummen Spott entgegen? ...
Hat aber noch dein Geist die Schwinge nie geregt,
Die aus dem öden Stoff ins Unsichtbare trägt,
Und, unter hier zuerst gesehenen Gestalten,
Den Staunenden auch hier im Fluge kann erhalten;
Hat, von der Harmonie der Wahrheit leis' umschwebt,
Nie deines Geistes Ohr elastischer gebebt;

　　　　　　　　　　　　　　　　Und

Und bist du nimmer noch, von ihren Reizen trunken,
Mit zitternder Begier an ihre Brust gesunken;
Vertraute sie dir nie, wie von dem Stoff getäuscht,
Dein blöder Geist umsonst für alles Bilder heischt,
Und wie er der Gewalt von unbesiegten Gründen
Verrätherisch entwischt, sobald ihm diese schwinden;
Belehrte sie noch nie der Sinnen Klügelei,
Daß alles ihrem Spruch nicht unterworfen sei;
Und hat sie nimmer dich mit jener Lust erfüllet,
Die der empörtesten Begierden Aufruhr stillet,
Der, überwältiget, du zugestehen mußt,
Sie sei allmächtiger, als aller Erde Lust —:
So mag ein jauchzend Volk dich klug und geistreich
preisen,
Doch nennet ewig dich kein Weiser einen Weiser.

Friederich, Alexanders Gegenbild.

Kabinetsorder des Königs von Preussen.

Da Se. Königl. Majestät von Preussen ꝛc. Unser
Allergnädigster Herr es nicht haben wollen, daß die
gemeinen Leute, wann sie Bittschriften zu überreichen
haben, oder aber auch bei anderer Gelegenheit vor
Höchstdenselben auf die Erde niederfallen, (denn das
können sie wohl vor Gott thun, und wenn sie was
abzugeben haben, so können sie das so thun, ohne dabei niederzufallen) so befehlen Höchstdieselben Dero
Breslauischen Oberkonsistorium hierdurch in Gnaden, die Verfügung sofort zu treffen, daß dieses in
allen evangelischen Kirchen hier in Schlesien von den
Kanzeln abgelesen werde, wie solches auch dem Weihbischof von Rothkirch in Ansehung der katholischen
Kirchen ebenfalls geschrieben worden, auf daß die
Leute das wissen, und das Niederfallen auf die Erde
vor Ihnen künftig unterlassen. Das Oberkonsistorium hat also das hierunter erforderliche gehörig zu
veranlassen und zu besorgen. Bettlern, den 30. August 1783.
                                              Friederich.

An das Oberkonsistorium zu Breslau.

Ueber Denk- und Drukfreiheit.

An Fürsten, Minister, und Schriftsteller.

Seit einiger Zeit haben die Klagen auf der einen
Seite über Mißbrauch, auf der andern über Einschränkung der Drukfreiheit so überhand genommen,
daß Betrachtungen, welche diesen Gegenstand betreffen, wohl zu keiner gelegenern Zeit kommen können, als eben jetzt. — Man müßte weit ausholen,
wenn man das, was hierüber zu sagen ist, aus seinen ersten Gründen herleiten wollte. Ein Schriftsteller, der dieses unternähme, würde viele Leser,
die seinen Scharfsinn bewunderten, aber diese dennoch Auswege finden, auf welchem jeder von ihnen
seine besondere Meinung retten könnte. Was mich
betrift, so wünschte ich, meine Leser einer Meinung
geneigt zu machen, welche zwar aus den ersten
Grundsätzen des Naturrechts fließt, und weniger
in der Theorie bezweifelt, als bei der Anwendung
schikanirt werden kann, die aber eben deswegen
mehr durch lebendige Darstellung ihrer Folgen, als
durch Entwikkelung ihrer ersten Grundsätze sicher
gestellt wird.

Der Preußen Friedrich befindet sich beinahe
seit einem halben Jahrhunderte im Besitz, auf seine
Zeitgenossen durch seine Schriften, noch mehr aber

durch

durch sein Beispiel zu wirken. Ich überlasse den
Geschichtforschern, den Einfluß zu bemerken, den
seine Handlungsweise auf das Staatsrecht, die
Regierungskunst, die Philosophie, und die Sitten
seines Jahrhunderts gehabt hat, und noch haben
wird. Zu meinem Zwekke aber kann, wie ich glaube, nichts dienlicher sein, als wenn ich das, was
Friedrich über diesen Gegenstand gedacht, und gesagt hat, sammle, und den Lesern vorlege. Ich
kann mich freilich nicht rühmen, von ihm besondere
Offenbarungen empfangen zu haben. Nur aus seinen Schriften, welche jedermann vor Augen liegen,
kann ich das hiehergehörige ausziehn. Eben deswegen werde ich zwar der Verbindung wegen Sätze
einschieben, und auch entferntere Gedanken aufnehmen müssen, damit ich sein Sistem gleichsam aus
seinem Keimen entwikkeln könne; denn ich bin im
Stande, alles, was ich ihm in den Mund legen
werde, wo nicht durch Worte des Schriftstellers,
doch durch Thaten des Königs zu belegen. Allein
so wenig ich den Vorwurf zu besorgen habe, als ob
ich meine Gedanken unter Friedrichs Gepräge aus-
böte, so sehr muß ich fürchten, daß mein Gepräge
seine Gedanken unkennbar machen dürfte. — Ich
bitte daher die Leser, ihre Einbildungskraft zu Hülfe zu nehmen, und das, was meinem Vortrage an
Würde und Leben fehlen möchte, hinzuzudenken.
Man stelle sich den jungen Monarchen vor, wie er
nach den ersten Augenblikken der angetretenen Re-

(314)

gierung in seinem einsamen Kabinet seine Gedanken sammlet, und in folgendes Selbstgespräch aus-
bricht:

"Ich habe nun den Zügel gefaßt, durch welchen
"eine Menge zerstreuter Völker in einem Geleise
"fortgeführt werden sollen. Mit der Peitsche eines
"Nero könnte ich sie wie Thiere vor mir hertreiben.
"Und doch sind es Menschen *) — Menschen, wie
"ich — geboren, angenehme Tage zu leben — fä-
"hig, Leibnitze und Wolfe hervorzubringen — be-
"stimmt, die Würde der Menschheit zu fühlen —
"gewohnt, Macht auf Ordnung gestützt zu ehren—
"geneigt, Liebe mit Liebe zu vergelten. Aber bin
"ich nicht König? Sind die Könige nicht Hirten
"der Völker, und also diese ihre Heerden? Wohl
"mir, daß ich meine und ihre Bestimmung besser
"kenne! **) Haben wir nicht alle ein gleiches Recht
"auf

---

*) Ainsi tous ces humains, dont la terre fourmille,
Sont fils d'un même pere & font une famille;
Et malgré tout l'orgueil que donne Votre rang
Ils sont nés Vos égaux, ils sont de Votre sang.
Ouvrez toujours le coeur à leur plainte importune,
Et couvrez leur misere avec Votre fortune.
Voulez-Vous en effet paroître au dessus d'eux,
Montrez Vous plus humains plus doux & vertueux,
(Poesies diverses.)

**) Mais du pouvoir des Rois connoissons l'origine.
Pensez-Vous qu'élévés par une main divine,
Leur peuple, leur état leur ait été commis,
Comme un troupeau stupide à leurs ordres soumis?

Pour faire des heureux Vous occupez l'empire!
(Poes. div.)

(315)

"auf Glükseligkeit?   Ist der Ueberfluß des Rei-
"chen nicht ein nothwendiges Opfer, welches er dem
"Mangel des Armen darbringen muß?   Legt mir
"mein höherer Stand, mein königlich Amt nicht
"die Pflicht auf, sanfter, wohlthätiger, tugendhaf-
"ter, mit einem Worte, menschlicher zu sein als sie?—
"Man sagt, die Menschen wären undankbare Be-
"stien, sie kröchen zu unsern Füßen, krümmten und
"wänden sich, lekten und schmeichelten; und ehe
"man es sich versähe, schnappten sie dem, der ihnen
"Futter darreiche, nach der Hand.   Und was kann
"man anders von ihnen erwarten, wenn man sie
"vergessen lehrt, was sie sind, wenn man sie wie
"Thiere bändiget, nicht wie Menschen regiert?
"Zwar muß der Unwürdige, in welchem der Fun-
"ken des göttlichen Ursprungs, das ganze Gefühl
"von der Würde der Menschheit erstikt worden,
"durch Strenge in seinen Schranken gehalten wer-
"den; aber der Fürst, der bloß durch Furcht herr-
"schen will, verwandelt seine Unterthanen in nie-
"derträchtige Sklaven; vergebens wird er edle Tha-
"ten von ihnen erwarten.   Alle ihre Handlungen
"haben das Gepräge ihres niedrigen Charakters an
"sich. *)   Vergebens wird er durch große Thaten
                                             nach

*) Je ne nie point qu'il n'y ait des hommes ingrats
    & dissimulés dans le monde, je ne nie point que la
    févérité ne soit dans quelques momens très utile;
    mais j'avance que tout Roi, dont la Politique n'au-
    ra pour but que de se faire craindre, regnera sur
                                             des

(316)

"nach Ehre ſtreben. Er wird bei aller ſeiner Mühe
"nur den Ruf eines geſchikten Zuchtmeiſters davon
"tragen, und kein Genie erwekken, welches fähig
"wäre, die Strahlen ſeines Thrones wie in einem
"Spiegel zu ſammlen, und dem Auge der Nach-
"welt zu zeigen. Was mich betrift, ſo wünſche ich
"ein edles, kühnes, freidenkendes Volk zu beherr-
"ſchen, ein Volk, das Macht und Freiheit hätte,
"zu denken und zu handeln, zu ſchreiben und zu
"ſprechen, zu ſiegen oder zu ſterben. Mögen ſie
"doch zuweilen die ihnen gegebene Freiheit mißbrau-
"chen, meine beſten Thaten zu verkleinern! Ich
"bin deſto ſicherer vor dem niedrigen Geſchmeiß der
"Schmeichler, und lerne die göttliche Kunſt zu ver-
"zeihen. Wer dieſe nicht beſitzt, iſt des Thrones un-
"würdig. *)

"Men-

des lâches & ſur des eſclaves, & qu'il ne pourra
point ſ'attendre à de grandes actions de ſes ſujets.
Car tout ce qui ſ'eſt fait par crainte & par timidi-
té, en a toujours porté le caractere.

(Anti-Machiavel.)

*) Quel que ſoit le pouvoir qui Vous tombe en
partage,
Que le bien des humains ſoit toujours Votre
ouvrage;
Et plus ils ſont ingrats, plus ſoyez généreux.
C'eſt un plaiſir divin de faire des heureux.
Surtout n'abuſez point d'une vaſte puiſſance,
Et n'écoutez jamais la voix de la vengeance.
Qui ne peut ſe dompter, qui ne peut pardonner,
Eſt indigne du rang qui l'apelle à regner.

Quoi!

(3¹7)

"Menſchen glüklich zu machen, iſt das glükliche
"Loos der Gottheit, und ſoll, ſo weit menſchliche
"Kräfte es erlauben, auch das meinige werden.
"Aber wodurch kann ich mein Volk glüklich, meine
"Regierung wohlthätig, meinen Namen unſterb-
"lich machen? — Was macht die eigentliche Stär-
"ke der Staaten aus? Iſt es der weite Umfang
"des Gebiets, zu deſſen Vertheidigung ein zahlrei-
"ches Heer erfordert wird? oder der durch Hand-
"lung, und Künſte beſtändig anwachſende Reich-
"thum; welcher nur alsdann nützlich wird, wenn
"man ihn wohl anzulegen weiß? oder endlich die
"Menge der Unterthanen, die ſich ohne Anführer
"ſelbſt zu Grunde richten würde? Nein, alle dieſe
"Gegenſtände ſind gleichſam nur rohe Materialien,
"die nur alsdann Werth und Anſehn erhalten, wenn
"ſie von einer klugen und geſchikten Hand bearbei-
"tet werden. Die wahre Macht eines Landes be-
"ſteht allein in den großen Männern, welche die
"Natur daſelbſt zu rechter Zeit geboren werden
"läßt. *)

"Alſo

Quoi! je voudrois devoir mon nom & mon merite
Au caprice inconſtant d'une foule ſéduite,
Et n'être vertueux que pour me voir louer?
Que le monde me blâme ou daigne m'avouer!
Je ris de ſon encens qui s'envole en fumée,
Et du peuple inſenſé qui fait la renommée.
(Poeſ. div.)
*) Qu'eſt-ce qui fait la force des Etats? Sont-ce des
limites étendues auxquelles il faut des défenſeurs?
Sont-

(318)

"Also das Genie muß ich wekken, dem For-
"schungsgeist Nahrung und den Talenten freies
"Spiel verschaffen.   Noch ahnden meine Völker
"nicht die Hälfte dessen, was aus ihnen werden
"wird.   Sie merken wohl, daß sie nicht bloß darum
"empfinden und denken, um weißes und schwarzes
"Brot von einander unterscheiden zu können.   Sie
"würden frei denken, wenn sie dürften, sie würden
"Shaftesburys und Lockes unter sich haben, wenn
"sie sich unterständen, es zu sein — vielleicht auch
"Montesquieus und Voltaires, wenn sie es unge-
"straft sein könnten.   Sie sollten existiren dürfen,
"und nicht denken? — Athem holen, und ihre Ge-
"danken nicht mittheilen?   Warum schmachten die
"Nachkommen der Weltbeherrscher bei den Ruinen
"ihrer Vorfahren in Verachtung und Armuth?   Ist
"es nicht darum, weil ihr ohnmächtiger Tyrann
"über Handlungen und Gedanken, Besitzthümer
"und Meinungen, Stand und Gewissen gleich un-
"umschränkt herrschen will?

                                        "Warum

Sont-ce des richesses accumulées par le commerce
& l'industrie, qui ne deviennent utiles que par
leur bon emploi.   Sont-ce des peuples nombreux,
qui se détruiroient eux-mêmes s'ils manquoient de
conducteurs?   Non, ces objets sont des matériaux
bruts qui n'acquierent de prix & de considération
qu'autant que la sagesse & l'habileté savent les
mettre en oeuvre.   La force des Etats consiste dans
les grands hommes que la Nature y fait naître à
propos.   (Eloge du Prince Henri.)

(319)

"Warum verſinkt jenes zu allen Zeiten berühm-
"te Volk, vor deſſen Namen, begleitet durch den
"Donner ſeines Geſchützes, beide Hemiſphären er-
"bebten, nach der Eroberung einer halben Welt in
"eine tödtliche Ohnmacht? Warum können die
"Schätze beider Indien, und zwei Meere, auf wel-
"chen ſich andere Völker bereichern, ſeiner täglich
"zunehmenden Armuth nicht abhelfen? — Woher der
"Verfall des an der äuſſerſten Spitze Europens, von
"dem groſen Weltmeere beſpülten, und durch die
"Verfolgung der Andersdenkenden ſo berüchtigten
"Reichs? Warum muß auch die wenige Mühe ſei-
"ner trägen, aber rechtgläubigen Einwohner jene
"ſtolzen Ketzer bereichern, welche ſich durch Ausbil-
"dung ihrer Talente die halbe Welt zinsbar gemacht
"haben? — Warum wurde den proteſtantiſchen Pro-
"vinzen Deutſchlands bei einer geringern Frucht-
"barkeit ein gröſerer Wohlſtand zu Theil? — Wo-
"her der Vorzug an Macht, Einfluß, und Ehre,
"welcher Frankreich vor den übrigen katholiſchen
"Staaten auszeichnet? — — Alles unerklärlich,
"wenn man nicht den Widerſtand der Trägheit be-
"rechnet, wodurch Aberglauben, geiſtlicher Despo-
"tismus und Unduldſamkeit der Entwikkelung der
"Talente, der Erfindſamkeit, und dem natürlichen
"Triebe des Menſchen, ſeine Thätigkeit zu äußern,
"entgegen wirken; wenn man vergißt, mit welchem
"Eifer Frankreichs Parlemente gegen die Hierar-
"chie kämpften, und wenn man nicht weiß, wie
                                              "ſehr

"sehr die Freiheit zu denken Geist und Herz erhebt,
"und zu eben so großen, als wohl überlegten Un=
"ternehmungen geschikt macht.

  "Auf der einen Seite sehe ich Völker, welche
"nicht über den Kreis hinwegsehen dürfen, den der
"Zauberstab ihrer Priester um sie herumgezogen hat;
"scheu zittern sie vor jedem Gedanken zurük, der
"unter dem geistlichen Stempel nicht zu gangbarer
"Münze umgeprägt worden.   Sie dürfen nicht
"fragen: Was ist Wahrheit? sondern nur: Was
"haben unsre Aeltern für Wahrheit gehalten?   So
"gewöhnte Menschen unterstehen sich nicht, ihren
"Bogen anders zu spannen als ihre Väter, oder
"ihrem Hausrath eine Gestalt zu geben, welche sie
"nicht schon im großmütterlichen Nachlaß zu bemer=
"ken Gelegenheit gehabt hatten.   So versinken sie
"aus Dummheit in Trägheit, und überliefern ihre
"Schätze denen, die sie hassen, um sich dafür von
"ihnen verachten zu lassen. — Umsonst ermuntert
"man sie zum Kunstfleiß, oder sucht geschiktere Aus=
"länder der Nation einzuverleiben.   Man will ei=
"nen hanfnen Faden wie eine Stahlfeder spannen,
"und läßt den eingepfropften Zweig mit dem Stam=
"me verdorren.

  "Betrachte ich auf der andern Seite jene glük=
"lichen Völker, deren Geist sich über die Vorur=
"theile finsterer Zeiten erhoben, welche den Ster=
"nen Gesetze vorgeschrieben, den Geburtsort der
"Winde ausgekundschaftet, die Luft gewogen, die
                                          "Natur

"Natur gebändigt, und die Erde an beiden Polen
"eingedrükt haben; *) so sehe ich sie auch mit rast-
"loser Thätigkeit immer neue Erwerbungsmittel er-
"finden, und den Reichthum aller Welttheile unter
"ihren Händen wuchern. Der gute Geschmak ver-
"doppelt den Werth ihrer Arbeiten, und ihre Ideen
"herrschen gleich unumschränkt am glänzenden Hofe,
"und in der staubigten Schule.

"Auch über meine Unterthanen soll die Morgen-
"genröthe der Philosophie, und des guten Ge-
"schmakkes aufgehn. Sie sollen die Fesseln des Aber-
"glaubens abwerfen. Herrschsüchtige Priester sol-
"len ihre Freiheit zu denken, nicht einschränken.
"Keine Religion soll herrschen. Alle Glaubensmei-
"nungen sollen mit gleicher Freiheit vorgetragen
"werden. Wenn es nur eine einzige Religion in
"der Welt gäbe, so würde sie stolz und unum-
"schränkt gebieten. Jeder Geistliche wäre ein Ty-
"rann, welcher eben so viel Strenge gegen die un-
"schul-

*) Par un dernier effort la raison fit paroître
    Ces sublimes devins des mysteres des Dieux;
    C'est par leur soin que l'homme aprend à les
            connôitre.
  Ils éclairent la Terre, ils lisent dans les Cieux;
  Les Astres sont décrits dans leurs obliques courses,
  Les torrents découverts dans leurs subtiles sources.
  Ils ont suivi les vents, ils ont pésé les airs;
      Ils domptent la nature;
      Ils fixent la figure
      De ce vaste Univers.   (Poes. div.)

(322)

"ſchuldigen Meinungen, als Nachſicht gegen die
"Verbrechen des Volks zeigen würde. Sie würden
"alle die Aufklärung als ihren gemeinſchaftlichen
"Feind unterdrükken, und die Dummheit, unter-
"dem Namen der Frömmigkeit, zur Verehrung auf-
"ſtellen. *)

"Dahin ſoll es in meinem Lande, und unter mei-
"ner Regierung nicht kommen. Wenn auch meine
"Unterthanen ſich über Glaubensmeinungen unter
"einander entzweien; ſo ſoll es doch keiner Partei
"gelingen, den Staat ſelbſt in ihr Intereſſe zu zie-
"hen. Vergebens wird die eine die Meinung der
"andern für gefährlich ausſchreien. Nur Dumm-
"köpfe von Fürſten laſſen ſich zu Werkzeugen der
"Privatrache brauchen. Irrlehren, auch die ge-
"fährlichſten, werden nie durch meine Verfolgung
"be-

*) S'il n'y avoit qu'une religion dans le monde, elle
ſeroit ſuperbe & deſpotique ſans retenue. Les
Eccleſiaſtiques ſeroient autant de Tyrans, qui exer-
çant leur ſévérité ſur les peuples n'auroient d'in-
dulgence que pour leurs crimes. — Toutes ces
Sectes vivent ici en paix, & contribuent également
au bonheur de l'Etat. Il n'y a aucune religion
qui ſur le ſujet de la morale ſ'écarte beaucoup des
autres; ainſi elles peuvent être toutes égales au
Gouvernement, qui conſequemment laiſſe à un
chacun la liberté d'aller au ciel par quel chemin il
lui plait. Qu'il ſoit bon citoyen, c'eſt tout ce qu'on
lui demande Le faux zéle eſt un tyran qui dé-
peuple les provinces; la Tolérance eſt une tendre
mere qui les rend floriſſantes.
(Mémoires de Brandebourg.)

(323)

"berühmt, aber, wie sie es verdienen, verabscheut,
"und vergessen werden.

"Dagegen sollen die wohlthätigen Wirkungen
"der Philosophie durch keine Zwangsgesetze einge-
"schränkt werden. Wolf soll in meine Staaten zu-
"rükkehren; und alles frei und öffentlich gelehrt
"werden können, was nicht geradezu wider den
"Staat, die guten Sitten, und die allgemeine Re-
"ligion streitet."

So dachte, so handelte der große Monarch, der
seitdem das Muster der Fürsten, und das Ziel der
Bewunderung von ganz Europa geworden ist.
O Ihr, welche Gott unter dem Namen der Könige
und Fürsten zu Vormündern seiner unmündigen
Kinder bestellte, von deren Weisheit die Völker die
Erhaltung ihrer Menschenrechte zu fordern haben!
Wann wollt Ihr anfangen, euren Völkern Friedrich
zu sein, nicht zu scheinen? Wann werdet Ihr ihnen die Freiheit geben, worauf sie von Geburt an
unveräußerliche Ansprüche haben: die Freiheit zu
denken, und ihre Gedanken mitzutheilen? Ihr
ahmt Friedrich nach, wo ihr nicht könnt; aber die
Kunst, Sandwüsten in Gärten umzuschaffen, Menschen menschlich zu regieren, und der Thätigkeit der
Unterthanen einen nützlichen Spielraum zu geben
— das sind Künste, deren Ausübung ihr ihm allein,
und wenigen seiner glüklichern Nachahmer überlaßt.
Ihr besorgt vielleicht, daß euer Volk, wenn es gleich
Bileams Esel die Sprache bekäme, euch den trauri-

X 2   gen

gen Zuſtand, worein ihr es verſetzt, zu erkennen geben möchte.   Doch habt ihr dieſes ſo leicht nicht zu
beſorgen.   Denn es geſchieht eben ſo ſelten, daß ge-
drükte Völker ihren Tyrannen, als daß laſtbare
Thiere ihren Reutern Gegenvorſtellungen machen.
Wenn ſich aber das Wunder zuträgt, ſo iſt es gleich
wohlthätig für Bileam und ſeinen Eſel, für den Fürſten und ſein Volk.

Wenn Ihr freilich eure, und eurer Diener und
Lieblinge hohe Perſon für den Staat haltet; ſo
habt ihr Recht, alle Schriften, worin über eure
Maaßregeln geurtheilt wird, als Schriften gegen
den Staat zu verwerfen. — Nicht ſo Friedrich, der
auf die Vorſtellungen des Geringſten ſeiner Unterthanen achtet, und Raynals in Schutz nimmt!

Und was kann es auch helfen, die Preßfreiheit
einzuſchränken?   Was ihr in eurem Lande nicht
drukken laſſen wollt, bereichert einen Verleger in
der Nachbarſchaft auf eure Koſten.   Konfiszirt ihr
das Werk, ſo wird es mit doppeltem Eifer geſucht
und geleſen, gedeutet und mißgedeutet.

Dieſer Grund iſt gültig, wenn ihr auch Bedenken tragt, eure Unterthanen zu Menſchen zu machen; ſelbſt alsdenn, wenn dieſe ſich in dem Falle
jener Unglüklichen befinden, welche ſich in Gegenwart ihres Königs Hunde nennen müſſen, um Se.
Majeſtät auch nicht einmal von weitem an die
Pflichten der Menſchlichkeit zu erinnern.   In dieſem Falle aber iſt auch das Schikſal eurer Völker
                                                      unend

unendlich verschieden von dem, in welchem sich die
Unterthanen eines Friedrichs befinden, welche auf
seinen Befehl belehrt werden, daß er, als Mensch,
von ihnen, als Menschen, nur menschliche Ehren-
bezeugungen zu fordern habe.

Vielleicht glaubt ihr, daß euren Völkern das
Tageslicht nicht zuträglich sei, und daß sie sich besser
bei einer Lampe befinden, die eben hell genug brennt,
sie ihr Brot finden zu lassen, ohne ihnen die Schwär-
ze desselben zu zeigen. — Und ihr habt Recht, wenn
ihr euren Unterthanen alle Rechte der Menschheit
rauben, den Trieb der Thätigkeit in ihnen erstikken,
die Städte zu Jägerhütten, und die Felder zu Wild-
revieren machen wollt; und wenn ihr die Absicht
habt, den Rest eurer Unterthanen in Bettler zu
verwandeln, um sie gegen diejenigen sicher zu
stellen, welche ihr genöthigt habt, Diebe oder Räu-
ber zu werden.

Oder wollt ihr etwa dem reisenden Philosophen
durch eure Verfügungen seine Untersuchungen er-
leichtern? Denn wenn er erst weiß, wie es bei
euch mit der Preßfreiheit steht, so kann er mit leichter Mühe auf den Zustand eures Volks und eurer
Regierung schließen. Ein elender Reuter, der ein
Pferd ohne Muth, und ein schlechter Regent, der
sich ein Volk ohne Freimüthigkeit wünscht!

Auch eure Nachbarn werden es gern sehen, wenn
eure Censurkollegien furchtbarer sind, als eure Ar-

meen.

(326)

meen. Denn Freimüthigkeit und Tapferkeit waren von jeher Geschwister.

Von Seiten des preußischen Staats dürft ihr wenigstens nicht hoffen, nachgeahmt zu werden. Dort kämpft man mit demselben Muthe gegen Feind, und Vorurtheile. — Die Freiheit laut zu denken, ist die sicherste Schutzwehr des preußischen Staats. Dort ist man vernünftig genug, die fürchterliche Stille, welche vor dem Ungewitter vorangeht, mehr zu scheuen, als den scharfen Nordwind, der uns zuweilen etwas Schneegestöber in die Augen jagen mag. Dort dient diese Freiheit statt des von Montesquieu gepriesenen Gegengewichts, welches eben so oft den nützlichen, als den schädlichen Aeusserungen der königlichen Gewalt entgegen wirket.

Auf Subordination beruht die unwiderstehliche Gewalt des preußischen Kriegsheeres. Von der Subordination hängt die Ordnung ab, welche im preußischen Civilstande herrscht. Subordination ist die Seele des ganzen preußischen Staats. — Diese auf der einen Seite so unentbehrliche, auf der andern so lästige Subordination, wird durch die Freiheit laut zu denken gemäßigt, aber nicht gehemmet. Kein Vorgesetzter wird dadurch gehindert, zu thun was er will, sondern, nur zu wollen, was er nicht soll. — Scheu vor dem Urtheile des Publikums kann unter solchen Umständen die Stelle des Patriotismus vertreten. Der Untergebene wird

(327)

wird freilich dadurch von der Pflicht des Gehorsams
nicht entbunden, und was geschehen soll, geschieht;
aber man wird doch nur gezwungen den Befehl zu
befolgen, nicht, zu billigen; zu thun, nicht, zu urtheilen; nachzugeben, nicht, beizustimmen. Der
kühne Räsonneur verbeugt sich so tief, und gehorcht
eben so hurtig, wie andere; aber man fürchtet die
Verwegenheit seines Urtheils, und hütet sich, ihm
Blößen zu geben. Man setze den Fall, der Anführer
eines Kriegsheers sei mit Officieren umgeben, welche alle seine Maaßregeln auf das strengste beurtheilen. Was ist die Wirkung ihres Räsonnements?
Wird dadurch die Vollziehung der gegebenen Befehle aufgehalten? Räsonniren sie erst, ehe sie gehorchen? Nichts von dem allen! Ihre hinten drein
folgende Räsonnements haben nur die Folge, daß
der Anführer, wenn er ihre Geschiklichkeit kennt,
sich ihres Beifalls entweder durch Rathfrage, oder
durch eine genaue Ueberlegung aller seiner Schritte
zu versichern sucht.

Es scheint freilich, als ob dergleichen Räsonneurs
den Fürsten und ihren Dienern die Kunst zu regieren erschweren; und es ist wahr, wenn man darunter die größere Anstrengung versteht, welche erfordert wird, um großen Posten mit Ehren vorzuste-
hen. Ein träges muthloses Volk erträgt die schlech-
teste, so wie die beste, Regierung auf gleiche Weise.
Es murrt über die gute aus Unverstand, und über
die schlechte, weil es die Folgen davon empfindet;

(328)

aber in beiden Fällen nur heimlich. Unter solchen
Umständen ist es freilich leicht, seinem Titel, aber
schwer, seinem Amte ein Genüge zu leisten. Denn
der Regent wird in dem einen Falle nicht ermuntert, in dem andern nicht gewarnt. Er betreibt
sein Geschäft wie ein Handwerker auf dem Dorfe,
der es nicht der Mühe werth hält, seine Arbeit besser zu machen, weil seine Kunden doch auch mit der
schlechtern zufrieden sind.

Wenn daher Preußens Beherrscher die Schriften gegen den Staat von der Censur unterdrükt wissen will; so versteht er nur solche, welche den Staat
selbst angreifen, ihn an seine Feinde verrathen, die
Unterthanen von der Pflicht des Gehorsams loßsa-
gen, und bürgerliche Unruhe verursachen; aber nicht
bescheidene Urtheile über die von dem Fürsten oder
seinen Dienern getroffenen Maasregeln. Wenn er
die Religion schützt, so versteht er darunter nur die
allgemeine Religion, ohne Rüksicht auf den besondern Namen, womit sie prangt, oder wodurch sie
verhaßt gemacht wird. Eine solche Drukfreiheit ist
das unterscheidende Merkmal einer weisen Regierung. Ihr sanfter Einfluß theilt der unumschränk-
ten Monarchie alle Segnungen der politischen Freiheit mit, ohne sie den zerstörenden Ungewittern
bloß zu stellen, welche so oft die Morgenröthe der
republikanischen Freiheit verdunkeln, und ihren Mittag beunruhigen.

Aber

Aber wenn die Drukfreiheit ein so unschäzbares
Kleinod ist: so müssen wir uns auch hüten, solches
durch einen unbehutsamen oder unedlen Gebrauch
in Gefahr zu setzen. Wir müssen den Großen sogar den Vorwand benehmen, uns solches als Unwürdigen zu entziehen. Wir müssen nicht gleich
muthwilligen Knaben unsere Freiheit mißbrauchen,
um die Vorübergehenden zu besudeln. — Schriftsteller! wenn ihr Lehrer der Menschheit sein wollt,
so beweist, daß ihr diesen erhabenen Titel verdient.
Entfärnt allen Verdacht niedriger Absichten, oder
übereilter Hitze. Streift nicht die Personen, sondern trefft die Sache. Zeigt nicht nur Witz und
Kühnheit, sondern auch Ueberlegung und Edelmuth.
Denkt, wenn ihr schreibt, nicht bloß an den Ruhm,
den ihr erwerben, sondern vorzüglich an den Nuzen, den ihr stiften wollt. Nicht jede Wahrheit ist
zu allen Zeiten, und unter allen Umständen gleich
nüzlich. Was jetzt eben zu sagen oder noch zu verschweigen sei, müßt ihr eben deswegen selbst überlegen, weil es sich durch keine Gesetze oder Beam-
ten des Staats bestimmen läßt. Eure Schrift ist
ein Pfeil, dessen Wirkung ihr nicht mehr aufhalten
könnt, sobald ihr ihn abgeschnellt habt. Ihr könnt
euch nicht mehr vor dem Publikum verbeugen, und
die Hand auf den Mund legen, sobald der Verleger sich eures Manuskripts bemächtiget hat. Erscheint daher mit schüchterner Ehrfurcht vor der
Versammlung eurer Richter. Und wenn Patrio-

X 5   tismus

tismus oder Menschenliebe euch begeistern, so laßt
die Weisheit eure Schritte leiten.   Kämpft muthig
gegen die Vorurtheile aller Art; aber nicht mit dem
Schwerdte Alexanders, sondern mit der Lanze
Minervens.

Von dem Urſprunge der Knechtſchaft in der bürgerlichen Geſellſchaft.

Nach Büſch iſt überall in den Staten, wo kein Geld zirkulirt, Knechtſchaft nothwendig. ”Jeder *) ſorge für ſein Auskommen; aus Liebe auch wohl für das ſeiner Blutsverwandten; und aus religiöſer Wohlthätigkeit zuweilen für das Wohl Anderer, beſonders Armer und Krüplicher. Allein, meiſt verlange der Eigennuz Dienſte von dem, dem man ſein Auskommen geben ſoll; wovon denn fortdaurende

Knecht=

*) Der Text oben iſt ein gedrängter Auszug aus des Hamburgiſchen Herrn Profeſſors J. G. Büſch Abhandlung von dem Geldsumlauf (Hamburg u. Kiel, 1780, gr. 8.) I Theil, S. 8, 9, 11, 12.

Knechtschaft die erste Folge sei. Geld hingegen
schaffe den Reiz, der freie Menschen veranlaßt, für
das Auskommen Anderer zu sorgen, indem sie sich
selbst zu dienen glauben; daher werde unter einem
für Geld arbeitenden, damit handelnden Volk die
Knechtschaft minder nothwendig. — Ein sicheres
fortdauerndes Auskommen durch den Eigennutz
eines Andern zu erlangen; dazu, sagt er, ist weiter
kein Mittel, als die Ergebung in den fortdauernden
Dienst eines Andern, durch welche dieser veranlaßt
wird, nicht bloß zum Lohn schon geleisteter, sondern
in der Erwartung künftiger Dienste, für unsern Unterhalt so zu sorgen, daß die Kräfte unsers Geistes
und Körpers, durch welche wir ihm nützlich werden
sollen, aufs längste erhalten werden. Eine solche
Verbindung aber bringt es mit sich, daß wir den
Dienst desjenigen, der uns in Erwartung künftiger
Dienste unser Auskommen giebt, nicht, wenn wir
wollen, verlassen dürfen. Kurz, es entsteht
Knechtschaft. — In dem Zustande der alten
Völker zeigt sich die Knechtschaft, als das erste und
wirksamste Mittel für den Aermern, um unter der
Vorsorge des Reichern sich ein Auskommen zu verschaffen. In der einfachen Lebensart jener Zeiten
war der Lohn, der sich für Dienste einer unbestimm-
ten Zeit bald von diesem bald von jenem verdienen
ließ, für den, der auf Kosten Anderer zu leben genöthigt war, eine zu ungewisse Aushülfe, als daß er
nicht lieber eine fortdauernde Knechtschaft vorgezogen

gen hätte.   Daher machte bei vielen Völkern, nicht
etwa bloß Gewalt, sondern ein freier Vertrag
Knechte, nicht nur auf Lebenszeit, sondern auch auf
die Nachkommenschaft."

Ich kann Herrn Büsch hierin nicht beipflichten.
Alle mir bekannte Fälle, wo Menschen sich freiwillig in eines Andern Knechtschaft begaben, passen
nicht her: man gab sich nie hinein, um ein sicheres
fortdauerndes Auskommen zu haben, sondern um
Verfolgungen, Tyranneien, Mishandlungen auszuweichen, die weit fürchterlicher als die Knechtschaft
waren.   Immer wars ihnen lieber, als freie Menschen, und als Eigenthümer ihres Bodens, wie ihrer Personen, zu leben; aber, wenn sie das nicht
mehr konnten, gaben sie sich einem Andern freiwillig ins Joch — wenn dies freiwillig heißen
kann.   So schon früh bei den unglüklichen durch
innere Faktionen zerrütteten Galliern.   "Man hat,
sagt Cäsar *), den Häuptern dieser Faktionen alle
Macht übertragen, damit doch jeder im Volk immer
Schutz gegen einen Mächtigern habe; denn diese
Häupter rechnen es sich zur Ehre, ihre Schutzge-
nossen zu vertheldigen.   Das Volk selbst ist zum
Sklavenstande herabgesunken, unternimmt nichts
durch eigne Kraft, und hat keine Stimme in der
Staatsverwaltung.   Fast alle, entweder durch
Schulden, oder durch unerschwingliche Auflagen,
oder durch Mishandlungen der Mächtigen gedrükt,
                                             geben

*) Vom gall. Kriege, B. VI. Kap. 11 u. 13.

geben sich freiwillig in Knechtschaft des Adels; und dieser übt dann gegen jene das Recht der Herrn über Sklaven." Denn natürlich werden solche selbstgewählte Vertheidiger zuletzt in Unterdrükker ausarten. Das Pferd bittet, in der bekannten Fabel (die auch zur Warnung vor solchem Uebertragen des Schutzes und Verstärken des Schutzherrn zuerst *) gedichtet ward), den Menschen um Hülfe, und wird dadurch Lastthier. — So in den Zeiten, wo die freien Eigenthümer in Europa in Lehnsleute oder Leibeigne verwandelt, und die Allodialgüter zu Feudal- oder gar Domanialgütern wurden. Die allgemeinen Gewaltthätigkeiten zwangen den Schwächern, seine Freiheit aufzuopfern, um Leben und Sicherheit, nicht gegen Mangel, sondern gegen die Eingriffe des Mächtigen zu retten. Und despotiesüchtige Fürsten machten in ihren Gesetzen **) einen solchen Unterschied zwischen freien Landbesitzern und ihren Lehnsträgern, und zogen die letztern allenthalben so sehr vor, daß man auch auf die Art in die Knechtschaft hineingeschrekt ward.

Mangel der Nahrung ist, meines Ermessens, gar nicht als Ursache der Knechtschaft in Betracht zu ziehen; am wenigsten in den frühen Zeiten, wo ein Volk noch kein Geld hat. Mangel an Gebrauch

seiner

---

*) Vom Stesichorus für die Einwohner von Himera, gegen die Leibwache, die man dem Phalaris bewilligen wollte. Man s. Aristoteles Rhetorik, B. II. Kap. 20.

**) Montesquieu Esp. des Loix. B. XXXI. Kap. 4

seiner Menschenrechte und Kräfte wars, wa's die
Knechtschaft, wie den Mangel der Nahrung, ver=
ursachte. Jeder Mensch kann sich, ohne in eines
Andern Diensten zu leben, seine Nahrung erwer=
ben, wenn er nicht von andern Menschen gehin=
dert wird, den Erdboden zu benutzen. Höchstens
verbände man sich, wenn man sich selbst zur
Erhaltung nicht genug wäre, mit andern zu ge=
meinschaftlicher Arbeit, als um auf einem neuen
Wohnplatze einen Wald auszuroden oder einen
Fluß einzudämmen. Und so ist schlechterdings
nicht einzusehn, warum ein gesunder Mensch lie=
ber Knecht wird, als er für sich arbeiten sollte; wel=
ches er doch kann, weil er gesund ist, und welches
er doch muß, weil sein Herr ihn nicht umsonst näh=
ren wird.

Es ist eine ganz andre Sache mit dem Ursprung
der Knechtschaft, als mit ihrem itzigen Zustande.
Ursprünglich, bei der geringen Bevölkerung und der
Weite des Erdbodens, bei der einfachen Lebensart
von Produkten der Jagd, der Viehzucht, des Akker=
baus, konnte sich jeder Mensch, der Hände und
Füße hatte, so viel Auskommen, als er brauchte,
erwerben. Wir finden daher unter den eigentlichen
Jagdnationen nirgends Sklaven. Unter den Hir=
tennationen, die schon um eine große Stufe höher
stehen, treffen wir zwar Menschen in der Knecht=
schaft; aber keine, die sich freiwillig hineinbegaben,
weil sie sich nicht erhalten konnten, — sondern
Kriegs=

(341)

Kriegsgefangne. Fälle, wo ein Freigelassener, aus
Gewohnheit der Knechtschaft, sich freiwillig wieder
darein begiebt, passen nicht her; sie sind nicht ursprüngliche, sondern Gewohnheitssklaven; so wie
es nichts beweist, daß die Litthauischen und fast aller
Welt Leibeigene nicht Lust haben frei zu werden.
Diese Erfahrung scheint Büsch (S. 13) ganz ver-
führt und ihn dahin gebracht zu haben, den Ursprung
der Knechtschaft in dem Verlangen der Armen nach
einem fortdaurenden Auskommen durch den Eigennutz der Reichen zu suchen; da doch beim Ursprung
der Knechtschaft es noch weder Reiche noch Arme
gab, und durch sie erst, wie Herren und Knechte,
so auch Reiche und Arme wurden. Denn der geringe Unterschied, der sich in dem Vermögen der
Jägernationen, indem sie Viehzucht lernen, befindet, erlaubt uns gar nicht, die Begriff: von Reichthum und Armuth, welche wir itzt haben, damit zu
verknüpfen. Es hatte wohl Einer etwas mehr,
und Einer etwas minder, als der Andre; aber es
war kein solcher Absprung. — Doch dem dem sei,
wie ihm wolle!

Genug, auf solche Art, wie Büsch (S. 21 f.)
das Entstehn der Knechtschaft schildert, ward sie
nicht Mode. Er sagt: ''Wenn in einem Lande tausend Familien wären, so würden bald 500 stärker, und
500 schwächer werden. Die 500 Schwächern fielen
vom Akkerbau bald auf die Viehzucht zurük; die zu
stark angewachsenen Familien suchten ihr Auskommen
bei

(342)

bei jenen, fänden es aber nicht anders als durch die
Knechtſchaft: weil man nicht immer Dienſte braucht,
ſondern nur zu gewiſſen Zeiten; weil ein Künſtler
nicht immer für ſeine Kunſt einen Käufer, oder
wenn das Kunſtwerk von ihm verlangt wird, gerade
nicht das Material dazu bekommen kann, auch oft
verlegen iſt, wenn ſeine Kunſt eine andere Kunſt
voraus ſetzt, oder ſeine Arbeit nur in langer Zeit
fertig werden kann.   Alles das, ſagt er, bewege
die Menſchen in einem geldloſen Lande ſich in Knechtſchaft zu begeben, damit ſie für immer Nahrung
hätten, da ſie ſonſt nicht immer die Leute fänden,
die ihre Dienſte und ihre Waaren ſo einzeln verlang-
ten, und dafür was ſie gerade brauchten, bezahlten.
Das, ſagt er, ſei keine Hypotheſe, ſondern Geſchichte; und Erzählungen der Reiſenden belehrten
uns davon.   Bei den alten Völkern ſei die
Knechtſchaft ein wirkſames Mittel zur Bevölkerung geweſen.”

Allein, er nennt hierbei kein einziges Volk; und
in der That zeigt auch die Geſchichte kein einziges
altes Volk, ſo wie die Reiſebeſchreibungen kein einziges neues, wo die Knechtſchaft ein wirkſames Mit-
tei zur Bevölkerung wäre.   Wir wiſſen im Gegentheil, daß in der alten Welt nach der Einführung
des Geldes die Knechtſchaft viel gemeiner ward; wie
denn das Geld überhaupt mit der Knechtſchaft in
wenig andrer Verbindung ſteht, als daß, je mehr
Geld in einem Lande iſt, deſto mehr Knechtſchaft

darin

(343)

darin entsteht.   In Rom waren gerade zu der Zeit,
als 800 Millionen Thaler baar Geld darin gewesen
sein sollen, die meisten Sklaven.   Der Freige-
laßne Isidorus unter August hinterließ 4116, und
später hin (unter Nero) besaßen einzelne Reiche an
20,000 und darüber.   In Griechenland war es
dasselbe: als die dortigen Staaten am reichsten an
Gelde waren, waren die meisten Sklaven dort.   In
Europa ist itzt die Sklaverei — nicht namentlich,
aber der Sache nach — größer als ehemals.   Alle
Unterthanen sind Knechte oder Sklaven; da ist kein
Unterschied mehr.   Von den Soldaten in den stehen-
den Heeren haben es Andre schon lange behauptet.
Aber den Bauern hat man ja auch schon in manchem Lande verboten, aus ihrem Stande herauszutre-
ten; man verbietet ihnen, außer Landes zu gehn;
was fehlt denn an Leibeigenschaft, da der Fürst sie
verkaufen kann, und Recht hat über ihr Leben und
Tod?

Eben diese Thatsache: daß die Herren ursprünglich überall das Recht über Leben und Tod ihrer
Sklaven hatten, selbst bei den alten Deutschen, die
sonst ihre Knechte zum Bewundern gelinde, und
fast wie wir unsere Pächter, hielten *), — sollte
Herrn Büsch völlig beweisen, daß nur gewaltthätige Unterdrükkung, nicht freiwillige Ergebung um
der Nahrung willen, die Knechtschaft erzeugt habe.
                                                      Denn

———————
*) Tacitus von Deutschl. Kap. 25.

(344)

Denn man beleidigt die gesunde Vernunft oder er-
mangelt alles Gefühls von Selbstständigkeit, wenn
man der Freiheit gewohnte Menschen fähig glaubt,
ihr Leben selbst — für Brot zu verkaufen. Dazu
mögen einzelne Memmen oder Schurken fähig sein;
auf die man aber nicht, so wenig als auf Mißgebur-
ten, achten darf.

Eben so ungegründet ist folgende Stelle *):
"Da wo die Knechtschaft das einzige oder auch nur
ein sehr gewöhnliches Mittel zur Erwerbung eines
sichern Auskommens aus den Händen Anderer ist,
bleiben die gemeinsten Handwerke, ja selbst die
Künste, ein Geschäft der Knechte. Dieß bestätigt
sich selbst bei den am meisten polizirten Völkern.
Bei den Römern waren viele von uns hochgeschätzte
Künste und Wissenschaften ein Geschäft des Sklaven.
War nicht der Knecht selbst der Arzt seines Herrn?
In den Zuckerinseln in Amerika nähren sich nur
wenig Europäer durch Handwerke. Der Kolonist
kauft sich Sklaven, welche die ihm nöthigen Handwerke verstehn, oder läßt sie dazu anleiten." Das
ist soviel gesagt: Wo man viel Sklaven hat, da
müssen sich viel Menschen durch Sklaverei ihr Brot
verdienen. Daß bei den Römern so viel Sklaven
waren, und selbst die Künstler Sklaven waren, wie
in den Zuckerplantagen noch itzt, rührte nicht daher,
weil die Knechtschaft unter ihnen das einzige oder
ein sehr gewöhnliches Mittel zur Erwerbung eines
sichern

*) Büsch a. a. O. S. 25 und folgg.

(345)

fichern Auskommens war; denn diese Sklaven hatten sich nicht (so wenig als die amerikanischen) des sichern Auskommens wegen in Sklaverei gegeben, sie wurden verkauft. Im Gegentheil, weil man sich so viel Sklaven kauft, und sie nun doch nutzen will, wird die Knechtschaft ein erzwungenes Hauptmittel zur Erwerbung des Auskommens, für den Herrn selbst, und für die Sklaven — wenn man das Auskommen nennen kann, was dem Sklaven vom Herrn gelassen wird. Dieser Luxus aber, oder diese Bequemlichkeit, oder dies Raffinement der Herrn, sich alles, was sie brauchen durch ihre eignen Sklaven verfertigen zu lassen, drükt nicht nur den großen Theil der Menschheit nieder, der erkaufter Sklave ist, sondern raubt auch dem ärmern Theile des Volks fast alle Mittel sich ehrlich zu nähren, stört alle wahre Industrie, und hatte eben im alten Rom die schreklichsten Folgen; war also gewiß kein Mittel zur Bevölkerung.

Also, das Verhältniß zwischen Geld und Knechtschaft, welches Büsch findet, existirt nicht; sondern es ist dies: Je mehr die Gesellschaft zahlreich, und der innere Tauschhandel verstärkt ist, desto nothwendiger wird das Geld; wie aber Mangel des Geldes und der Nahrung keine Knechtschaft machte, so hebt Dasein des Geldes sie auch nicht auf. Alles was der Mangel des Geldes wirkt, ist: weniger Verkehr, mehr Arbeit für eigne Nothdurft, weniger Dienstleistung, und — im Grunde fast weniger Knecht-

Z 2 schaft.

schaft. Denn der Arme besteht allemal unter den
wilden Völkern von gleichem Stamme besser als bei
uns, wo Geld ist. Dort ist Gastfreundschaft, und
der Arme wird von den Stammgenossen verpflegt;
ja es kann keiner, so lange Jagd frei ist, nahrungs-
los bleiben. Man hat selbst nicht leicht Stammver-
wandte zu Knechten, sondern Fremde. Und dann
muß der Arme sich nicht auf Zeitlebens, oder gar
auf seine Nachkommenschaft — wozu er kein
Recht hat — vermiethen, sondern braucht es nur
auf wenige Jahre, Ein Jahr, Monate, Tage.
Genug: unter keinem Volk giebt es Arme, die sich
aus Nahrungslosigkeit zu Leibeignen machten mit
eingeräumter Gewalt über Leben und Tod; wohl
vermietheten sie sich auf eine Zeitlang zu Knechten,
wie die Ὄντες zu Athen; allein das war lange nach
der Einführung der Knechtschaft und des Geldes.

Wie wenig Tauschhandel und die Entbehrung
des Geldes Knechtschaft erzeuge; hätte Büsch bei
seinen Worten (S. 37) fühlen sollen: "Unter den
Mohren hat wenig Verkehr oder Tausch statt; denn
alles das, was das Land zur Befriedigung ihrer
nothwendigen Bedürfnisse hervorbringt, hat Ein
Mohr so gut als der andere, und kann in dem
fruchtbaren Boden mit geringer Arbeit dazu gelangen." — In dem Fall befinden sich meist alle Völker in solchen Zeiten.

Im Gegentheil ist bei eingeführtem Gelde immer
mehr Knechtschaft. Natürlich; denn hier ist eine
                                                   größere

größere Bevölkerung, auch eine größere Ungleichheit im Vermögen, und diese erzeugt Herrschaft und
Knechtschaft durch sich selbst.   Alles das sagt Büsch
fast selbst (S. 24): "Bei den Römern vermehrte
der Luxus die Zahl der Knechte ins Ungeheure.   Er
macht sie auch in den amerikanischen Kolonien über
das steigen, was die wirklichen Bedürfnisse erfordern, wo mancher Plantageur bloß den fünften oder
sechsten Theil seiner Neger zur Haushaltung braucht.
An den Küsten von Ginea, wo ein fruchtbarer Boden ohne Mühe seine Eigner nährt, hat kein Gebrauch der Sklaven Statt.   Nur Ein Volk an der
Goldküste ließ sich einfallen, Sklaven zu halten;
aber dies Volk hatte auch mehr Geist der Handlung
u. s. w." — Kurz, Büsch scheint sich in alle diese
Trugschlüsse und Widersprüche verwikkelt zu haben,
weil er von dem Satze ausging: Es giebt bei uns
keine Sklaven, wie es doch bei den alten und bei
den ältesten Völkern gab; und nun die Ursache davon aufsuchen wollte.   Allein, leider! ist jener Satz
falsch, wenn man nicht auf Worte, sondern auf die
Sache sehn will.   Der Sklavenname ist in Europa
selten — aber auch die Sklaverei selbst? Die Kette
bleibt Kette, man vergolde und versilbere sie wie
und soviel man will.

                                J. C. Schmohl.

(386)

Die Freiheit Amerika's.

Frei biſt du! (ſag's im höherem Siegeston,
Entzüktes Lied!) frei, frei nun, Amerika!
  Erſchöpft, gebeugt, bedekt mit Schande,
      Weichet dein Feind, und du triumphireſt.

Der edle Kampf für Freiheit und Vaterland,
Er iſt gekämpfet, rühmlich gekämpfet. Nimm
  Den Kranz am Ziel! Europens Jubel
      Feire den heiligſten aller Siege.

Sie flieht, die ſieggewohnte Beherrſcherin
Der weiten Meere, zitternd, Brittannia.
  Sie flieht; aus der erſchlaften Rechte
      Sinket der Dreizak, die Krone wanket

Auf dem entehrten Haupte, der Purpur ſchleift
Im blut'gem Staub', ein Gaukel des Sturms, in den
  Ihr Schutzgeiſt, tief aus ſchwarzen Wolken,
      Furchtbar mit zürnender Stimme tönet?

                                      „Sind

(387)

„Sind dies die Siege, die dir dein Stolz verhieß?
„Dies deine Lorbeern, gierige Mörderin
    „Der eignen Kinder? Dies der Schätze,
        „Die du vergeudetest, reiche Früchte?

„Bedrängter Völker schützende Retterin,
„Die warst du. Herrschsucht täuschte dich, schnell ergrif
    „Dich Raublust; du erkohrst zur Beute
        „Glükliche Pflanzer. — Umsonst erschallte

„Die Warnung deiner Weisen, umsonst beschwor
„Mein Liebling, Chatham, sterbend dich, Grausame;
    „Du wähltest Krieg. — Die Menschheit bebte;
        Selbst der blutathmende Sohn der Wüste,

„Der Wilde, starrte, fluchte dem neuen Gräul,
„Als Brüder (Schande!) Brüder bekämpfeten,
    „Die Freien Freie. — Ha! wie würdig
        „Sklaven zu sein, welche Sklaven heischten,

„Statt gleiche Bürger friedlich zu leiten, gern
„Ihr Recht zu schirmen, liebend zu pflegen, die
    „Noch zärtlich, da du würgtest, flehten,
        „Thränend den Stahl, der sie schützte, zükten.

                                        Doch

(388)

„Doch sie ergrimmten, rissen auf ewig itzt
„Von dir sich los, und stritten: den heißen Streit
  „Lohnt Sieg. Dein Schwert an ihrem Schilde
    „Brach sich, wie Glas an dem Fels zersplittert.

„Nichts halfen deine Schaaren, gesandt zum Mord
„Auf hundert ehrnen Kielen, und zahlenlos
  „Geheurte deutsche Sklaven, Zeugen
    „Tobender Ohnmacht, beschämten Dräuens.

„Verstummt sind deine Donner; dein Krieger traurt
„In drei gefangnen Heeren *). — Du bist besiegt.
  „Du stürzest, Stolze, furchtbar; stürze
    „Hülflos, und welke dem Fluch' entgegen,

„Fort meines Schutzes unwerth! Dein Frevel sei
„Der Nachwelt ernste Lehre: wenn ein Tyrann
  „Nach freier Menschen Habe geizet,
    „Denk' er Brittanniens Loos, und zittre!

„Und du, Europa, hebe das Haupt empor!
„Einst glänzt auch dir der Tag, da die Kette bricht,
  „Du, Edle, frei wirst; deine Fürsten
    „Scheuchst, und Ein glüklicher Volkstaat grünest.“

                              Sprichts,

  *) Bei Trenton, Saratoga, und Yorktown.

Spricht's, und verschwindet. — Albion flieht; dein Blik
Folgt mitleidsvoll noch Einmal der Feindin nach,
   Und deines Dankes trunkne Psalmen
     Strömen, Amerika, hin zur Gottheit.

Wer nie sich freute, freue sich deines Glüks!
Wer nie gejauchzt hat, jauchze! Dein Beispiel ruft
   Laut den entferntsten Nationen:
     „Frei ist, wer's sein will, und werth zu sein ist!"

Noch immer schrekt die rasende Despotie,
Die, Gottes Rechte lügend, nur Großen fröhnt,
   Den Erdkreis. — Wie sie kämpft, die Hyder!
     Wie sie die schuppichten Nakken windet,

Und Flammen sprüht! Doch Herkules-Washington,
Der Freiheit Schutzgott, stämmte den starken Arm
   Ihr kühn entgegen; lehrt, das Scheusal
     Muthig in jeglicher Zone fällen.

Schon sieben Jahre reifte dein heiliges Kraut,
Der Männer Balsam *), das du Europen gabst,
   Der Erndt' entgegen; sieben Jahre
     Triefte vom Blute des Feinds die Erde.

                           Auch

*) Die Pflanze Tobak.

(390)

Auch Blut der Söhne floß; doch Unsterblichkeit
In Hymnen frommer Barden der Afterwelt
　　Umstrahlt die Edlen; denn sie wollten
　　　　Rühmlichen Sieg, oder freies Sterben.

O Land, dem Sänger theurer, als Vaterland!
Der Sprösling deiner Freiheit steigt schnell empor
　　Zum Baum', in dessen sicherm Schatten
　　　　Ordnung, und Recht, und Gesetz gedeihen.

Dein Schiffer dekt die Meere, die goldne Saat
Füllt deine Fluren, Tugend und Treue blühn;
　　Der Miethlingssklave sieht's, und staunet,
　　　　Fühlt sich, wird Bürger, und küßt als Brüder,

Die er vertilgen sollte. Du schenkst ihm Haus,
Und nie geträumtes Erbtheil, und nennst ihn Freund.
　　Froh krümmt er schon das Schwert zur Sichel,
　　　　Segnend die bessere Hemisphäre,

Wo süße Gleichheit wohnet, und Adelbrut,
Europens Pest, die Sitte der Einfalt nicht
　　Beflekt, verdienstlos beßern Menschen
　　　　Trotzt, und vom Schweiße des Landmanns schwelget.

　　　　　　　　　　　　　　　Euch

(391)

Euch preißt noch oft mein schüchternes Saitenspiel,
Hellenen unsrer Tage! der Fabelzeit
　Erstandne Helden, kühn, und bieder,
　　Arm, aber frei; ohne Prunk, doch glüklich!

O, nehmt, Geliebte! nehmet den Fremdling auf,
Den müden Fremdling; laßt mich an eurer Brust
　Geheimer Leiden bittre Schmerzen,
　　Langsam verzehrenden Kummer lindern.

Was säum' ich? — Doch, die eiserne Fessel klirrt,
Und mahnt mich Armen, daß ich ein Deutscher bin.
　Euch seh' ich, holde Scenen, schwinden,
　　Sinke zurük in den Schacht, und weine.

　　　　　　　　　　J. F. H—l.

Ueber die 39 Artikel der englischen Kirche und deren Beschwörung.

(In Beziehung auf Nr. 326 und 332 in des Herrn Ritter Michaelis oriental. Bibliothek, 22sten Theils.)

Was ich hier über die an besagtem Orte vorkommende Recension meiner Schrift Jernsalem zu sagen habe, ist nicht der gewöhnliche Hader des Schriftstellers mit seinem Recensenten; es ist nicht Klage über Mißverstand oder geflissentliche Verdrehung, ungerechte Anmaßung, liebloses Urtheil, unbillige Schätzung u. d. gl.; Zänkereien, bey denen die Partheien sich immer mehr erhitzen, das Publikum aber sich auf beiderseitige Unkosten zu belustigen pflegt. Der Herr Ritter Michaelis hat in der eigentlichen Recension mich zu keiner Beschwerde dieser Art veranlasset, und wenn dieses auch wäre; so würde ich mich doch sehr hüten, dem muthwilligen Theile der Leser ein Possenspiel dieser Art zu geben. Also nicht ein Wort von allem, was der Herr R. über, wider oder für meine Schrift geurtheilt oder erinnert hat. Ich lasse alles dieses an seinem Ort gestellt sein, und erspare mir das, was ich etwa darüber zu sagen habe, auf eine andere Gelegenheit, wo es ohne Streitsucht, und Anschein von Rechthaberei wird geschehen können.

(25)

nen. Ich habe mich hier bloß gegen eine Anklage
zu rechtfertigen, die der Herr Ritter wo nicht selber
führet, doch andre zu führen veranlasset hat. Ich,
der ich mich so sehr hüte, irgend einen meiner Nebenmenschen zu kränken, ich soll einen ganzen, in
aller Absicht über mich erhabenen Stand, ohne alle
Ursache und Veranlassung, verunglimpft und eines
Verbrechens beschuldiget haben, dessen man den
verworfensten Menschen, ohne die gültigsten Beweise, zu zeihen sich ein Gewissen machen sollte?
Und ich soll dieses bloß in der Absicht gethan haben,
um eine Beschuldigung, die man meinen Mitbrüdern zu machen pflegt, auf einen edlern Theil des
menschlichen Geschlechts zurük zu schieben? Die
Sache ist eigentlich diese:

Ich habe (S. 81. meiner Schrift) von den
Männern auf Lehrstühlen und Kanzeln gesprochen,
die so manchen Satz, den sie bei Uebernehmung des
Amts beschworen, in Zweifel ziehen, auch von den
englischen Bischöfen gesagt, daß sie die 39 Artikel
des englischen Glaubensbekenntnisses beschworen, und
die Vermuthung geäußert, daß sie solche wohl nicht
mehr so unbedingt annehmen mögen, als sie
ihnen vorgelegt worden. — Die Gelehrten
Deutschlands, oder, wie sie der Herr R. beschreibt,
gewisse Lehrer einer, wie sie wollen, verbesserten
und vernünftigen neuen Religion, überläßt er ihrer
eigenen Vertheidigung. Nur dasjenige, was die
Engländer angehet, hat ihn zu folgenden Fragen

B 5   ver=

veranlaßt: "1) Ist es auch historisch wahr,
"daß sie die 39 Artikel beschwören? Vom
"Unterschreiben weiß ich, ob sie aber beschwören,
"darnach erkundige ich mich eben. Zwischen Nichts
"halten eines Versprechens und Meineid ist
"doch wohl ein Unterschied. 2) Ist nicht in
"England deutlich und öffentlich in Schrif=
"ten erklärt worden, was eigentlich diese Un=
"terschrift sagt, und wie sie verstanden werde?
"Ich sage hier nichts gerade zu; sondern erkundige
"mich darnach, und gebe die Antwort vielleicht in
"einer Nachschrift."

Nun, die Antwort? Sie ist glüklicher Weise
noch zu rechter Zeit angekommen, daß sie in densel=
ben Theil, als eine Nachschrift, hat eingerükt wer=
den können. Sie ist, wie der Herr R. M. ver=
chert, von einem aus der hohen Englischen Geist=
lichkeit selbst, der ihm erlaubt, dieses zu sagen:
"aber aus einer Ursache," setzt Herr M. hinzu,
"die zu erwähnen für Herrn Mendelssohn em=
"pfindlich sein möchte, seinen Namen zu nen=
"nen verbittet." Ein wahres Räthsel für mich.
Wie kann das mir empfindlich sein, zu wissen, wer
der Mann ist, der mich eines bessern belehret?
Würde die Hochachtung, die ich ihm in irgend einer
Betrachtung etwa schuldig sein könnte, wohl da=
durch vermindert werden? Daß doch bei so man=
chem vernünftigen Manne immer noch Sache und
Person, Wahrheit und bürgerliches Verhältniß so
uahe

nahe beisammen stehen! Damit indeß niemand
auf den Unrechten rathe, versichert Herr M. es sei
nicht der Bischof von Londen, mit dem er wohl ehemals über die Unterschrift der 39 Artikel Briefe ge-
wechselt hat. Es ist also ein andres Mitglied dieses in aller Betrachtung verehrungswürdigen Standes; und damit man auch die vierte Antwort besser
verstehe, sagt Herr M. er habe unter andern Fragen auch die vorgelegt: wie sich bei dem Vorschlage
(motion), die Unterschrift der 39 Artikel abzuschaffen, die Bischöfe im Oberhause selbst über den Sinn
dieser Unterschrift erklärt hätten? Und nun liefert
er die Antwort selbst, in der Note Englisch, im
Texte aber Deutsch, weil nicht alle Leser englisch
verstehen möchten. Sie lautet, wie folget:

"1) Keiner von der Geistlichkeit unserer Kirche,
"vom höchsten bis zum niedrigsten, schwört auf die
"39 Artikel. Die Bischöfe schwören nicht, sie
"unterschreiben nicht einmal; aber da alle Geist-
"liche in den niedern Stufen bei der Ordination
"unterschreiben, so ist freilich gewiß, daß jeder
"Bischof auch einmal in seinem Leben unterschrie-
"ben hat.

"2) Daß alle Bischöfe von den 39 Artikeln ab-
"gehen, ist so weit von der klaren Wahrheit ent-
"fernt, daß ich, der ich sie alle kenne, doch nicht
"mit gutem Gewissen sagen kann, daß auch nur
"ein Einziger von ihnen abgeht. (Dies ist sehr
"viel mehr," setzt Herr M. hinzu, "als ich S. 71.
                                                        "ge-

"geschrieben hatte; ich konnte nur von solchen Bi=
"schöfen reden, die ich kannte.)

"3) Die Meinungen sind ehedem verschieden
"gewesen: ob die Unterschrift der 39 Artikel bloß
"den Kirchenfrieden zum Zwek habe, und zu dessen
"Erhaltung die Verpflichtung auflege, keine neuen,
"davon abweichenden Lehren vorzutragen; oder ob
"sie als volle Erklärung des innern Glaubens und
"Beistimmung mit jedem Artikel zu nehmen sei?
"Beide Meinungen haben große Männer zu Ver=
"theidigern gehabt, die erste aber scheint die allge=
"meinste zu sein.

"4) Der Vorschlag im Parlament, die Unter=
"schrift abzuschaffen, geschah nicht im Oberhause;
"und so konnte auch von den darin sitzenden Bischö=
"fen, als einem Theil der gesetzgebenden Macht,
"keine Erklärung gegeben werden, die als der Sinn
"von Kirche und Staate angesehen werden könnte.
"Im Unterhause hingegen, wo die Sache behandelt
"ward, sahen die geschiktesten Sprecher die Unter=
"schrift bloß als eine Einschränkung polemischer
"Schriftsteller und Prediger, zu Erhaltung des Kir=
"chenfriedens, an.

"Ich muß zu diesen Antworten noch hinzuse=
"tzen, daß Herr Mendelssohn vielleicht durch eine
"anonymische Schrift verleitet sein könnte, die zu
"einer Zeit heraus kam, da einigen Geistlichen ihre
"Unterschrift beschwerlich ward. Diese trägt die=
"selbe Entschuldigung der anders denkenden Geistli=
"chen

"chen vor, die Herr Mendelssohn anführt. Man
"glaubte, sie wäre von einem alten würdigen Bi-
"schof, der die Abschaffung der Unterschrift wünschte.

"Aber, was soll ich von Herrn Mendelssohn
"denken, der aus einem so schwachen Grunde (wenn
"er anders auch nur diesen Grund hatte) alle
"Bischöfe, von denen er vermuthlich nicht einen
"einzigen kennt, als Meineidige brandmarkt?" '

Endlich setzt Herr M. hinzu: "Ich glaube,
"Herr M. ist deutschen Schriftstellern gefolgt,
"die dergleichen vorhin gesagt hatten, und das
"ist für ihn Entschuldigung: nur ist diese harte und
"unbillige Rekrimination gegen das Volk, das dem
"Jüdischen Bürgerrechte geben sollte, und vorher
"gewiß sein will; was lehren die Juden vom Eide?
"eben keine Empfehlung."

Man siehet, beide, der englische sowohl als der
deutsche Gelehrte, setzen als ausgemacht zum voraus, ich habe alle Bischöfe Englands als Meineidige brandmarken wollen; der Engländer, weil es
ihm vermuthlich so vorgegeben worden, und der
Deutsche? ich weiß nicht aus welcher Ursache; aber
offenbar wider Besserwissen, wie ich in der Folge
zeigen werde. Dieser will sogar von der Härte und
Unbilligkeit, die ich, als einzelnes Mitglied der Ju-
denschaft, bei meiner Rekrimination gezeigt, mißliche Folgen für meine ganze Nation besorgen.

Gesetzt nun, ich hätte mir eine solche Unbeson-
nenheit zu Schulden kommen lassen; was wollen
diese

(30)

diese Herren mit ihrem Unterschiede zwischen beschwören und unterschreiben? Würde ich mich
wohl durch diesen Schein einer Entschuldigung haben beschämen und zurükweisen lassen? Sicherlich
nicht! Jeder englische Geistliche, der ordinirt sein
will, muß, nach Vorschrift der vaterländischen Ge-
sekze, bei öffentlichem Gottesdienst die 39 Glaubensartikel der engländischen Kirche lesen,
und, daß er deren Inhalt einen untrüglichen Beifall, ohne einige Ausnahme, gebe,
mit lauter Stimme bezeugen; da denn einer
oder zweene der Eingepfarrten mit ihm zugleich lesen, damit sie bezeugen können, daß
er nichts ausgelassen habe. Dieses Glaubens-
bekenntniß muß er hernach, als einen Kontrakt, den
er mit dem Vaterlande eingehet, und als eine Bedingung, unter welcher ihm das Vaterland Sold,
Amt, Ehre und Würden verleihen kann, förmlich
unterschreiben. Was fehlt einer so feierlichen Be-
kräftigung noch zu einem Eide? Etwa die gewöhnliche Formel: So wahr mir Gott helfe, durch
seinen Sohn J.C.? — Warlich! so hätte der
Herr R.M., ohne nach London zu schreiben, und
eine hohe Geistlichkeit zu beschweren, immer auf den
gesunden Menschenverstand hin voraussetzen können, daß man die Glaubensartikel mit dieser Formul nicht beschwören werde. Jedermann weiß, daß
der Glaube an Gott und an J.C. mit zu den 39 Artikeln gehöre, und also wäre nichts lächerlicher, als
                                        diesen

(31)

diesen Glauben durch die Anrufung Gottes und seines Sohnes zu bekräftigen.   Das hieße nach London schreiben, um zu erfahren, ob ein London wirklich vorhanden sei?   Das hieße durch einen Eid bekräftigen, daß man die Eide für unverletzlich halte;
in einem Kontrakte festsetzen, daß Kontrakte gültig
sein sollen.   Man nennet dies in der Schule einen
Zirkel im Beweisen, und eine weise gesetzgebende
Macht Englands wird sich wohl gehütet haben, eine
solche Ungereimtheit vorzuschreiben.

Man setze nun, es sei irgend ein Geistlicher
gewissenlos genug, ein so feierliches Glaubensbe-
kenntniß abzulegen, Amt, Ehre und Sold von seinem
Vaterlande darauf anzunehmen, in dem Augenblikke
selbst, da er dem Bekenntniß in seinem Herzen widerspricht; würde dieses Verbrechen geringer sein, als
das Verbrechen eines Juden, der des Wuchers oder
der Diebshehlerei angeklagt worden, und sich durch
einen falschen Eid zu reinigen sucht? Wird sich jener
noch mit der Entschuldigung retten können, daß er
nicht geschworen; sondern bloß bekräftiget und un-
terschrieben habe? Ich muß gestehen, daß meine
Kasuistik auf die Nadelspitze nicht treffen kann, die
hier noch einen Unterschied machen soll.   Wie kann
eine Sache beschworen werden, ohne welche jeder
Schwur nichts bedeutet, ein wahres non ens ist?
Wenn also die Gesetze diesen nicht des Meineides
schuldig erkennen: so müssen sie sicherlich ganz andern Grund haben, als die Hinweglassung einer

Formul,

(32)

Formul, die in diesem Fall offenbar ungereimt sein
würde.

Daß nicht ein Einziger Bischof von den 39
Artikeln abgehe, ist freilich sehr viel mehr, als
Herr M. (S. 71.) geschrieben. Daselbst heißt es
nur von manchen englischen Bischöfen, daß sie
sehr orthodox sind; und daran habe ich wohl
selbst nie gezweifelt. Wenn ich sage: zählet die
Bischöfe alle, die von den 39 Artikeln abgehen; so ist dieses doch nicht eben so viel, als: die
Bischöfe alle gehen von den 39 Artikeln ab?
Warum stellet denn Herr M. die Sache vor, als
wenn ich das letztere behauptet hätte, und wies
nicht vielmehr den englischen Gelehrten zurecht,
wenn mich dieser etwa mißverstanden hat? Ich
glaube allerdings, daß manche Bischöfe des Oberhauses sehr orthodox sind; ja ich glaube, zur Ehre
der Menschheit, daß sie es alle damals gewesen,
als sie eingesetzt worden, und ihr Bekenntniß in
den Schoos ihres Vaterlandes abgelegt haben.
Daß aber in der ganzen Folge von Jahren, nach
dieser Einsetzung, bei dem, von solchen Männern
vorauszusetzenden, unabläßigen Untersuchen und
Forschen nach Wahrheit, noch itzt nicht ein Einziger Bischof von den 39 Artikeln abgehe, daß alle
sie noch itzt so unbedingt annehmen, als sie ihnen
damals vorgelegt worden; dieses hatte ich, mit so
manchem rechtschaffenen Engländer selbst, aus wahrer Hochachtung für das Amt und den Untersu-
　　　　　　　　　　　　　　　　　chungs-

(33)

chungsgeist dieser verehrungswürdigen Männer, geradezu verneinen zu müssen geglaubt.   Ein Glük
für die englische Kirche, daß man dieses anzunehmen, nicht zum vierzigsten Glaubensartikel gemacht
hat.   Mancher würde weniger Bedenken finden,
die übrigen neun und dreißig, als diesen vierzigsten, zu unterschreiben.

Daß einige Schriftsteller in England behaupten, die 39 Artikel haben den Kirchenfrieden zum
Zwekke, und diene bloß zur Einschränkung polemischer Schriftsteller, ist mir nicht unbekannt gewesen.   Allein, ich wußte auch, was andre große
Männer von diesem Vorgeben geurtheilt; wie nachdrüklich sie sich wider eine sogenannte Alliance
between Church and State erklärt haben.   Reime
dieses Vorgeben, wer da kann, mit der feierlichen
und wirklich eidlichen Versichrung, die jeder englische Geistliche bei der Einsetzung von sich geben muß:

He promises, *the lord being his helper*, that
he will be ready, with all faithfull diligence,
to banish and drive away all erroneous and
strange doctrines, contrary to God's word.

Reime dieses, wer da kann, mit der ausdrüklichen
Erklärung des 5ten Canonis, in welcher es heißt:

those to be excommunicated *ipso facto* who
shall affirm any of these articles to be erroneous, or such as he may not with a good
conscience subscribe to.

(34)

Wenn die Meinung, daß die Unterschrift keine
Annahme und volle Erklärung des innern Beistim=
mens, sondern bloß den Kirchenfrieden zum Zwekke
habe, wie der englische Geistliche behauptet, die
Oberhaud zu gewinnen scheinet; wenn die geschik=
testen Sprecher des Unterhauses selbst dieser Mei=
nung sind, und deswegen den Vorschlag zur Abän=
derung des Tests von der Hand gewiesen haben;
und wenn Eine hohe Geistlichkeit sich nicht für ver=
pflichtet hält, die Sprecher des Unterhauses eines
bessern zu belehren, oder eine ähnliche Bill von ih=
rer Seite in Bewegung zu bringen: so wird man
wahrscheinlicher Weise auch diese anscheinende Wi=
dersprüche sich zu erklären, nicht schwer gefunden
haben.

Ich kenne die namenlose Schrift nicht, die
mich zu falschen Meinungen in Ansehung der
englischen Kirchenverfassung verleitet haben soll.
Wenn aber in England selbst diese Schrift einem
alten würdigen Bischof, der die Abschaffung der Un=
terschrift wünschte, zugeschrieben wird, warum will
man es denn einem Laten auf dem Kontinent, der
auch die Abschaffung der Unterschrift wünscht, war=
um will man es diesem nicht vergönnen, auf ähn=
liche Gedanken gekommen zu sein?

Und nun zu der Frage: "was man von mir
"denken soll, daß ich alle Bischöfe, von denen ich
"vermuthlich nicht einen einzigen kenne, als Mein=
"eidige brandmarke?" Wenn ich auch diese hä=
mische

mische Vermessenheit gehabt hätte, alle Glieder dieses erlauchten Standes mit dem schwärzesten der
Laster zu brandmarken, und hierauf eine so gehässige Rekrimination zu gründen; so würde ich
dennoch weit entfernt sein, mit Herrn R. M. zu
besorgen, daß meine Thorheit meiner ganzen Nation zu einer übeln Empfehlung gereichen könne.
Die großen Männer jener Nation, jedes Mitglied
der gesetzgebenden Macht, das einst die Bill, meine
Mitglieder zu naturalisiren, in Bewegung brachte
und durchzuführen bemühet war, müssen über eine
so triviale Denkungsart hinweg sein, müssen ohnehin den Grundsatz angenommen haben, daß die Fehler einzelner Glieder nicht der ganzen Nation an-
zurechnen sein; sonst würden sie der meinigen nim-
mermehr haben das Wort reden können.

Allein, ist es denn auch historisch richtig, frage
ich nun auch auf meiner Seite, daß ich alle Bischöfe Englands, daß ich nur einen einzigen von
der hohen oder niedern Geistlichkeit, irgend eine
unter der Last der beschwornen oder unterschriebe-
nen Glaubensartikel seufzende, vernünftige Seele,
mit dem Meineide habe brandmarken wollen?
Würde es nicht offenbar der ganzen Absicht meiner
Schrift zuwider sein, wenn ich mir diese Lieblosig-
keit hätte zu Schulden kommen lassen, und wie
kann ich mich auf eine so handgreifliche Weise selbst
widersprochen haben?

Der

Der Inhalt meiner Schrift, ersten Abschnitts, gehet völlig dahin, zu beweisen, daß in Absicht auf Glauben und Nichtglauben keine Verbindlichkeit, kein Kontrakt, und folglich keine Beeidigung schlechterdings statt finde; daß die Freiheit zu denken, und das Recht, seine Meinungen zu ändern, auf keine Weise veräußert und einem andern übertragen werden könne. "Alles Beschwören und Abschwö-"ren in Absicht auf Grundsätze und Lehrmeinun-"gen," heißt es unter andern S. 87. "sind unzu-"lässig; und wenn sie geleistet werden, so verbinden "sie zu nichts, als zur Reue über den sträflich be-"gangnen Leichtsinn. Wenn ich itzt eine Mei-"nung beschwöre; so bin ich Augenbliks darauf "nichts destoweniger frei, sie zu verwerfen. Die "Unthat eines vergeblichen Eides ist begangen, "wenn ich sie auch beibehalte; und Meineid ist "nicht geschehen, wenn ich sie auch verwerfe." Man siehet, daß ich mit ausdrüklichen Worten den Mann, welcher von beschwornen Meinungen ab-gehen zu müssen glaubt (denn von dem Gewissen-losen, der in währender Betheurung ihnen im Her-zen widerspricht, ist gar die Rede nicht), von der Schuld des Meineides schlechterdings lossreche, und ihm blos den Leichtsinn eines vergeblichen Eides anrechne, dem er aber nicht entgehet, wenn er auch seine Meinungen nicht abändert. Ich habe dieses im vorhergehenden aus Gründen der Ver-nunft zu erweisen gesucht; und sage sogar ausdrük-

lich,

lich, daß ich meiner Seits nicht vermessen genug
wäre, über meinen Nebenmenschen den Stab zu
brechen, selbst wenn er, bei veränderten Meinungen, noch fortfährt, die beschwornen Grundsätze
öffentlich zu lehren; daß ich mir gar wohl Umstände denken könne, unter welchen dieses sträflich
scheinende Betragen vor dem Richterstuhle Gottes
gerechtfertiget werden könne. Ich berufe mich hier
auf so manche würdige Männer auf Lehrstühlen und
Kanzeln, auf so manche Bischöfe des Oberhauses, die
mit mir gleicher Meinung sein müssen, indem sie sonst
ihr Amt niedergelegt haben würden, um sich nicht
selbst des gebrochenen Eides anzuklagen. Und eben
diese Betrachtung giebt mir Gelegenheit, von einer
andern Seite, in Klagen über die Oscitanz auszubre-
chen, mit welcher man ein veraltetes Gesetz noch immer fortwalten läßt; ob man gleich die Unstatthaf-
tigkeit desselben einsiehet, und die traurigsten Folgen,
zu welchen es führet, nicht nur vor Augen hat, sondern innerlich, in Geist und Gewissen, selbst empfindet. Ich sage: "Um der Menschlichkeit willen! be-
"denket den Erfolg, den diese Einrichtung bisher unter
"den gesittetsten Menschenkindern gehabt hat. Zählet
"die Männer alle, die eure Lehrstühle und eure Kan-
"zeln besteigen, und so manchen Satz, den sie bei der
"Uebernehmung ihres Amts beschworen, in Zweifel
"ziehen; die Bischöfe alle, die im Oberhause sitzen;
"die wahrhaftig großen Männer alle, die in England
"Amt und Würden bekleiden, und jene 39 Artikel, die

C 3

"sie

(38)

"sie beschworen, nicht mehr so unbedingt annehmen,
"als sie ihnen vorgelegt worden; zählet sie, und saget
"alsdann noch, man könne meiner unterdrükten Na-
"tion keine bürgerliche Freiheit einräumen, weil so
"viele unter ihnen die Eide gering achteten!"

Man siehet, daß hier selbst, bei der sogenanten Rekrimination, nicht von Meineid (noch hat kein Eisenmenger selbst meine Mitbürger geradezu des
Meineides beschuldiget), sondern bloß von Gering-
achtung der Eidschwüre, die Rede sei; und diese Beschuldigung der Geringschätzung, Unwerthach-
tung und Herabwürdigung der feierlichsten Versicherungen und Zusagen, diese Beschuldigung, sage ich,
trift allerdings diejenigen, welche es einsehen, daß ein
Bund auf Glauben und Nichtglauben, ein Eid auf
Glaubensartikel vergeblich und also unzuläßig sei,
und sich dennoch nicht weigern, ihn abzulegen; fällt
mit gedoppelter Schwere auf diejenigen, welche den
Druk eines beklemmten Gewissens selbst empfinden,
und nicht alle Maaßregeln unterstützen, ja wohl gar
alle Maaßregeln hintertreiben, durch welche man ihre
Nebenmenschen von dieser innerlichen Unruhe zu befreien sucht. Zu einer solchen Rükklage glaube ich allerdings berechtiget zu sein; und hier rettet kein Unterschied zwischen Beschwören und Unterschreiben,
wenn auch dieser in anderer Absicht bedeutender sein
sollte, als er, meiner Einsicht nach, sein kann; rettet
kein Behelf von Erhaltung des Kirchenfriedens, der
mit der Chimäre von Erhaltung des Gleichgewichts
in

(39)

in Europa von gleichem Werthe sein, und so, wie dieser, nur das Gesetz des Stärkern begünstigen dürfte.
Denn läugnen wird man es doch wohl nicht, daß diese
Einrichtung, die Beeidigung oder Unterschreibung
vorgeschriebener Glaubensartikel, wenigstens in unsern Tagen, die schädlichsten Folgen nach sich ziehe,
daß sie den sogenannten Kirchenfrieden nur im Aeus-
sern gleißnet, im Innern aber, in Geist und Wahrheit, den unseligsten Unfrieden hegt und nähret, und
immer weiter unter dem besten Theil der Menschen
ausbreiten muß.

Also, nicht Meineid; sondern Mißbrauch und
Geringschätzung des Eides war es, was ich auf alle
Männer auf Kanzeln und Kathedern zurückschob, die
sich in dieser ängstlichen Lage selbst befinden, und nicht
mit allen Kräften streben, die Einrichtung, die von so
schädlichen Folgen ist, abzurathen, und von denen, die
Macht in Händen haben, abändern zu lassen. Mißbrauch und Geringschätzung der feierlichsten Betheurung ist es, was ich noch itzt den Bischöfen des Oberhauses, die selbst am Ruder sitzen, vorzuwerfen mich
erdreiste, vornehmlich denen, welche die 39 Artikel
nicht mehr so unbedingt annehmen, als sie bei
jener feierlichen Gelegenheit ihnen vorgelegt worden.
Zwischen Vorwurf des Mißbrauchs und Geringschätzung der Eide, den man einigen Bischöfen
macht, und Anklage des Meineides gegen alle ist
doch wohl noch ein größerer und wesentlicherer Un-

(40)

terſchied, als zwiſchen Beſchwören und Unter:
ſchreiben der Glaubensartikel?

Daß der Engländer mich hat ſo ſehr mißverſtehen
können, iſt ihm ſicherlich nicht zu verdenken. Er hat
wahrſcheinlicher Weiſe meine Schrift nicht ſelbſt ge:
leſen, und meine Abſicht ſo nehmen müſſen, wie ſie in
einem Berichte vorgeſtellt worden iſt. Daß aber ein
mir ſonſt ſo verehrungswürdiger Mann, als der Herr
R. M. der meine Schrift recenſirt, und alſo, wenn er
es nicht, wie der gemeine Haufen der Recenſenten
macht, wohl wird durchgeleſen haben, daß dieſer Ge:
lehrte den Mißverſtand veranlaſſet, und ſelbſt anzu:
nehmen ſcheint, dieſes iſt mir in der That unbegreiflich.

Weit weniger hingegen befremdet es mich, daß
Herr M. in dieſer Recenſion, ſo wie bei allen Gelegen:
heiten, noch immer fortfährt, meine Nation der ab:
ſcheulichſten Grundſätze, in Abſicht auf die Eide, zu be:
ſchuldigen; obgleich Dohm, in dem zweiten Theile
ſeiner vortreflichen Schrift, mit unwiderlegbaren
Gründen und Zeugniſſen, ſie in den Gemüthern eines
jeden billigen Leſers gerechtfertiget, und den Ungrund
jener gehäſſigen Anklage hinlänglich dargethan haben
muß. Gewiſſe Göttingſche Gelehrte ſcheinen von je
her mit gemeinen Vorurtheilen wider die jüdiſche Na:
tion eingenommen zu ſein, und obgleich das aufgeklärte
Publikum ſeitdem zu menſchlichern und tolerantern
Geſinnungen gelangt iſt; ſo beharren ſie immer noch
bei dem verjährten Wahn. So vieles auch die ein:
zelnen Mitglieder der Univerſitäten, als Lehrer und

Schrift:

(41)

Schriftsteller, zur Aufklärung Deutschlandes beigetragen; so scheinen sich doch auf der hohen Schule
selbst gewisse Nationalvorurtheile am spätesten zu verlieren. Selbst die gelehrten Anzeigen, die von
jeher würdige Schriftsteller zu Mitarbeitern gehabt,
und sich noch itzt durch Männer, wie M. H. M. F. u.
a. in ihrem Ansehen erhalten, werden von manchem
Recensenten, durch dergleichen vorgefaßte Meinungen, nicht selten verunstaltet. Schon vor 30 Jahren,
als Lessing sein Lustspiel die Juden herausgab,
hatte ein Recensent in denselben die allumfassende
Menschenkenntniß, ihm entgegen zu setzen: **es
könne unter den Juden keinen ehrlichen
Mann geben**; und noch itzt, nach Verfließung solcher Jahre der Aufklärung und Berichtigung der
Nationalbegriffe, da es beinahe kein Verdienst mehr
ist, die Vorurtheile dieser Art abgelegt zu haben, tritt
noch immer so mancher Vertheidiger derselben, wiewohl mit offenbarer Ohnmacht, in eben diesen gelehrten Blättern auf, giebt sich die vergebliche Mühe,
die vortreflichen Ausarbeitungen eines Dohms her-
unterzusetzen, und ihnen so manche kahle Schreiberei
vorzuziehen, welche die Vorurtheile wider die jüdische Nation wieder in Gang zu bringen suchet.

Moses Mendelssohn.

Ueber die Frage: was heißt aufklären?

Die Worte Aufklärung, Kultur, Bildung sind in unsrer Sprache noch neue Ankömmlinge. Sie gehören vor der Hand bloß zur Büchersprache. Der gemeine Haufe verstehet sie kaum. Sollte dieses ein Beweis sein, daß auch die Sache bei uns noch neu sei? Ich glaube nicht. Man sagt von einem gewissen Volke, daß es kein bestimmtes Wort für Tugend, keines für Aberglauben habe; ob man ihm gleich ein nicht geringes Maaß von beiden mit Recht zuschreiben darf.

Indessen hat der Sprachgebrauch, der zwischen diesen gleichbedeutenden Wörtern einen Unterschied angeben zu wollen scheint, noch nicht Zeit gehabt, die Grenzen derselben festzusetzen. Bildung, Kul=

tur und Aufklärung sind Modifikationen des geselligen Lebens; Wirkungen des Fleißes und der Bemühungen der Menschen ihren geselligen Zustand
zu verbessern.

Je mehr der gesellige Zustand eines Volks durch
Kunst und Fleiß mit der Bestimmung des Menschen
in Harmonie gebracht worden; desto mehr Bildung hat dieses Volk.

Bildung zerfällt in Kultur und Aufklärung.
Jene scheint mehr auf das Praktische zu gehen:
auf Güte Feinheit und Schönheit in Handwerken
Künsten und Geselligkeitssitten (objektive); auf Fertigkeit, Fleiß und Geschiklichkeit in jenen, Neigungen Triebe und Gewohnheit in diesen (subjektive).
Je mehr diese bei einem Volke der Bestimmung des
Menschen entsprechen, desto mehr Kultur wird demselben beigelegt; so wie einem Grundstükke desto
mehr Kultur und Anbau zugeschrieben wird, je mehr
es durch den Fleiß der Menschen in den Stand gesetzt worden, dem Menschen nützliche Dinge hervorzubringen. — Aufklärung hingegen scheinet
sich mehr auf das Theoretische zu beziehen. Auf
vernünftige Erkenntniß (objekt.) und Fertigkeit (subj.)
zum vernünftigen Nachdenken, über Dinge des
menschlichen Lebens, nach Maaßgebung ihrer Wichtigkeit und ihres Einflusses in die Bestimmung des
Menschen.

Ich setze allezeit die Bestimmung des Menschen
als Maaß und Ziel aller unserer Bestrebungen und
                                                Bemü-

Bemühungen, als einen Punkt, worauf wir unsere Augen richten müssen, wenn wir uns nicht verlieren wollen.

Eine Sprache erlanget Aufklärung durch die
Wissenschaften, und erlanget Kultur durch gesellschaftlichen Umgang, Poesie und Beredsamkeit.
Durch jene wird sie geschikter zu theoretischem, durch
diese zu praktischem Gebrauche. Beides zusammen
giebt einer Sprache die Bildung.

Kultur im äußerlichen heißt Politur. Heil der
Nation, deren Politur Wirkung der Kultur und
Aufklärung ist; deren äußerliche Glanz und Ge-
schliffenheit innerliche, gediegene Aechtheit zum
Grunde hat!

Aufklärung verhält sich zur Kultur, wie überhaupt Theorie zur Praxis; wie Erkenntniß zur
Sittlichkeit; wie Kritik zur Virtuosität. An und
für sich betrachtet, (objektive) stehen sie in dem ge-
nauesten Zusammenhange; ob sie gleich subjektive
sehr oft getrennt sein können.

Man kann sagen: die Nürnberger haben mehr
Kultur, die Berliner mehr Aufklärung; die Fran-
zosen mehr Kultur, die Engländer mehr Aufklärung;
die Sineser viel Kultur und wenig Aufklärung. Die
Griechen hatten beides, Kultur und Aufklärung.
Sie waren eine gebildete Nation, so wie ihre
Sprache eine gebildete Sprache ist. — Ueberhaupt
ist die Sprache eines Volks die beste Anzeige seiner

　　　　　Bil-

(196)

Bildung, der Kultur sowohl als der Aufklärung,
der Ausdehnung sowohl als der Stärke nach.

Ferner läßt sich die Bestimmung des Menschen
eintheilen, in 1) Bestimmung des Menschen als
Mensch, und 2) Bestimmung des Menschen als
Bürger betrachtet.

In Ansehung der Kultur fallen diese Betrachtungen zusammen; indem alle praktische Vollkom-
menheiten bloß in Beziehung auf das gesellschaftli-
che Leben einen Werth haben, also einzig und allein
der Bestimmung des Menschen, als Mitgliedes der
Gesellschaft, entsprechen müssen. Der Mensch
als Mensch bedarf keiner Kultur: aber er bedarf Aufklärung.

Stand und Beruf im bürgerlichen Leben bestimmen eines jeden Mitgliedes Pflichten und Rechte, erfordern nach Maaßgebung derselben andere
Geschiklichkeit und Fertigkeit, andere Neigungen,
Triebe, Geselligkeitssitten und Gewohnheiten, eine
andere Kultur und Politur. Je mehr diese durch
alle Stände mit ihrem Berufe, d. i. mit ihren re-
spektiven Bestimmungen als Glieder der Gesellschaft
übereinstimmen; desto mehr Kultur hat die Nation.

Sie erfordern aber auch für jedes Individuum,
nach Maaßgebung seines Standes und Berufs andere theoretische Einsichten, und andere Fertigkeit
dieselben zu erlangen, einen andern Grad der Aufklärung. Die Aufklärung, die den Menschen
als Mensch interessirt, ist allgemein ohne Unterschied

schied der Stände; die Aufklärung des Menschen
als Bürger betrachtet, modificirt sich nach Stand
und Beruf. Die Bestimmung des Menschen setzet
hier abermals seiner Bestrebung Maaß und Ziel.

Diesem nach würde die Aufklärung einer Nation sich verhalten, 1) wie die Masse der Erkenntniß, 2) deren Wichtigkeit, d. i. Verhältniß zur
Bestimmung a) des Menschen und b) des Bürgers,
3) deren Verbreitung durch alle Stände, 4) nach
Maaßgabe ihres Berufs; und also wäre der Grad
der Volksaufklärung nach einem wenigstens vier-
fach zusammengesetzten Verhältnisse zu bestimmen,
dessen Glieder zum Theile selbst wiederum aus ein-
fachern Verhältnißgliedern zusammengesetzt sind.

Menschenaufklärung kann mit Bürgeraufklärung
in Streit kommen. Gewisse Wahrheiten, die dem
Menschen, als Mensch, nützlich sind, können ihm
als Bürger zuweilen schaden. Hier ist folgendes in
Erwägung zu ziehen. Die Kollision kann entstehen
zwischen 1) wesentlichen, oder 2) zufälligen Bestimmungen des Menschen, mit 3) wesentlichen, oder
4) mit außerwesentlichen zufälligen Bestimmungen des Bürgers.

Ohne die wesentlichen Bestimmungen des Menschen sinkt der Mensch zum Vieh herab; ohne die
außerwesentlichen ist er kein so gutes herrliches Ge-
schöpf. Ohne die wesentlichen Bestimmungen des
Menschen als Bürgers, hört die Staatsverfassung
auf zu sein; ohne die außerwesentlichen bleibt

N 3   sie

sie in einigen Nebenverhältnissen nicht mehr
dieselbe.

Uuglükselig ist der Staat, der sich gestehen
muß, daß in ihm die wesentliche Bestimmung des
Menschen mit der wesentlichen des Bürgers nicht
harmoniren, daß die Aufklärung, die der Menschheit unentbehrlich ist, sich nicht über alle Stände
des Reichs ausbreiten könne; ohne daß die Verfassung in Gefahr sei, zu Grunde zu gehen. Hier lege die Philosophie die Hand auf den Mund! Die
Nothwendigkeit mag hier Gesetze vorschreiben, oder
vielmehr die Fesseln schmieden, die der Menschheit
anzulegen sind, um sie nieder zu beugen, und beständig unterm Drukke zu halten!

Aber wenn die außerwesentlichen Bestimmungen
des Menschen mit den wesentlichen oder außerwesentlichen des Bürgers in Streit kommen; so müssen Regeln festgesetzt werden, nach welchen die Ausnahmen geschehen, und die Kollisionsfälle entschieden werden sollen.

Wenn die wesentlichen Bestimmungen des Menschen unglüklicherweise mit seinen außerwesentlichen
Bestimmungen selbst in Gegenstreit gebracht worden
sind; wenn man gewisse nützliche und den Menschen
zierende Wahrheit nicht verbreiten darf, ohne die
ihm nun einmal beiwohnenden Grundsätze der Religion und Sittlichkeit niederzureißen; so wird der tu-
gendliebende Aufklärer mit Vorsicht und Behutsam-
keit verfahren, und lieber das Vorurtheil dulden,
als

als die mit ihm so fest verschlungene Wahrheit zugleich mit vertreiben. Freilich ist diese Maxime von je her Schutzwehr der Heuchelei geworden, und wir haben ihr so manche Jahrhunderte von Barbarei und Aberglauben zu verdanken. So oft man das Verbrechen greifen wollte, rettete es sich ins Heiligthum. Allein dem ungeachtet wird der Menschenfreund, in den aufgeklärtesten Zeiten selbst noch immer auf diese Betrachtung Rüksicht nehmen müssen. Schwer, aber nicht unmöglich ist es, die Grenzlinie zu finden, die auch hier Gebrauch von Misbrauch scheidet. —

Je edler ein Ding in seiner Vollkommenheit, sagt ein hebräischer Schriftsteller, desto gräßlicher in seiner Verwesung. Ein verfaultes Holz ist so scheußlich nicht, als eine verwesete Blume; diese nicht so ekelhaft, als ein verfaultes Thier; und dieses so gräßlich nicht, als der Mensch in seiner Verwesung. So auch mit Kultur und Aufklärung. Je edler in ihrer Blüte: desto abscheulicher in ihrer Verwesung und Verderbtheit.

Mißbrauch der Aufklärung schwächt das moralische Gefühl, führt zu Hartsinn, Egoismus, Irreligion, und Anarchie. Misbrauch der Kultur erzeuget Ueppigkeit, Gleißnerei, Weichlichkeit, Aberglauben, und Sklaverei.

Wo Aufklärung und Kultur mit gleichen Schritten fortgehen; da sind sie sich einander die besten Verwahrungsmittel wider die Korruption. Ihre

     N 4   Art

Art zu verderben ist sich einander schnurstraks entge=
gengesetzt.

Die Bildung einer Nation, welche nach obiger
Worterklärung aus Kultur und Aufklärung zusam=
mengesetzt ist, wird also weit weniger der Korrup=
tion unterworfen sein.

Eine gebildete Nation kennet in sich keine ande=
re Gefahr, als das Uebermaaß ihrer National=
glükseligkeit; welches, wie die vollkommenste
Gesundheit des menschlichen Körpers, schon an und
für sich eine Krankheit, oder der Uebergang zur
Krankheit genennt werden kann.   Eine Nation,
die durch die Bildung auf den höchsten Gipfel der
Nationalglükseligkeit gekommen, ist eben dadurch
in Gefahr zu stürzen, weil sie nicht höher steigen
kann. — Jedoch dieses führt zu weit ab von der
vorliegenden Frage!

                              Moses Mendelssohn.

Beantwortung der Frage:
Was ist Aufklärung?

(S. Decemb. 1783. S. 516.)

Aufklärung ist der Ausgang des Menschen aus seiner selbst verschuldeten Unmündigkeit. Unmündigkeit ist das Unvermögen, sich seines Verstandes ohne Leitung eines anderen zu bedienen. Selbstverschuldet ist diese Unmündigkeit, wenn die Ursache derselben nicht am Mangel des Verstandes, sondern der Entschließung und des Muthes liegt, sich seiner ohne Leitung eines andern zu bedienen. Sapere aude! Habe Muth dich deines eigenen Verstandes zu bedienen! ist also der Wahlspruch der Aufklärung.

Faulheit und Feigheit sind die Ursachen, warum ein so großer Theil der Menschen, nachdem sie die Natur längst von fremder Leitung frei gesprochen (naturaliter majorennes), dennoch gerne Zeitlebens unmündig bleiben; und warum es Anderen so leicht wird, sich zu deren Vormündern aufzuwerfen. Es ist so bequem, unmündig zu sein. Habe ich ein Buch, das für mich Verstand hat, einen Seelsorger, der für mich Gewissen hat, einen Arzt der für mich die Diät beurtheilt, u. s. w. so brauche ich mich ja nicht selbst zu bemühen. Ich habe nicht nöthig zu denken, wenn ich nur bezahlen kann; andere werden das verdrießliche Geschäft schon für mich übernehmen. Daß der bei weitem größte Theil der Menschen (darunter das ganze schöne Geschlecht) den Schritt zur Mündigkeit, außer dem daß er beschwerlich ist, auch für sehr gefährlich halte: dafür sorgen schon jene Vormünder, die die Oberaufsicht über sie gütigst auf sich genommen haben. Nachdem sie ihr Hausvieh zuerst dumm gemacht haben, und sorgfältig verhüteten, daß diese ruhigen Geschöpfe ja keinen Schritt außer dem Gängelwagen, darin sie sie einsperreten, wagen durften; so zeigen sie ihnen nachher die Gefahr, die ihnen drohet, wenn sie es versuchen allein zu gehen. Nun ist diese Gefahr zwar eben so groß nicht, denn sie würden durch einigemahl Fallen wohl endlich gehen lernen; allein ein Beispiel von der Art macht doch schüchtern, und schrekt gemeiniglich von allen ferneren Versuchen ab.

Es ist also für jeden einzelnen Menschen schwer, sich aus der ihm beinahe zur Natur gewordenen Unmün‐

mündigkeit herauszuarbeiten. Er hat sie sogar lieb
gewonnen, und ist vor der Hand wirklich unfähig,
sich seines eigenen Verstandes zu bedienen, weil
man ihn niemals den Versuch davon machen ließ.
Satzungen und Formeln, diese mechanischen Werkzeuge eines vernünftigen Gebrauchs oder vielmehr
Mißbrauchs seiner Naturgaben, sind die Fußschel-
len einer immerwährenden Unmündigkeit. Wer sie
auch abwürfe, würde dennoch auch über den schma-
lesten Graben einen nur unsicheren Sprung thun,
weil er zu dergleichen freier Bewegung nicht gewöhnt ist. Daher giebt es nur Wenige, denen es
gelungen ist, durch eigene Bearbeitung ihres Geistes sich aus der Unmündigkeit heraus zu wickeln,
und dennoch einen sicheren Gang zu thun.

Daß aber ein Publikum sich selbst aufkläre, ist
eher möglich; ja es ist, wenn man ihm nur Freiheit läßt, beinahe unausbleiblich. Denn da werden
sich immer einige Selbstdenkende, sogar unter den
eingesetzten Vormündern des großen Haufens, finden, welche, nachdem sie das Joch der Unmündigkeit selbst abgeworfen haben, den Geist einer vernünftigen Schätzung des eigenen Werths und des
Berufs jedes Menschen selbst zu denken um sich verbreiten werden. Besonders ist hiebei: daß das Publikum, welches zuvor von ihnen unter dieses Joch
gebracht worden, sie hernach selbst zwingt darunter
zu bleiben, wenn es von einigen seiner Vormünder,
die selbst aller Aufklärung unfähig sind, dazu auf-

　　　　　ge-

gewiegelt worden; so schädlich ist es Vorurtheile zu
pflanzen, weil sie sich zuletzt an denen selbst rächen,
die, oder deren Vorgänger, ihre Urheber gewesen
sind. Daher kann ein Publikum nur langsam zur
Aufklärung gelangen. Durch eine Revolution wird
vielleicht wohl ein Abfall von persönlichem Despotism und gewinnsüchtiger oder herrschsüchtiger Be-
drükkung, aber niemals wahre Reform der Denkungsart zu Stande kommen; sondern neue Vorurtheile werden, eben sowohl als die alten, zum
Leitbande des gedankenlosen großen Haufens
dienen.

Zu dieser Aufklärung aber wird nichts erfordert
als Freiheit; und zwar die unschädlichste unter
allem, was nur Freiheit heißen mag, nämlich die:
von seiner Vernunft in allen Stükken öffentlichen
Gebrauch zu machen. Nun höre ich aber von allen Seiten rufen: räsonnirt nicht! Der Offizier sagt: räsonnirt nicht, sondern exercirt! Der
Finanzrath: räsonnirt nicht, sondern bezahlt! Der
Geistliche: räsonnirt nicht, sondern glaubt! (Nur
ein einziger Herr in der Welt sagt: räsonnirt, so
viel ihr wollt, und worüber ihr wollt; aber gehorcht!) Hier ist überall Einschränkung der Freiheit. Welche Einschränkung aber ist der Aufklärung hinderlich? welche nicht, sondern ihr wohl gar
beförderlich? — Ich antworte: der öffentliche
Gebrauch seiner Vernunft muß jederzeit frei sein,
und der allein kann Aufklärung unter Menschen zu

Stande bringen; der Privatgebrauch derselben
aber darf öfters sehr enge eingeschränkt sein, ohne
doch darum den Fortschritt der Aufklärung sonderlich zu hindern. Ich verstehe aber unter dem öffentlichen Gebrauche seiner eigenen Vernunft denjenigen, den jemand als Gelehrter von ihr vor
dem ganzen Publikum der Leserwelt macht. Den
Privatgebrauch nenne ich denjenigen, den er in einem gewissen ihm anvertrauten bürgerlichen Posten, oder Amte, von seiner Vernunft machen darf.
Nun ist zu manchen Geschäften, die in das Interesse des gemeinen Wesens laufen, ein gewisser Me-
chanism nothwendig, vermittelst dessen einige Glieder des gemeinen Wesens sich bloß passiv verhalten
müssen, um durch eine künstliche Einhelligkeit von
der Regierung zu öffentlichen Zwekken gerichtet,
oder wenigstens von der Zerstörung dieser Zwekke
abgehalten zu werden. Hier ist es nun freilich nicht
erlaubt, zu räsonniren; sondern man muß gehorchen. So fern sich aber dieser Theil der Maschine
zugleich als Glied eines ganzen gemeinen Wesens,
ja sogar der Weltbürgergesellschaft ansieht, mithin
in der Qualität eines Gelehrten, der sich an ein Publikum im eigentlichen Verstande durch Schriften
wendet; kann er allerdings räsonniren, ohne daß
dadurch die Geschäfte leiden, zu denen er zum Theile als passives Glied angesetzt ist. So würde es
sehr verderblich sein, wenn ein Offizier, dem von
seinen Oberen etwas anbefohlen wird, im Dienste

über die Zwekmäßigkeit oder Nützlichkeit dieses Be-
fehls laut vernünfteln wollte; er muß gehorchen.
Es kann ihm aber billigermaßen nicht verwehrt
werden, als Gelehrter, über die Fehler im Krieges-
dienste Anmerkungen zu machen, und diese seinem
Publikum zur Beurtheilung vorzulegen.   Der Bürger kann sich nicht weigern, die ihm auferlegten
Abgaben zu leisten; sogar kann ein vorwitziger Tadel solcher Auflagen, wenn sie von ihm geleistet
werden sollen, als ein Skandal (das allgemeine
Widersetzlichkeiten veranlassen könnte) bestraft werden. Eben derselbe handelt demohngeachtet der
Pflicht eines Bürgers nicht entgegen, wenn er, als
Gelehrter, wider die Unschiklichkeit oder auch Ungerechtigkeit solcher Ausschreibungen öffentlich seine
Gedanken äußert. Eben so ist ein Geistlicher verbunden, seinen Katechismusschülern und seiner Gemeine nach dem Symbol der Kirche, der er dient,
seinen Vortrag zu thun; denn er ist auf diese Bedingung angenommen worden. Aber als Gelehrter hat er volle Freiheit, ja sogar den Beruf dazu,
alle seine sorgfältig geprüften und wohlmeinenden
Gedanken über das Fehlerhafte in jenem Symbol,
und Vorschläge wegen besserer Einrichtung des Religions und Kirchenwesens, dem Publikum mitzutheilen. Es ist hiebei auch nichts, was dem Gewissen zur Last gelegt werden könnte. Denn, was
er zu Folge seines Amts, als Geschäftträger der
Kirche, lehrt, das stellt er als etwas vor, in Anse-
                                                        hung

(487)

hung deſſen er nicht freie Gewalt hat nach eigenem
Gutdünken zu lehren, ſondern das er nach Vorſchrift und im Namen eines andern vorzutragen
angeſtellt iſt. Er wird ſagen: unſere Kirche lehrt
dieſes oder jenes; das ſind die Beweisgründe, deren
ſie ſich bedient. Er zieht alsdann allen praktiſchen
Nutzen für ſeine Gemeinde aus Satzungen, die er
ſelbſt nicht mit voller Ueberzeugung unterſchreiben
würde, zu deren Vortrag er ſich gleichwohl anhei-
ſchig machen kann, weil es doch nicht ganz unmöglich iſt, daß darin Wahrheit verborgen läge, auf
alle Fälle aber wenigſtens doch nichts der innern Religion widerſprechendes darin angetroffen wird.
Denn glaubte er das letztere darin zu finden, ſo
würde er ſein Amt mit Gewiſſen nicht verwalten
können; er müßte es niederlegen. Der Gebrauch
alſo, den ein angeſtellter Lehrer von ſeiner Vernunft vor ſeiner Gemeinde macht, iſt bloß ein Privatgebrauch; weil dieſe immer nur eine häusliche, obzwar noch ſo große, Verſammlung iſt; und
in Anſehung deſſen iſt er, als Prieſter, nicht frei,
und darf es auch nicht ſein, weil er einen fremden
Auftrag ausrichtet. Dagegen als Gelehrter, der
durch Schriften zum eigentlichen Publikum, nämlich der Welt, ſpricht, mithin der Geiſtliche im öffentlichen Gebrauche ſeiner Vernunft, genießt
einer uneingeſchränkten Freiheit, ſich ſeiner eigenen
Vernunft zu bedienen und in ſeiner eigenen Perſon
zu ſprechen. Denn daß die Vormünder des Volks

Hh 4 (in

(in geiſtlichen Dingen) ſelbſt wieder unmündig ſein
ſollen, iſt eine Ungereimtheit, die auf Verewigung
der Ungereimtheiten hinausläuft.

Aber ſollte nicht eine Geſellſchaft von Geiſtlichen, etwa eine Kirchenverſammlung, oder eine
ehrwürdige Klaſſis (wie ſie ſich unter den Holländern ſelbſt nennt) berechtigt ſein, ſich eidlich unter
einander auf ein gewiſſes unveränderliches Symbol
zu verpflichten, um ſo eine unaufhörliche Obervor-
mundſchaft über jedes ihrer Glieder und vermittelſt
ihrer über das Volk zu führen, und dieſe ſo gar zu
verewigen? Ich ſage: das iſt ganz unmöglich.
Ein ſolcher Kontrakt, der auf immer alle weitere
Aufklärung vom Menſchengeſchlechte abzuhalten ge-
ſchloſſen würde, iſt ſchlechterdings null und nichtig;
und ſollte er auch durch die oberſte Gewalt, durch
Reichstäge und die feierlichſten Friedensſchlüſſe beſtätigt ſein. Ein Zeitalter kann ſich nicht verbün-
den und darauf verſchwören, das folgende in einen
Zuſtand zu ſetzen, darin es ihm unmöglich werden
muß, ſeine (vornehmlich ſo ſehr angelegentliche)
Erkenntniſſe zu erweitern, von Irrthümern zu reinigen, und überhaupt in der Aufklärung weiter zu
ſchreiten. Das wäre ein Verbrechen wider die
menſchliche Natur, deren urſprüngliche Beſtim-
mung gerade in dieſem Fortſchreiten beſteht; und die
Nachkommen ſind alſo vollkommen dazu berechtigt,
jene Beſchlüſſe, als unbefugter und frevelhafter
Weiſe genommen, zu verwerfen. Der Probierſtein
alles

alles deſſen, was über ein Volk als Geſetz beſchloſ⸗
ſen werden kann, liegt in der Frage: ob ein Volk
ſich ſelbſt wohl ein ſolches Geſetz auferlegen könnte?
Nun wäre dieſes wohl, gleichſam in der Erwartung
eines beſſern, auf eine beſtimmte kurze Zeit mög⸗
lich, um eine gewiſſe Ordnung einzuführen; indem
man es zugleich jedem der Bürger, vornehmlich dem
Geiſtlichen, frei ließe, in der Qualität eines Gelehr⸗
ten öffentlich, d. i. durch Schriften, über das Feh⸗
lerhafte der dermaligen Einrichtung ſeine Anmer⸗
kungen zu machen, indeſſen die eingeführte Ord⸗
nung noch immer fortdauerte, bis die Einſicht in
die Beſchaffenheit dieſer Sachen öffentlich ſo weit
gekommen und bewähret worden, daß ſie durch Ver⸗
einigung ihrer Stimmen (wenn gleich nicht aller)
einen Vorſchlag vor den Thron bringen könnte, um
diejenigen Gemeinden in Schutz zu nehmen, die
ſich etwa nach ihren Begriffen der beſſeren Einſicht
zu einer veränderten Religionseinrichtung geeinigt
hätten, ohne doch diejenigen zu hindern, die es beim
Alten wollten bewenden laſſen. Aber auf eine be⸗
harrliche, von Niemanden öffentlich zu bezweifelnde
Religionsverfaſſung, auch nur binnen der Lebens⸗
dauer eines Menſchen, ſich zu einigen, und dadurch
einen Zeitraum in dem Fortgange der Menſchheit
zur Verbeſſerung gleichſam zu vernichten, und
fruchtlos, dadurch aber wohl gar der Nachkommen⸗
ſchaft nachtheilig, zu machen, iſt ſchlechterdings un⸗
erlaubt. Ein Menſch kann zwar für ſeine Perſon,

und auch alsdann nur auf einige Zeit, in dem was
ihm zu wissen obliegt die Aufklärung aufschieben;
aber auf sie Verzicht zu thun, es sei für seine Person, mehr aber noch für die Nachkommenschaft,
heißt die heiligen Rechte der Menschheit verletzen
und mit Füßen treten.   Was aber nicht einmal ein
Volk über sich selbst beschließen darf, das darf noch
weniger ein Monarch über das Volk beschließen;
denn sein gesetzgebendes Ansehen beruht eben darauf, daß er den gesammten Volkswillen in dem seinigen vereinigt.   Wenn er nur darauf sieht, daß
alle wahre oder vermeinte Verbesserung mit der bürgerlichen Ordnung zusammen bestehe; so kann er
seine Unterthanen übrigens nur selbst machen lassen,
was sie um ihres Seelenheils willen zu thun nöthig
finden; das geht ihn nichts an, wohl aber zu ver-
hüten, daß nicht einer den andern gewaltthätig hin-
dere, an der Bestimmung und Beförderung desselben nach allem seinen Vermögen zu arbeiten.   Es
thut selbst seiner Majestät Abbruch, wenn er sich
hierin mischt, indem er die Schriften, wodurch
seine Unterthanen ihre Einsichten ins Reine zu bringen suchen, seiner Regierungsaufsicht würdigt, sowohl wenn er dieses aus eigener höchsten Einsicht
thut, wo er sich dem Vorwurfe aussetzt: Caesar
non est supra Grammaticos, als auch und noch weit
mehr, wenn er seine oberste Gewalt so weit erniedrigt, den geistlichen Despotism einiger Tyrannen
in

in seinem Staate gegen seine übrigen Unterthanen
zu unterstützen.

Wenn denn nun gefragt wird: Leben wir jetzt
in einem aufgeklärten Zeitalter? so ist die Antwort: Nein, aber wohl in einem Zeitalter der
Aufklärung. Daß die Menschen, wie die Sachen jetzt stehen, im Ganzen genommen, schon im
Stande wären, oder darin auch nur gesetzt werden
könnten, in Religionsdingen sich ihres eigenen Verstandes ohne Leitung eines Andern sicher und gut zu
bedienen, daran fehlt noch sehr viel. Allein, daß
jetzt ihnen doch das Feld geöffnet wird, sich dahin
frei zu bearbeiten, und die Hindernisse der allgemeinen Aufklärung, oder des Ausganges aus ihrer
selbst verschuldeten Unmündigkeit, allmälig weniger
werden, davon haben wir doch deutliche Anzeigen.
In diesem Betracht ist dieses Zeitalter das Zeitalter der Aufklärung, oder das Jahrhundert Friederichs.

Ein Fürst, der es seiner nicht unwürdig findet,
zu sagen: daß er es für Pflicht halte, in Religionsdingen den Menschen nichts vorzuschreiben, sondern ihnen darin volle Freiheit zu lassen, der also
selbst den hochmüthigen Namen der Toleranz von
sich ablehnt: ist selbst aufgeklärt, und verdient von
der dankbaren Welt und Nachwelt als derjenige gepriesen zu werden, der zuerst das menschliche Geschlecht der Unmündigkeit, wenigstens von Seiten
der Regierung, entschlug, und Jedem frei ließ, sich

in

(492)

in allem, was Gewissensangelegenheit ist, seiner
eigenen Vernunft zu bedienen. Unter ihm dürfen
verehrungswürdige Geistliche, unbeschadet ihrer
Amtspflicht, ihre vom angenommenen Symbol hier
oder da abweichenden Urtheile und Einsichten, in
der Qualität der Gelehrten, frei und öffentlich der
der Welt zur Prüfung darlegen; noch mehr aber
jeder andere, der durch keine Amtspflicht eingeschränkt ist. Dieser Geist der Freiheit breitet sich
auch außerhalb aus, selbst da, wo er mit äußeren
Hindernissen einer sich selbst mißverstehenden Regierung zu ringen hat. Denn es leuchtet dieser doch
ein Beispiel vor, daß bei Freiheit, für die öffentliche
Ruhe und Einigkeit des gemeinen Wesens nicht das
mindeste zu besorgen sei. Die Menschen arbeiten
sich von selbst nach und nach aus der Rohigkeit heraus, wenn man nur nicht absichtlich künstelt, um
sie darin zu erhalten.

Ich habe den Hauptpunkt der Aufklärung, die
des Ausganges der Menschen aus ihrer selbst verschuldeten Unmündigkeit, vorzüglich in Religionssachen gesetzt: weil in Ansehung der Künste und
Wissenschaften unsere Beherrscher kein Interesse
haben, den Vormund über ihre Unterthanen zu
spielen; überdem auch jene Unmündigkeit, so wie
die schädlichste, also auch die entehrendste unter allen ist. Aber die Denkungsart eines Staatsober-
haupts, der die erstere begünstigt, geht noch weiter,
und sieht ein: daß selbst in Ansehung seiner Ge-
setzge-

ſeṫgebung es ohne Gefahr ſei, ſeinen Unterthanen
zu erlauben, von ihrer eigenen Vernunft öffentlichen Gebrauch zu machen, und ihre Gedanken
über eine beſſere Abfaſſung derſelben, ſogar mit einer freimüthigen Kritik der ſchon gegebenen, der
Welt öffentlich vorzulegen; davon wir ein glänzen-
des Beiſpiel haben, wodurch noch kein Monarch
demjenigen vorging, welchen wir verehren.

Aber auch nur derjenige, der, ſelbſt aufgeklärt,
ſich nicht vor Schatten fürchtet, zugleich aber ein
wohldiſciplinirtes zahlreiches Heer zum Bürgen
der öffentlichen Ruhe zur Hand hat, — kann das
ſagen, was ein Freiſtaat nicht wagen darf: räſon-
nirt ſo viel ihr wollt, und worüber ihr wollt;
nur gehorcht! So zeigt ſich hier ein befremdli-
cher nicht erwarteter Gang menſchlicher Dinge; ſo
wie auch ſonſt, wenn man ihn im Großen betrachtet, darin faſt alles paradox iſt. Ein größerer
Grad bürgerlicher Freiheit ſcheint der Freiheit des
Geiſtes des Volks vortheilhaft, und ſetzt ihr doch
unüberſteigliche Schranken; ein Grad weniger von
jener verſchaft hingegen dieſem Raum, ſich nach allem ſeinen Vermögen auszubreiten. Wenn denn
die Natur unter dieſer harten Hülle den Keim, für
den ſie am zärtlichſten ſorgt, nämlich den Hang und
Beruf zum freien Denken, ausgewikkelt hat; ſo
wirkt dieſer allmählig zurück auf die Sinnesart des
Volks (wodurch dieſes der **Freiheit zu handeln**

nach

(494)

nach und nach fähiger wird), und endlich auch so=
gar auf die Grundsätze der Regierung, die es ihr
selbst zuträglich findet, den Menschen, der nun=
mehr als Maschine ist, seiner Würde gemäß zu
behandeln. *)

J. Kant.

Königsberg in Preußen, den 30.
      Septemb. 1784.

*) In den Büsching'schen wöchentlichen Nachrichten
vom 13. Sept. lese ich heute den 30sten eben dess. die
Anzeige der Berlinischen Monatsschrift von diesem
Monat, worin des Herrn Mendelssohn Beantwor=
tung eben derselben Frage angeführt wird. Mir ist sie
noch nicht zu Händen gekommen; sonst würde sie
die gegenwärtige zuükgehalten haben, die jetzt nur
zum Versuche da stehen mag, wiefern der Zufall
Einstimmigkeit der Gedanken zuwege bringen
könne.

ANMERKUNGEN

Michael Albrecht/Norbert Hinske

ANMERKUNGEN

Kupferstich des Freiherrn Karl Abraham v. Zedlitz

Karl Abraham Freiherr v. Zedlitz (1731—1793), von 1771
bis 1788 preußischer Minister der geistlichen Angelegenheiten (Kultusminister). Einflußreicher Förderer und „Be-
schützer" (Kant) der Aufklärung. Biester war seit 1777 Sekretär des Ministers. — Ein tabellarischer Lebenslauf sowie
ein Schriftenverzeichnis des Freiherrn v. Zedlitz findet sich
im Anschluß an den Gedenkartikel „Zedlitz" (XXI 537 ff.).

Friedrich Gedike u. Johann Erich Biester
Vorrede der Herausgeber

$4_{1\ v.\ u.}$ Die Buchstaben „G." und „B." bezeichnen hier —
wie auch in zahlreichen Anmerkungen der folgenden Aufsätze — die beiden Herausgeber Gedike und Biester.

Johann August Eberhard
Ueber den Ursprung der Fabel von der weißen Frau

Johann August Eberhard (1739—1809), von 1763—1778
in Berlin, mit Moses Mendelssohn und Friedrich Nicolai be-
freundet, seit 1778 Professor der Philosophie in Halle, angesehener Wolffianer, erbitterter Gegner der Kantischen
Philosophie. Vgl. dazu *Kant's gesammelte Schriften,* hrsg.
von der Königlich Preußischen Akademie der Wissenschaften, Bd. 8, Berlin u. Leipzig ²1923 (¹1912), S. 492 ff.
Die zweite Auflage des ersten Stücks des ersten Jahrgangs
hat eine abweichende Paginierung. Bei Ursula Schulz, *Die*

Berlinische Monatsschrift (1783—1796), Eine Bibliographie [*Bremer Beiträge zur freien Volksbildung*, Heft 11], Bremen 1968, S. 15, sind die Paginierungen der ersten und zweiten Auflage vermengt.

5₁ ff. *Fabel von der weißen Frau.*] Zum Inhalt des Aufsatzes vgl. Hermann Kügler, „Die Sage von der Weißen Frau im Schlosse zu Berlin" (in: *Mitteilungen des Vereins für die Geschichte Berlins* XLV/1928, S. 57—96).

5₅ f. Erforschung des Ursprunges der Legenden und Fabeln;] Zum methodischen Ansatz des Aufsatzes vgl. den Beitrag von Pierre Prevost „Ueber den vorgeblichen Einfluß des Sterns Kapella": „Einer der Endzwekke Ihrer Monatsschrift ... ist ... die Bestreitung der Volksirrthümer durch die Nachspürung des Ursprungs derselben" (II 537).

6₁ v. u. Mabillon Musaeum ital. T. I. p. 86. 87.] Jean Mabillon u. Michel Germain, *Museum Italicum seu collectio veterum scriptorum ex bibliothecis italicis*, 2 Bde., Paris 1687 und 1689 (Nachdruck Rom 1962), Bd. 1, Teil 1, S. 88 f. — 2. Aufl. Paris 1724, Bd. 1, Teil 1, S. 86 f.

9₉ ff. v. u. *Johann Christoph Nagels* Dissert. de celebri spectro, quod vulgo die weisse Frau nominant, Wittenberg 1723,] Johann Christoph Nagel, *Dissertatio historico-metaphysica de celebri spectro quod vulgo Die Weisse Frau nominant*, Königsberger Diss. vom 15. Juli 1723, Neudruck Wittenberg 1743, S. 6 ff. — Zum Verhältnis der beiden Drucke vgl. Johann Georg Theodor Gräße, *Bibliotheca magica et pneumatica*, Leipzig 1843, S. 22.

9₅ f. v. u. *Balthasar Beckers* bezauberter Welt, Leipzig 1781,] Balthasar Bekker, *Bezauberte Welt*, Neu übersetzt von Johann Moritz Schwager, durchgesehen und vermehrt von Johann Salomo Semler, 3 Bde., Leipzig 1781 f.; Bd. 1, S. 185 f., Anm. (1. Aufl. im niederländischen Original 1691—1693).

10₁₁ f. erzählt der damalige Hofprediger *Johann Bergius:*] Johann Bergius, *Fürstlicher Todeskampff ... Joachimi-Sigismundi, Marggraffens zu Brandenburgk ... Welchen Er den $\frac{\text{22. Febr.}}{\text{4. Mart.}}$ im Jahr 1625. auff dem Churf. Hause zu Cölln an*

der Spree ... geendet, Berlin 1625, S. 60 f. (unpaginiert).
11₁₄ des Königs Hiskiä,] Vgl. 2. Buch Könige, Kap. 18
bis 20 und Jesaja, Kap. 38.

12₁₂ M. Gottfr. *Schütze*,] Gottfried Schütze, *Schuzschrif-
ten für die alten Nordischen und Deutschen Völker*, Des
zweyten Bandes zweyte Samlung, Leipzig 1753, S. 84.

12₁₆ f. aus Joh. Picard. annal. Drenth. dist. 9. pag. 46 abgeschrieben,] Johan Picardt, *Korte beschryvinge Van eenige
... antiquiteten ... Waer by gevoeght zijn annales Dren-
thiae*, Amsterdam 1660, S. 46 f. (Schütze zitiert wohl nicht
nach dieser ersten Auflage dieser Chronik der niederländischen Provinz Drenthe, sondern nach der zweiten Auflage
von 1731.)

14₃ ff. Die gleiche Erklärung findet sich in dem anonymen
Beitrag „Was nicht gut ist; und was besser wäre" (I 351).

15₆ *Herrera*] Antonio de Herrera y Tordesillas (1559 bis
1625), Geschichtsschreiber der spanischen Entdeckungen und
kastilischer Hofhistoriograph.

15₁ v. u. S. CARPENTERII Glossarium v. Blanca.] Vgl.
Carolus Du Cange [d. i. Sieur Charles Du Fresne], *Glossarium mediae et infimae latinitatis*, Nachdruck der Ausgabe
von [Paris] 1883—1887, 10 Bde., Graz 1954; Bd. 1,
S. 674 s. v. Blanca. (Die Erstausgabe des „Du Cange" erschien Paris 1678.) — In: Pierre Carpentier, *Glossarium
novum ad scriptores medii aevi ... seu supplementum ad
auctiorem glossarii Cangiani editionem*, 4 Bde., Paris 1766,
findet sich die erwähnte Stelle dagegen nicht.

16₁ f. Der Schriftsteller, aus dem *Carpentier* diese Nachricht anführt, sezt hinzu:] Bei Du Cange a. a. O.

16₂ f. v. u. Melanges tirés d'une grande Bibliotheque Lett.
F. S. 4] *Mélanges tirés d'une grande bibliothèque*, Bd. 6:
F. *De la lecture des livres françois*, 3ᵉ partie, Paris 1780,
S. 4 ff.

22₁₄ f. das alte deutsche *Vocabularium* von 1482] Conrad
Zeninger [Drucker], *Vocabularius theutonicus*, Nürnberg
1482, s. v. Scheinender.

22₁ v. u. S. Haltausii Calendar. medii Aevi. S. 37.]
Christian Gottlob Haltaus, *Calendarium medii aevi praeci-*

pue germanicum in quo obscuriora mensium, dierum, festo-
rum ac temporum nomina ex antiquis monumentis tam
editis quam m[anu]sc[rip]tis eruuntur . . ., Leipzig 1729,
S. 37 f.

23₂ f. v. u.   *S. Johann Leonhard Frisch* Deutsch-Lateinisches
Wörterbuch v. *Percht.*] Johann Leonhard Frisch, *Teutsch-*
Lateinisches Wörter-Buch, 2 Bde., Berlin 1741; Bd. 2, S. 44,
Sp. 2 s. v. Percht (vgl. Prechen-Tag: Bd. 1, S. 83, Sp. 1 s. v.
Brecht).

Friedrich Gedike
Nachtrag zu der Legende von der weißen Frau

Zum Verfasser vgl. Einleitung S. XXI—XXIII.

26₁ v. u.   der Jesuit *Balbinus,*] Bohuslaus Aloysius Balbinus, *Miscellanea historica regni Bohemiae,* Dekade 1, Buch 3,
Prag 1681 (Buch 1 Prag 1679, Buch 2 Prag 1680), S. 184
bis 199.

27₂   Erasmus *Francisci,*] Erasmus Francisci, *Der Höllische*
Proteus oder Tausendkünstige Versteller vermittelst Er-
zehlung der vielfältigen Bild-Verwechslungen Erscheinen-
der Gespenster . . ., Nürnberg ¹1690, S. 59—92.

27₅ ff.   *Brand* (Rektor zu Spandau) in einer kleinen Schul-
schrift: *Die von Gott erschaffne unsichtbare Welt,* 1725.]
Nach Hermann Kügler, „Die Sage von der Weißen Frau im
Schlosse zu Berlin" (in: *Mitteilungen des Vereins für die*
Geschichte Berlins XLV/1928, S. 57—96), S. 91, lautet der
Titel der Schrift: Samuel Jacobi, Brand.[enburgensis]
Lyc.[ei] Spand.[oviensis] Rector, *Die von Gott erschaffne*
unsichtbare Welt, Spandau 1725. — Zu Samuel Jacobi vgl.
Richard Lamprecht, *Die Große Stadtschule von Spandau*
von ca. 1300 bis 1853, Wissenschaftliche Beilage zum Jahres-
bericht des Königlichen Gymnasiums zu Spandau, 1903,
S. 60 ff.

31₁₄   *Wilhelm Slavata,*] Vgl. Balbinus, a. a. O. S. 185:
„Facit hujus *Albae Dominae* mentionem in Apologeticis suis
libris *Wilhelmus Slavata Regni Cancellarius, et Arcis illius*

Dominus, et tanquam de re certissima, et pervulgata loqui-
tur; addit, sed infirma, et improbabili cujusdam Sacerdotis
(qui plures visis suis deceperat) authoritate seductus: *Albam*
illam *Dominam,* quamdiu *Arx Novodemensis* steterit, e
purgantibus flammis liberari non posse, cadente, aut diruta
Arce poenis omnibus eximendam."

32$_{15\,f.}$ Doch schreibt *Gerlach* (im türkischen Tagebuche,)]
Stephan Gerlach der Ältere, [sog. Türkisches] *Tage-Buch
Der von zween Glorwürdigsten Römischen Käysern Maxi-
miliano und Rudolpho* ... *An die Ottomanische Pforte zu
Constantinopel Abgefertigten* ... *Gesandtschafft,* hrsg. von
Samuel Gerlach, Frankfurt am Main 1674, S. 301, Sp. 1.

34$_{9\,f.}$ in Francisci höllischem Proteus S. 83] Vgl. Anm. zu
27$_2$.

36$_{3\,f.\,v.\,u.}$ S. Cernitii electorum Brandenb. eicones p. 54
und 64.] Johannes Cernitius, *Decem è Familiâ Burggravio-
rum Nurnbergensium Electorum Brandenburgicorum eicones*
... *Eorumque Res gestae,* Berlin 1628, S. 54 u. 64 f.

36$_{2\,f.\,v.\,u.}$ Pauli's preußische Staatsgeschichte B. 3. S. 194.]
Carl Friedrich Pauli, *Allgemeine preußische Staats-Ge-
schichte,* 8 Bde., Halle 1760—1769, Bd. 3, 1762, S. 194.

37$_{6\,ff.\,v.\,u.}$ *Peter Goldschmidt* erzählt in seinem *höllischen
Morpheus,*] Peter Goldschmid, *Höllischer Morpheus Welcher
kund wird Durch die geschehene Erscheinungen Derer Gespenster und Polter-Geister* ..., Hamburg 1704, S. 165—168.

37$_{1\,v.\,u.}$ s. Rentsch Brandenb. Cedernhayn S. 714.] Johann Wolfgang Rentsch, *Brandenburgischer Ceder-Hein,
Worinnen des Durchleuchtigsten Hauses Brandenburg Auf-
wachs- und Abstammung, auch Helden-Geschichte und Gros-
Thaten* ... *vorgestellet worden,* Bareut 1682, S. 714 f.

40$_{2\,f.\,v.\,u.}$ s. Oelrichs Beiträge zur Brandenb. Geschichte.
S. 210 und 211.] Johann Carl Conrad Oelrichs, *Beiträge
zur Brandenburgischen Geschichte,* Berlin, Stettin u. Leipzig
1761, S. 210 f.

42$_{10\,f.\,v.\,u.}$ Beim Cernitius (Electorum Brandenb. eicones
eorumque res gestae) heißt es p. 64.] Vgl. Anm. zu 36$_{3\,f.\,v.\,u.}$

43$_{2\,f.\,v.\,u.}$ s. Nicolai Beschreibung von Berlin, IIter Th.
4ter Anhang S. 8.] Friedrich Nicolai, *Beschreibung der*

Königlichen Residenzstädte Berlin und Potsdam, Neue völlig umgearbeitete Aufl., 2 Bde., Berlin 1779, Bd. 2, 4. Anhang, S. 7 u. Anm. S. 7 f. (Nicht in der ersten Aufl. von 1769 und der dritten von 1786.)

44₅ ff. v. u. Hunc igitur ...] Lukrez, *Von der Natur,* Buch 1, Vers 146 ff. und öfter, von Gedike zur Frage umformuliert (*T. Lucretius Carus, De rerum natura,* lateinisch und deutsch von Hermann Diels, 2 Bde., Berlin 1923 f.; Bd. 1, S. 9, Bd. 2, S. 6).

Karl Gottfried Schröder
*Wiederum ein Beispiel von trauriger Schwärmerei
aus Aberglauben*

Bei dem Verfasser des Beitrags handelt es sich allem Vermuten nach um Karl Gottfried Schröder, Sekretär des Oberschulkollegiums in Berlin. Zu Schröder vgl. *Kant's gesammelte Schriften,* hrsg. von der Königlich Preußischen Akademie der Wissenschaften, Bd. 13, Berlin u. Leipzig 1922, S. 675.

Bei dem vorliegenden Aufsatz handelt es sich um einen von zahllosen Beiträgen der BM, die ein konkretes Verständnis vermitteln können, woran die deutsche Aufklärung in etwa gedacht hat, wenn sie Aufklärung als die „Befreiung vom Aberglauben" (Kant, *Kritik der Urteilskraft* B 158) definiert hat (*Kant's gesammelte Schriften,* hrsg. von der Königlich Preußischen Akademie der Wissenschaften, Bd. 5, Berlin 1908, S. 294).

Gottfried Christian Voigt
Etwas über die Hexenprozesse in Deutschland

Gottfried Christian Voigt (1740—1791), Stadtsyndikus in Quedlinburg.

52₁₉ Nachrichter] Henker.

53₆ Urgicht] Ursprüngliches Geständnis.

54₉ und 1 v. u. mit dem berühmten *Leiser** *In med. ad Pand. spec. 608. med. 8.] Augustin v. Leyser, *Meditationes ad Pandectas,* Bd. 9, Halle ⁴1773 (¹1740), S. 495 f.

54₄ ff. v. u. in den schätzbaren *Beiträgen zur juristischen Litteratur in den preußischen Staaten,* in der 3ten Sammlung S. 70 u. f.] *Beyträge zu der juristischen Litteratur in den Preußischen Staaten* [hrsg. von Johann Wilhelm Bernhard v. Hymmen], Dritte Sammlung, Berlin 1779, S. 70 bis 93: „Ob und in wie fern die Angabe eines Ermordeten, der nach dem Tode erscheint, in peinlichen Fällen eine glaubwürdige Anzeigung (indicium) sey?". Vgl. den „Beschluß von Biesters Antwort an Herrn Professor Garve" (VII 46 f. und 55). Im vorliegenden Band S. 337 f. und S. 346.

56₂₂ *Voltäre* sagt] Voltaire, *Prix de la justice et de l'humanité* (1777), Article IX (in: *Oeuvres complètes de Voltaire,* Nouvelle édition, hrsg. von Louis Émile Dieudonné Moland, Bd. 30 [Mélanges IX], Paris 1880 [Nachdruck Nendeln/Liechtenstein 1967], S. 552).

57₂ f. v. u. Wir werden im nächsten Stük einige derselben liefern.] III 430—452: Gottfried Christian Voigt, „Auszüge aus einigen Hexenakten bei der Königl. Preuß. Erbvoigtei zu Quedlinburg" sowie III 453—462: ders., „Noch einige Bemerkungen über Hexenprocesse und Folter."

58₃ v. u. L e y s e r. l. c. Sp. 608. med. 14. seq.] Leyser, a. a. O. (vgl. Anm. zu 54₉ und 1 v. u.) S. 502 f.

59₉ f. v. u. Schon das *Salische Gesetz* erwähnt im 22ten Titel] Zum Tit. De maleficiis siehe *Pactus legis salicae,* hrsg. von Karl August Eckhardt [*Germanenrechte* N. F.], Bd. 1/1, Göttingen 1954, S. 256; Bd. 1/2, ebd. 1957, S. 337 (Tit. XXXII); Bd. 2/1, ebd. 1955, S. 180—183 (Tit. XIX); Bd. 2/2, ebd. 1956, S. 488 (Tit. XXI); *Lex Salica, 100 Titel-Text,* hrsg. von K. A. Eckhardt [*Germanenrechte* N. F.], Weimar 1953, S. 140—143 (Tit. XXV).

59₃ v. u. l. 3. de LL.] Die gemeinten Stellen aus dem Zwölftafelgesetz sind am angegebenen Ort (Cicero, *De legibus,* Buch 3) nicht zu finden; vgl. aber die Nachweise in den *Fontes iuris romani antiqui,* hrsg. von Karl Georg Bruns u.

Otto Gradenwitz, 2 Bde., Tübingen [7]1909 (2. Nachdruck Aalen 1969); Bd. 1, S. 28 f. (Tafel 8, 1) u. S. 30 (Tafel 8, 8). Deutsche Übersetzung in: *Das Zwölftafelgesetz*, Texte, Übersetzungen u. Erläuterungen von Rudolf Düll, München 1944, S. 49 u. 51.

59[3 v. u.]   C. de maleficis et mathematicis] Moderne Zitierweise: C.[odex] 9, 18 (*Corpus iuris civilis*, Bd. 2: *Codex Iustinianus*, hrsg. von Paul Krüger, Berlin [11]1954, S. 379 f.; vgl. besonders 9, 18, 3).

59[2 v. u.]   Decr. P. 2. causs. 26. qu. 5 cap. 8. et 10.] Dekret Gratians, Teil 2, Rechtssache 26, Frage 5, Kapitel 8 u. 10 (*Corpus iuris canonici,* hrsg. von Emil Ludwig Richter u. Emil Friedberg, Teil 1, Leipzig 1879 (Nachdruck Graz 1955), Sp. 1029).

59[1 v. u.]   Sept. Decr. L. 5. tit. 12. cap. 3 et 5.] Siebentes Buch der Dekretalen, Buch 5, Titel 12, Kapitel 3 u. 5 (Vgl. *Corpus iuris canonici*, hrsg. von Justus Henning Böhmer, 2 Bde., Halle im Magdeburgischen 1747; Bd. 2, Appendix Sp. 172 u. 174. Der *Liber septimus decretalium* des Pierre Matthieu wurde seit der Ausgabe von Emil Ludwig Richter nicht mehr in das *Corpus iuris canonici* aufgenommen. Titel 12, Kapitel 3 ist abgedruckt bei Hansen (vgl. unten Anm. zu 62[11]), Nr. 45, S. 34—36.).

61[12]   Sporteln] Gerichtsgebühren.

61[1 v. u.]   *Goldast von der Konfiskation der Hexengüter.*] Melchior Goldast Von Haimins-Feld, *Rechtliches Bedencken Von Confiscation der Zauberer und Hexen-Güther Ueber die Frage: Ob die Zauberer und Hexen Leib und Guth mit und zugleich verwürcken,* Bremen 1661; vgl. S. 160 ff. (: Die Güter fallen nicht dem Gericht, sondern dem Landesherren anheim.)

62[11]   die berüchtigte Bulle] Die Bulle *Summis desiderantes affectibus* ist abgedruckt z. B. bei Joseph Hansen, *Quellen und Untersuchungen zur Geschichte des Hexenwahns und der Hexenverfolgung im Mittelalter,* Bonn 1901 (Nachdruck Hildesheim 1963), Nr. 36, S. 24—27.

63[7 ff. v. u.]   tamen nonnulli clerici ...] Hansen, a. a. O. (vgl. Anm. zu 62[11]) S. 26, Z. 2 f.

64₁ ᵥ. ᵤ.   *Hauber* in bibl. mag. Th. 3. S. 794 u. 795.] Eberhard David Hauber, *Bibliotheca, acta et scripta magica, Nachrichten, Auszüge und Urtheile Von solchen Büchern und Handlungen, Welche Die Macht des Teufels in leiblichen Dingen betreffen*, Sechs und dreyssigstes Stück, [Lemgo] 1745 [enthalten in Bd. 3, der die Stücke 25—36 umfaßt], S. 794 f.

Christoph Meiners
Betrachtungen über die Hinrichtung mit dem Schwerdte

Christoph Meiners (1747—1810), Professor der Philosophie in Göttingen, Gegner der Kantischen Philosophie; vgl. seinen *Grundriß der Seelen-Lehre*, Lemgo 1786. — Neuere Literatur zum Thema des Aufsatzes bei Kurt Rossa, *Todesstrafen, Ihre Wirklichkeit in drei Jahrtausenden*, Oldenburg u. Hamburg 1966, S. 239—245 und bei Ludwig Barring, *Göttersspruch und Henkerhand. Die Todesstrafen in der Geschichte der Menschheit*, Bergisch-Gladbach 1967, S. 259 bis 261.

69₂₈   vom Ulpian] Domitius Ulpianus (um 170—228), römischer Jurist. Seine Werke sind in Bruchstücken in den Digesten des Corpus iuris civilis überliefert.
69₂₉   L. 8. §. 1. Dig. de poen.] Moderne Zitierweise: D.[igesta] 48, 19, 8, 1 (*Corpus iuris civilis*, Bd. 1: *Institutiones*, hrsg. von Paul Krüger; *Digesta*, hrsg. von Theodor Mommsen u. Paul Krüger, Berlin ¹⁶1954, S. 865).
69₂ ᵥ. ᵤ.   Spart. in Carac. c. 4.] Gemeint ist die angeblich von Aelius Spartianus verfaßte Vita des Kaisers Antoninus Caracalla (*Scriptores historiae Augustae*, hrsg. von Ernst Hohl, 2 Bde., Leipzig 1965; Bd. 1, S. 186).
70₁₅ f.   Daepler im Schauplatz der Leibes- und Lebensstrafen P. II. c. 2. n. 19 seqq.] Jacob Döpler, *Theatrum poenarum ... Oder Schau-Platz Derer Leibes und Lebens-Straffen ...*, Bd. 1 Sondershausen 1693, Bd. 2 Leipzig 1697; Bd. 2, S. 12 ff.

70[16 f.]   Böhmer ad const. crim. carol. art. 192 §. 1.] Johann
Samuel Friedrich v. Böhmer, *Meditationes in constitutionem
criminalem carolinam*, Halle im Magdeburgischen 1774,
S. 892 f.

70[17 f.]   Quistorp peinl. Recht §. 73.] Johann Christian
Edler von Quistorp, *Grundsätze des deutschen Peinlichen
Rechts*, 2 Bde., Rostock u. Leipzig [5]1794 ([1]1770); Bd. 1,
S. 87—90.

70[26]   Nachrichter] Henker.

70[28 f.]   Böhmer ad Carpzov. Prax. Crim. T. III. p. 391.]
Benedict Carpzov, *Practicae novae imperialis Saxonicae
rerum criminalium partes tres*. ... Editio novissima, ...
aucta a Joanne Samuele Friderico Böhmero ..., Frankfurt
am Main 1758, Bd. 3, S. 391.

71[9]   Gewerker] Handwerker.

71[12 f.]   beim *Carpzov* S. 393] Ebd. S. 393 f.

71[30 f.]   Franz Pyrard] François Pyrard, *Discours du voyage
des Français aux Indes orientales*, Paris [1]1615.

72[2 f. v. u.]   Herr Möhsen in seiner Geschichte der Wissenschaften in der Mark Brandenburg.] Johann Carl Wilhelm
Möhsen, *Beschreibung einer Berlinischen Medaillen-Samm-
lung* ..., 2 Bde., Berlin u. Leipzig 1773 u. 1781. Bd. 2: *Geschichte der Wissenschaften in der Mark Brandenburg*.

77[23 ff.]   Cicero in Verrem V. 45.] Anklagerede Ciceros
gegen den Propraetor C. Verres, Buch 5, Kap. 45 (*M. Tulli
Ciceronis scripta*, fasc. 13: *In Verrem actionis secundae
libri IV, V*, hrsg. von Alfred Klotz, Leipzig [2]1949, S. 478 f.).

78[7 f.]   in den Reisen des Pere Labat] *Voyages du P. Labat*
[d. i. Père Jean-Baptiste Labat] ... *en espagne et en italie*,
8 Bde., Amsterdam 1731 ([1]1730); Bd. 6, S. 15 f. — Vgl.
Alister Kershaw, *Die Guillotine, Eine Geschichte des mechanischen Fallbeils*, Hamburg 1959 (London [1]1958), S. 40—43.

Friedrich Gedike
Ueber den Ursprung der Weihnachtsgeschenke

Zum Verfasser vgl. Einleitung S. XXI—XXIII.

Mit zahlreichen sachlichen wie stilistischen Änderungen wiederabgedruckt in: Friedrich Gedike, *Vermischte Schriften,* Berlin 1801, S. 200—214.
Neuere Literatur zur Entstehungsgeschichte des Weihnachtsfestes in: *Liturgisch Woordenboek,* hrsg. von Lukas Brinkhoff u. a., Bd. 2, Roermund 1968, Sp. 1329—1338 s. v. Kerstmis.

82$_{22}$ Astronom] Astronomen *(Vermischte Schriften).*
83$_{11}$ überall] Altertümliche Form für „überhaupt".
84$_{13}$ (Constitutt. apostol. l. 8. c. 33.)] *Constitutiones Apostolorum,* Buch 8, Kap. 33, 6 (*Didascalia et constitutiones Apostolorum,* hrsg. von Franciscus Xaverius Funk, Paderborn 1905, Bd. 1, S. 540).
84$_{23}$ (Saturn. l. 1. c. 10.)] Makrobius, *Saturnalia,* Buch 1, Kap. 10, 2 (*Ambrosii Theodosii Macrobii Saturnalia,* hrsg. von Jakob Willis, Leipzig 1963, S. 40).
84$_{26}$ in Lukians Saturnalien] Lukian, *Saturnalia,* Kap. 2 (*Lucian,* Bd. 6, hrsg. u. übersetzt von K. Kilburn, London u. Cambridge, Massachusetts 1959, S. 90). — Als zeitgenössische deutsche Übersetzung vgl. *Lucians von Samosata Sämtliche Werke.* Aus dem Griechischen übersetzt und mit Anmerkungen und Erläuterungen versehen von Christoph Martin Wieland, Teil 3, Leipzig 1788, S. 3 ff.
84$_{27}$ Lipsii Saturn.] Justus Lipsius [Joest Lips], *Saturnalium Sermonum libri duo, Qui de Gladiatoribus,* Antwerpen 1585 (1598 und öfter).
84$_{28}$ Wildvogelii Chronoscopia legalis p. 286.] Christian Wildvogel, *Chronoscopia legalis sive De jure festorum et praecipuorum anni temporum Commentatio ex vario jure, historia et antiquitatibus concinnata,* Jena 1700, S. 286.
84$_{29}$ Macrob. Sat. I, 7.] Makrobius, *Saturnalia,* Buch 1, Kap. 7, 32 (a. a. O. S. 33).
85$_{12}$ (Lucian. Sat. c. 13.)] Lukian, *Saturnalia,* Kap. 13 (a. a. O. S. 106).
85$_{19}$ Beim Lukian (Saturn. c. 7.)] Lukian, *Saturnalia,* Kap. 7 (ebd. S. 98).
85$_{23}$ id. c. 20.] Lukian, *Saturnalia,* Kap. 20 (ebd. S. 116 ff.).

85₂₄ Macrob. Saturn. I, 7.] Makrobius, *Saturnalia*, Buch 1, Kap. 7, 25 (a. a. O. S. 31).

85₃ ᵥ. ᵤ. Macrob. Saturn. I, 10. & 11.] Makrobius, *Saturnalia*, Buch 1, Kap. 10, 24 u. Kap. 11, 49 (ebd. S. 43 u. S. 53).

85₃ f. ᵥ. ᵤ. Sueton. in Claud. c. 5.] C. Suetoni Tranquilli *De vita Caesarum*, Buch 5: *Divus Claudius*, Kap. 5 (*C. Suetoni Tranquilli opera*, Bd. 1: *De vita Caesarum libri VIII*, hrsg. von Maximilian Ihm, Stuttgart 1958, S. 194).

85₂ ᵥ. ᵤ. Spartian. Anton. Carac. 1.] Aeli Spartiani *Antoninus Caracallus*, Kap. 1, 8 (*Scriptores historiae Augustae*, hrsg. von Ernst Hohl, 2 Bde., Leipzig 1965; Bd. 1, S. 184). Vgl. auch die Anm. zu 69₃₅.

85₂ f. ᵥ. ᵤ. in Adrian. c. 17.] Aelii Spartiani *De vita Hadriani*, Kap. 17, 3 (ebd. Bd. 1, S. 18).

86₄ (Cod. Theod. l. 2. c. de feriis)] *Codex Theodosianus*, Buch II, Kap. 8, 19, interpretatio (*Theodosiani libri XVI cum constitutionibus Sirmondianis*, hrsg. von Theodor Mommsen, Bd. 1, 2, Berlin 1905, S. 88). Vgl. Wildvogel, *Chronoscopia legalis*, a. a. O. S. 297.

86₂₁ Plin. Ep. 6. 7.] Plinius der Jüngere, *Briefe*, Buch *8*, Brief 7, 1 (*C. Plini Caecili Secundi epistularum libri novem*, hrsg. von Martin Schuster, Leipzig ²1952, S. 248).

86₂₂ Martial. 5. epigr. 84.] Martial, *Epigramme*, Buch 5, Epigramm 84, Vers 6 (*M. Val. Martialis Epigrammata*, hrsg. von Wallace Martin Lindsay, Oxford ²1929, Nachdruck Oxford 1969).

86₂₃ Martial. l. 7. Ep. 28, 7.] Martial, *Epigramme*, Buch 7, Epigramm 28, Vers 7 (ebd.).

86₂₄ Wildvogelii Chronoscopia legalis p. 279. u. 298.] A. a. O. S. 278 ff. und S. 297 f.

86₂₅ Du Fresne Glossar. v. Kalendae.] Carolus Du Cange [d. i. Sieur Charles Du Fresne], *Glossarium mediae et infimae latinitatis*, Nachdruck der Ausgabe von [Paris] 1883 bis 1887, 10 Bde., Graz 1954; Bd. 4, S. 481 s. v. Kalendae. (Die Erstausgabe des „Du Cange" erschien Paris 1678.) — Zum Narrenfest vgl. neuerdings Wulf Arlt, *Ein Festoffizium des Mittelalters aus Beauvais in seiner liturgischen und musikalischen Bedeutung*, Bd. 1, Köln 1970, S. 38 ff.

87$_{1\,f.}$ Ausgelassenheiten und Ausschweifungen, die dabei vorgingen,] Vgl. die Beiträge von E., „Doch eine Anfrage an den ungenannten Zellerfelder; christliche Bakchanalien in der Christnacht betreffend" (III 56—62) und von [August Christian] Borhek, „Nachtrag zu der Nachricht von christlichen Bakchanalien in der Christnacht" (III 561—571) sowie die Anekdote „Bakchanalien in der Christnacht" (IV 431—434).

87$_{24}$ Lucian. Saturn. c. 2. & 4.] Lukian, *Saturnalia*, Kap. 2 u. 4 (a. a. O. S. 88 ff.). — Zur Sache vgl. Kurt Latte, *Römische Religionsgeschichte [Handbuch der Altertumswissenschaft*, Abt. 5, Teil 4], München 1960, S. 254 Anm. 3.

87$_{26}$ (Macrob. Sat. I, 10.)] Makrobius, *Saturnalia*, Buch 1, Kap. 10, 10 (a. a. O. S. 41).

87$_{28}$ (Dionys. Hal. l. IV. p. m. 219.)] Dionysios von Halikarnaß, *Antiquitates Romanae*, Buch 4, Kap. 14, 3 (*Dionysi Halicarnasensis Antiquitatum Romanarum quae supersunt*, hrsg. von Carl Jacoby, Bd. 2, Leipzig 1888, S. 27); p. m. = pagina mea, d. h. auf der Seite der von mir benutzten Ausgabe.

87$_{2\,v.\,u.}$ Dio Cass. l. 60.] Cassius Dio, *Römische Geschichte*, Buch 60, Kap. 19, 3 (*Cassii Dionis Cocceiani Historiarum Romanarum quae supersunt*, hrsg. von Ursulus Philippus Boissevain, Bd. 2, Berlin 1898, S. 681).

87$_{1\,v.\,u.}$ p. 957. (ed. Reim.)] *Cassii Dionis Cocceiani Historiae Romanae Quae supersunt*, Volumen II quod complectitur libros Dionis LV—LX. Passim mutilos et breviatos cum annotationibus Joannis Alberti Fabricii et nonnullis aliorum. Libros item Dionis LXI—LXXX. Ex compendio Io. Xiphilini. Cum annotationibus Hermanni Samuelis Reimari, Hamburg 1752 (Bd. 1 1750), S. 957.

90$_{25\,ff.}$ Clemens Alexandr., ... Strom I. p. m. 340.] Klemens von Alexandrien, *Teppiche*, Buch 1, Kap. 21, § 145, 5 f. (*Clemens Alexandrinus*, Bd. 2: *Stromata Buch I—VI [Die griechischen christlichen Schriftsteller der ersten drei Jahrhunderte*, hrsg. von der Kirchenväter-Commission der Königl. Preußischen Akademie der Wissenschaften, Bd. 15], hrsg. von Otto Stählin, Leipzig 1906, S. 90).

90₂ v. u. Bingham origines ecclesiast. Vol. 9. p. 67 sqq.]
Joseph Bingham, *Origines Ecclesiasticae: Or, the Antiquities
of the Christian Church*, Bd. 9, *Giving an Account, I. Of
the Festivals. II. Of the Fasts. III. Of the Marriage-Rites
observed in the Ancient Church*, London 1722, S. 72 f.
Gedike hat offenbar die lateinische Übersetzung von Johann
Heinrich Grischow benutzt: Joseph Bingham, *Origines sive
antiquitates ecclesiasticae*. Ex lingua anglicana in latinam
vertit Io. Henricus Grischovius, Bd. 9, Halle 1729, S. 67 ff.

90₁ v. u. Chrysost. homil. 31 de natali Christi.] Johannes
Chrysostomos, Homilia *In diem natalem D. n. Jesu Christi*
(*S. P. n. Joannis Chrysostomi archiepiscopi Constantinopoli-
tani, opera omnia quae exstant*, Bd. 2/1 [*Patrologiae cursus
completus, series graeca*, hrsg. von Jacques-Paul Migne,
Bd. 49], Paris 1859, Sp. 351). Deutsche Übersetzung: *Ausgewählte Schriften des heiligen Chrysostomus*, Bd. 3, übersetzt von Mathias Schmitz, Kempten 1879, S. 33.

92₁₈ Isagna] Isag*u*a.

92₂₁ Götting. Taschenbuch 1784. S. 47 f.] *Taschenbuch zum
Nutzen und Vergnügen fürs Jahr 1784*, Göttingen. Gedike
bezieht sich auf den anonymen Beitrag „Handel mit heiligen
großen Zehen in Italien", S. 47 ff.

92₂₅ f. Vitruv. L. IV. c. 5.] Vitruv, *Über Architektur*,
Buch 4, Kap. 5, 1 (*Vitruvii De architectura libri decem/
Vitruv, Zehn Bücher über Architektur*, hrsg. u. übersetzt
von Curt Fensterbusch, Darmstadt 1964, S. 188 ff.).

92₂₇ TERTULL. de Idololatr. c. 13.] Tertullian, *De idololatria*, Kap. 13 (*Quinti Septimi Florentis Tertulliani opera*,
Teil 1 [*Corpus scriptorum ecclesiasticorum latinorum*, Bd.
20], hrsg. von August Reifferscheid und Georg Wissowa,
Prag, Wien, Leipzig 1890, S. 44).

93₅ f. des Herrn E. in diesem Stük der Monatsschrift
(Nr. 6.)] Vgl. Anm. zu 87₁ f.

93₁₈ f. einer der größten Chronologen, Jos. Skaliger] Jo-
sephus Justus Scaliger (1540—1609), Honorarprofessor in
Leyden, Polyhistor, Philologe und Historiker.

93₂₀ c. 14.] Tertullian, *De idololatria*, Kap. 14 (a. a. O.
S. 46).

93₁ ᵥ. ᵤ. de emendat. temp. p. 545.] Vgl. Joseph Scaliger, *Opus de emendatione temporum*: Castigatus & multis partibus auctius, ut novum videri possit, Leyden 1598 (1. Aufl. Leyden 1583; weitere Auflagen: Erfurt 1593, Köln 1629, Genf 1629), S. 510: „Dies igitur vera natalis ignoratur". Vgl. ferner Johann Heinrich Zedler, *Grosses vollständiges Universal-Lexicon*, Bd. 55, Leipzig u. Halle 1748 (Nachdruck Graz 1962), Sp. 1209: „*Joseph Scaliger* de emendat. temp. muthmasset, des HErrn JESU Geburt sey entweder zu Anfang des Octobers, oder zu Ende des Septembers, geschehen; Gestehet aber anbey, GOtt allein nur, und kein Mensch, könne diesen Tag für gewiß sagen".

94₉ großen Mannes] großen oder verdienstvollen Mannes *(Vermischte Schriften)*.

94₁₄ in dem alten Porstischen ... Gesangbuche] Johann Porst, *Geistliche und Liebliche Lieder, Welche der Geist des Glaubens durch Doct. Martin Luthern, Johann Hermann, Paul Gerhard, und andere seine Werckzeuge, in den vorigen und jetzigen Zeiten gedichtet, und die bisher in Kirchen und Schulen Der Königl. Preuß. und Churfl. Brandenburg. Lande bekannt, und mit Königl. allergnädigster Approbation und Privilegio gedrucket und eingeführet worden ...,* Berlin 1776 (¹1708 oder 1709, ²1713).

94₂₂ Plut. Symp. 8, 1.] Plutarch, *Convivalium disputationum libri novem*, Buch 8, Frage 1 (717 B) (*Plutarchi scripta moralia*, griechisch u. lateinisch, hrsg. von Friedrich Dübner, Bd. 2, Paris 1890, S. 874).

94₂₂ Porphyr. in vita Plot.] *Porphyrii vita Plotini*, Kap. 2 (*Plotini opera*, hrsg. von Paul Henry und Hans-Rudolf Schwyzer, Bd. 1 [*Museum Lessianum, series philosophica*, Bd. 33], Paris u. Brüssel 1951, S. 3).

94₂₆ Porst. Gesangb. Nr. 41. v. 1.] A. a. O. S. 31.

94₂₆ Nr. 37. v. 2.] Ebd. S. 28. Der genaue Text lautet: „Der allerhöchste Gott spricht freundlich bey mir ein, wird gar ein kleines Kind, und heißt mein JEsulein".

E. v. K.
*Vorschlag, die Geistlichen nicht mehr bei Vollziehung
der Ehen zu bemühen*

Bei dem Verfasser des Aufsatzes handelt es sich möglicherweise um Biester selber, jedenfalls hat Biester sich an anderer Stelle des Pseudonyms E. v. K. bedient; vgl. *Kant's
gesammelte Schriften,* hrsg. von der Königlich Preußischen
Akademie der Wissenschaften, Bd. 13, Berlin 1922, S. 360.

98₃ und 3 ff. v. u.   der vortreffliche *Diez*   *In einer Abhandlung, die in den Berichten der Dessauer Gelehrten Buchhandlung vom Oktober 1782 steht.] Heinrich Friedrich Diez
[d. i. Heinrich Friedrich v. Dietz], „Ueber Ehen und Ge-
schlechtsverbindungen" (in: *Berichte der allgemeinen Buchhandlung der Gelehrten vom Jahre 1782, 7.—12.* Stück
[= Juli—Dezember], Dessau u. Leipzig, S. 331—364).
101₂ v. u.   *Alt Testament.*] Weisheit Salomos, Kap. 6, Vers 3
bis 5.
101₁ v. u.   *N. Test.*] Römer, Kap. 13, Vers 1.
104₁₆ f.   und *Möser* noch neuerlich für die katholische Geist-
lichkeit] „Der Cölibat der Geistlichkeit, von seiner politischen Seite betrachtet". Wiederabgedruckt in: *Justus Mösers
sämmtliche Werke,* Bd. 7 [Enthaltend die vermischten Schriften Erster Band], Berlin u. Stettin 1798, S. 208—220. Zuerst gedruckt „Osnabrück und Leipzig, bey J. W. Schmidt,
1783"; wiederabgedruckt in: *Stats-Anzeigen* (hrsg. von
August Ludwig v. Schlözer), Bd. 2, Heft 8, Göttingen 1783,
S. 401—411.

Johann Friedrich Zöllner
*Ist es rathsam, das Ehebündniß nicht ferner durch die
Religion zu sanciren?*

Zum Verfasser vgl. Einleitung S. XXXIX f.

107₂   *sanciren*] Vom lateinischen sancire = heiligen, unverbrüchlich machen, bestätigen.

109₉ punica fides] Punische Treue = Treulosigkeit.
110₂₃ ₜ. im ersten Theil meines *Lesebuchs für alle Stände*]
*Lesebuch für alle Stände. Zur Beförderung edler Grund-
sätze, ächten Geschmacks und nützlicher Kenntnisse*, hrsg.
von Johann Friedrich Zöllner, Teil 1, Berlin 1781, S. 93
bis 96.

Friedrich Ludwig Karl Graf v. Finckenstein
*Ueber den Vorschlag die Geistlichen nicht mehr bei den
Ehen zu bemühen*

Der Verfasser des Beitrags ist Friedrich Ludwig Karl Graf
v. Finckenstein (1745—1818), Kammerpräsident zu Küstrin
in der Neumark. Vgl. *Das gelehrte Teutschland oder Lexikon der jetzt lebenden teutschen Schriftsteller,* angefangen
von Georg Christoph Hamberger, fortgeführt von Johann
Georg Meusel, 23 Bde., 5. Aufl. Lemgo 1796—1834 (Nachdruck Hildesheim 1965 f.); Bd. 2, S. 326 f.; Bd. 9, S. 344.

119₂₁ Sponsalibus de praesenti] Eheschließung. — Vgl. die
Dekretalen Gregors IX., Buch 4, Titel 1, Kapitel 31 (*Corpus
iuris canonici,* hrsg. von Emil Ludwig Richter u. Emil Friedberg, Teil 2, Leipzig 1879 (Nachdruck Graz 1955), Sp. 672).
Neuere Literatur bei Hans Erich Feine, *Kirchliche Rechtsgeschichte* [Bd. 1], *Die katholische Kirche,* Köln u. Graz
⁴1964, S. 431 ff.
119₂₇ ₜₜ. den ältern . . . Böhmer, . . . im Jure eccles. Protest. Tit. de clandestina desponsatione,] Justus Henning
Böhmer, *Jus ecclesiasticum protestantium,* Bd. 3, Halle
²1727, S. 1260 ff. (Lib. IV, tit. III). — Justus Henning war
der Vater von Georg Ludwig (vgl. die folgende Anm.) und
Johann Samuel Friedrich v. Böhmer (vgl. Anm. zu 70₁₆ ₜ.).
119₂₇ ₜₜ. den . . . jüngern Böhmer, . . . in seinen principiis
juris canon. Tit. de contrahendo matrimonio.] Georg Ludwig Böhmer, *Principia iuris canonici,* Göttingen ⁷1802
(¹1762, ²1767, ³1774, ⁴1779, ⁵1785), S. 272 ff. (Lib. III, sect.
II, tit. II).

Justus Möser
Ueber den Unterschied
einer christlichen und bürgerlichen Ehe

Justus Möser (1720—1794), Staatsmann, Jurist, Historiker
und Publizist in Osnabrück. Vgl. Friedrich Nicolai, *Leben*
Justus Mösers, Berlin u. Stettin 1797.
Wiederabgedruckt in: *Justus Mösers sämmtliche Werke*,
Bd. 4 [Enthaltend die patriotischen Phantasieen Vierter
Band], Berlin u. Stettin 1798, S. 118—123, sowie in: *Justus*
Mösers Sämtliche Werke, Historisch-kritische Ausgabe in
14 Bänden, Bd. 7: *Patriotische Phantasien IV*, Hamburg
1954, S. 101—105.
Neuere Literatur zum Thema des Aufsatzes im *Handwör-*
terbuch zur deutschen Rechtsgeschichte, hrsg. von Adalbert
Erler u. Ekkehard Kaufmann, Bd. 1, Berlin 1971, Sp. 809
bis 836 s. v. Ehe.

127[17]   Eigenbehörigen] Hörigen.
128[20]   Douarieren] Douarière: Witwe hohen Standes, die
ein Dotarium (Leibgedinge) besitzt.

Justus Möser
Von den Militärehen der Engländer

Mit Zusätzen wiederabgedruckt in: *Justus Mösers sämmt-*
liche Werke, Bd. 4 [Enthaltend die patriotischen Phantasieen Vierter Band], Berlin u. Stettin 1798, S. 123—125,
sowie in: *Justus Mösers Sämtliche Werke, Historisch-kri-*
tische Ausgabe in 14 Bänden, Bd. 7: *Patriotische Phanta-*
sien IV, Hamburg 1954, S. 105—107.

Johann Erich Biester
Sonderbares Gebet für verheirathete Frauen

Zum Verfasser vgl. Einleitung S. XX f.

137[26] *Abraham a Sancta Clara*] Vgl. *Abrahams a St. Clara, weiland k. k. Hofprediger in Wien, Sämmtliche Werke*, Bd. 11, Passau 1837, S. 234 f. — Neuerdings in: *Abraham a Santa Clara, Hui und Pfui der Welt und andere Schriften*, hrsg. von Jürgen v. Hollander, München 1963, S. 220 f. (aus: *Abrahamisches Gehab dich wohl!*, Wien u. Nürnberg 1737). — Der in der BM wiedergegebene Text stimmt, wie auch Biester am Ende des Beitrags bemerkt, an einer Reihe von Stellen nicht mit dem Original überein.

Ein Brief aus und über Bamberg

Ursula Schulz, *Die Berlinische Monatsschrift (1783—1796), Eine Bibliographie [Bremer Beiträge zur freien Volksbildung, Heft 11]*, Bremen 1968, S. 131, nennt als Verfasser Friedrich Nicolai und verweist auf dessen *Beschreibung einer Reise durch Deutschland und die Schweiz, im Jahre 1781. Nebst Bemerkungen über Gelehrsamkeit, Industrie, Religion und Sitten*, Bd. 1, Berlin u. Stettin 1783, S. 125 ff. Doch weicht der dortige Bericht in wichtigen Punkten von dem vorliegenden Beitrag ab.

Akatholikus Tolerans
Falsche Toleranz einiger Märkischen und Pommerschen Städte in Ansehung der Einräumung der protestantischen Kirchen zum katholischen Gottesdienst

E. Meyen, „Die Berliner Monatsschrift von Gedike und Biester. Ein Beitrag zur Geschichte des deutschen Journalismus" (in: *Literarhistorisches Taschenbuch*, hrsg. von Robert Eduard Prutz, V/1847, S. 151—222) schreibt den Beitrag Biester zu (S. 187). Vgl. Emil Fromm, *Immanuel Kant und die preussische Censur*, Hamburg u. Leipzig 1894, S. 15; Joseph Hay, *Staat, Volk und Weltbürgertum in der Berlinischen Monatsschrift von Friedrich Gedike und Johann Erich Biester (1783—96)*, Berlin 1913, S. 9 f. Vgl. auch Biesters eigene Be-

merkung: „ich [!] dachte bei Einräumung der Kirchen bloß
an Brandenburg" (VI 547). Im vorliegenden Band S. 313.
Eine „historische aktenmäßige" Darstellung der zugrunde
liegenden Vorgänge gibt der Beitrag Gedikes III 545—550.
Im vorliegenden Band S. 173 ff. — Mit dem vorliegenden
Beitrag beginnt die Kampagne der BM gegen den Katholizismus, die das Bild der Zeitschrift im Urteil der Zeitgenossen weitgehend geprägt hat.

146₁₁ ff.   unsern laut posaunenden Zeitungen zufolge, in
einigen unsrer Provinzialstädte (Bernau,] Vgl. Eberhard
Buchner, *Religion und Kirche, Kulturhistorisch interessante
Dokumente aus alten deutschen Zeitungen (16. bis 18. Jahrhundert)*, München 1925, Nr. 59, S. 50 f.: „*Bernau, den
18. September.* Einen ruhmwürdigen Beweiß der Aufklärung und des Duldungsgeistes in den preuß. Staaten
hat kürzlich diese Stadt dadurch abgelegt, daß sie den
catholischen Glaubensgenossen, die bisher ihren Gottesdienst
in einem Wirthshause zu halten genöthiget waren, erlaubt
hat, in der lutherischen Hauptkirche, worinn seit 250 Jahren
blos allein evangelisch-lutherische Lehre geprediget ist, künftig ihren Gottesdienst zu halten. Ein aufgeklärter u. duldsamer Magistrat und geistliches Ministerium daselbst sahen
das Unschickliche ein, daß die catholischen Glaubensgenossen ihre Gottesverehrungen in einem Wirtshause halten
sollten, worinn oft Liederlichkeit und ausschweifende Sitten
ihren Sitz zu haben pflegen; sie bathen deshalb ein hoch-
preißl. Oberconsistorium, den Catholiken ihre lutherische
Kirche öffnen zu dürfen, welches auch sogleich von diesem
so weisen Collegio mit der größten Bereitwilligkeit verstattet wurde. Dieser ertheilten Erlaubniß zufolge, wird
daher nächstens der erste römisch catholische Gottesdienst
seit der Reformation in dieser lutherischen Kirche wieder
gehalten werden. *Vossische Zeitung.* Berlin 1783. Nr. 114."
Wiederabgedruckt in: *Kirchengeschichte aus erster Hand,
Berichte von Augenzeugen und Zeitgenossen*, hrsg. von
Josef Pretscher, Würzburg 1964, S. 357.

149₆   *Schlözers Anzeigen*] *Stats-Anzeigen* gesammelt und zum Druck befördert von August Ludwig Schlözer D. Königl. Kurfürstl. Hofrath und Professor in Göttingen, Göttingen 1782 ff.

149[11 und 1 v. u.]   das, was er von *Kärnten** anführt *Heft III, S. 355, f. VIII, 504, f. XX, 414, f. u. 433, f.] *Stats-Anzeigen* Bd. 1, Heft 3, Göttingen 1782, S. 357; Bd. 2, Heft 8, Göttingen 1783, S. 504—508; Bd. 5, Heft 20, Göttingen 1783, S. 414—429 u. 433—445.

155[2 f. v. u.]   *Nikolai* in seinen Reisen Th. I. S. 46—48)] Friedrich Nicolai, *Beschreibung einer Reise durch Deutschland und die Schweiz, im Jahre 1781. Nebst Bemerkungen über Gelehrsamkeit, Industrie, Religion und Sitten,* Bd. 1, Berlin u. Stettin 1783, S. 46—48.

Z.
Schreiben eines Schlesiers an den Akatholikus Tolerans

158[4 ff.]   die Nachricht in den öffentlichen Blättern von den Provinzialstädten Bernau,] Vgl. Anm. zu 146[11 ff.].

160[2 ff.]   Doktor *Weikhmann* in Wittenberg, der davon Anlaß nahm, eine gelehrte Disputation zu schreiben *von den feinern Wegen der Römischkatholischen uns Protestanten zu hintergehen;*] Joachim Samuel Weickhmann, *De viis subtilibus revocandi Lutheranos in gremium Romanorum pontificis* (2 Programme), Wittemberg 1753.

170[8 f.]   *Nicolai* ... im zweiten Bande seiner Reisen, S. 510] Friedrich Nicolai, *Beschreibung einer Reise durch Deutschland und die Schweiz, im Jahre 1781. Nebst Bemerkungen über Gelehrsamkeit, Industrie, Religion und Sitten,* Bd. 2, Berlin u. Stettin 1783, S. 500—515.

170[20 ff.]   *Nicolai* redet in seinem neulich erschienenen dritten Bande davon, in den Zusätzen S. LII. bis LVII.] Ebd. Bd. 3, Berlin u. Stettin 1784, S. LII—LVII [Berichtigungen und Zusätze zum zweiten Bande, zu S. 496].

Friedrich Gedike
Anhang zu dem voranstehenden Schreiben

Zum Verfasser vgl. Einleitung S. XXI—XXIII.

174₇ ff. v. u.   da *Bernau* in den Zeitungen als das erste Muster einer solchen ... Toleranz gepriesen ward,] Vgl. Anm. zu 146₁₁ ff.

Friedrich Gedike
*Nachtrag zur Geschichte des katholischen Gottesdienstes
in protestantischen Kirchen*

Zum Verfasser vgl. Einleitung S. XXI—XXIII.

180₆ ff. v. u.   in der lutherischen Kirche zu *Bernau* seinen Gottesdienst zu halten;] Vgl. Anm. zu 146₁₁ ff.

Christian Garve
*Ueber die Besorgnisse der Protestanten
in Ansehung der Verbreitung des Katholicismus*

Christian Garve (1742—1798), Moralphilosoph und Aufklärungsschriftsteller in Breslau, enger Freund von Johann Jakob Engel. — Zu den politischen Hintergründen des vorliegenden Briefwechsels vgl. Max Lehmann, *Preussen und die katholische Kirche seit 1640. Nach den Acten des Geheimen Staatsarchives,* Teil 6 [*Publicationen aus den K. Preussischen Staatsarchiven,* Bd. 53], Leipzig 1893, S. 1.

182₅ ff.   Sie haben mir einen unangenehmen Vorfall dadurch versüßt, daß Sie ihn zu einer Gelegenheit gebraucht haben, mir Ihre Freundschaft zu erkennen zu geben.] Gemeint sind Biesters Ausführungen V 382—384 in der Kontroverse „Ueber den Beitrag zur Geschichte itziger geheimer Proselytenmacherei. Von einem Ungenannten. Nebst Erinnerungen über diesen Aufsatz von *Biester.*" (V 316—391).

182₈ f.   ein ohne mein Wissen und Willen von mir angeführtes Urtheil] Ebd. V 336.

182₁₅   Des Erreurs &c.] Louis-Claude de Saint-Martin,
*Des Erreurs et de la Vérité, ou les hommes rappelés au
principe universel de la science;* . . . par un Ph[ilosophe]
Inc[onnu], Edimbourg [Lyon?] 1775, 2. Aufl. Salomopolis
1781, 3. Aufl. Edimbourg 1782. — Deutsche Übersetzung:
*Irrthümer und Wahrheit, oder Rückweiß für die Menschen
auf das allgemeine Principium aller Erkenntniß.* Aus dem
Französischen übersetzt von Matthias Claudius, Breslau
1782 (Nachdruck 2 Bde., Stuttgart 1922 u. 1925). — Vgl.
Karl Epting, „Die politische Theologie Louis-Claude de
Saint-Martin's" (in: *Epirrhosis,* Festgabe für Carl Schmitt,
2 Bde., Berlin 1968; Bd. 1, S. 161—184).

183₆   Ihrem Urtheile über dieses Buch] V 382—390 in der
Kontroverse „Ueber den Beitrag zur Geschichte itziger geheimer Proselytenmacherei. Von einem Ungenannten. Nebst
Erinnerungen über diesen Aufsatz von *Biester.*" (V 316 bis
391).

183₁₃   er] sie? (scil. die Bekehrungssucht der Katholiken).

185₁₂ f.   Anmerkungen zu dem eingesandten Briefe] Vgl.
Anm. zu 182₅ ff.

186₂ v. u.   Herr *Nicolai*] Friedrich Nicolai, *Beschreibung
einer Reise durch Deutschland und die Schweiz, im Jahre
1781. Nebst Bemerkungen über Gelehrsamkeit, Industrie,
Religion und Sitten,* Bd. 1 u. 2 Berlin u. Stettin 1783, Bd. 3
u. 4 1784, Bd. 5 u. 6 1785, Bd. 7 1786, Bd. 8 1787, Bd. 9
u. 10 1795, Bd. 11 u. 12 1796.

190₁₉   sind] ist.

191₂₄ f.   „Aber diese Emissarien, heißt es, suchen eben
unsre Fürsten selbst zu bekehren."] V 363 ff.; vgl. Anm.
zu 182₅ ff.

194₁₀   hatte] hatten.

201₄   Herr *Nikolai* hat in Linz] Nicolai, a. a. O. (vgl.
Anm. zu 186₂ v. u.) Bd. 2, S. 500—515.

201₁₃   welcher] welchen.

202₂₁   Die Reisen des Herrn *Nikolai*] Vgl. Anm. zu
186₂ v. u.

203[26 ff.] Die Anmerkung *Fergusons* (Gesch. der röm. Republ. Deutsch. Ueb. Th. I. S. 243.)] Adam Ferguson, *Geschichte des Fortgangs und Untergangs der Römischen Republik*. Aus dem Englischen frey übersetzt ... von C.[hristian] D.[aniel] B.[eck], 3 Bde. (Bd. 3 in 2 Teilen), Leipzig 1784—1786; Bd. 1, S. 245 ff.

210[3] von dem protestantischen Diakonus,] Vgl. den „Beitrag zur Geschichte itziger geheimer Proselytenmacherei" (V 59—80) sowie „Ueber den Beitrag zur Geschichte itziger geheimer Proselytenmacherei. Von einem Ungenannten. Nebst Erinnerungen über diesen Aufsatz von *Biester*" (V 316—391; S. 337 ff. u. 390 f.) und „Noch über den Beitrag zur Geschichte itziger geheimer Proselytenmacherei" (VI 104—164).

213[16] demjenigen] denjenigen.

214[27 f.] so wie der Rektor Seyboth in Oderberg abgesetzt wurde] Vgl. V 369—371.

214[5 f. v. u.] die Ausbreitung der katholischen Religion die einzige denkbare Absicht, dieser] die Ausbreitung der katholischen Religion, die einzige denkbare Absicht dieser.

225[7 f.] indem wir unsre Toleranz gegen sie nur auf die engsten Gränzen einschränken,] Vgl. Akatholikus Tolerans, „Falsche Toleranz einiger Märkischen und Pommerschen Städte in Ansehung der Einräumung der protestantischen Kirchen zum katholischen Gottesdienst" (III 180—192). Im vorliegenden Band S. 145—157.

227[29 ff.] Fälle ..., wo katholische Kirchen zur Ausübung protestantischer Religionshandlungen eingeräumt worden.] Vgl. „Gegenbild der lutherischen Gefälligkeit in Einräumung der Kirchen" (VII 265—270) und [Wilhelm Heinrich] Triesch, „Einräumung einer katholischen Kirche zum Gottesdienste der Protestanten" (VII 511—522; im vorliegenden Band S. 358—369). Vgl. auch den Beitrag von Domhardt, „Beispiele der Toleranz in Westpreußen" (VI 173 f.).

228[7 ff.] in verschiedenen Aufsätzen der B. M.schr. (wovon der letzte noch in dem Monat Mai erschienen ist)] „Nimmt der Papst Behauptungen zurück? Von einem Anhänger des Akatholikus Tolerans" (V 445—457).

Johann Erich Biester
*Antwort an Herrn Professor Garve, über vorstehenden
Aufsatz*

Zum Verfasser vgl. Einleitung S. XX f.

233 2 f. v. u. im *deutschen Merkur*, August und Sept. 1784.]
[Karl Leonhard Reinhold], „Gedanken über Aufklärung"
(in: *Der Teutsche Merkur* vom Jahre 1784, Drittes Vierteljahr, S. 1—22, 122—133, 232—245).

234₉ Pointeur] Gegenspieler des Bankhalters.

234₂₄ f. an der *A. D.* Bibliothek;] *Allgemeine deutsche
Bibliothek.* Berlin u. Stettin, verlegts Friedrich Nicolai,
1765 ff. — Ziel dieses wichtigsten Rezensionsorgans der
deutschen Aufklärung war eine „*allgemeine Nachricht,
von der ganzen neuen deutschen Litteratur* vom Jahre 1764.
an" (Bd. 1, S. I).

235₄ ff. v. u. *Lichtenberg* über die Schwärmerey der itzigen
Zeiten an mehreren Orten des Götting. Magazins;] Georg
Christoph Lichtenberg, „Noch ein Wort über Herrn Ziehens
Weissagungen" (in: *Göttingisches Magazin der Wissen-
schaften und Litteratur,* hrsg. von Georg Christoph Lichten-
berg u. Georg Forster, Jg. 2, 5. Stück, 1782, S. 309—321),
„Prof. Lichtenbergs Antwort auf das Sendschreiben eines
Ungenannten über die Schwärmerey unserer Zeiten" (Jg.
3, 4. Stück, 1783, S. 589—614; vgl. Jg. 3, 2. Stück, 1782,
S. 237—255: „Ueber die Schwärmerey unserer Zeiten: ein
Schreiben an den Herausgeber"), „Bemerkungen über ein
Paar Stellen in der Berliner Monatsschrift für den Dezem-
ber 1783 von G. C. Lichtenberg" (Jg. 3, 6. Stück, 1783,
S. 953—956).

235₂ f. v. u. *Nicolai* in seinen Reisen;] Vgl. Anm. zu
186₂ v. u.

237₄ f. v. u. mit dem Buche des Erreurs & de la Verité]
Vgl. Anm. zu 182₁₅.

237₂ f. v. u. die daraus angeführten Stellen im April der
Monatsschrift,] „Ueber den Beitrag zur Geschichte itziger
geheimer Proselytenmacherei. Von einem Ungenannten.

Nebst Erinnerungen über diesen Aufsatz von *Biester"*
(V 316—391).

238$_{13}$ erhält bald eine zweite Auflage,] Vgl. Anm. zu
182$_{15}$.

238$_{14}$ einen ähnlichen starken Nachtrag] [Chevalier Ch.
de Suze?], *Suite des Erreurs et de la Vérité; ou Développe-
ment du Livre des Hommes rappelés au principe universel
de la Science. Par un Ph*[ilosophe] *Inc*[onnu], Salomono-
polis 1784.

238$_{15\,f.}$ einen ähnlichen Kommentar (le Diademe des
Sages),] Phylantropos, Citoyen du Monde [Onésime Henri
de Loos], *Le Diadême des Sages, ou Démonstration de la
Nature inférieure; Dans lequel on trouvera une Analyse
raisonnée du Livre des Erreurs & de la Vérité*, Paris 1781.

238$_{16\,f.}$ eine deutsche Übersetzung.] Vgl. Anm. zu 182$_{15}$.

239$_{19\,ff.}$ wovon Sie uns einen der letzten und schönsten
Zeugen (Cicero) in einer so vortreflichen Uebersetzung geschenkt haben] *Abhandlung über die menschlichen Pflichten
in drey Büchern* aus dem Lateinischen des Marcus Tullius
Cicero übersetzt von Christian Garve, Breslau ^{2}1784 (^{1}1783).

240$_{2\,f.\,v.\,u.}$ den Verf. der *Vertrauten Briefe über die Reli-
gion*.] [Johann Joachim Spalding], *Vertraute Briefe, die
Religion betreffend*, Zweyte, berichtigte und vollständigere
Auflage, Breslau 1785 (^{1}1784).

242$_{5\,f.}$ im April angeführt und bewiesen] Vgl. Anm. zu
237$_{2\,f.\,v.\,u.}$ (S. 346 ff.).

244$_{27}$ zum] am? Vgl. aber 307$_8$.

246$_{5\,v.\,u.}$ im April S. 365, 366,] Vgl. Anm. zu 237$_{2\,f.\,v.\,u.}$

248$_{30\,f.}$ sich den bedenklichsten Verbindungen offenherzig
anvertraut?] Vielleicht spielt Biester hier auf den Eintritt
des Preußischen Kronprinzen, des späteren Königs Friedrich
Wilhelm II., in den Rosenkreuzer-Orden an; vgl. Emil
Fromm, *Immanuel Kant und die preussische Censur*, Hamburg u. Leipzig 1894, S. 18. Vgl. auch Biesters Anmerkung
VI 513 ff. sowie seine Ausführungen VII 62 f. Im vorliegenden Band S. 279 ff. und S. 317 f.

250$_{22\,ff.}$ das Beispiel des großen *Leibnitz* ..., der dahin
vermocht werden konnte, einen philosophischen Beweis für

die Transsubstantiation, oder … gar eine Apologie der katholischen Religion zu schreiben.] Worauf sich Biester bezieht, konnte nicht ermittelt werden, vgl. aber die „Apologia catholicae veritatis" bei Aloys Pichler, *Die Theologie des Leibniz aus sämtlichen gedruckten und vielen noch ungedruckten Quellen*, 2 Bde., München 1869 f. (Nachdruck Hildesheim 1965), Bd. 1, S. 132, 225, 265; Bd. 2, S. 222, 227, 265, die „Apologia fidei catholicae ex recta ratione" bei Gaston Grua, *G. W. Leibniz, Textes inédits*, 2 Bde., Paris 1948, Bd. 1, S. 30—34, sowie die „Demonstratio possibilitatis mysteriorum eucharistiae" und die „Miracula sacrae coenae" in der Akademie-Ausgabe (Gottfried Wilhelm Leibniz, *Sämtliche Schriften und Briefe*, 6. Reihe: Philosophische Schriften, Bd. 1, Darmstadt 1930, S. 501—517; Bd. 2, Berlin 1966, S. 146 f.).

251$_{13 \text{ f.}}$ Herr Nicolai hat im VI B. seiner Reisen,] Vgl. Anm. zu 186$_{2 \text{ v. u.}}$

252$_{12 \text{ f.}}$ annus normalis] 1. Januar 1624; vgl. VI 537 f. Im vorliegenden Band S. 303 f.

252$_{17 \text{ f.}}$ *H. Spalding*] Johann Joachim Spalding (1714 bis 1804), der berühmte protestantische Aufklärungstheologe; vgl. Anm. zu 240$_{2 \text{ f. v. u.}}$ und vor 382.

252$_{18}$ *P. Schorenstein*] Zu Schorenstein vgl. den Beitrag Gedikes, „Nachtrag zur Geschichte des katholischen Gottesdienstes in protestantischen Kirchen" (IV 94—96). Im vorliegenden Band S. 179 ff. Vgl. ferner: Hm., Anhänger des Akatholikus Tolerans, „Gedanken über einige Aeußerungen des Herrn Bernhard Schorenstein, katholischen Predigers in Berlin, gegen den Akatholikus Tolerans" (V 37—50) sowie: Er, Anhänger des Akatholikus Tolerans, „Nimmt der Papst Behauptungen zurük?" (V 445—457).

252$_{4 \text{ f. v. u.}}$ (Berl. Monatsch. B. IV, S. 94, f.)] Vgl. die vorige Anm.

Christian Garve
*Ueber die Besorgnisse der Protestanten
in Ansehung der Verbreitung des Katholicismus.
Zweiter Brief von Garven an Herrn D. Biester*

254₆ f. v. u.   die zwei letzten Theile von Herrn *Nicolais*
Reise] Vgl. Anm. zu 186₂ v. u. (Bd. 5 u. 6).

254₅ ff. v. u.   den Aufsatz über die geheimen Gesellschaften
im August Ihrer Monatsschrift] „Noch über den Beitrag zur
Geschichte itziger geheimer Proselytenmacherei" (VI 104 bis
164).

258₈ f. v. u.   *Pointeur*] Vgl. Anm. zu 234₉.

261₂₆ f.   was Cicero bei Beurtheilung der Parteien in Repu-
bliken verlangte, —] Cicero, *De officiis*, Buch 2, Kap. 22, 79
(*M. Tulli Ciceronis scripta*, fasc. 48: *De officiis*, hrsg. von
Carl Atzert, *De virtutibus*, hrsg. von Wilhelm Ax, Leipzig
³1949, S. 107). Vgl. *Abhandlung über die menschlichen
Pflichten in drey Büchern* aus dem Lateinischen des Marcus
Tullius Cicero übersetzt von Christian Garve, Breslau
²1784 (¹1783), S. 189.

262₂₅   Ihr Korrespondent im August,] Vgl. Anm. zu 254₅ ff.
v. u.

262₂₆   Herr Nicolai in seinen Reisen,] Vgl. Anm. zu 186₂ v. u.

265₉ f.   Die Jesuiten welche Pascal bestreitet,] Blaise Pascal,
Lettres provinciales, Paris 1656 f. Vgl. *Œuvres de Blaise
Pascal*, hrsg. von Léon Brunschvicg, Pierre Boutroux u.
Félix Gazier, Bd. 4—7, Paris 1914 (Nachdruck Vaduz
1965). Deutsche Übersetzung: Blaise Pascal, *Briefe gegen
die Jesuiten (Lettres provinciales)*, eingeleitet von Max
Christlieb, übersetzt von E. Russell, Jena 1907.

265₁₇ f.   mit dem Buche, *über Irrthümer und Wahrheit*,]
Vgl. Anm. zu 182₁₅.

266₁₁ f.   die, welche jenes Buch hochhalten, so wie Claudius,] Vgl. Anm. zu 182₁₅.

270₁ v. u.   *Blakburne's* Considerations] Francis Blackburne,
*Considerations on the Present State of the Controversy
between the Protestants and Papists of Great Britain and
Ireland; Particularly on the Question How far the latter*

are entitled to a Toleration upon Protestant Principles,
Dublin 1768.

279₄ ᵥ. ᵤ.   Herr T—y] „T***y" aus „Br." nennt sich der
„Ungenannte" (vgl. Anm. zu 210₃) in seinem Brief an Biester (V 320 f.). E. Meyen, „Die Berliner Monatsschrift von
Gedike und Biester. Ein Beitrag zur Geschichte des deutschen Journalismus" (in: *Literarhistorisches Taschenbuch,*
hrsg. von Robert Eduard Prutz, V/1847, S. 151—222)
schreibt diesen Brief Lavater zu (S. 189).

280₁₆ ff.   Herr *Büsching* hingegen glaubte (in der Anzeige
des Julius der Monatsschr. in seinen wöchentl. Anzeigen)]
Anton Friedrich Büsching, *Wöchentliche Nachrichten von
neuen Landcharten, geographischen, statistischen und historischen Büchern und Schriften. Dreyzehnter Jahrgang 1785,*
Berlin 1785, S. 118 (in der Anzeige des *April* 1785 der
Monatsschrift).

283₁ ff.   Beitrag zur Geschichte geheimer Proselytenmacherey
. . ., der im Monat August Ihrer Monatsschrift vorkömmt.]
Vgl. Anm. zu 254₅ ff. ᵥ. ᵤ.

283₂₉ f.   *Dieser Orden stammt aus katholischen Landen.*]
Ebd. VI 138 ff.

283₃ f. ᵥ. ᵤ.   Ich habe schon gesagt,] VI 510? Im vorliegenden Band S. 276.

285₂₉ ff.   noch einige Gedanken, welche die Lesung dieser
Theile bei mir veranlasset hat,] Die folgenden Ausführungen führten zu einer Kontroverse zwischen Garve und
Nicolai; vgl. Friedrich Nicolai, *Eine Untersuchung der Beschuldigungen, die Herr Prof. Garve wider diese Reisebeschreibung vorgebracht hat. Nebst einigen Erläuterungen,
die nützlich auch wohl gar nöthig seyn möchten,* in: Ders.,
*Beschreibung einer Reise durch Deutschland und die Schweiz,
im Jahre 1781. Nebst Bemerkungen über Gelehrsamkeit,
Industrie, Religion und Sitten,* Bd. 7, Berlin u. Stettin 1786,
Anhang. — Christian Garve, *Schreiben an Herrn Friedrich
Nicolai von Christian Garve, über einige Äußerungen des
erstern, in seiner Schrift, betitelt: Untersuchung der Beschuldigungen des P.*[rofessor] *G.*[arve] *gegen meine Reisebeschreibung,* Breslau 1786.

286₉ von dem antreffen sollen,] von dem hätte antreffen
sollen.

Johann Erich Biester
*Biesters Antwort an Herrn Professor Garve,
über den vorstehenden Brief*

Zum vorliegenden Beitrag vgl. auch Biesters Brief an Kant
vom 8. November 1785 (*Kant's gesammelte Schriften*, hrsg.
von der Königlich Preußischen Akademie der Wissenschaften, Bd. 10, Berlin u. Leipzig ²1922 (¹1912), Nr. 251, S. 417).
Vgl. dazu VI 545₅ ff. v. u. Im vorliegenden Band S. 311₅ ff. v. u.

297₅ f. der *Akatholikus Tolerans* im Febr.,] Akatholikus
Tolerans, „Falsche Toleranz einiger Märkischen und Pommerschen Städte in Ansehung der Einräumung der protestantischen Kirchen zum katholischen Gottesdienst" (III 180
bis 192). Im vorliegenden Band S. 145 ff.
297₆ Herr Z. im Jun.,] Z., „Schreiben eines Schlesiers an
den Akatholikus Tolerans" (III 530—544). Im vorliegenden Band S. 158 ff.
297₆ f. Herr *G.* im Jun. und Jul. 1784,] Friedrich Gedike,
„Anhang zu dem voranstehenden Schreiben" eines Schlesiers an den Akatholikus Tolerans (III 545—550). Im vorliegenden Band S. 173 ff. Ders., „Nachtrag zur Geschichte
des katholischen Gottesdienstes in protestantischen Kirchen"
(IV 94—96). Im vorliegenden Band S. 179 ff.
297₇ Herr *Hm* im Jan. 1785)] Hm., Anhänger des Akatholikus Tolerans, „Gedanken über einige Aeußerungen des
Herrn Bernhard Schorenstein, katholischen Predigers in
Berlin, gegen den Akatholikus Tolerans" (V 37—50).
300₉ *Schlözer* (Staatsanz. Heft 25, S. 54.)] *Stats-Anzeigen*
(hrsg. von August Ludwig v. Schlözer), Bd. 7, Heft 25, Göttingen 1785, S. 54 ff.
300₂ f. v. u. Communio est mater discordiarum, sagt der
Jurist Paullus sehr wahr.] Iulius Paulus, römischer Jurist
im zweiten Jahrhundert nach Christus. Seine Werke sind

in Bruchstücken in den Digesten des *Corpus iuris civilis* überliefert; der angeführte Satz konnte nicht nachgewiesen werden.

303₆ f. v. u.   Instr. Pac. Osn. Art. 5. § 31.] *Instrumentum Pacis Osnabrugense, Art. V, § 31, in: Quellensammlung zur Geschichte der Deutschen Reichsverfassung in Mittelalter und Neuzeit.* Bearbeitet von Karl Zeumer [*Quellensammlungen zum Staats-, Verwaltungs- und Völkerrecht*, Bd. 2], Tübingen ²1913, S. 409 f.

305₃₀   im April S. 348. f.] Vgl. Anm. zu 237₂ f. v. u.

307₁ v. u.   (Mai, S. 455)] Vgl. Anm. zu 228₇ ff.

310₉   *Faustin,*] [Johann Pezzl], *Faustin oder das aufgeklärte philosophische Jahrhundert,* o. O. 1784 (¹1783). — [Peter Adolph Winkopp], *Faustin oder das philosophische Jahrhundert. Zweites Bändchen,* o. O. 1784.

310₂ f.   die *Reisen eines Franzosen,*] Delaporte [d. i. Joseph de La Porte], *Reisen eines Franzosen, oder Beschreibung der vornehmsten Reiche in der Welt* [übersetzt von Christian August Wichmann u. Gustav v. Bergmann], 36 Teile, Leipzig 1768—1792.

310₈ f.   Nov. S. 418, f.] „Nachrichten von den Jesuiten in Rußland" (VI 418—429).

310₁₄   Merkwürdige Nachrichten] [Christoph Gottlieb v. Murr], *Merkwürdige Nachrichten von den Jesuiten in Weißreußen,* Aus dem Italienischen, Frankfurt u. Leipzig 1785.

310₁₆ ff.   Schlesische Provinzialblätter, Sept. 1785, S. 238. Daselbst steht ein Schreiben des H. *Steiner* wider mich an H Pr. Garve.] Professor [Anton] Steiner, „An den Herrn Profeßor Garve in Breslau" (in: *Schlesische Provinzialblätter*, hrsg. von Karl Konrad Streit u. Friedrich Albert Zimmermann, Bd. 2, Breslau 1785, S. 231—243). Vgl. unten 355₉ ff.

310₂₃ ff.   der Herausgeber der neuen Auflage von *P. Abraham von St. Klara Etwas für Alle* (Halle, 1785, 8.),] Abraham von St. Clara, *Etwas für Alle; das ist eine kurze Beschreibung allerley Stands- Amts- und Gewerkspersonen ... Aufs neue herausgegeben und mit Anmerkungen vermehrt* [von Samuel Heinicke], Halle 1785, S. 558.

310$_{2 \text{ v. u.}}$ *Herr T—y*] Vgl. Anm. zu 279$_{4 \text{ v. u.}}$

312$_{21}$ Jun. 1784, S. 542,] In dem „Schreiben eines Schlesiers an den Akatholikus Tolerans" (IV 530—544). Im vorliegenden Band S. 158 ff.

313$_{6 \text{ ff.}}$ Ich hatte doch (April, S. 368, erste Note) einen glaubwürdigen Historiker, *Pontoppidan,* genannt,] In „Ueber den Beitrag zur Geschichte itziger geheimer Proselytenmacherei. Von einem Ungenannten. Nebst Erinnerungen über diesen Aufsatz von *Biester*" (V 316—391) verweist Biester auf: Erich Pontoppidan, *Annales Ecclesiae Danicae diplomatici Oder nach Ordnung der Jahre abgefassete und mit Urkunden belegte Kirchen-Historie Des Reichs Dännemarck,* 4 Bde., Kopenhagen 1741—1752; Bd. 3, S. 554, 611 u. 727; Bd. 4, S. 56.

314$_{22}$ *Hildebrand*] Papst Gregor VII (1021—1085).

315$_{1}$ oder G. und R. C.] Vgl. den Beitrag „Noch über den Beitrag zur Geschichte itziger geheimer Proselytenmacherei. — Sendschreiben an die würdigen und geliebten Brüder D. H. O. G. G. U. R. C., besonders an diejenigen, welche der ächten evangelischen Lehre zugethan sind" (VI 104 bis 164) sowie den Beitrag von Biester, „Nachricht von einigen eingelaufenen Briefen" (VI 567—574).

316$_{18}$ *Schlözer* erzählt (Staatsanzeig. 28, S. 497)] *Stats-Anzeigen* (hrsg. von August Ludwig v. Schlözer), Bd. 7, Heft 28, Göttingen 1785, S. 497 ff.

319$_{18 \text{ ff.}}$ Der mühsame Untersucher der *Normalschulschriften* (in der Allg. D. Bibl.)] „Oesterreichische Normalschulschriften" (in: *Allgemeine deutsche Bibliothek* Bd. 52, Stück 1, Berlin u. Stettin 1782, S. 207—271; Bd. 52, Stück 2, 1783, S. 491—563; Anhang zu Bd. 37—52, Abt. 1, 1785, S. 189—341. Vgl. auch Bd. 61, Stück 2, 1785, S. 508—525).

320$_{2 \text{ v. u.}}$ (Die Fortsetzung folgt.)] Gemeint ist der „Beschluß von Biesters Antwort an Herrn Professor Garve" (VII 30—66), der im vorliegenden Band unmittelbar an Biesters zweite Antwort anschließt.

Johann Erich Biester
Beschluß von Biesters Antwort an Herrn Professor Garve

$321_{4\,ff.}$ den Brief des heil. *Hieronymus* an Pammachius
und Oceanus] Hieronymus, Brief 84, 2, 12 und 4 (*Sancti
Eusebii Hieronymi epistulae,* Teil 2: *Epistulae LXXI—CXX*
[*Corpus scriptorum ecclesiasticorum latinorum,* Bd. 55],
hrsg. von Isidor Hilberg, Wien u. Leipzig 1912 (Nachdruck
New York u. London 1961), S. 122 Z. 18—21, S. 134 Z.
13—16, S. 125 Z. 5—7).

$321_{14\,f.}$ adversarionem] adversari*orum*.

322_{11} VI.] Muß heißen: IV.

323_5 dem] den.

$325_{6\,v.\,u.}$ (April 1785, S. 375)] Vgl. Anm. zu $237_{2\,f.\,v.\,u.}$

$328_{4\,f.\,v.\,u.}$ prudentia, qua nos simplices ludunt,] Vgl.
322_8.

$329_{3\,ff.}$ der ... Brief im August 1785 über den *G. und R.
C. Orden.*] Vgl. Anm. zu 315_1.

329_8 in se ipso totus teres atque rotundus, Externi ne
quid valeat per laeve morari] Horaz, *Sermones,* Buch 2,
Satire 7, Vers 86 f. (Q. *Horati Flacci opera,* hrsg. von
Friedrich Klingner, Leipzig ^{3}1959, S. 235).

330_9 Januar] Vgl. den „Beitrag zur Geschichte itziger geheimer Proselytenmacherei" (V 59—80).

330_{17} vergl. mit Dez. S. 569, f.] Vgl. den Beitrag „Nachricht von einigen eingelaufenen Briefen" (VI 567—574).

$333_{20\,f.}$ und daß doch eben dieser *Lavater* allen Magiern
und Theurgen nachläuft,] Vgl. den Beitrag „Magnetische
Desorganisation in Paris, Straßburg, und Zürich, nebst
zwei Schreiben vom Herrn Diakonus *Lavater* und Herrn
Hofmedikus *Marcard*" (VI 430—449).

$336_{2\,f.\,v.\,u.}$ Die theoretischen Brüder (Athen, 1785, 8) S. 83
bis 86.] [Graf v. Löhrbach], *Die theoretischen Brüder oder
zweite Stuffe der Rosenkreutzer und ihrer Instruktion das
erstemahl ans Licht herausgegeben von einem Prophanen ...
Athen, 1785. zur Zeit der Aufklärung* [Regensburg 1785],
S. 83—86.

$337_{4\,ff.\,v.\,u.}$ „Hirtenbrief an die ... wahren und ächten

Freimaurer alten Systems, 5785, 8." (In Breslau bei Löwe verlegt.)] [Christian August Heinrich Kurt Graf v. Haugwitz], *Hirten-Brief an die wahren und ächten Freymäurer alten Systems. 5785* [Leipzig 1785].

338$_{23}$ mit dem Buche des Erreurs &c.] Vgl. Anm. zu **182**$_{15}$.

338$_{3\,ff.\,v.\,u.}$ Beiträge zu der juristischen Litteratur in den preußischen Staaten, Band III, S. 70; Band VII, S. 295; Band VIII, S. 226.] *Beyträge zu der juristischen Litteratur in den Preußischen Staaten* [hrsg. von Johann Wilhelm Bernhard v. Hymmen], Dritte Sammlung, Berlin 1779, S. 70—93: „Ob und in wie fern die Angabe eines Ermordeten, der nach dem Tode erscheint, in peinlichen Fällen eine glaubwürdige Anzeigung (indicium) sey?"; Siebente Sammlung, Berlin 1782, S. 294—298: Anzeige zu „Ueber die Glaubwürdigkeit der Medizinalberichte in peinlichen Rechtshändeln"; Achte Sammlung, Dessau 1785, S. 218—315: „Johann Paul Philipp Rosenfeld".

340$_7$ Marcard in seinem treflichen Briefe] Vgl. Anm. zu **333**$_{20\,f.}$

343$_{7\,f.\,v.\,u.}$ in dem *Militarischen Kalender* (Berlin, 1784, 12.)] *Genealogischer Militairischer Calender auf das Schalt Jahr 1784* [Berlin] (unpaginiert). Die Stelle findet sich auf S. 4 der „kurzgefaßten Lebensgeschichte" von Friedrich II. v. Hessen-Cassel.

343$_{5\,ff.\,v.\,u.}$ Herr *von Moser* schrieb damals: Gesetzmäßigkeit der Religionsversicherung, welche des H. Erbprinzen Friedrich zu Hessenkassel Hochfürstl. Durchlaucht nach Dero Uebertritt zu der römischen Kirche von sich gestellt, 1755, fol.] [Friedrich Karl v. Moser], *Die Gesetzmäßigkeit der Religions-Versicherung, welche des Herrn Erb-Prinzens Friedrichs zu Hessen-Cassel Hochfürstliche Durchlaucht, nach Dero Uebertritt zu der Römischen Kirche, den 28ten Octobris 1754. von Sich gestellet, gegen die sogenannte Gesetz- und Vernufft-Schlüsse, nach Anleitung der Göttlichen- Natürlichen- Völker- und Teutschen Reichs-Rechte, der Analogie ähnlicher Fälle, und der Catholischen eigenen Grund-Sätze, erwiesen und vertheidiget,* o. O. 1756.

345[21] des Herrn T—y] Vgl. Anm. zu 279[4 v. u.]

345[29] Jan. 1785, S. 11, folg.] Vgl. den Beitrag „Noch zwei Wunderthäter. 1. Graf Saint-Germain. 2. Doktor Mesmer" (V 8—32).

345[3 v. u.] Beiträge zur juristischen Litteratur, Bd. VIII,] Vgl. Anm. zu 338[3 ff. v. u.]

347[4 f.] *Rosenfeld,*] Vgl. den Beitrag „Der vorgebliche neue Messias (Rosenfeld) in Berlin. Von *J. E. Biester*" (I 46—89).

347[5] der *Monddoktor,*] Vgl. die beiden Beiträge „Der Monddoktor in Berlin. Von *J. E. Biester* und Hrn. Doktor und Stadtphysikus *Pyl*" (I 353—367) und „Die Wallfahrt zum Monddoktor in Berlin. Vom Herrn D. *H*" [Markus Herz?] (I 368—385).

347[5] der *Planetenleser,*] Vgl. den Beitrag „Der Berlinische Planetenleser" (IV 551—555).

347[6] *Mortczinni,*] Vgl. die beiden Beiträge Biesters, „Der Pseudo-Freiherr von Mortczini" (IV 539—551) und „Noch etwas über den Pseudo-Freiherrn von Mortczini, und ein Wort von einigen andern Betrügern" (V 462—474).

348[18 20 22] (Beiträge Bd. I, S. 70); (Bd. VIII. S. 220); (S. 226)] Vgl. Anm. zu 338[3 ff. v. u.]

349[5 ff.] (December 1783, S. 543) in den *Briefen eines Fremden über Berlin,*] „Ueber Berlin, von einem Fremden" (II 542—557). — Harald Scholtz, „Friedrich Gedike (1754 bis 1803), Ein Wegbereiter der preussischen Reform des Bildungswesens" (in: *Jahrbuch für die Geschichte Mittel- und Ostdeutschlands,* hrsg. von Wilhelm Berges u. Hans Herzfeld, Bd. 13/14, Berlin 1965, S. 128—181) schreibt diese Briefe ohne nähere Begründung Gedike zu (S. 129 Anm. 3).

351[23] Berl. Monatsschr. Sept. 1784. S. 199:] Gemeint ist der Beitrag von Moses Mendelssohn „Ueber die Frage: was heißt aufklären?" (IV 193—200). Im vorliegenden Band S. 444 ff.

353[2 f. v. u.] *Meiners* Gesch. der neuplaton. Philosophie,] C.[hristoph] Meiners, *Beytrag zur Geschichte der Denkart der ersten Jahrhunderte nach Christi Geburt, in einigen Betrachtungen über die Neu-Platonische Philosophie,* Leipzig 1782.

3559 ff.   sein *Schreiben* wider mich an *H. Pr. Garve,* welches im Septemb. der *schlesischen Provinzialblätter* steht,] Vgl. Anm. zu 310₁₆ ff. Biester zitiert nicht immer wörtlich.
356₄ v. u.   S. 442] S. 242.

Wilhelm Heinrich Triesch
Einräumung einer katholischen Kirche zum Gottesdienste der Protestanten

Wilhelm Heinrich Triesch (1748—1799), evangelisch-reformierter Prediger, seit 1771 in Urdenbach im Bergischen Land, seit 1775 in Xanten. Herausgeber der Wochenschrift *Niederrheinische Unterhaltungen,* Wesel u. Frankfurt 1786 bis 1792.

358₄   In der Monatsschrift (März dies. J. S. 265)] „Gegenbild der lutherischen Gefälligkeit in Einräumung der Kirchen" (VII 265—270).
358₅ f.   die vom Hrn. *Prof. Garve* (Jul. vor. J. S. 64) vorgetragene Behauptung:] In Garves erstem Brief „Ueber die Besorgnisse der Protestanten in Ansehung der Verbreitung des Katholicismus" (VI 19—67). Im vorliegenden Band S. 182 ff.
358₁₀   *werden*] worden. Vgl. ebd. VI 64₃₁. Im vorliegenden Band S. 227₃₁.
358₁₂ f.   es wird dabei mit Recht bemerkt:] A. a. O. VII 266₅ ff.
359₃   heißt es ausdrüklich:] A. a. O. VII 267₉ ff.
360₃ f.   *obige Behauptung des Hrn. Garve*] Vgl. Anm. zu 358₅ f.
362₈ f.   nach der oben angeführten ganz billigen Forderung,] Vgl. Anm. zu 358₁₂ f.
363₅   T. T.] Abkürzung für toto titulo (mit vollem Titel).
363₁ v. u.   *Kanonikatpräbende*] Pfründe eines Domherrn.
366₁₄   Vt] Abkürzung für vidit (gesehen).

Z
Der Affe. Ein Fabelchen

Paul Schwartz, *Der erste Kulturkampf in Preußen um Kirche und Schule (1788—1798)* [*Monumenta Germaniae Paedagogica*, Bd. 58], Berlin 1925, S. 8, vermutet als Verfasser Zöllner. — Biester bemerkt zu diesem Beitrag: „Das ist ja doch auch schon Unparteilichkeit, daß die Berl. Monatss. solche Aufsätze, die gegen sie selbst angewandt werden können, liefert" (V 337).

Samuel Johann Ernst Stosch
Ueber die mit Stein, Stok und Blut zusammengesetzten Wörter

Samuel Johann Ernst Stosch (1714—1796), Theologe und Sprachforscher, seit 1782 Hofprediger an der Schloßkirche in Küstrin, Konsistorialrat und Inspektor einiger reformierter Gemeinden in der Neumark, seit 1791 in Berlin.
Mit geringfügigen Veränderungen wiederabgedruckt in: Samuel Johann Ernst Stosch, *Neueste Beiträge zur näheren Kenntniß der Deutschen Sprache*. Nach seinem Tode herausgegeben von Carl Ludwig Conrad, Berlin u. Stettin 1798, S. 104—114.
Neuere Literatur zum Thema des Aufsatzes bei Walter Henzen, *Deutsche Wortbildung* [*Sammlung kurzer Grammatiken germanischer Dialekte*, Ergänzungsreihe Bd. 5], Tübingen ³1965 (¹1947), S. 63 ff.

373₃ *Frisch* erkläret] Johann Leonhard Frisch, *Teutsch-Lateinisches Wörter-Buch*, 2 Bde., Berlin 1741; Bd. 2, S. 329, Sp. 3 s. v. Stein-reich.
374₁ *Frisch* sagt:] Frisch, a. a. O. Bd. 2, S. 337, Sp. 2 s. v. Stock.
374₅ f. v. u. *Frisch* führt ... die Redensart an:] Frisch, a. a. O. Bd. 2, S. 337, Sp. 3 s. v. Stock.
374₅ v. u. Tom. III. Script. Brunswic.] Gottfried Wilhelm

Leibniz (Hrsg.), *Scriptores rerum Brunsvicensium*, Bd. 3, Hannover 1711, S. 421 (zum Jahre 1486).

375₂ wie es *Frisch* schon erkläret hat,] Frisch, a. a. O. Bd. 2, S. 337, Sp. 3 s. v. Stock-finster.

376₁ nach Frischens Meinung,] Frisch, a. a. O. Bd. 2, S. 338, Sp. 1 s. v. Stock-Narr.

376₁₉ Dan. 4. v. 11.] Muß heißen: Daniel, Kap. 4, Vers 20.

379₃ f. wie aus *Schilters Glossarium* zu ersehen ist,] Johannes Schilter, *Thesaurus antiquitatum Teutonicarum*, 3 Bde., Ulm 1727 f., Bd. 3: *Glossarium ad scriptores linguae francicae et alemannicae veteris*, S. 122 s. v. BLVAT.

381₈ f. nach Frischens Erklärung,] Frisch, a. a. O. Bd. 1, S. 110, Sp. 3 s. v. blind-voll.

Georg Ludwig Spalding
Heutige deutsche Philosophie

Der Verfasser des Beitrags ist Georg Ludwig Spalding (1762—1811), ein Sohn des berühmten Aufklärungstheologen Probst Johann Joachim Spalding; Professor für Griechisch und Hebräisch am Grauen Kloster in Berlin. Vgl. Valentin Heinrich Schmidt u. Gottlieb Gebhard Mehring, *Neuestes gelehrtes Berlin; oder literarische Nachrichten von jetztlebenden Berlinischen Schriftstellern und Schriftstellerinnen*, Teil 2, Berlin 1795, S. 184.

382₃ f. v. u. *Taschenbuch der Philosophie* 1783,] [Wilhelm Ludwig Weckhrlin], *Taschenbuch der Philosophie auf 1783* [Nürnberg 1782].

382₂ f. v. u. wo die Weisheit das Panier trägt: *Was weiß ich?*] Vgl. ebd. S. 71.

382₂ f. v. u. wo ... *Voltär* der Abgott ist,] Vgl. ebd. S. 80 bis 86 u. S. 171 f.

383₁₂ f. v. u. im Philosophenmond] Vgl. ebd. das Kalendarium für Juni („Weltweisenmond").

383₁₀ v. u. im Dichtermond] Vgl. ebd. das Kalendarium für März.

383₉ ᵥ. ᵤ.   Auf dem Titelkupfer] Vgl. ebd. den Titelkupfer und die Erläuterung dazu auf S. A 1 („Der Tempel der Philosophie“).

383₁ ᵥ. ᵤ.   Horat. Od. I, 34, 2.] Horaz, *Carmina*, Buch 1, Ode 34, Vers 2 (Q. *Horati Flacci opera*, hrsg. von Friedrich Klingner, Leipzig ³1959, S. 35).

385₄ f. ᵥ. ᵤ.   *Moses Mendelssohn's Philosophischer Schriften ersten Theil* S. 36.—41,] [Moses Mendelssohn], *Philosophische Schriften*, 1. Teil, Berlin 1761, S. 39 ff. Wiederabgedruckt in: Moses Mendelssohn, *Schriften zur Philosophie, Aesthetik und Apologetik*, hrsg. von Moritz Brasch, 2 Bde., Leipzig 1880 (Nachdruck Hildesheim 1968); Bd. 2, S. 32 ff. *Moses Mendelssohn, Gesammelte Schriften, Jubiläumsausgabe*, hrsg. von Ismar Elbogen, Julius Guttmann, Eugen Mittwoch, Bd. 1, Berlin 1929, S. 62 f.

Friedrich, Alexanders Gegenbild.
Kabinetsorder des Königs von Preussen

Vgl. auch den folgenden Beitrag „Ueber Denk- und Drukfreiheit. An Fürsten, Minister, und Schriftsteller“ III 325₂ ff. Im vorliegenden Band S. 402₂ ff.

Ueber Denk- und Drukfreiheit.
An Fürsten, Minister, und Schriftsteller

Harald Scholtz, „Friedrich Gedike (1754—1803), Ein Wegbereiter der preußischen Reform des Bildungswesens“ (in: *Jahrbuch für die Geschichte Mittel- und Ostdeutschlands*, hrsg. von Wilhelm Berges und Hans Herzfeld, Bd. 13/14, Berlin 1965, S. 128—181) schreibt den Beitrag ohne jede Begründung Gedike zu (S. 139). — Vgl. die Nachbemerkung S. 517.

391₇ ᵥ. ᵤ.   (Poesies diverses.)] Vgl. *Œuvres de Frédéric le Grand*, hrsg. von Johann David Erdmann Preuß, 30 Bde., Berlin 1846—1857; Bd. 10, S. 59 f.

391$_{1 \text{ v. u.}}$ (Poes. div.)] Preuß, a. a. O. Bd. 10, S. 218 u. 165 (deutsche Übersetzung dieser Stelle in: *Die Werke Friedrichs des Großen, In deutscher Übersetzung,* hrsg. von Gustav Berthold Volz, 10 Bde., Berlin 1913 f.; Bd. 9, S. 99).

393$_{11 \text{ v. u.}}$ (Anti-Machiavel.)] Preuß, a. a. O. Bd. 8, S. 117 (Volz, a. a. O. Bd. 7, S. 69).

394$_{3 \text{ v. u.}}$ (Poes. div.)] Preuß, a. a. O. Bd. 10, S. 59 u. 144 (diese Stelle bei Volz, a. a. O. Bd. 9, S. 86).

395$_{1 \text{ v. u.}}$ (Eloge du Prince Henri.)] Preuß, a. a. O. Bd. 7, S. 39 (Volz, a. a. O. Bd. 8, S. 202 f.).

396$_{1 \text{ f.}}$ jenes zu allen Zeiten berühmte Volk,] Portugal.

396$_{11 \text{ f.}}$ so berüchtigten Reichs?] Spanien.

398$_{1 \text{ v. u.}}$ (Poes. div.)] Preuß, a. a. O. Bd. 10, S. 24 (Volz, a. a. O. Bd. 9, S. 19).

399$_{1 \text{ v. u.}}$ (Mémoires de Brandebourg.)] Preuß, a. a. O. Bd. 1, S. 207 u. 212 (Volz, a. a. O. Bd. 1, S. 197 u. 201).

400$_{5 \text{ f.}}$ Wolf soll in meine Staaten zurükkehren;] Zur Rückkehr Christian Wolffs nach Halle vgl. z. B. Walter Heynen (Hrsg.), *Das Buch deutscher Briefe,* Wiesbaden 1957, S. 108—110. Vgl. auch *Christian Wolffs eigene Lebensbeschreibung,* hrsg. mit einer Abhandlung über Wolff von Heinrich Wuttke, Leipzig 1841, S. 62—74.

401$_{15}$ Raynals] Guillaume Thomas François Raynal (1713 bis 1796), Verfasser politisch-historischer und philosophischer Schriften, wurde nach seiner Verbannung aus Frankreich 1781 von Friedrich dem Großen aufgenommen. (Raynal*s* ist Plural, vgl. III 314$_{10}$ und 318$_9$.) Zu Raynal vgl. auch III 228—236: „Einige Bemerkungen über die Herrenhuterkolonie zu Diedendorf und den Abbé Raynal. (Aus den Briefen eines Reisenden.)".

402$_{4 \text{ f.}}$ nur menschliche Ehrenbezeugungen] Vgl. II 384: „Friedrich, Alexanders Gegenbild. Kabinetsorder des Königs von Preussen." Im vorliegenden Band S. 388.

403$_{4 \text{ v. u.}}$ sondern, nur zu wollen] sondern nur, zu wollen.

Johann Christian Schmohl
*Von dem Ursprunge der Knechtschaft in der
bürgerlichen Gesellschaft*

Johann Christian Schmohl (1756—1783). „Ein umher irrender Schriftsteller, von dem man bis jetzt weiter keine
sichern Nachrichten erhalten konnte, als daß er sich von
.... —1782 zu Halle aufhielt, und das Jahr darauf nach
Nordamerika reisen wollte, unter Wegs aber bey einer Insel,
wo das Schiff vor Anker lag, über Bord fiel und ertrank.
Auch in der Schweitz soll er eine Zeit lang gelebt haben."
(Johann Georg Meusel, *Lexikon der vom Jahr 1750 bis 1800
verstorbenen teutschen Schriftsteller*, 15 Bde., Leipzig 1802
bis 1816 (Nachdruck Hildesheim 1967 f.); Bd. 12, S. 327).

408$_{3\,ff.\ v.\ u.}$ Herrn Professors *J. G. Büsch* Abhandlung von
dem Geldsumlauf (Hamburg u. Kiel, 1780, gr. 8.) I Theil,
S. 8, 9, 11, 12.] Johann Georg Büsch, *Abhandlung von dem
Geldumlauf in anhaltender Rücksicht auf die Staatswirtschaft und Handlung*, 2 Bde., Hamburg u. Kiel ^{2}1800
(^{1}1780); S. 11 ff., 22 f., 15 ff.
410$_{1\,v.\ u.}$ Vom gall. Kriege, B. VI. Kap. 11 u. 13.] Caesar,
Commentarii belli Gallici, Buch 6, Kap. 11 u. 13 (*C. Iuli
Caesaris Commentarii*, hrsg. von Alfred Klotz, Bd. 1, Leipzig 1952, S. 141 ff.).
411$_{11}$ Allodialgüter] Erbeigene, lehnzinsfreie Güter.
411$_{11\,f.}$ Feudalgüter] Lehnsgüter.
411$_{12}$ Domanialgüter] Kron- oder Kammergüter.
411$_{3\,f.\ v.\ u.}$ *Aristoteles* Rhetorik, B. II. Kap. 20.] 1393 b
8 ff. (*Aristotelis ars rhetorica*, hrsg. von William David
Ross, Oxford 1959, S. 112 f.).
411$_{1\,v.\ u.}$ *Montesquieu* Esp. des Loix. B. XXXI. Kap. 4.]
Charles-Louis de Secondat, baron de Brède et de Montesquieu, *De l'Esprit des lois*, hrsg. von Gonzague Truc, 2 Bde.,
Paris 1961; Bd. 2, S. 361—363. Deutsche Übersetzung in:
Montesquieu, *Vom Geist der Gesetze*, In neuer Übertragung
eingeleitet u. hrsg. von Ernst Forsthoff, 2 Bde., Tübingen
1951; Bd. 2, S. 456—459 (Kap. *8*).

413[7] *Büsch* (S. 13)] Büsch, a. a. O. S. 16 f.

413[7 v. u.] *Büsch* (S. 21 f.)] Büsch, a. a. O. S. 25—31.

415[1 v. u.] Tacitus von Deutschl. Kap. 25.] Tacitus, *De origine et situ Germanorum*, Kap. 25 (*P. Cornelii Taciti libri qui supersunt*, hrsg. von Erich Köstermann, Bd. 2, Fasc. 2: *Germania, Agricola, Dialogus de oratoribus*, Leipzig 1962, S. 19).

416[14] polizirt] Wohleingerichtet, geordnet, gesittet.

416[1 v. u.] *Büsch* a. a. O. S. 25 und folgg.] Büsch, a. a. O. S. 32—34.

418[16] Θητες] Thētes: Lohnarbeiter, Tagelöhner; in der Solonischen Klassenordnung Athens die vierte und letzte, steuerfreie, aber von allen Staatsämtern ausgeschlossene Klasse.

418[19 f.] *Büsch* bei seinen Worten (S. 37)] Büsch, a. a. O. S. 44.

419[3 f.] sagt *Büsch* fast selbst (S. 24)] Büsch, a. a. O. S. 31 f.

J. F. H—l.
Die Freiheit Amerika's

Nach Angabe der Herausgeber handelt es sich bei dem Verfasser um einen „damals und annoch docirenden Universitätsprofessor" (III 575). Vgl. die Verteidigung der Ode durch die Herausgeber gegen die Angriffe in Schlözers Staatsanzeigen (III 574—576). Joseph Hay, *Staat, Volk und Weltbürgertum in der Berlinischen Monatsschrift von Friedrich Gedike und Johann Erich Biester (1783—96)*, Berlin 1913, S. 7, sieht in dieser Stellungnahme wohl zu Unrecht eine Distanzierung. Vgl. dagegen Herbert P.[ercival] Gallinger, *Die Haltung der deutschen Publizistik zu dem amerikanischen Unabhängigkeitskriege, 1775—1783*, Phil. Diss. Leipzig 1900, S. 67 f.: „Man erkennt hier deutlich, dass die Herausgeber ... republikanisch gesinnt waren."

421[10] Chatham] William Pitt der Ältere, Earl of Chatham (1708—1778).

Moses Mendelssohn
Ueber die 39 Artikel der englischen Kirche
und deren Beschwörung

Moses Mendelssohn (1729—1786), Kaufmann in Berlin, Autodidakt, gläubiger Jude, Wolffianer, verbreitete Aufklärung in Deutschland und im Judentum, Freund Lessings, Vorbild für dessen „Nathan der Weise". Vgl. auch Einleitung S. XXIV ff.
Wiederabgedruckt in: *Moses Mendelssohn's gesammelte Schriften*, hrsg. von Georg Benjamin Mendelssohn, Bd. 3, Leipzig 1843, S. 374—385.

426₁ f. *die 39 Artikel der englischen Kirche*] Das nach mehreren Redaktionen 1571 vom englischen Parlament endgültig gebilligte Glaubensbekenntnis der anglikanischen Kirche. Vgl. *Die Kirche von England, ihr Gebetbuch, Bekenntnis und kanonisches Recht* [*Corpus confessionum*, Abt. 17, Bd. 1], bearbeitet von Cajus Fabricius, Berlin u. Leipzig 1937, S. 374 ff. Vgl. ferner *Realencyklopädie für protestantische Theologie und Kirche*, 24 Bde., Leipzig ³1896—1913, Bd. 1, S. 531 ff.
426₃ f. Nr. 326 und 332 in des Herrn Ritter *Michaelis* oriental. Bibliothek, 22sten Theils.)] Johann David Michaelis, *Orientalische und Exegetische Bibliothek*, 22. Teil, Frankfurt am Main 1783. Die Nr. 326 (S. 59—99) enthält die Rezension selber zu Mendelssohns *Jerusalem*, die Nr. 332 (S. 165—170) eine „Nachschrift zur Recension von Mendelssohns Jerusalem".
426₆ meiner Schrift *Jerusalem*] Moses Mendelssohn, *Jerusalem oder über religiöse Macht und Judentum*, Berlin 1783 (gesammelte Schriften, Bd. 3, a. a. O. S. 255 ff. Moses Mendelssohn, *Schriften zur Philosophie, Aesthetik und Apologetik*, hrsg. von Moritz Brasch, Bd. 2, Leipzig 1880 (Nachdruck Hildesheim 1968), S. 365 ff.).
427₁₆ (S. 81. meiner Schrift)] *Jerusalem*, Abschnitt 1, a. a. O. S. 80 f. (*gesammelte Schriften*, Bd. 3, a. a. O. S. 292. *Schriften*, Bd. 2, a. a. O. S. 400). Der genaue Text

wird im vorliegenden Beitrag S. 439₂₁ ff. ausführlich zitiert.

428₁₁ f. die Antwort vielleicht in einer Nachschrift."]
Michaelis, a. a. O. S. 71.

428₂₁ f. seinen Namen zu nennen verbittet."] Michaelis,
a. a. O. S. 165.

431₁₆ eben keine Empfehlung."] Michaelis, a. a. O. S. 166
bis 170.

434₅ Herr M. (S. 71.)] Michaelis, a. a. O. S. 71.

435₁₀ diene] dienen (*gesammelte Schriften*).

436₈ Tests] Texts.

436₂ f. v. u. als *Meineidige brandmarke?"*] Michaelis,
a. a. O. S. 170.

437₂ v. u. mich] mir (*gesammelte Schriften*).

438₁₀ S. 87.] *Jerusalem,* a. a. O. S. 87 (*gesammelte Schriften*, Bd. 3, a. a. O. S. 294 f. *Schriften,* Bd. 2, a. a. O. S.
402 f.).

438₁ v. u. und sage sogar ausdrüklich,] Vgl. *Jerusalem,*
a. a. O. S. 89: „Ich kann mir eine Verfassung denken, in
welcher es vor dem Richterstuhle des allgerechten Richters
zu entschuldigen ist, wenn man fortfährt, seinem sonst heilsamen Vortrage gemeinnütziger Warheiten, eine Unwahrheit mit einzumischen, die der Staat, vielleicht aus irrigem
Gewissen geheiliget hat. Wenigstens würde ich mich hüten,
einen übrigens rechtschaffenen Lehrer dieserhalb der Heucheley, oder des Jesuitismus zu beschuldigen, wenn mir nicht
die Umstände und die Verfassung des Mannes sehr genau
bekannt sind; so genau, als vielleicht die Verfassung eines
Menschen niemals seinem Nächsten bekannt seyn kann. Wer
sich rühmt, nie in solchen Dingen anders gesprochen, als
gedacht zu haben, hat entweder überall nie gedacht, oder
findet vielleicht für gut, in diesem Augenblicke selbst, mit
einer Unwahrheit zu pralen, der sein Herz widerspricht."
(*gesammelte Schriften*, Bd. 3, a. a. O. S. 295 f. *Schriften,*
Bd. 2, a. a. O. S. 403 f.).

439₁₅ Oscitanz] Gähnen, Nachlässigkeit, Geringschätzung.

439₂₁ Ich sage:] *Jerusalem,* a. a. O. S. 80 f. (*gesammelte
Schriften*, Bd. 3, a. a. O. S. 292. *Schriften,* Bd. 2, a. a. O.
S. 399 f.).

440[7 f.] *Eisenmenger*] Johann Andreas Eisenmenger (1654 bis 1704), Verfasser des berühmt-berüchtigten Werks *Entdecktes Judenthum Oder Gründlicher und Wahrhaffter Bericht Welchergestalt Die verstockte Juden die Hochheilige Drey-Einigkeit GOtt Vater Sohn und Heil. Geist erschrecklicher Weise lästern und verunehren . . .,* 2 Tle., Königsberg [in Wahrheit: Berlin] 1711 u. 1714.

442[18 f.] *Dohm,* in dem zweiten Theile seiner vortreflichen Schrift,] Christian Wilhelm Dohm, *Ueber die bürgerliche Verbesserung der Juden,* 2 Bde., Berlin u. Stettin 1781 u. 1783. — Zu Dohm vgl. Einleitung S. XXIV ff.

443[10] als *Lessing* sein Lustspiel *die Juden* herausgab,] „Die Juden. Ein Lustspiel in einem Aufzuge. Verfertiget im Jahre 1749". Zuerst gedruckt 1754 (*Gotthold Ephraim Lessings sämtliche Schriften,* hrsg. von Karl Lachmann, Bd. 1, Stuttgart [3]1886 (Nachdruck Berlin 1968), S. 373—411).

443[11] ein Recensent in denselben] In *Göttingische Anzeigen von gelehrten Sachen,* Bd. 1, Göttingen 1754, S. 620 bis 622 findet sich eine Rezension von Lessings *Juden,* die sicher von Johann David Michaelis stammt.

Moses Mendelssohn
Ueber die Frage: was heißt aufklären?

Wiederabgedruckt in: *Moses Mendelssohn's gesammelte Schriften,* hrsg. von Georg Benjamin Mendelssohn, Bd. 3, Leipzig 1843, S. 399—403. Moses Mendelssohn, *Schriften zur Philosophie, Aesthetik und Apologetik,* hrsg. von Moritz Brasch, Bd. 2, Leipzig 1880 (Nachdruck Hildesheim 1968), S. 246—250.

Wesentliche Erläuterungen und Ergänzungen des Aufsatzes gibt Mendelssohns Brief an August v. Hennings vom 21. September 1784 (in: M.[eyer] Kayserling, *Moses Mendelssohn. Sein Leben und seine Werke,* Leipzig 1862 ([2]1888), S. 533—537).

Als zeitgenössische Stellungnahmen zum vorliegenden Beitrag vgl. Gottlob Nathanael Fischer, „Was ist Aufklärung?"

(in: *Berlinisches Journal für Aufklärung*, hrsg. von Gottlob
Nathanael Fischer und Andreas Riem, Bd. 1, Berlin 1788,
S. 12—46) und Christian Wilhelm Snell, *Die Sittlichkeit in
Verbindung mit der Glükseligkeit einzelner Menschen und
ganzer Staaten, aus zwei gekrönten Preisschriften zusam-
mengezogen, und mit beständiger Rüksicht auf die Kan-
tische Moralphilosophie ganz neu bearbeitet*, Frankfurt am
Main 1790, S. 327 ff.

448$_{22}$ außerwesentlichen] Vgl. III 237$_{2 v. u.}$ Im vorliegen-
den Band S. 118$_{2 v. u.}$
450$_{13 ff.}$ *Je edler ein Ding ...*] Vgl. Aristoteles, *Politika*,
Buch 1, Kap. 2, 1253 a 31 ff. (*Aristoteles' Politik*, hrsg. von
Alois Dreizehnter [*Studia et testimonia antiqua*, Bd. 7],
München 1970, S. 6).

Immanuel Kant
Beantwortung der Frage: Was ist Aufklärung?

Immanuel Kant (1724—1804), seit 1770 Professor der Logik
und Metaphysik in Königsberg.
Als zeitgenössische Stellungnahmen zum vorliegenden Beitrag vgl. Moses Mendelssohn, „Über Dieterich's Bemerkungen in Beziehung auf Kant's ‚öffentlichen und Privatgebrauch der Vernunft'" (in: *Moses Mendelssohn's gesammelte
Schriften*, hrsg. von Georg Benjamin Mendelssohn, Bd. 4
Abt. 1, Leipzig 1844, S. 146—148), Hamanns Brief an Christian Jacob Kraus vom 18. Dezember 1784 (in: *Johann
Georg Hamann, Briefwechsel*, Bd. 5: 1783—1785, hrsg. von
Arthur Henkel, Frankfurt am Main 1965, S. 289—292) sowie *Immanuel Kant über Aufklärung. Eine Stimme der
Vorzeit an die Gegenwart*. Mit Noten begleitet von einem
katholischen Geistlichen, Leipzig 1831.

452$_3$ (S. Decemb. 1783. S. 516.)] Der Hinweis bezieht sich
auf die Anmerkung in dem Beitrag Zöllners „Ist es rathsam,
das Ehebündniß nicht ferner durch die Religion zu san-

ciren?" (II 508—517). Im vorliegenden Band S. 107 ff.

452₅f. *Unmündigkeit.*] Zu Kants Begriff der Mündigkeit vgl. *Anthropologie in pragmatischer Hinsicht* B 134 ff. (*Kant's gesammelte Schriften*, hrsg. von der Königlich Preußischen Akademie der Wissenschaften, Bd. 7, Berlin ²1917 (¹1907), S. 208 ff.) sowie *Immanuel Kant's Menschenkunde oder philosophische Anthropologie*, hrsg. von Fr. Ch. Starke [Pseudonym für Johann Adam Bergk], Quedlinburg u. Leipzig ²1838 (¹1831), S. 222 ff.

452₁₂ Sapere aude!] Horaz, *Epistulae*, Buch 1, Brief 2, Vers 40 (*Q. Horati Flacci opera*, hrsg. von Friedrich Klingner, Leipzig ³1959, S. 245). — „Sapere aude!" lautete auch die Inschrift einer Medaille, die die 1736 in Berlin gegründete Societas Alethophilorum (Gesellschaft der Liebhaber der Wahrheit) auf Leibniz und Wolff prägen ließ (vgl. *Christian Wolffs eigene Lebensbeschreibung*, hrsg. mit einer Abhandlung über Wolff von Heinrich Wuttke, Leipzig 1841, S. 35). Darüber hinaus wurde der Leitsatz des Horaz 1783 von der Akademie der Wissenschaften in München auch zum Thema einer eigenen Preisfrage gemacht; sie lautete nach den Angaben des Preisträgers Snell: „Wie soll der Ausspruch des Horaz: Sapere aude, in Ausübung gebracht werden, daß nicht nur das Wohl iedes einzelnen Menschen, sondern auch das Wohl ganzer Staaten daraus entspringe?" (vgl. Christian Wilhelm Snell, *Die Sittlichkeit in Verbindung mit der Glükseligkeit einzelner Menschen und ganzer Staaten, aus zwei gekrönten Preisschriften zusammengezogen, und mit beständiger Rüksicht auf die Kantische Moralphilosophie ganz neu bearbeitet*, Frankfurt am Main 1790, S. 1 der Vorrede (unpaginiert) sowie S. 394 ff. und S. 412 ff.).

452₁₅ff. Zum zweiten Absatz vgl. den vierzehnten Brief des Beitrags „Ueber Berlin" (III 352 f.).

455₁₃ Zum folgenden vgl. den Beitrag „Ueber Denk- und Drukfreiheit" (III 312—330). Im vorliegenden Band S. 389 ff.

457₁₆ Eben so ist ein Geistlicher] Bei den folgenden Ausführungen, vor allem auf S. 459/460, handelt es sich allem Vermuten nach um eine stillschweigende Stellungnahme zu

Mendelssohns Beitrag „Ueber die 39 Artikel der englischen Kirche und deren Beschwörung" (III 24—41). Im vorliegenden Band S. 426 ff.

460₁₆   könnte] könnten (scil. die Geistlichen)?

462₃ f.   Leben wir jetzt in einem *aufgeklärten* Zeitalter?] Mit dieser Frage nimmt Kant möglicherweise auf den Anfang des Aufsatzes von Voigt, „Etwas über die Hexenprozesse in Deutschland" (III 297—311) Bezug. Im vorliegenden Band S. 50 ff.

463₁₉   die] d. i. (Buchenau; vgl. *Immanuel Kants Werke,* hrsg. von Ernst Cassirer, Bd. 4: *Schriften von 1783—1788 von Immanuel Kant,* hrsg. von Artur Buchenau u. Ernst Cassirer, Berlin ¹1913, S. 359, Z. 9.).

463₃ v. u.   E. Meyen, „Die Berliner Monatsschrift von Gedike und Biester. Ein Beitrag zur Geschichte des deutschen Journalismus" (in: *Literarhistorisches Taschenbuch,* hrsg. von Robert Eduard Prutz, V/1847, S. 151—222) bezieht diese Äußerungen auf „die Kritik des damals entworfenen Allg. Preuß. Landrechts" (S. 182).

464₉ ff.   Vgl. dazu *Kant's gesammelte Schriften,* hrsg. von der Königlich Preußischen Akademie der Wissenschaften, Bd. 15, Berlin 1923, S. 626 Refl. 1432. — Vgl. auch den Beitrag Johann August Eberhards „Ueber die Veranlassungen zur Einführung der Folter" (II 121 f.).

465₉ f.   In den *Büsching'schen* wöchentlichen Nachrichten vom 13. Sept.] Anton Friedrich Büsching, *Wöchentliche Nachrichten von neuen Landcharten, geographischen, statistischen und historischen Büchern und Sachen. Zwölfter Jahrgang 1784,* Berlin 1784, S. 291 f. (= Des zwölften Jahrgangs Sieben und dreyßigstes Stück. Am dreyzehnten September 1784).

465₁₂ f.   des Herrn *Mendelssohn* Beantwortung eben derselben Frage] Im vorliegenden Band S. 444 ff.

NACHBEMERKUNG

Nach Fertigstellung des Umbruchs bin ich von Herrn Heinrich G. Hümpel darauf hingewiesen worden, daß der im April 1784 erschienene Beitrag „Ueber Denk- und Drukfreiheit. An Fürsten, Minister, und Schriftsteller" (III 312 bis 330; *389—407*) von dem Juristen und Mitglied der Mittwochsgesellschaft Ernst Ferdinand Klein stammt. Klein hat ihn mit einer Reihe interessanter Veränderungen und Ergänzungen in seinen Sammelband *Kurze Aufsätze über verschiedene Gegenstände,* Halle 1797, aufgenommen und dazu bemerkt: „Obgleich dieser Aufsatz schon im Jahre 1784. geschrieben, und im Aprilstücke der Berlinischen Monatschrift von eben diesem Jahre abgedruckt war; so haben sich doch nach dieser Zeit die Umstände nicht so verändert, daß er sein voriges Interesse verloren haben sollte" (S. 91).

Erst nach Abschluß des Umbruchs ist auch der wichtige Beitrag von Günter Birtsch: „Freiheit und Eigentum, Zur Erörterung von Verfassungsfragen in der deutschen Publizistik im Zeichen der Französischen Revolution" (in: *Eigentum und Verfassung, Zur Eigentumsdiskussion im ausgehenden 18. Jahrhundert,* hrsg. von Rudolf Vierhaus, Göttingen 1972, S. 179—192) erschienen, der ausführlich auf Kleins Schrift über *Freyheit und Eigenthum* eingeht. Er zeichnet in manchem ein anderes Bild von der Mittwochsgesellschaft, als es in der Einleitung des vorliegenden Bandes geschieht. Er löst die politischen Auffassungen der deutschen Aufklärung sehr weitgehend von dem sie tragenden gedanklichen Hintergrund, der Idee einer allgemeinen Menschenvernunft, d. h. einer Vernunft, an der alle Menschen Anteil haben (und die deshalb auch in den entgegengesetztesten Positionen am Werke ist), und sieht infolgedessen — m. E. höchst einseitig — nur den „vermittelnden Charakter einer im Schatten der Höfe lebenden und wirkenden Intelligenz"

(S. 192). Ohne die Idee einer allgemeinen Menschenvernunft aber, die gerade die deutsche Aufklärung mit unvergleichlicher Eindringlichkeit verteidigt hat, wird die „Kraft ihrer Argumente" mit Sicherheit der „Autorität der Macht" (ebd.), von welcher Seite sie auch ausgeübt werden mag, das Feld räumen müssen. — Die ausführliche Auseinandersetzung mit dem Beitrag muß einer anderen Gelegenheit vorbehalten bleiben.

N. H.

PERSONENREGISTER